ANBRUCH DER GEGENWART

Deutsche Geschichten
1900–1918

Anbruch der Gegenwart

Deutsche Geschichten
1900 - 1918

HERAUSGEGEBEN
VON MARCEL REICH-RANICKI

R. Piper & Co. Verlag
München

ISBN 3-492-01892-0
Titelnummer 1892
© R. Piper & Co. Verlag, München 1971
Gesetzt aus der Linotype-Trump
Gesamtherstellung: Graphische Werkstätten Kösel, Kempten
Printed in Germany

INHALTSVERZEICHNIS

1900

Arthur Schnitzler: Leutnant Gustl   9
Paul Scheerbart: Rakkóx der Billionär   39

1901

Eduard von Keyserling: Die Soldaten-Kersta   55

1902

Rainer Maria Rilke: Die Turnstunde   70

1903

Paul Ernst: Der Tod des Dschinghiskhan   75

1904

Paul Heyse: Ein Ring   91

1905

Ricarda Huch: Das Judengrab   109
Karl Schönherr: Henkermahl   126

1906

Ferdinand von Saar: Die Familie Worel   131
Frank Wedekind: Die Schutzimpfung   148

1907

Isolde Kurz: Schlafen   153
Jakob Wassermann: Der Stationschef   159

1908

Hermann Hesse: Die Verlobung   163
Robert Musil: Das verzauberte Haus   180
Lion Feuchtwanger: Der Karneval von Ferrara   197

1909

Emil Strauss: Der Laufen 200
Thomas Mann: Das Eisenbahnunglück 224

1910

Heinrich Mann: Gretchen.. 233
Hugo von Hofmannsthal: Lucidor 254
Alfred Döblin: Die Ermordung einer Butterblume .. 266

1911

Stefan Zweig: Sommernovellette 277
Arnold Zweig: Das Kind 287

1912

Georg Heym: Jonathan 300
Ludwig Thoma: Onkel Peppi 311

1913

Carl Sternheim: Busekow 336
Franz Kafka: Das Urteil 352
Max Brod: Notwehr.. 363

1914

August Stramm: Warten 385
Robert Walser: Sebastian 386
Leo Perutz: Der Tod des Meisters der Materie 398

1915

Wilhelm von Scholz: Der Zweikampf 407
Gustav Sack: Im Heu 418
Gottfried Benn: Gehirne 423
Kasimir Edschmid: Das beschämende Zimmer 428

1916

Albert Ehrenstein: Iskander 441
Franz Werfel: Die Geliebte 443
Klabund: Der Flieger 446

1917

Hermann Sudermann: Die Reise nach Tilsit 448

Leonhard Frank: Der Vater 481

1918
Hermann Broch: Methodisch konstruiert 490

Nachwort des Herausgebers 503

ANHANG
Biographische und bibliographische Notizen 517
Inhaltsverzeichnis nach dem Alter der Autoren 533

ARTHUR SCHNITZLER
Leutnant Gustl

Wie lange wird denn das noch dauern? Ich muß auf die Uhr
schauen ... schickt sich wahrscheinlich nicht in einem so ernsten Konzert. Aber wer sieht's denn? Wenn's einer sieht, so
paßt er gerade so wenig auf, wie ich, und vor dem brauch' ich
mich nicht zu genieren ... Erst viertel auf zehn? ... Mir kommt
vor, ich sitz' schon drei Stunden in dem Konzert. Ich bin's halt
nicht gewohnt ... Was ist es denn eigentlich? Ich muß das Programm anschauen ... Ja, richtig: Oratorium? Ich hab' gemeint:
Messe. Solche Sachen gehören doch nur in die Kirche. Die Kirche hat auch das Gute, daß man jeden Augenblick fortgehen
kann. – Wenn ich wenigstens einen Ecksitz hätt'! – Also Geduld, Geduld! Auch Oratorien nehmen ein End'! Vielleicht ist
es sehr schön, und ich bin nur nicht in der Laune. Woher sollt'
mir auch die Laune kommen? Wenn ich denke, daß ich herge-
kommen bin, um mich zu zerstreuen ... Hätt' ich die Karte lieber dem Benedek geschenkt, dem machen solche Sachen Spaß;
er spielt ja selbst Violine. Aber da wär' der Kopetzky beleidigt
gewesen. Es war ja sehr lieb von ihm, wenigstens gut gemeint.
Ein braver Kerl, der Kopetzky! Der einzige, auf den man sich
verlassen kann ... Seine Schwester singt ja mit unter denen da
oben. Mindestens hundert Jungfrauen, alle schwarz gekleidet;
wie soll ich sie da herausfinden? Weil sie mitsingt, hat er auch
das Billett gehabt, der Kopetzky ... Warum ist er denn nicht
selber gegangen? – Sie singen übrigens sehr schön. Es ist sehr
erhebend – sicher! Bravo! bravo! ... Ja, applaudieren wir mit.
Der neben mir klatscht wie verrückt. Ob's ihm wirklich so gut
gefällt? – Das Mädel drüben in der Loge ist sehr hübsch. Sieht
sie mich an oder den Herrn dort mit dem blonden Vollbart? ...
Ah, ein Solo! Wer ist das? Alt: Fräulein Walker, Sopran: Fräulein Michalek ... das ist wahrscheinlich Sopran ... Lang' war
ich schon nicht in der Oper. In der Oper unterhalt' ich mich immer, auch wenn's langweilig ist. Übermorgen könnt' ich eigent-

lich wieder hineingehn', zur »Traviata«. Ja, übermorgen bin ich
vielleicht schon eine tote Leiche! Ah, Unsinn, das glaub' ich
selber nicht! Warten S' nur, Herr Doktor, Ihnen wird's vergeh'n,
solche Bemerkungen zu machen! Das Nasenspitzel hau' ich
Ihnen herunter...

Wenn ich die in der Loge nur genau sehen könnt'! Ich möcht'
mir den Operngucker von dem Herrn neben mir ausleih'n, aber
der frißt mich ja auf, wenn ich ihn in seiner Andacht stör'... In
welcher Gegend die Schwester vom Kopetzky steht? Ob ich sie
erkennen möcht'? Ich hab' sie ja nur zwei- oder dreimal gesehen, das letztemal im Offizierskasino... Ob das lauter anständige Mädeln sind, alle hundert? O jeh!... »Unter Mitwirkung
des Singvereins!« – Singverein... komisch! Ich hab' mir darunter eigentlich immer so was Ähnliches vorgestellt, wie die Wiener Tanzsängerinnen, das heißt, ich hab' schon gewußt, daß es
was anderes ist!... Schöne Erinnerungen! Damals beim »Grünen Tor«... Wie hat sie nur geheißen? Und dann hat sie mir
einmal eine Ansichtskarte aus Belgrad geschickt... auch eine
schöne Gegend! – Der Kopetzky hat's gut, der sitzt jetzt längst
im Wirtshaus und raucht seine Virginia!...

Was guckt mich denn der Kerl dort immer an? Mir scheint, der
merkt, daß ich mich langweil' und nicht herg'hör'... Ich möcht'
Ihnen raten, ein etwas weniger freches Gesicht zu machen,
sonst stell' ich Sie mir nachher im Foyer! – Schaut schon weg!
...Daß sie alle vor meinem Blick so eine Angst hab'n... »Du
hast die schönsten Augen, die mir je vorgekommen sind!« hat
neulich die Steffi gesagt... O Steffi, Steffi, Steffi! – Die Steffi ist
eigentlich schuld, daß ich dasitz' und mir stundenlang vorla-
mentieren lassen muß. – Ah, diese ewige Abschreiberei von der
Steffi geht mir wirklich schon auf die Nerven! Wie schön hätt'
der heutige Abend sein können. Ich hätt' große Lust, das Brieferl von der Steffi zu lesen. Da hab' ich's ja. Aber wenn ich die
Brieftasche herausnehm', frißt mich der Kerl daneben auf! – Ich
weiß ja, was drinsteht... sie kann nicht kommen, weil sie mit
»ihm« nachtmahlen gehen muß... Ah, das war komisch vor
acht Tagen, wie sie mit ihm in der Gartenbaugesellschaft gewesen ist, und ich vis-à-vis mit'm Kopetzky; und sie hat mir immer die Zeichen gemacht mit den Augerln, die verabredeten. Er
hat nichts gemerkt – unglaublich! Muß übrigens ein Jud' sein!
Freilich, in einer Bank ist er, und der schwarze Schnurrbart...

Reserveleutnant soll er auch sein! Na, in mein Regiment sollt' er nicht zur Waffenübung kommen! Überhaupt, daß sie noch immer so viel Juden zu Offizieren machen – da pfeif' ich auf'n ganzen Antisemitismus! Neulich in der Gesellschaft, wo die G'schicht' mit dem Doktor passiert ist bei den Mannheimers... die Mannheimer selber sollen ja auch Juden sein, getauft natürlich... denen merkt man's aber gar nicht an – besonders die Frau... so blond, bildhübsch die Figur... War sehr amüsant im ganzen. Famoses Essen, großartige Zigarren... Na ja, wer hat's Geld?...

Bravo, bravo! Jetzt wird's doch bald aus sein? – Ja, jetzt steht die ganze G'sellschaft da droben auf... sieht sehr gut aus – imposant! – Orgel auch?... Orgel hab' ich sehr gern... So, das laß' ich mir g'fall'n – sehr schön! Es ist wirklich wahr, man sollt' öfter in Konzerte gehen... Wunderschön ist's g'wesen, werd' ich dem Kopetzky sagen... Werd' ich ihn heut' im Kaffeehaus treffen? – Ah, ich hab' gar keine Lust, ins Kaffeehaus zu geh'n; hab' mich gestern so gegiftet! Hundertsechzig Gulden auf einem Sitz verspielt – zu dumm! Und wer hat alles gewonnen? Der Ballert, grad' der, der's nicht notwendig hat... Der Ballert ist eigentlich schuld, daß ich in das blöde Konzert hab' geh'n müssen... Na ja, sonst hätt' ich heut' wieder spielen können, vielleicht doch was zurückgewonnen. Aber es ist ganz gut, daß ich mir selber das Ehrenwort gegeben hab', einen Monat lang keine Karte anzurühren... Die Mama wird wieder ein G'sicht machen, wenn sie meinen Brief bekommt! – Ah, sie soll zum Onkel geh'n, der hat Geld wie Mist; auf die paar hundert Gulden kommt's ihm nicht an. Wenn ich's nur durchsetzen könnt', daß er mir eine regelmäßige Sustentation gibt... aber nein, um jeden Kreuzer muß man extra betteln. Dann heißt's wieder: Im vorigen Jahr war die Ernte schlecht!... Ob ich heuer im Sommer wieder zum Onkel fahren soll auf vierzehn Tag'? Eigentlich langweilt man sich dort zum Sterben... Wenn ich die... wie hat sie nur geheißen?... Es ist merkwürdig, ich kann mir keinen Namen merken!... Ah, ja: Etelka!... Kein Wort deutsch hat sie verstanden, aber das war auch nicht notwendig... hab' gar nichts zu reden brauchen!... Ja, es wird ganz gut sein, vierzehn Tage Landluft und vierzehn Nächt' Etelka oder sonstwer... Aber acht Tag' sollt' ich doch auch wieder beim Papa und bei der Mama sein... Schlecht hat sie ausg'seh'n heuer zu Weihnach-

ten... Na, jetzt wird die Kränkung schon überwunden sein. Ich
an ihrer Stelle wär' froh, daß der Papa in Pension gegangen ist.
– Und die Klara wird schon noch einen Mann kriegen... Der
Onkel kann schon was hergeben... Achtundzwanzig Jahr, das
ist doch nicht so alt... Die Steffi ist sicher nicht jünger... Aber
es ist merkwürdig: die Frauenzimmer erhalten sich länger jung.
Wenn man so bedenkt: die Maretti neulich in der »Madame
Sans-Gêne« – siebenunddreißig Jahr ist sie sicher, und sieht
aus... Na, ich hätt' nicht Nein g'sagt! – Schad', daß sie mich
nicht g'fragt hat...
Heiß wird's! Noch immer nicht aus? Ah, ich freu' mich so auf
die frische Luft! Werd' ein bißl spazieren geh'n, übern Ring...
Heut' heißt's: früh ins Bett, morgen nachmittag frisch sein! Komisch, wie wenig ich daran denk', so egal ist mir das! Das erstemal hat's mich doch ein bißl aufgeregt. Nicht, daß ich Angst
g'habt hätt'; aber nervös bin ich gewesen in der Nacht vorher...
Freilich, der Oberleutnant Bisanz war ein ernster Gegner. – Und
doch, nichts ist mir g'scheh'n! ... Auch schon anderthalb Jahr
her. Wie die Zeit vergeht! Und wenn mir der Bisanz nichts getan hat, der Doktor wird mir schon gewiß nichts tun! Obzwar,
gerade diese ungeschulten Fechter sind manchmal die gefähr-
lichsten. Der Doschintzky hat mir erzählt, daß ihn ein Kerl, der
das erstemal einen Säbel in der Hand gehabt hat, auf ein Haar
abgestochen hätt'; und der Doschintzky ist heut Fechtlehrer bei
der Landwehr. Freilich – ob er damals schon so viel können
hat... Das Wichtigste ist: kaltes Blut. Nicht einmal einen rechten Zorn hab' ich mehr in mir, und es war doch eine Frechheit –
unglaublich! Sicher hätt' er sich's nicht getraut, wenn er nicht
Champagner getrunken hätt' vorher... So eine Frechheit! Gewiß ein Sozialist! Die Rechtsverdreher sind doch heutzutag'
alle Sozialisten! Eine Bande ... am liebsten möchten sie gleich's
ganze Militär abschaffen; aber wer ihnen dann helfen möcht',
wenn die Chinesen über sie kommen, daran denken sie nicht.
Blödisten! – Man muß gelegentlich ein Exempel statuieren.
Ganz recht hab' ich g'habt. Ich bin froh, daß ich ihn nimmer
auslassen hab' nach der Bemerkung. Wenn ich dran denk',
werd' ich ganz wild! Aber ich hab' mich famos benommen; der
Oberst sagt auch, es war absolut korrekt. Wird mir überhaupt
nützen, die Sache. Ich kenn' manche, die den Burschen hätten
durchschlüpfen lassen. Der Müller sicher, der wär' wieder ob-

jektiv gewesen oder so was. Mit dem Objektivsein hat sich noch
jeder blamiert... »Herr Leutnant!«·... schon die Art, wie er
»Herr Leutnant« gesagt hat, war unverschämt! ... »Sie werden
mir doch zugeben müssen« ... – Wie sind wir denn nur d'rauf
gekommen? Wieso hab' ich mich mit dem Sozialisten in ein Gespräch eingelassen? Wie hat's denn nur angefangen? ... Mir
scheint, die schwarze Frau, die ich zum Büfett geführt hab', ist
auch dabei gewesen ... und dann dieser junge Mensch, der die
Jagdbilder malt – wie heißt er denn nur? ... Meiner Seel', der
ist an der ganzen Geschichte schuld gewesen! Der hat von den
Manövern geredet; und dann erst ist dieser Doktor dazugekommen und hat irgendwas g'sagt, was mir nicht gepaßt hat, von
Kriegsspielerei oder so was – aber wo ich noch nichts hab' reden
können... Ja, und dann ist von den Kadettenschulen gesprochen worden ... ja, so war's ... und ich hab' von einem patriotischen Fest erzählt ... und dann hat der Doktor gesagt – nicht
gleich, aber aus dem Fest hat es sich entwickelt – »Herr Leutnant, Sie werden mir doch zugeben, daß nicht alle Ihre Kameraden zum Militär gegangen sind, ausschließlich um das Vaterland zu verteidigen!« So eine Frechheit! Das wagt so ein Mensch
einem Offizier ins Gesicht zu sagen! Wenn ich mich nur erinnern könnt', was ich d'rauf geantwortet hab'? ... Ah ja, etwas
von Leuten, sie sich in Dinge dreinmengen, von denen sie nichts
versteh'n... Ja, richtig ... und dann war einer da, der hat die
Sache gütlich beilegen wollen, ein älterer Herr mit einem Stock-
schnupfen... Aber ich war zu wütend! Der Doktor hat das absolut in dem Ton gesagt, als wenn er direkt mich gemeint hätt'.
Er hätt' nur noch sagen müssen, daß sie mich aus dem Gymnasium hinausg'schmissen haben, und daß ich deswegen in die
Kadettenschul' gesteckt worden bin... Die Leut' können eben
unserein'n nicht versteh'n, sie sind zu dumm dazu... Wenn
ich mich so erinner', wie ich das erstemal den Rock angehabt
hab', so was erlebt eben nicht ein jeder... Im vorigen Jahr bei
den Manövern – ich hätt' was drum gegeben, wenn's plötzlich
Ernst gewesen wär'... Und der Mirovic hat mir g'sagt, es ist ihm
ebenso gegangen. Und dann, wie Seine Hoheit die Front abge-
ritten sind, und die Ansprache vom Obersten – da muß einer
schon ein ordentlicher Lump sein, wenn ihm das Herz nicht höher schlägt... Und da kommt so ein Tintenfisch daher, der sein
Lebtag nichts getan hat, als hinter den Büchern gesessen, und

erlaubt sich eine freche Bemerkung! ... Ah, wart' nur, mein Lieber – bis zur Kampfunfähigkeit ... jawohl, du sollst so kampf-
unfähig werden ...

Ja, was ist denn? Jetzt muß es doch bald aus sein? ... »Ihr, seine
Engel, lobet den Herrn« ... – Freilich, das ist der Schlußchor ...
Wunderschön, da kann man gar nichts sagen. Wunderschön! –
Jetzt hab' ich ganz die aus der Loge vergessen, die früher zu kokettieren angefangen hat. Wo ist sie denn? ... Schon fortgegangen ... Die dort scheint auch sehr nett zu sein ... Zu dumm, daß
ich keinen Operngucker bei mir hab'! Der Brunnthaler ist ganz
gescheit, der hat sein Glas immer im Kaffeehaus bei der Kassa
liegen, da kann einem nichts g'scheh'n ... Wenn sich die Kleine
da vor mir nur *ein*mal umdreh'n möcht'! So brav sitzt s' alleweil da. Das neben ihr ist sicher die Mama. – Ob ich nicht doch
einmal ernstlich ans Heiraten denken soll? Der Willy war nicht
älter als ich, wie er hineingesprungen ist. Hat schon was für
sich, so immer gleich ein hübsches Weiberl zu Haus vorrätig zu
haben ... Zu dumm, daß die Steffi grad heut' keine Zeit hat!
Wenn ich wenigstens wüßte, wo sie ist, möcht' ich mich wieder
vis-à-vis von ihr hinsetzen. Das wär' eine schöne G'schicht',
wenn ihr der draufkommen möcht', da hätt' *ich* sie am Hals ...
Wenn ich so denk', was dem Fließ sein Verhältnis mit der Win-
terfeld kostet! Und dabei betrügt sie ihn hinten und vorn. Das
nimmt noch einmal ein Ende mit Schrecken ... Bravo, bravo!
Ah, aus! ... So, das tut wohl, aufsteh'n können ... Na, vielleicht! Wie lang' wird der da noch brauchen, um sein Glas ins
Futteral zu stecken?

»Pardon, pardon, wollen mich nicht hinauslassen?«

Ist das ein Gedränge! Lassen wir die Leut' lieber vorbeipassie-
ren ...

Elegante Person ... ob das echte Brillanten sind? ... Die da ist
nett ... Wie sie mich anschaut! ... O ja, mein Fräulein, ich
möcht' schon! ... O, die Nase! – Jüdin ... Noch eine ... Es ist
doch fabelhaft, da sind auch die Hälfte Juden ... nicht einmal
ein Oratorium kann man mehr in Ruhe genießen ... So, jetzt
schließen wir uns an ... Warum drängt denn der Idiot hinter
mir? Das werd' ich ihm abgewöhnen ... Ah, ein älterer Herr! ...
Wer grüßt mich denn von dort drüben? ... Habe die Ehre, habe
die Ehre! Keine Ahnung hab' ich, wer das ist ... das Einfachste
wär', ich ging gleich zum Leidinger hinüber nachtmahlen ...

oder soll ich in die Gartenbaugesellschaft? Am End' ist die Steffi
auch dort? Warum hat sie mir eigentlich nicht geschrieben, wohin sie mit ihm geht? Sie wird's selber noch nicht gewußt haben. Eigentlich schrecklich, so eine abhängige Existenz... Armes Ding! – So, da ist der Ausgang... Ah, die ist aber bildschön!
Ganz allein? Wie sie mich anlacht. Das wär' eine Idee, der geh'
ich nach! ... So, jetzt die Treppen hinunter... Oh, ein Major
von Fünfundneunzig... Sehr liebenswürdig hat er gedankt...
Bin doch nicht der einzige Offizier hier gewesen... Wo ist denn
das hübsche Mädel? Ah, dort ... am Geländer steht sie... So,
jetzt heißt's noch zur Garderobe... Daß mir die Kleine nicht
auskommt... Hat ihm schon! So ein elender Fratz! Läßt sich da
von einem Herrn abholen, und jetzt lacht sie noch auf mich
herüber! – Es ist doch keine was wert... Herrgott, ist das ein Gedränge bei der Garderobe! ... Warten wir lieber noch ein bissel... So! Ob der Blödist meine Nummer nehmen möcht'?...
»Sie, zweihundertvierundzwanzig! Da hängt er! Na, hab'n Sie
keine Augen? Da hängt er! Na, Gott sei Dank! ... Also bitte!«
... Der Dicke da verstellt einem schier die ganze Garderobe...
»Bitte sehr!« ...
»Geduld, Geduld!«
Was sagt der Kerl?
»Nur ein bissel Geduld!«
Dem muß ich doch antworten... »Machen Sie doch Platz!«
»Na, Sie werden's auch nicht versäumen!«
Was sagt er da? Sagt er das zu mir? Das ist doch stark! Das darf
ich mir nicht gefallen lassen! »Ruhig!«
»Was meinen Sie?«
Ah, so ein Ton? Da hört sich doch alles auf!
»Stoßen Sie nicht!«
»Sie, halten Sie das Maul!« Das hätt' ich nicht sagen sollen, ich
war zu grob... Na, jetzt ist's schon g'scheh'n!
»Wie meinen?«
Jetzt dreht er sich um... Den kenn' ich ja! – Donnerwetter, das
ist ja der Bäckermeister, der immer ins Kaffeehaus kommt...
Was macht denn der da? Hat sicher auch eine Tochter oder so
was bei der Singakademie... Ja, was ist denn das? Ja, was macht
er denn? Mir scheint gar ... ja, meiner Seel', er hat den Griff
von meinem Säbel in der Hand... Ja, ist der Kerl verrückt?...
»Sie, Herr ...«

»Sie, Herr Leutnant, sein S' jetzt ganz stad.«

Was sagt er da? Um Gottes willen, es hat's doch keiner gehört? Nein, er red't ganz leise... Ja, warum laßt er denn meinen Säbel net aus? ... Herrgott noch einmal... Ah, da heißt's rabiat sein ... ich bring' seine Hand vom Griff nicht weg ... nur keinen Skandal jetzt! ... Ist nicht am End' der Major hinter mir? ... Bemerkt's nur niemand, daß er den Griff von meinem Säbel hält? Er red't ja zu mir! Was red't er denn?

»Herr Leutnant, wenn Sie das geringste Aufsehen machen, so zieh' ich den Säbel aus der Scheide, zerbrech' ihn und schick' die Stück' an Ihr Regimentskommando. Versteh'n Sie mich, Sie dummer Bub?«

Was hat er g'sagt? Mir scheint, ich träum'! Red't er wirklich zu mir? Ich sollt' was antworten... Aber der Kerl macht ja Ernst – der zieht wirklich den Säbel heraus. Herrgott – er tut's! ... Ich spür's, er reißt schon dran. Was red't er denn? ... Um Gottes willen, nur kein' Skandal – – Was red't er denn noch immer?

»Aber ich will Ihnen die Karriere nicht verderben... Also, schön brav sein! ... So, hab'n S' keine Angst, s' hat niemand was gehört ... es ist schon alles gut ... so! Und damit keiner glaubt, daß wir uns gestritten haben, werd' ich jetzt sehr freundlich mit Ihnen sein! – Habe die Ehre, Herr Leutnant, hat mich sehr gefreut – habe die Ehre.«

Um Gottes willen, hab' ich geträumt? ... Hat er das wirklich gesagt? ... Wo ist er denn? ... Da geht er... Ich müßt' ja den Säbel ziehen und ihn zusammen hauen – – Um Gottes willen, es hat's doch niemand gehört? ... Nein, er hat ja nur ganz leise geredet, mir ins Ohr... Warum geh' ich denn nicht hin und hau' ihm den Schädel auseinander? ... Nein, es geht ja nicht, es geht ja nicht ... gleich hätt' ich's tun müssen... Warum hab' ich's denn nicht gleich getan? ... Ich hab's ja nicht können ... er hat ja den Griff nicht auslassen, und er ist zehnmal stärker als ich... Wenn ich noch ein Wort gesagt hätt', hätt' er mir wirklich den Säbel zerbrochen... Ich muß ja noch froh sein, daß er nicht laut geredet hat! Wenn's ein Mensch gehört hätt', so müßt' ich mich ja *stante pede* erschießen... Vielleicht ist es doch ein Traum gewesen... Warum schaut mich denn der Herr dort an der Säule so an? – hat er am End' was gehört? ... Ich werd' ihn ... Fragen? – Ich bin ja verrückt! – Wie schau' ich denn aus? – Merkt man mir was an? – Ich muß ganz blaß sein. –

Wo ist der Hund? ... Ich muß ihn umbringen! ... Fort ist er ...
Überhaupt schon ganz leer ... Wo ist denn mein Mantel? ...
Ich hab' ihn ja schon angezogen ... Ich hab's gar nicht gemerkt
... Wer hat mir denn geholfen? ... Ah, der da ... dem muß ich
ein Sechserl geben ... So! ... Aber was ist denn das? Ist es denn
wirklich gescheh'n? Hat wirklich einer so zu mir geredet? Hat
mir wirklich einer »dummer Bub« gesagt? Und ich hab' ihn
nicht auf der Stelle zusammengehauen? ... Aber ich hab' ja
nicht können ... er hat ja eine Faust gehabt wie Eisen ... ich
bin ja dagestanden wie angenagelt ... Nein, ich muß den Verstand verloren gehabt haben, sonst hätt' ich mit der anderen
Hand ... Aber da hätt' er ja meinen Säbel herausgezogen und
zerbrochen, und aus wär's gewesen – alles wär' aus gewesen!
Und nachher, wie er fortgegangen ist, war's zu spät ... ich hab'
ihm doch nicht den Säbel von hinten in den Leib rennen können.

Was, ich bin schon auf der Straße? Wie bin ich denn da herausgekommen? – So kühl ist es ... ah, der Wind, der ist gut ... Wer
ist denn das da drüben? Warum schau'n denn die zu mir herüber? Am Ende haben die was gehört ... Nein, es kann niemand was gehört haben ... ich weiß ja, ich hab' mich gleich
nachher umgeschaut! Keiner hat sich um mich gekümmert, niemand hat was gehört ... Aber gesagt hat er's, wenn's auch niemand gehört hat; gesagt hat er's doch. Und ich bin dagestanden
und hab' mir's gefallen lassen, wie wenn mich einer vor den
Kopf geschlagen hätt'! ... Aber ich hab' ja nichts sagen können,
nichts tun können; es war ja noch das einzige, was mir übrig
geblieben ist: stad sein, stad sein! ... 's ist fürchterlich, es ist
nicht zum Aushalten; ich muß ihn totschlagen, wo ich ihn
treff'! ... Mir sagt das einer! Mir sagt das so ein Kerl, so ein
Hund! Und er kennt mich ... Herrgott noch einmal, er kennt
mich, er weiß, wer ich bin! ... Er kann jedem Menschen erzählen, daß er mir das g'sagt hat! ... Nein, nein, das wird er ja
nicht tun, sonst hätt' er auch nicht so leise geredet ... er hat
auch nur wollen, daß ich es allein hör'! ... Aber wer garantiert
mir, daß er's nicht doch erzählt, heut' oder morgen, seiner Frau,
seiner Tochter, seinen Bekannten im Kaffeehaus. – – Um Gottes willen, morgen seh' ich ihn ja wieder! Wenn ich morgen ins
Kaffeehaus komm', sitzt er wieder dort wie alle Tag' und spielt
seinen Tapper mit dem Herrn Schlesinger und mit dem Kunst-

blumenhändler... Nein, nein, das geht ja nicht, das geht ja
nicht... Wenn ich ihn seh', so hau' ich ihn zusammen... Nein,
das darf ich ja nicht ... gleich hätt' ich's tun müssen, gleich!...
Wenn's nur gegangen wär'! Ich werd' zum Obersten geh'n und
ihm die Sache melden ... ja, zum Obersten... Der Oberst ist
immer sehr freundlich – und ich werd' ihm sagen: Herr Oberst,
ich melde gehorsamst, er hat den Griff gehalten, er hat ihn
nicht aus'lassen; es war genau so, als wenn ich ohne Waffe gewesen wäre... – Was wird der Oberst sagen? – Was er sagen
wird? – Aber da gibt's ja nur eins: quittieren mit Schimpf und
Schand' – quittieren! ... Sind das Freiwillige da drüben?...
Ekelhaft, bei der Nacht schau'n sie aus, wie Offiziere ... sie
salutieren! – Wenn die wüßten – wenn die wüßten!... – Da ist
das Café Hochleitner... Sind jetzt gewiß ein paar Kameraden
drin ... vielleicht auch einer oder der andere, den ich kenn'...
Wenn ich's dem ersten besten erzählen möcht', aber so, als
wär's einem andern passiert? ... – Ich bin ja schon ganz irrsinnig... Wo lauf' ich denn da herum? Was tu' ich denn auf der
Straße? – Ja, aber wo soll ich denn hin? Hab' ich nicht zum Leidinger wollen? Haha, unter Menschen mich niedersetzen ... ich
glaub', ein jeder müßt' mir's anseh'n ... Ja, aber irgendwas muß
doch gescheh'n ... Was soll denn gescheh'n? ... Nichts, nichts –
es hat ja niemand was gehört ... es weiß ja niemand was ... in
dem Moment weiß niemand was... Wenn ich jetzt zu ihm in
die Wohnung ginge und ihn beschwören möchte, daß er's niemanden erzählt? ... – Ah, lieber gleich eine Kugel vor den Kopf,
als so was! ... Wär' so das Gescheiteste! ... Das Gescheiteste?
Das Gescheiteste? – Gibt ja überhaupt nichts anderes ... gibt
nichts anderes ... Wenn ich den Oberst fragen möcht', oder den
Kopetzky – oder den Blany – oder den Friedmair: jeder möcht'
sagen: Es bleibt dir nichts anderes übrig! ... Wie wär's wenn ich
mit dem Kopetzky spräch'? ... Ja, es wär' doch das Vernünftig-
ste ... schon wegen morgen ... Ja, natürlich – wegen morgen ...
um vier in der Reiterkasern' ... ich soll mich ja morgen um vier
Uhr schlagen ... und ich darf's ja nimmer, ich bin satisfaktions-
unfähig... Unsinn! Unsinn! Kein Mensch weiß was, kein
Mensch weiß was! – Es laufen viele herum, denen ärgere Sachen passiert sind, als mir ... Was hat man nicht alles von dem
Deckener erzählt, wie er sich mit dem Rederow geschossen hat...
und der Ehrenrat hat entschieden, das Duell darf stattfinden ...

Aber wie möcht' der Ehrenrat bei mir entscheiden? – Dummer
Bub – dummer Bub ... und ich bin dagestanden – heiliger
Himmel, es ist doch ganz egal, ob ein anderer was weiß! ... *ich*
weiß es doch, und das ist die Hauptsache! *Ich* spür', daß ich jetzt
wer anderer bin, als vor einer Stunde – *Ich* weiß, daß ich satis-
faktionsunfähig bin, und darum muß ich mich totschießen ...
Keine ruhige Minute hätt' ich mehr im Leben ... immer hätt'
ich die Angst, daß es doch einer erfahren könnt', so oder so ...
und daß mir's einer einmal ins Gesicht sagt, was heut' abend
gescheh'n ist! – Was für ein glücklicher Mensch bin ich vor
einer Stund' gewesen ... Muß mir der Kopetzky die Karte
schenken – und die Steffi muß mir absagen, das Mensch! – Von
so was hängt man ab ... Nachmittag war noch alles gut und
schön, und jetzt bin ich ein verlorener Mensch und muß mich
totschießen ... Warum renn' ich denn so? Es läuft mir ja nichts
davon ... Wieviel schlagt's denn? ... 1, 2, 3, 4, 5, 6, 7, 8, 9, 10,
11 ... elf, elf ... ich sollt' doch nachtmahlen geh'n! Irgendwo
muß ich doch schließlich hingeh'n ... ich könnt' mich ja in
irgendein Beisl setzen, wo mich kein Mensch kennt – schließlich, essen muß der Mensch, auch wenn er sich nachher gleich
totschießt ... Haha, der Tod ist ja kein Kinderspiel ... wer hat
das nur neulich gesagt? ... Aber das ist ja ganz egal ...
Ich möcht' wissen, wer sich am meisten kränken möcht'? ... die
Mama, oder die Steffi? ... die Steffi ... Gott, die Steffi ... die
dürft' sich ja nicht einmal was anmerken lassen, sonst gibt »er«
ihr den Abschied ... Arme Person! – Beim Regiment – kein
Mensch hätt' eine Ahnung, warum ich's getan hab' ... sie täten
sich alle den Kopf zerbrechen ... warum hat sich denn der Gustl
umgebracht? – Darauf möcht' keiner kommen, daß ich mich
hab' totschießen müssen, weil ein elender Bäckermeister, so ein
niederträchtiger, der zufällig stärkere Fäust' hat ... es ist ja zu
dumm, zu dumm! – Deswegen soll ein Kerl wie ich, so ein junger, fescher Mensch ... Ja, nachher möchten's gewiß alle sagen:
das hätt' er doch nicht tun müssen, wegen so einer Dummheit;
ist doch schad'! ... Aber wenn ich jetzt wen immer fragen tät',
jeder möcht' mir die gleiche Antwort geben ... und ich selber,
wenn ich mich frag' ... das ist doch zum Teufelholen ... ganz
wehrlos sind wir gegen die Zivilisten ... Da meinen die Leut',
wir sind besser dran, weil wir einen Säbel haben ... und wenn
schon einmal einer von der Waffe Gebrauch macht, geht's über

uns her, als wenn wir alle die geborenen Mörder wären... In
der Zeitung möcht's auch steh'n: ... »Selbstmord eines jungen
Offiziers«... Wie schreiben sie nur immer? ... »Die Motive
sind in Dunkel gehüllt« ... Haha! ... »An seinem Sarge
trauern« ... – Aber es ist ja wahr ... mir ist immer, als wenn ich
mir eine Geschichte erzählen möcht'... aber es ist wahr ... ich
muß mich umbringen, es bleibt mir ja nichts anderes übrig – ich
kann's ja nicht drauf ankommen lassen, daß morgen früh der
Kopetzky und der Blany mir ihr Mandat zurückgeben und mir
sagen: wir können dir nicht sekundieren! ... Ich wär' ja ein
Schuft, wenn ich's ihnen zumuten möcht'... So ein Kerl wie ich,
der dasteht und sich einen dummen Buben heißen läßt ... morgen wissen's ja alle Leut'... das ist zu dumm, daß ich mir einen
Moment einbilde, so ein Mensch erzählt's nicht weiter ... überall wird er's erzählen ... seine Frau weiß's jetzt schon ... morgen weiß es das ganze Kaffeehaus ... die Kellner werdn's wissen ... der Herr Schlesinger – die Kassierin – – Und selbst wenn
er sich vorgenommen hat, er red't nicht davon, so sagt er's übermorgen ... und wenn er's übermorgen nicht sagt, in einer Woche... Und wenn ihn heut nacht der Schlag trifft, so weiß ich's
... ich weiß es ... und ich bin nicht der Mensch, der weiter den
Rock trägt und den Säbel, wenn ein solcher Schimpf auf ihm
sitzt!... So, ich muß es tun, und Schluß! – Was ist weiter dabei? – Morgen nachmittag könnt' mich der Doktor mit'm Säbel
erschlagen ... so was ist schon einmal dagewesen ... und der
Bauer, der arme Kerl, der hat eine Gehirnentzündung 'kriegt
und war in drei Tagen hin ... und der Brenitsch ist vom Pferd
gestürzt und hat sich 's Genick gebrochen ... und schließlich
und endlich: es gibt nichts anderes – für mich nicht, für mich
nicht! – Es gibt ja Leut', die's leichter nähmen ... Gott, was
gibt's für Menschen! ... Dem Ringeimer hat ein Fleischselcher,
wie er ihn mit seiner Frau erwischt hat, eine Ohrfeige gegeben,
und er hat quittiert und sitzt irgendwo auf'm Land und hat geheiratet... Daß es Weiber gibt, die so einen Menschen heiraten! ... – Meiner Seel', ich gäb' ihm nicht die Hand, wenn er
wieder nach Wien käm'... Also, hast's gehört, Gustl: – aus, aus,
abgeschlossen mit dem Leben! Punktum und Streusand drauf!
... So, jetzt weiß ich's, die Geschichte ist ganz einfach... So!
Ich bin eigentlich ganz ruhig... Das hab' ich übrigens immer
gewußt: wenn's einmal dazu kommt, werd' ich ruhig sein, ganz

ruhig ... aber daß es so dazu kommt, das hab' ich doch nicht
gedacht ... daß ich mich umbringen muß, weil so ein ... Vielleicht hab' ich ihn doch nicht recht verstanden ... am End' hat
er ganz was anderes gesagt ... Ich war ja ganz blöd von der Sin-
gerei und der Hitz' ... vielleicht bin ich verrückt gewesen, und es
ist alles gar nicht wahr? ... Nicht wahr, haha, nicht wahr! – Ich
hör's ja noch ... es klingt mir noch immer im Ohr ... und ich
spür's in den Fingern, wie ich seine Hand vom Säbelgriff hab'
wegbringen wollen ... Ein Kraftmensch ist er, ein Jagendorfer
... Ich bin doch auch kein Schwächling ... der Franziski ist der
einzige im Regiment, der stärker ist als ich ...
Die Aspernbrücke ... Wie weit renn' ich denn noch? – Wenn
ich so weiterrenn', bin ich um Mitternacht in Kagran ... Haha! –
Herrgott, froh sind wir gewesen, wie wir im vorigen September
dort eingerückt sind. Noch zwei Stunden, und Wien ... tod-
müd' war ich, wie wir angekommen sind ... den ganzen Nachmittag hab' ich geschlafen wie ein Stock, und am Abend waren
wir schon beim Ronacher ... der Kopetzky, der Ladinser und ...
wer war denn nur noch mit uns? – Ja, richtig, der Freiwillige,
der uns auf dem Marsch die jüdischen Anekdoten erzählt hat ...
Manchmal sind's ganz nette Burschen, die Einjährigen ... aber
sie sollten alle nur Stellvertreter werden – denn was hat das für
einen Sinn? Wir müssen uns jahrelang plagen, und so ein Kerl
dient ein Jahr und hat genau dieselbe Distinktion wie wir ... es
ist eine Ungerechtigkeit! – Aber was geht mich denn das alles
an? – Was scher' ich mich denn um solche Sachen? – Ein Gemei-
ner von der Verpflegsbranche ist ja jetzt mehr als ich ... ich bin
ja überhaupt nicht mehr auf der Welt ... es ist aus mit mir ...
Ehre verloren, alles verloren! ... Ich hab' ja nichts anderes zu
tun, als meinen Revolver zu laden und ... Gustl, Gustl, mir
scheint, du glaubst noch immer nicht recht dran? Komm' nur
zur Besinnung ... es gibt nichts anderes ... wenn du auch dein
Gehirn zermarterst, es gibt nichts anderes! – Jetzt heißt's nur
mehr, im letzten Moment sich anständig benehmen, ein Mann
sein, ein Offizier sein, so daß der Oberst sagt: Er ist ein braver
Kerl gewesen, wir werden ihm ein treues Angedenken bewahren! ... Wieviel Kompagnien rücken denn aus beim Leichen-
begängnis von einem Leutnant? ... Das müßt' ich eigentlich
wissen ... Haha! wenn das ganze Bataillon ausrückt, oder die
ganze Garnison, und sie feuern zwanzig Salven ab, davon wach'

ich doch nimmer auf! – Vor dem Kaffeehaus, da bin ich im vorigen Sommer einmal mit dem Herrn von Engel gesessen, nach der Armee-Steeple-Chase... Komisch, den Menschen hab' ich seitdem nie wieder geseh'n... Warum hat er denn das linke Aug' verbunden gehabt? Ich hab' ihn immer drum fragen wollen, aber es hätt' sich nicht gehört... Da geh'n zwei Artilleristen... die denken gewiß, ich steig' der Person nach... Muß sie mir übrigens anseh'n... O schrecklich! – Ich möcht' nur wissen, wie sich so eine ihr Brot verdient... da möcht' ich doch eher... Obzwar, in der Not frißt der Teufel Fliegen... in Przemysl – mir hat's nachher so gegraut, daß ich gemeint hab', nie wieder rühr' ich ein Frauenzimmer an... Das war eine gräßliche Zeit da oben in Galizien... eigentlich ein Mordsglück, daß wir nach Wien gekommen sind. Der Bokorny sitzt noch immer in Sambor und kann noch zehn Jahr dort sitzen und alt und grau werden... Aber wenn ich dort geblieben wär', wär' mir das nicht passiert, was mir heut passiert ist... und ich möcht' lieber in Galizien alt und grau werden, als daß... als was? als was? – Ja, was ist denn? was ist denn? – Bin ich denn wahnsinnig, daß ich das immer vergeß'? – ja, meiner Seel', vergessen tu' ich's jeden Moment... ist das schon je erhört worden, daß sich einer in ein paar Stunden eine Kugel durch'n Kopf jagen muß, und er denkt an alle möglichen Sachen, die ihn gar nichts mehr angeh'n? Meiner Seel', mir ist geradeso, als wenn ich einen Rausch hätt'! Haha! ein schöner Rausch! ein Mordsrausch! ein Selbstmordsrausch! – Ha! Witze mach' ich, das ist sehr gut! – Ja, ganz gut aufgelegt bin ich – so was muß doch angeboren sein... Wahrhaftig, wenn ich's einem erzählen möcht', er würd' es nicht glauben. – Mir scheint, wenn ich das Ding bei mir hätt'... jetzt würd' ich abdrücken – in einer Sekunde ist alles vorbei... Nicht jeder hat's so gut – andere müssen sich monatelang plagen... meine arme Cousin', zwei Jahr ist sie gelegen, hat sich nicht rühren können, hat die gräßlichsten Schmerzen g'habt – so ein Jammer!... Ist es nicht besser, wenn man das selber besorgt? Nur Obacht geben heißt's, gut zielen, daß einem nicht am End' das Malheur passiert, wie dem Kadett-Stellvertreter im vorigen Jahr... Der arme Teufel, gestorben ist er nicht, aber blind ist er geworden... Was mit dem nur geschehen ist? Wo er jetzt lebt? – Schrecklich, so herumlaufen, wie der – das heißt: herumlaufen kann er nicht, g'führt muß er werden – so ein junger Mensch, kann heut noch keine Zwanzig sein ... seine Geliebte hat er besser getroffen ... gleich war sie tot ... Unglaublich, weswegen sich die Leut' totschießen! Wie kann man überhaupt nur eifersüchtig sein? ... Mein Lebtag hab' ich so was nicht gekannt ... Die Steffi ist jetzt gemütlich in der Gartenbaugesellschaft; dann geht sie mit »ihm« nach Haus ... Nichts liegt mir dran, gar nichts! Hübsche Einrichtung hat sie – das kleine Badezimmer mit der roten Latern'. – Wie sie neulich in dem grünseidenen Schlafrock hereingekommen ist ... den grünen Schlafrock werd' ich auch nimmer seh'n – und die ganze Steffi auch nicht ... und die schöne, breite Treppe in der Gußhausstraße werd' ich auch nimmer hinaufgeh'n ... Das Fräulein Steffi wird sich weiter amüsieren, als wenn gar nichts gescheh'n wär' ... nicht einmal erzählen darf sie's wem, daß ihr lieber Gustl sich umgebracht hat ... Aber weinen wird s' schon – ah ja, weinen wird s' ... Überhaupt, weinen werden gar viele Leut' ... um Gottes willen, die Mama! – Nein, nein, daran darf ich nicht denken. – Ah, nein, daran darf absolut nicht gedacht werden ... An Zuhaus wird nicht gedacht, Gustl, verstanden? – nicht mit dem allerleisesten Gedanken ...

Das ist nicht schlecht, jetzt bin ich gar im Prater ... mitten in der Nacht ... das hätt' ich mir auch nicht gedacht in der Früh, daß ich heut' nacht im Prater spazieren geh'n werd' ... Was sich der Sicherheitswachmann dort denkt? ... Na, geh'n wir nur weiter ... es ist ganz schön ... Mit'm Nachtmahlen ist's eh' nichts, mit dem Kaffeehaus auch nichts; die Luft ist angenehm, und ruhig ist es ... sehr ... Zwar, ruhig werd' ich's jetzt bald haben, so ruhig, als ich's mir nur wünschen kann. Haha! – aber ich bin ja ganz außer Atem ... ich bin ja gerannt wie nicht g'scheit ... langsamer, langsamer, Gustl, versäumst nichts, hast gar nichts mehr zu tun – gar nichts, aber absolut nichts mehr! – Mir scheint gar, ich fröstel'? – Es wird halt doch die Aufregung sein ... dann hab' ich ja nichts gegessen ... Was riecht denn da so eigentümlich? ... es kann doch noch nichts blühen? ... Was haben wir denn heut'? – den vierten April ... freilich, es hat viel geregnet in den letzten Tagen ... aber die Bäume sind beinah' noch ganz kahl ... und dunkel ist es, hu! man könnt' schier Angst kriegen ... Das ist eigentlich das einzigemal in meinem Leben, daß ich Furcht gehabt hab', als kleiner Bub, damals im Wald ... aber ich war ja gar nicht so klein ... vierzehn

oder fünfzehn ... Wie lang ist das jetzt her? – neun Jahr'. . . freilich – mit achtzehn war ich Stellvertreter, mit zwanzig Leutnant ... und im nächsten Jahr werd' ich ... Was werd' ich im
nächsten Jahr? Was heißt das überhaupt: nächstes Jahr? Was
heißt das: in der nächsten Woche? Was heißt das: übermorgen? ... Wie? Zähneklappern? Oho! – Na lassen wir's nur ein
bissel klappern ... Herr Leutnant, Sie sind jetzt allein, brauchen
niemandem einen Pflanz vorzumachen ... es ist bitter, es ist
bitter...
Ich will mich auf die Bank setzen ... Ah! – wie weit bin ich
denn da? – So eine Dunkelheit! Das da hinter mir, das muß das
zweite Kaffeehaus sein ... bin ich im vorigen Sommer auch
einmal gewesen, wie unsere Kapelle konzertiert hat ... mit'm
Kopetzky und mit'm Rüttner – noch ein paar waren dabei ... –
Ich bin aber müd' ... nein, ich bin müd', als wenn ich einen
Marsch von zehn Stunden gemacht hätt'... Ja, das wär' sowas,
da einschlafen. – Ha! ein obdachloser Leutnant ... Ja, ich sollt'
doch eigentlich nach Haus ... was tu' ich denn zu Haus? aber
was tu' ich denn im Prater? – Ah, mir wär' am liebsten, ich
müßt' gar nicht aufsteh'n – da einschlafen und nimmer aufwachen ... ja, das wär' halt bequem! – Nein, so bequem wird's
Ihnen nicht gemacht, Herr Leutnant... Aber wie und wann? –
Jetzt könnt' ich mir doch endlich einmal die Geschichte ordentlich überlegen ... überlegt muß ja alles werden ... so ist es schon
einmal im Leben ... Also überlegen wir... Was denn?... –
Nein, ist die Luft gut ... man sollt' öfters bei der Nacht in' Prater geh'n ... Ja, das hätt' mir eben früher einfallen müssen,
jetzt ist's aus mit'm Prater, mit der Luft und mit'm Spazieren-
geh'n ... Ja, also was ist denn? – Ah, fort mit dem Kappl; mir
scheint, das drückt mir aufs Gehirn ... ich kann ja gar nicht
ordentlich denken... Ah ... so! ... also jetzt Verstand zusam-
mennehmen, Gustl ... letzte Verfügungen treffen! Also morgen
früh wird Schluß gemacht ... morgen früh um sieben Uhr...
sieben Uhr ist eine schöne Stund'. Haha! – also um acht, wenn
die Schul' anfangt, ist alles vorbei ... der Kopetzky wird aber
keine Schul' halten können, weil er zu sehr erschüttert sein
wird ... Aber vielleicht weiß er's noch gar nicht ... man braucht
ja nichts zu hören ... Den Max Lippay haben sie auch erst am
Nachmittag gefunden, und in der Früh hat er sich erschossen,
und kein Mensch hat was davon gehört... Aber was geht mich

das an, ob der Kopetzky Schul' halten wird oder nicht?... Ha!
– also um sieben Uhr! – Ja ... na, was denn noch? ... Weiter ist
ja nichts zu überlegen. Im Zimmer schieß' ich mich tot, und
dann is basta! Montag ist die Leich'... Einen kenn' ich, der
wird eine Freud' haben: das ist der Doktor... Duell kann nicht
stattfinden wegen Selbstmord des einen Kombattanten... Was
sie bei Mannheimers sagen werden! – Na, er wird sich nicht viel
draus machen ... aber die Frau, die hübsche, blonde ... mit der
wär was zu machen... O ja, mir scheint, bei der hätt' ich Chance gehabt, wenn ich mich nur ein bissl zusammengenommen
hätt'... ja, das wär' doch was anders gewesen, als die Steffi, dieses Mensch... Aber faul darf man halt nicht sein ... da heißt's:
Cour machen, Blumen schicken, vernünftig reden ... das geht
nicht so, daß man sagt: Komm' morgen nachmittag zu mir in
die Kasern'! ... Ja, so eine anständige Frau, das wär' halt was
g'wesen... Die Frau von meinem Hauptmann in Przemysl, das
war ja doch keine anständige Frau ... ich könnt' schwören: der
Libitzky und der Wermutek und der schäbige Stellvertreter, der
hat sie auch g'habt... Aber die Frau Mannheimer ... ja, das
wär' was anders, das wär' doch auch ein Umgang gewesen, das
hätt' einen beinah' zu einem andern Menschen gemacht – da
hätt' man doch noch einen andern Schliff gekriegt – da hätt'
man einen Respekt vor sich selber haben dürfen. – – Aber ewig
diese Menscher ... und so jung hab' ich ang'fangen – ein Bub
war ich ja noch, wie ich damals den ersten Urlaub gehabt hab'
und in Graz bei den Eltern zu Haus war ... der Riedl war auch
dabei – eine Böhmin ist es gewesen ... die muß doppelt so alt
gewesen sein wie ich – in der Früh bin ich erst nach Haus gekommen... Wie mich der Vater ang'schaut hat ... und die
Klara... Vor der Klara hab' ich mich am meisten g'schämt...
Damals war sie verlobt ... warum ist denn nichts draus geworden? Ich hab' mich eigentlich nicht viel drum gekümmert...
Armes Hascherl, hat auch nie Glück gehabt – und jetzt verliert
sie noch den einzigen Bruder... Ja, wirst mich nimmer seh'n,
Klara – aus! Was, das hast du dir nicht gedacht, Schwesterl, wie
du mich am Neujahrstag zur Bahn begleitet hast, daß du mich
nie wieder seh'n wirst? – und die Mama... Herrgott, die Mama ... nein, ich darf daran nicht denken ... wenn ich daran
denk', bin ich imstand, eine Gemeinheit zu begehen... Ah...
wenn ich zuerst noch nach Haus fahren möcht'... sagen, es ist

ein Urlaub auf einen Tag ... noch einmal den Papa, die Mama,
die Klara seh'n, bevor ich einen Schluß mach'... Ja, mit dem
ersten Zug um sieben kann ich nach Graz fahren, um eins bin
ich dort... Grüß dich Gott, Mama... Servus Klara! Na, wie
geht's euch denn? ... Nein, das ist eine Überraschung! ... Aber
sie möchten was merken ... wenn niemand anders ... die Klara
... die Klara gewiß ... Die Klara ist ein so gescheites Mädel ...
Wie lieb sie mir neulich geschrieben hat, und ich bin ihr noch immer die Antwort schuldig – und die guten Ratschläge, die sie mir
immer gibt ... ein so seelengutes Geschöpf ... Ob nicht alles
ganz anders geworden wär', wenn ich zu Haus geblieben wär'?
Ich hätt' Ökonomie studiert, wär' zum Onkel gegangen ... sie
haben's ja alle wollen, wie ich noch ein Bub war ... Jetzt wär'
ich am End' schon verheiratet, ein liebes, gutes Mädel ... vielleicht die Anna, die hat mich so gern gehabt ... auch jetzt hab'
ich's noch gemerkt, wie ich das letztemal zu Haus war, obzwar
sie schon einen Mann hat und zwei Kinder ... ich hab's g'seh'n,
wie sie mich ang'schaut hat ... Und noch immer sagt sie mir
»Gustl« wie früher ... Der wird's ordentlich in die Glieder fahren, wenn sie erfährt, was es mit mir für ein End' genommen
hat – aber ihr Mann wird sagen: Das hab' ich voraus gesehen –
so ein Lump! – Alle werden meinen, es ist, weil ich Schulden
gehabt hab'... und es ist doch gar nicht wahr, es ist doch alles
bezahlt ... nur die letzten hundertsechzig Gulden – na, und die
sind morgen da ... Ja, dafür muß ich auch noch sorgen, daß der
Ballert die hundertsechzig Gulden kriegt ... das muß ich nie-
derschreiben, bevor ich mich erschieß'... Es ist schrecklich, es ist
schrecklich! ... Wenn ich lieber auf und davon fahren möcht' –
nach Amerika, wo mich niemand kennt ... In Amerika weiß
kein Mensch davon, was hier heut' abend gescheh'n ist ... da
kümmert sich kein Mensch drum ... Neulich ist in der Zeitung
gestanden von einem Grafen Runge, der hat fortmüssen wegen
einer schmutzigen Geschichte, und jetzt hat er drüben ein Hotel
und pfeift auf den ganzen Schwindel ... Und in ein paar Jahren
könnt' man ja wieder zurück ... nicht nach Wien natürlich ...
auch nicht nach Graz ... aufs Gut könnt' ich ... und der Mama
und dem Papa und der Klara möcht's doch tausendmal lieber
sein, wenn ich nur lebendig blieb'... Und was geh'n mich denn
die andern Leut' an? Wer meint's denn sonst gut mit mir? –
Außerm Kopetzky könnt' ich allen gestohlen werden ... der

Kopetzky ist doch der einzige... Und gerad der hat mir heut
das Billett geben müssen ... und das Billett ist an allem schuld
... ohne das Billett wär' ich nicht ins Konzert gegangen, und
alles das wär' nicht passiert... Was ist denn nur passiert?... Es
ist grad', als wenn hundert Jahr seitdem vergangen wären, und
es kann noch keine zwei Stunden sein... Vor zwei Stunden hat
mir einer »dummer Bub« gesagt und hat meinen Säbel zerbrechen wollen... Herrgott, ich fang' noch zu schreien an mitten
in der Nacht! Warum ist denn das alles gescheh'n? Hätt' ich
nicht länger warten können, bis es ganz leer wird in der Garderobe? Und warum hab' ich ihm denn nur gesagt: »Halten Sie's
Maul!« Wie ist mir denn das nur ausgerutscht? Ich bin doch
sonst ein höflicher Mensch ... nicht einmal mit meinem Burschen bin ich sonst so grob ... aber natürlich, nervös bin ich gewesen – alle die Sachen, die da zusammengekommen sind...
Das Pech im Spiel und die ewige Absagerei von der Steffi – und
das Duell morgen nachmittag – und zu wenig schlafen tu' ich
in der letzten Zeit – und die Rackerei in der Kasern' – das halt'
man auf die Dauer nicht aus!... Ja, über kurz oder lang wär' ich
krank geworden – hätt' um einen Urlaub einkommen müssen... Jetzt ist es nicht mehr notwendig – jetzt kommt ein langer Urlaub – mit Karenz der Gebühren – haha!...
Wie lang werd' ich denn da noch sitzenbleiben? Es muß Mitternacht vorbei sein ... hab' ich's nicht früher schlagen hören? –
Was ist denn das ... ein Wagen fährt da? Um die Zeit? Gummi-
radler – kann mir schon denken... Die haben's besser wie ich –
vielleicht ist es der Ballert mit der Berta... Warum soll's grad'
der Ballert sein? – Fahr' nur zu! – Ein hübsches Zeug'l hat Seine
Hoheit in Przemysl gehabt ... mit dem ist er immer in die
Stadt hinuntergefahren zu der Rosenberg... Sehr leutselig war
Seine Hoheit – ein echter Kamerad, mit allen auf du und du...
War doch eine schöne Zeit ... obzwar ... die Gegend war trostlos und im Sommer zum Verschmachten ... an einem Nachmittag sind einmal drei vom Sonnenstich getroffen worden ... auch
der Korporal von meinem Zug – ein so verwendbarer Mensch
... Nachmittag haben wir uns nackt auf's Bett hingelegt. – Einmal ist plötzlich der Wiesner zu mir hereingekommen; ich muß
grad' geträumt haben und steh' auf und zieh' den Säbel, der, neben mir liegt ... muß gut ausg'schaut haben ... der Wiesner hat
sich halb tot gelacht – der ist jetzt schon Rittmeister ... – Schad',

daß ich nicht zur Kavallerie gegangen bin ... aber das hat der
Alte nicht wollen – wär' ein zu teurer Spaß gewesen – jetzt ist
es ja doch alles eins ... Warum denn? – Ja, ich weiß schon: sterben muß ich, darum ist es alles eins – sterben muß ich ... Also
wie? – Schau, Gustl, du bist doch extra da herunter in den Prater gegangen, mitten in der Nacht, wo dich keine Menschenseele stört – jetzt kannst du dir alles ruhig überlegen ... Das ist
ja lauter Unsinn mit Amerika und quittieren, und du bist zu
viel zu dumm, um was anderes anzufangen – und wenn du
hundert Jahr alt wirst, und du denkst dran, daß dir einer hat
den Säbel zerbrechen wollen und dich einen dummen Buben
geheißen, und du bist dag'standen und hast nichts tun können
– nein, zu überlegen ist da gar nichts – gescheh'n ist gescheh'n –
auch das mit der Mama und mit der Klara ist ein Unsinn – die
werden's schon verschmerzen – man verschmerzt alles ... Wie
hat die Mama gejammert, wie ihr Bruder gestorben ist – und
nach vier Wochen hat sie kaum mehr dran gedacht ... auf den
Friedhof ist sie hinausgefahren ... zuerst alle Wochen, dann
alle Monat – und jetzt nur mehr am Todestag. – – Morgen ist
mein Todestag – fünfter April. – – Ob sie mich nach Graz über-
führen? Haha! da werden die Würmer in Graz eine Freud' haben! – Aber das geht mich nichts an – darüber sollen sich die
andern den Kopf zerbrechen ... Also, was geht's mich denn
eigentlich an? ... Ja, die hundertsechzig Gulden für den Ballert
– das ist alles – weiter brauch' ich keine Verfügungen zu treffen. – Briefe schreiben? Wozu denn? An wen denn? ... Abschied nehmen? – Ja, zum Teufel hinein, das ist doch deutlich
genug, wenn man sich totschießt! – Dann merken's die andern
schon, daß man Abschied genommen hat ... Wenn die Leut'
wüßten, wie egal mir die ganze Geschichte ist, möchten sie mich
gar nicht bedauern – ist eh' nicht schad' um mich ... Und was
hab' ich denn vom ganzen Leben gehabt? – Etwas hätt' ich gern
noch mitgemacht: einen Krieg – aber da hätt' ich lang' warten
können ... Und alles übrige kenn' ich ... Ob so ein Mensch
Steffi oder Kunigunde heißt, bleibt sich gleich. – – Und die
schönsten Operetten kenn' ich auch – und im Lohengrin bin ich
zwölfmal drin gewesen – und heut' abend war ich sogar bei
einem Oratorium – und ein Bäckermeister hat mich einen dummen Buben geheißen – meiner Seel', es ist grad' genug! – Und
ich bin gar nimmer neugierig ... – Also geh'n wir nach Haus,

ganz langsam ... Eile hab' ich ja wirklich keine. – Noch ein paar
Minuten ausruhen da im Prater, auf einer Bank – obdachlos. –
Ins Bett leg' ich mich ja doch nimmer – hab' ja genug Zeit zum
Ausschlafen. – – Ah, die Luft! – Die wird mir abgeh'n ...

Was ist denn? – He, Johann, bringen S' mir ein Glas frisches
Wasser ... Was ist? ... Wo ... Ja, träum' ich denn? ... Mein
Schädel ... o, Donnerwetter ... Fischamend ... Ich bring' die
Augen nicht auf! – Ich bin ja angezogen! – Wo sitz' ich denn? –
Heiliger Himmel, eingeschlafen bin ich! Wie hab' ich denn nur
schlafen können; es dämmert ja schon! – Wie lang' hab' ich
denn geschlafen? – Muß auf die Uhr schau'n ... Ich seh' nichts?
... Wo sind denn meine Zündhölzeln? ... Na, brennt eins
an? ... Drei ... und ich soll mich um vier duellieren – nein,
nicht duellieren – totschießen soll ich mich! – Es ist gar nichts
mit dem Duell; ich muß mich totschießen, weil ein Bäckermeister mich einen dummen Buben genannt hat ... Ja, ist es denn
wirklich g'scheh'n? – Mir ist im Kopf so merkwürdig ... wie in
einem Schraubstock ist mein Hals – ich kann mich gar nicht
rühren – das rechte Bein ist eingeschlafen. – Aufstehn! Aufstehn! ... Ah, so ist es besser! – Es wird schon lichter ... Und
die Luft ... ganz wie damals in der Früh, wie ich auf Vorposten
war und im Wald kampiert hab'... Das war ein anderes Aufwachen – da war ein anderer Tag vor mir ... Mir scheint, ich
glaub's noch nicht recht. – Da liegt die Straße, grau, leer – ich
bin jetzt sicher der einzige Mensch im Prater. – Um vier Uhr
früh war ich schon einmal herunten, mit'm Pausinger – geritten
sind wir – ich auf dem Pferd vom Hauptmann Mirovic und der
Pausinger auf seinem eigenen Krampen – das war im Mai, im
vorigen Jahr – da hat schon alles geblüht – alles war grün. Jetzt
ist's noch kahl – aber der Frühling kommt bald – in ein paar Tagen ist er schon da. – Maiglöckerln, Veigerln – schad', daß ich
nichts mehr davon haben werd' – jeder Schubiak hat was davon, und ich muß sterben! Es ist ein Elend! Und die andern
werden im Weingartl sitzen beim Nachtmahl, als wenn gar
nichts g'wesen wär' – so wie wir alle im Weingartl g'sessen sind,
noch am Abend nach dem Tag, wo sie den Lippay hinausgetra-
gen haben ... Und der Lippay war so beliebt ... sie haben ihn
lieber g'habt, als mich, beim Regiment – warum sollen sie denn
nicht im Weingartl sitzen, wenn ich abkratz'? – Ganz warm ist

es – viel wärmer als gestern – und so ein Duft – es muß doch
schon blühen... Ob die Steffi mir Blumen bringen wird? – Aber
fallt ihr ja gar nicht ein! Die wird grad' hinausfahren... Ja,
wenn's noch die Adel' wär'... Nein, die Adel'! Mir scheint, seit
zwei Jahren hab' ich an die nicht mehr gedacht... Was die für
G'schichten gemacht hat, wie's aus war... mein Lebtag hab' ich
kein Frauenzimmer so weinen geseh'n... Das war doch eigentlich das Hübscheste, was ich erlebt hab'... So bescheiden, so an-
spruchslos, wie die war – die hat mich gern gehabt, da könnt'
ich drauf schwören. – War doch was ganz anderes, als die Steffi... Ich möcht' nur wissen, warum ich die aufgegeben hab'...
so eine Eselei! Zu fad ist es mir geworden, ja, das war das Ganze... So jeden Abend mit ein und derselben ausgeh'n... Dann
hab' ich eine Angst g'habt, daß ich überhaupt nimmer los-
komm' – eine solche Raunzen – – Na, Gustl, hätt'st schon noch
warten können – war doch die einzige, die dich gern gehabt
hat... Was sie jetzt macht? Na was wird s' machen? – Jetzt wird
s' halt einen andern haben... Freilich, das mit der Steffi ist be-
quemer – wenn man nur gelegentlich engagiert ist und ein anderer hat die ganzen Unannehmlichkeiten, und ich hab' nur
das Vergnügen... Ja, da kann man auch nicht verlangen, daß
sie auf den Friedhof hinauskommt... Wer ging denn überhaupt mit, wenn er nicht müßt'! – Vielleicht der Kopetzky, und
dann wär' Rest! – Ist doch traurig, so gar niemanden zu haben...
Aber so ein Unsinn! der Papa und die Mama und die Klara...
Ja, ich bin halt der Sohn, der Bruder... aber was ist denn weiter
zwischen uns? gern haben sie mich ja – aber was wissen sie
denn von mir? – Daß ich meinen Dienst mach', daß ich Karten
spiel' und daß ich mit Menschern herumlauf'... aber sonst? –
Daß mich manchesmal selber vor mir graust, das hab' ich ihnen
ja doch nicht geschrieben – na, mir scheint, ich hab's auch selber
gar nicht recht gewußt – Ah was, kommst du jetzt mit solchen
Sachen, Gustl? Fehlt nur noch, daß du zum Weinen anfangst...
pfui Teufel! – Ordentlich Schritt... so! Ob man zu einem Rendezvous geht oder auf Posten oder in die Schlacht... wer hat
das nur gesagt?... ah ja, der Major Lederer, in der Kantin', wie
man von dem Wingleder erzählt hat, der so blaß geworden ist
vor seinem ersten Duell – und gespieben hat... Ja: ob man zu
einem Rendezvous geht oder in den sichern Tod, am Gang und

am G'sicht laßt sich das der richtige Offizier nicht anerkennen!
– Also Gustl – der Major Lederer hat's g'sagt! ha! –
Immer lichter ... man könnt' schon lesen... Was pfeift denn
da? ... Ah, drüben ist der Nordbahnhof... Die Tegetthoff-
säule ... so lang hat sie noch nie ausg'schaut... Da drüben stehen Wagen... Aber nichts als Straßenkehrer auf der Straße...
meine letzten Straßenkehrer – ha! ich muß immer lachen, wenn
ich dran denk'... das versteh' ich gar nicht... Ob das bei allen
Leuten so ist, wenn sie's einmal ganz sicher wissen? Halb vier
auf der Nordbahnuhr ... jetzt ist nur die Frage, ob ich mich um
sieben nach Bahnzeit oder nach Wiener Zeit erschieß'? ... Sieben ... ja, warum grad' sieben? ... Als wenn's gar nicht anders
sein könnt'... Hunger hab' ich – meiner Seel', ich hab' Hunger –
kein Wunder ... seit wann hab ich denn nichts gegessen?...
Seit – seit gestern sechs Uhr abends im Kaffeehaus ... ja! Wie
mir der Kopetzky das Billett gegeben hat – eine Melange und
zwei Kipfel. – Was der Bäckermeister sagen wird, wenn er's
erfahrt? ... der verfluchte Hund! – Ah, der wird wissen, warum
– dem wird der Knopf aufgeh'n – der wird draufkommen, was
es heißt: Offizier! – So ein Kerl kann sich auf offener Straße
prügeln lassen, und es hat keine Folgen, und unsereiner wird
unter vier Augen insultiert und ist ein toter Mann... Wenn
sich so ein Fallot wenigstens schlagen möcht' – aber nein, da
wär' er ja vorsichtiger, da möcht' er sowas nicht riskieren...
Und der Kerl lebt weiter, ruhig weiter, während ich – krepieren
muß! – Der hat mich doch umgebracht... Ja, Gustl, merkst d'
was? – der ist es, der dich umbringt! Aber so glatt soll's ihm
doch nicht ausgeh'n! – Nein, nein, nein! Ich werd' dem Kopetzky einen Brief schreiben, wo alles drinsteht, die ganze G'schicht'
schreib' ich auf ... oder noch besser: ich schreib's dem Obersten,
ich mach' eine Meldung ans Regimentskommando ... ganz wie
eine dienstliche Meldung... Ja, wart', du glaubst, daß sowas
geheim bleiben kann? – Du irrst dich – aufgeschrieben wird's
zum ewigen Gedächtnis, und dann möcht' ich sehen, ob du dich
noch ins Kaffeehaus traust – Ha! – »das möcht' ich sehen«, ist
gut! ... Ich möcht' noch manches gern sehen, wird nur leider
nicht möglich sein – aus is! – Jetzt kommt der Johann in mein
Zimmer, jetzt merkt er, daß der Herr Leutnant nicht zu Haus
geschlafen hat. – Na, alles mögliche wird er sich denken; aber
daß der Herr Leutnant im Prater übernachtet hat, das, meiner

Seel', das nicht ... Ah, die Vierundvierziger! zur Schießstätte marschieren s' – lassen wir sie vorübergeh'n ... so, stellen wir uns
daher ... – Da oben wird ein Fenster aufgemacht – hübsche Person – na, ich möcht' mir wenigstens ein Tüchel umnehmen, wenn
ich zum Fenster geh' ... Vorigen Sonntag war's zum letztenmal ...
Daß grad' die Steffi die letzte sein wird, hab' ich mir nicht träumen lassen. – Ach Gott, das ist doch das einzige reelle Vergnügen ... Na ja, der Herr Oberst wird in zwei Stunden nobel nachrei-
ten ... die Herren haben's gut – ja, ja, rechts g'schaut! – Ist schon
gut ... Wenn ihr wüßtet, wie ich auf euch pfeif'! – Ah, das ist nicht
schlecht: der Katzer ... seit wann ist denn der zu den Vierund-
vierzigern übersetzt? – Servus, servus! – Was der für ein G'sicht
macht? ... Warum deut' er denn auf seinen Kopf? – Mein Lieber, dein Schädel interessiert mich sehr wenig ... Ah, so! Nein,
mein Lieber, du irrst dich: im Prater hab' ich übernachtet
... wirst schon heut' im Abendblatt lesen. – »Nicht möglich!«
wird er sagen, »heut' früh, wie wir zur Schießstätte ausgerückt
sind, hab' ich ihn noch auf der Praterstraße getroffen!« – Wer
wird denn meinen Zug kriegen? – Ob sie ihn dem Walterer
geben werden? – Na, da wird was Schönes herauskommen – ein
Kerl ohne Schneid, der hätt' auch lieber Schuster werden sollen ... Was, geht schon die Sonne auf? – Das wird heut ein
schöner Tag – so ein rechter Frühlingstag ... Ist doch eigentlich
zum Teufelholen! – der Komfortabelkutscher wird noch um
achte in der Früh auf der Welt sein, und ich ... na, was ist denn
das? He, das wär' sowas – noch im letzten Moment die Kon-
tenance verlieren wegen einem Komfortabelkutscher ... Was ist
denn das, daß ich auf einmal so ein blödes Herzklopfen krieg'? –
Das wird doch nicht deswegen sein ... Nein, o nein ... es ist, weil
ich so lang' nichts gegessen hab'. – – Aber Gustl, sei doch aufrichtig mit dir selber: – Angst hast du – Angst, weil du's noch
nie probiert hast ... Aber das hilft dir ja nichts, die Angst hat
noch keinem was geholfen, jeder muß es einmal durchmachen,
der eine früher, der andere später, und du kommst halt früher
dran ... Viel wert bist du ja nie gewesen, so benimm dich wenigstens anständig zu guter Letzt, das verlang' ich von dir! – So,
jetzt heißt's nur überlegen – aber was denn? ... Immer will ich
mir was überlegen ... ist doch ganz einfach: – im Nachtkastel-
ladel liegt er, geladen ist er auch, heißt's nur: losdrucken – das
wird doch keine Kunst sein! – –

Die geht schon ins Geschäft ... die armen Mädeln! die Adel'
war auch in einem G'schäft – ein paarmal hab' ich sie am Abend
abg'holt ... Wenn sie in einem Geschäft sind, werd'n sie doch
keine solchen Menscher ... Wenn die Steffi mir allein g'hören
möcht', ich ließ sie Modistin werden oder sowas ... Wie wird
sie's denn erfahren? – Aus der Zeitung! ... Sie wird sich ärgern,
daß ich ihr's nicht geschrieben hab' ... Mir scheint', ich schnapp'
doch noch über ... Was geht denn das mich an, ob sie sich ärgert ... Wie lang' hat denn die ganze G'schicht' gedauert? ...
Seit'm Jänner? ... Ah nein, es muß doch schon vor Weihnachten gewesen sein ... ich hab' ihr ja aus Graz Zuckerln mitgebracht, und zu Neujahr hat sie mir ein Brieferl g'schickt ...
Richtig, die Briefe, die ich zu Haus hab', – sind keine da, die ich
verbrennen sollt'? ... Hm, der vom Fallsteiner – wenn man den
Brief findet ... der Bursch könnt' Unannehmlichkeiten ha-
ben ... Was mir das schon aufliegt! – Na, es ist ja keine große
Anstrengung ... aber hervorsuchen kann ich den Wisch nicht ...
Das beste ist, ich verbrenn' alles zusammen ... Und meine paar
Bücher könnt' ich dem Blany vermachen. – »Durch Nacht und
Eis« ... schad', daß ich's nimmer auslesen kann ... bin wenig
zum Lesen gekommen in der letzten Zeit ... Orgel – ah, aus der
Kirche ... Frühmesse – bin schon lang bei keiner gewesen ... das
letztemal im Feber, wie mein Zug dazu kommandiert war ...
Aber das galt nichts – ich hab' auf meine Leut' aufgepaßt, ob sie
andächtig sind und sich ordentlich benehmen ... – Möcht' in
die Kirche hineingeh'n ... am End' ist doch was dran ... – Na,
heut nach Tisch werd' ich's schon genau wissen ... Ah, »nach
Tisch« ist sehr gut! ... Also, was ist, soll ich hineingehn? – Ich
glaub', der Mama wär's ein Trost, wenn sie das wüßt'! ... Die
Klara gibt weniger drauf ... Na, geh'n wir hinein – schaden
kann's ja nicht!
Orgel – Gesang – hm! – was ist denn das? – Mir ist ganz
schwindlig ... O Gott, o Gott, o Gott! ich möcht' einen Menschen haben, mit dem ich ein Wort reden könnt' vorher! – Das
wär' so was – zur Beicht' geh'n! Der möcht' Augen machen, der
Pfaff', wenn ich zum Schluß sagen möcht': Habe die Ehre, Hoch-
würden; jetzt geh' ich mich umbringen! ... Am liebsten läg' ich
da auf dem Steinboden und tät' heulen ... Ah nein, das darf
man nicht tun! Aber weinen tut manchmal so gut ... Setzen wir
uns einen Moment – aber nicht wieder einschlafen wie im Pra-

ter! ... – Die Leut', die eine Religion haben, sind doch besser
dran... Na, jetzt fangen mir gar die Händ' zu zittern an! ...
Wenn's so weitergeht, werd' ich mir selber auf die Letzt' so
ekelhaft, daß ich mich vor lauter Schand' umbring'! – Das alte
Weib da – um was betet denn die noch? ... Wär' eine Idee,
wenn ich ihr sagen möcht': Sie, schließen Sie mich auch ein ...
ich hab' das nicht ordentlich gelernt, wie man das macht... Ha!
mir scheint, das Sterben macht blöd'! – Aufsteh'n! – Woran erinnert mich denn nur die Melodie? – Heiliger Himmel! gestern
abend! – Fort, fort! das halt' ich gar nicht aus! ... Pst! keinen
solchen Lärm, nicht mit dem Säbel schleppern – die Leut' nicht
in der Andacht stören – so! – doch besser im Freien ... Licht ...
Ah, es kommt immer näher – wenn es lieber schon vorbei
wär'! – Ich hätt's gleich tun sollen – im Prater ... man sollt' nie
ohne Revolver ausgehen ... Hätt' ich gestern abend einen gehabt... Herrgott noch einmal! – In das Kaffeehaus könnt' ich
geh'n frühstücken ... Hunger hab' ich ... Früher ist's mir immer sonderbar vorgekommen, daß die Leut', die verurteilt sind,
in der Früh noch ihren Kaffee trinken und ihr Zigarrl rauchen ... Donnerwetter, geraucht hab' ich gar nicht! gar keine
Lust zum Rauchen! – Es ist komisch: ich hätt' Lust, in mein
Kaffeehaus zu geh'n ... Ja, aufgesperrt ist schon, und von uns
ist jetzt doch keiner dort – und wenn schon ... ist höchstens ein
Zeichen von Kaltblütigkeit. »Um sechs hat er noch im Kaffeehaus gefrühstückt, und um sieben hat er sich erschossen« ... –
Ganz ruhig bin ich wieder ... das Gehen ist so angenehm – und
das Schönste ist, daß mich keiner zwingt. – Wenn ich wollt',
könnt' ich noch immer den ganzen Krempel hinschmeißen ...
Amerika ... Was ist das: »Krempel«? Was ist ein »Krempel«?
Mir scheint, ich hab' den Sonnenstich! ... Oho, bin ich vielleicht deshalb so ruhig, weil ich mir immer noch einbild', ich
muß nicht? ...! Ich muß! Nein, ich will! – Kannst du dir denn
überhaupt vorstellen, Gustl, daß du dir die Uniform ausziehst
und durchgehst? Und der verfluchte Hund lacht sich den Buckel
voll – und der Kopetzky selbst möcht' dir nicht mehr die Hand
geben ... Mir kommt vor, ich bin ganz rot geworden. – – Der
Wachmann salutiert mir ... ich muß danken ... »Servus!« –
Jetzt hab' ich gar »Servus« gesagt! ... Das freut so einen armen
Teufel immer ... Na, über mich hat sich keiner zu beklagen
gehabt – außer Dienst war ich immer gemütlich. – Wie wir auf

Manöver waren, hab' ich den Chargen von der Kompagnie Britannikas geschenkt; – einmal hab' ich gehört, wie ein Mann hinter mir bei den Gewehrgriffen was von »verfluchter Rackerei« g'sagt hat, und ich hab' ihn nicht zum Rapport geschickt – ich hab' ihm nur gesagt: »Sie, passen S' auf, das könnt' einmal wer anderer hören – da ging's Ihnen schlecht!« ... Der Burghof ... Wer ist denn heut auf der Wach'? – Die Bosniaken – schau'n gut aus – der Oberstleutnant hat neulich g'sagt: Wie wir im 78er Jahr unten waren, hätt' keiner geglaubt, daß uns die einmal so parieren werden! ... Herrgott, bei so was hätt' ich dabei sein mögen – Da steh'n sie alle auf von der Bank. – Servus, servus! – Das ist halt zuwider, daß unsereiner nicht dazu kommt. – Wär' doch schöner gewesen, auf dem Felde der Ehre, fürs Vaterland, als so ... Ja, Herr Doktor, Sie kommen eigentlich gut weg! ... Ob das nicht einer für mich übernehmen könnt'? – Meiner Seel', das sollt' ich hinterlassen, daß sich der Kopetzky oder der Wymetal an meiner Statt mit dem Kerl schlagen ... Ah, so leicht sollt' der doch nicht davonkommen! – Ah, was! Ist das nicht egal, was nachher geschieht? Ich erfahr's ja doch nimmer! – Da schlagen die Bäume aus ... Im Volksgarten hab' ich einmal eine angesprochen – ein rotes Kleid hat sie angehabt – in der Strozzigasse hat sie gewohnt – nachher hat sie der Rochlitz übernommen ... Mir scheint, er hat sie noch immer, aber er red't nichts mehr davon – er schämt sich vielleicht ... Jetzt schlaft die Steffi noch ... so lieb sieht sie aus, wenn sie schläft ... als wenn sie nicht bis fünf zählen könnt'! – Na, wenn sie schlafen, schau'n sie alle so aus! – Ich sollt' ihr doch noch ein Wort schreiben ... warum denn nicht? Es tut's ja doch ein jeder, daß er vorher noch Briefe schreibt. – Auch der Klara sollt' ich schreiben, daß sie den Papa und die Mama tröstet – und was man halt so schreibt! – und dem Kopetzky doch auch ... Meiner Seel', mir kommt vor, es wär' viel leichter, wenn man ein paar Leuten Adieu gesagt hätt' ... Und die Anzeige an das Regimentskommando – und die hundertsechzig Gulden für den Ballert ... eigentlich noch viel zu tun ... Na, es hat's mir ja keiner g'schafft, daß ich's um sieben tu' ... von acht an ist noch immer Zeit genug zum Totsein! ... Totsein, ja – so heißt's – da kann man nichts machen ...
Ringstraße – jetzt bin ich ja bald in meinem Kaffeehaus ... Mir scheint gar, ich freu' mich aufs Frühstück ... es ist nicht zum

glauben. – – Ja, nach dem Frühstück zünd' ich mir eine Zigarre an, und dann geh' ich nach Haus und schreib' ... Ja, vor allem mach' ich die Anzeige ans Kommando; dann kommt der Brief an die Klara – dann an den Kopetzky – dann an die Steffi... Was soll ich denn dem Luder schreiben ... »Mein liebes Kind, du hast wohl nicht gedacht«... – Ah, was, Unsinn! – »Mein liebes Kind, ich danke dir sehr«... – »Mein liebes Kind, bevor ich von hinnen gehe, will ich es nicht verabsäumen«... – Na, Briefschreiben war auch nie meine starke Seite... »Mein liebes Kind, ein letztes Lebewohl von deinem Gustl« ... – Die Augen, die sie machen wird! Ist doch ein Glück, daß ich nicht in sie verliebt war ... das muß traurig sein, wenn man eine gern hat und so... Na, Gustl, sei gut: so ist es auch traurig genug... Nach der Steffi wär' ja noch manche andere gekommen, und am End' auch eine, die was wert ist – junges Mädel aus guter Familie mit Kaution – es wär' ganz schön gewesen... – Der Klara muß ich ausführlich schreiben, daß ich nicht hab' anders können ...»Du mußt mir verzeihen, liebe Schwester, und bitte, tröste auch die lieben Eltern. Ich weiß, daß ich euch allen manche Sorge gemacht habe und manchen Schmerz bereitet; aber glaube mir, ich habe euch alle immer sehr lieb gehabt, und ich hoffe, du wirst noch einmal glücklich werden, meine liebe Klara, und deinen unglücklichen Bruder nicht ganz vergessen«... – Ah, ich schreib' ihr lieber gar nicht! ... Nein, da wird mir zum Weinen ... es beißt mich ja schon in den Augen, wenn ich dran denk' ... Höchstens dem Kopetzky schreib' ich – ein kameradschaftliches Lebewohl, und er soll's den andern ausrichten... – Ist's schon sechs? – Ah, nein: halb – dreiviertel. – Ist das ein liebes G'sichtel! ... der kleine Fratz mit den schwarzen Augen, den ich so oft in der Florianigasse treff'! – was die sagen wird? – Aber die weiß ja gar nicht, wer ich bin – die wird sich nur wundern, daß sie mich nimmer sieht... Vorgestern hab' ich mir vorgenommen, das nächste Mal sprech' ich sie an. – Kokettiert hat sie genug ... so jung war die – am End' war die gar noch eine Unschuld! ... Ja, Gustl! Was du heute kannst besorgen, das verschiebe nicht auf morgen! ... Der da hat sicher auch die ganze Nacht nicht geschlafen. – Na, jetzt wird er schön nach Haus geh'n und sich niederlegen – ich auch! – Haha! jetzt wird's ernst, Gustl, ja! ... Na, wenn nicht einmal das biss'l Grausen wär', so wär' ja schon gar nichts dran – und im ganzen, ich

muß's schon selber sagen, halt' ich mich brav ... Ah, wohin
denn noch? Da ist ja schon mein Kaffeehaus ... auskehren tun
sie noch ... Na, geh'n wir hinein ...

Da hinten ist der Tisch, wo die immer Tarock spielen ... Merkwürdig, ich kann mir's gar nicht vorstellen, daß der Kerl, der
immer da hinten sitzt an der Wand, derselbe sein soll, der
mich ... – Kein Mensch ist noch da ... Wo ist denn der Kellner?
... He! Da kommt er aus der Küche ... er schlieft schnell in den
Frack hinein ... Ist wirklich nimmer notwendig! ... ah, für ihn
schon ... er muß heut' noch andere Leut' bedienen! –

»Habe die Ehre, Herr Leutnant!«

»Guten Morgen.«

»So früh heute, Herr Leutnant?«

»Ah, lassen S' nur – ich hab' nicht viel Zeit, ich kann mit'm
Mantel dasitzen.«

»Was befehlen Herr Leutnant?«

»Eine Melange mit Haut.«

»Bitte gleich, Herr Leutnant!«

Ah, da liegen ja Zeitungen ... schon heutige Zeitungen? ... Ob
schon was drinsteht? ... Was denn? – Mir scheint, ich will
nachseh'n, ob drinsteht, daß ich mich umgebracht hab'! Haha! –
Warum steh' ich denn noch immer? ... Setzen wir uns da zum
Fenster ... Er hat mir ja schon die Melange hingestellt ... So,
den Vorhang zieh' ich zu; es ist mir zuwider, wenn die Leut'
hereingucken ... Es geht zwar noch keiner vorüber ... Ah, gut
schmeckt der Kaffee – doch kein leerer Wahn, das Frühstücken!
.... Ah, ein ganz anderer Mensch wird man – der ganze Blödsinn ist, daß ich nicht genachtmahlt hab' ... Was steht denn
der Kerl schon wieder da? – Ah, die Semmeln hat er mir gebracht ...

»Haben Herr Leutnant schon gehört?« ...

»Was denn?« Ja, um Gottes willen, weiß der schon was? ...
Aber, Unsinn, es ist ja nicht möglich!

»Den Herrn Habetswallner ...«

Was? So heißt ja der Bäckermeister ... was wird der jetzt sagen? ... Ist der am End' schon dagewesen? Ist er am End' gestern
schon dagewesen und hat's erzählt? ... Warum red't er denn
nicht weiter? ... Aber er red't ja ...

»... hat heut' nacht um zwölf der Schlag getroffen.«

»Was?« ... Ich darf nicht so schreien ... nein, ich darf mir nichts anmerken lassen ... aber vielleicht träum' ich ... ich muß ihn noch einmal fragen ... »Wen hat der Schlag getroffen?« – Famos, famos! – ganz harmlos hab' ich das gesagt! –

»Den Bäckermeister, Herr Leutnant! ... Herr Leutnant werd'n ihn ja kennen ... na, den Dicken, der jeden Nachmittag neben die Herren Offiziere seine Tarockpartie hat ... mit'n Herrn Schlesinger und 'n Herrn Wasner von der Kunstblumenhandlung vis-à-vis!«

Ich bin ganz wach – stimmt alles – und doch kann ich's noch nicht recht glauben – ich muß ihn noch einmal fragen ... aber ganz harmlos ... »Der Schlag hat ihn getroffen? ... Ja, wieso denn? Woher wissen S' denn das?«

»Aber Herr Leutnant, wer soll's denn früher wissen, als unsereiner – die Semmel, die der Herr Leutnant da essen, ist ja auch vom Herrn Habetswallner. Der Bub, der uns das Gebäck um halber fünfe in der Früh bringt, hat's uns erzählt.«

Um Himmels willen, ich darf mich nicht verraten ... ich möcht' ja schreien ... ich möcht' ja lachen ... ich möcht' ja dem Rudolf ein Bussel geben ... Aber ich muß ihn noch was fragen! ... Vom Schlag getroffen werden, heißt noch nicht: tot sein ... ich muß fragen, ob er tot ist ... aber ganz ruhig, denn was geht mich der Bäckermeister an – ich muß in die Zeitung schau'n, während ich den Kellner frag' ...

»Ist er tot?«

»Na, freilich, Herr Leutnant; auf'm Fleck ist er tot geblieben.«

O, herrlich, herrlich! – Am End' ist das alles, weil ich in der Kirchen g'wesen bin ...

»Er ist am Abend im Theater g'wesen; auf der Stiegen ist er umg'fallen – der Hausmeister hat den Krach gehört ... na, und dann haben s' ihn in die Wohnung getragen, und wie der Doktor gekommen ist, war's schon lang' aus.«

»Ist aber traurig. Er war doch noch in den besten Jahren.« – Das hab' ich jetzt famos gesagt – kein Mensch könnt' mir was anmerken ... und ich muß mich wirklich zurückhalten, daß ich nicht schrei' oder aufs Billard spring' ...

»Ja, Herr Leutnant, sehr traurig; war ein so lieber Herr, und zwanzig Jahr' ist er schon zu uns kommen – war ein guter Freund von unserm Herrn. Und die arme Frau ...«

Ich glaub', so froh bin ich in meinem ganzen Leben nicht gewesen ... Tot ist er – tot ist er! Keiner weiß was, und nichts ist

g'scheh'n! – Und das Mordsglück, daß ich in das Kaffeehaus
gegangen bin ... sonst hätt' ich mich ja ganz umsonst erschossen – es ist doch wie eine Fügung des Schicksals ... Wo ist denn
der Rudolf? – Ah, mit dem Feuerburschen redt' er ... – Also, tot
ist er – tot ist er – ich kann's noch gar nicht glauben! Am liebsten möcht' ich hingeh'n, um's zu seh'n. – – Am End' hat ihn
der Schlag getroffen aus Wut, aus verhaltenem Zorn ... Ah,
warum, ist mir ganz egal! Die Hauptsach' ist: er ist tot, und ich
darf leben, und alles g'hört wieder mein! ... Komisch, wie ich
mir da immerfort die Semmel einbrock', die mir der Herr Habetswallner gebacken hat! Schmeckt mir ganz gut, Herr von
Habetswallner! Famos! – So, jetzt möcht' ich noch ein Zigarrl
rauchen ...

»Rudolf! Sie, Rudolf! Sie, lassen S' mir den Feuerburschen dort
in Ruh'!«

»Bitte, Herr Leutnant!«

»Trabucco« ... – Ich bin so froh, so froh! ... Was mach' ich
denn nur? ... Was mach ich denn nur? ... Es muß ja was gescheh'n, sonst trifft mich auch noch der Schlag vor lauter Freud'!
... In einer Viertelstund' geh' ich hinüber in die Kasern' und laß
mich vom Johann kalt abreiben ... um halb acht sind die Ge-
wehrgriff', und um halb zehn ist Exerzieren. – Und der Steffi
schreib' ich, sie muß sich für heut abend frei machen, und
wenn's Graz gilt! Und nachmittag um vier ... na wart', mein
Lieber, wart', mein Lieber! Ich bin grad' gut aufgelegt ... Dich
hau' ich zu Krenfleisch!

PAUL SCHEERBART

Rakkóx der Billionär

Vergnügt, wie ein echter Potentat, lebte Rakkóx, ein mehr-
facher Billionär, in den Großstädten Asiens und Europas und
vergeudete natürlich sein Geld in Centnersäcken – er hatte es ja
dazu. Der große Mann schwärmte natürlich für alles Grandiose
und für martialische Unternehmungen – er hatte es ja dazu. Er
belächelte diejenigen, die seine Passionen teilten, trotzdem sies
nicht dazu hatten. Um aber seine größeren kompakten Pläne
realisieren zu können, sah er sich genötigt, zunächst auf Ver-

größerung seiner Machtmittel bedacht zu sein. Und so ward
seine Phantasie allmählich eine militaristische Phantasie. Er
wollte selbstverständlich seine Pläne nicht allein ausarbeiten
– auch seine militaristischen nicht. Und so telegraphierte er
denn an den Direktor seiner Erfindungsabteilung, in der zweihundert abgefeimte Genies beschäftigt waren: »Schnell neues
Militär erfinden – mit Gebrauchsanweisung. Rakkóx.« Der
Direktor der Erfindungsabteilung verlas das Telegramm seinen
Untergebenen. Es entstand ein allgemeines Halloh, und nach
vierundzwanzigstündiger Geistesarbeit lag der folgende geniale
Plan Rakkóxen zu Füßen: *Das neue Militär.* »Es war vorauszusehen, daß einem vorgeschrittenen Militarismus das Men-
schenmaterial bei Fruktifizierung kriegerischer Ideen nicht auf
die Dauer genügen könnte. Und so ist die Herstellung eines
›neuen Militärs‹ allgemach zum tief gefühlten Bedürfnis geworden. Der Mensch ist als Soldat zu schwächlich und zu rücksichtsvoll. Der Automat ist als Soldat zu kostspielig und nicht
imstande, sich rechtzeitig zurückzuziehen. Somit bleibt bei Herstellung eines ›neuen Militärs‹ nur die Tierwelt zu berücksichti-
gen übrig. In der Tierwelt finden wir unzählige Lebewesen,
die weder schwächlich noch rücksichtsvoll sind, auch nicht zu
kostspielig genannt werden dürfen, da ihnen grade der Hunger
erfahrungsgemäß die allergrößte Rücksichtslosigkeit verleiht;
außerdem haben sämtliche Tiere die genügende Intelligenz, sich
rechtzeitig zurückzuziehen. Unsere Aufgabe ist daher, Tierregimenter zu schaffen. Nur durch gut organisierte Tierregimenter
kann dem alt gewordenen Militarismus unserer Zeit neue Lebenskraft eingeflößt werden. Die Unterzeichneten empfehlen
nun in erster Reihe Heranziehung der größeren Tiersorten. Die
Dressur der vierfüßigen Dickhäuter bereitet bekanntlich keine
nennenswerten Schwierigkeiten. Und auch die Dressur der Walrosse und Seelöwen wird den großen Tierbändigern unsrer Zeit
ein Leichtes sein. Die Walrosse und Seelöwen sind mit um-
fangreichen kugelsichern Kork-Panzer-Hemden auszurüsten,
und künstliche Riesenflossen aus Aluminium und Stahl müssen
die natürliche Flossenkraft ganz gewaltig heben; mit solchen
Kunstflossen läßt sich jedes Meer mit Leichtigkeit orkanartig
aufregen. Die meisten Tiere können die Waffen – auch die
Schießwaffen und Geschütze – auf dem Kopfe wie einen Hör-
nerschmuck tragen. Dem Offizierskorps der Tierregimenter dür-

fen natürlich nur erprobte Tierbändiger angehören. Die Ausarbeitung der Ideen über die beste Art der Verwertung tierischer Gliedmaßen ist selbstverständlich Spezialaufgabe des Generalstabes. Die Rüssel der Elephanten können z. B. zu Schleudermaschinen ausgebildet werden; die Löwen wären am wirksamsten zusammengekoppelt zu gebrauchen. Sehr interessant wird sich die Uniformfrage gestalten; sie läßt sich hier nur nicht so kurz abtun. Jedenfalls wird über die beste Uniformierung der Auerochsen, Giraffen und Kamele innerhalb drei Tagen eine besondere Broschüre erscheinen; allen Anforderungen der militaristischen Tradition soll nach besten Kräften Rechnung getragen werden. Man kann fernerhin nicht bestreiten, daß sich viele Vögel sehr wohl zu Heereszwecken eignen. Die Krähenvölker ließen sich leicht mit Cyankalispritzen bewaffnen, und die Adler, Eulen und Störche könnten abgerichtet werden, kleine Dynamitbomben im richtigen Momente fallen zu lassen. Über fein gegliederte Schlauchbomben, die nur mit Pestbazillen gefüllt werden sollen, schreibt das Obergenie Schmoller-Käsebauch ein zweibändiges wissenschaftliches Werk. Was über die methodische Züchtung von Ungeziefer zu Kriegszwecken zu sagen ist, findet...« Hier sank dem Billionär der Plan aus der Hand und fiel ihm tatsächlich zu Füßen. »Merkwürdig!« murmelte der dicke Herr und erhob sich. »Mein Personal glaubt wohl«, fuhr er stehend fort, »es sei nichts leichter, als sich über mich lustig zu machen. Merkwürdig! Weil ich mich über Alles lustig mache, will man mir das heimzahlen. Personal!« Und er bückt sich und hebt das Manuskript noch einmal auf, blättert in den hinteren Pergamentseiten und findet dort ein Kapitel, das sich »über die Verwendung der Heringe beim submaritimen Kriege« eingehend ausspricht. Oho! Er liest das Kapitel nicht, aber interessieren tuts ihn mächtig; submaritime Angelegenheiten sind ihm allzeit lieb und teuer gewesen. Nach längerem Nachdenken telegraphiert der allmächtige Billionär an den Direktor seiner Erfindungsabteilung: »Schnell kurzen Artikel über die Endziele der submaritimen Kriegstechnik abfassen. Aber ernst! Das Große soll nicht bloß für die Narren sein. Rakkóx.« Der Nabob begibt sich in seinen Höllensaal, allwo er gewöhnlich zu frühstücken pflegt. Der Höllensaal ist mit feuerrotem Tropfstein erbaut, die Wände sind zu symmetrisch verteilten Grottennischen ausgebildet. Der ganze Saal ist, obgleich die Formen des

Tropfsteins so blieben, wie sie waren, mit fanatischer Symme-
trie gearbeitet. Vor jeder Nische steht eine goldene Urne, in der
schwarze Tulpen blühen. Selbst die Anzahl und die Formen
der Tulpen sind symmetrisch angeordnet. In der Mitte steht der
Frühstückstisch, über dem eine riesige tausendkantige Smaragd-
ampel brennt. In den feuerroten Tropfsteingrotten brennen
viele elektrische Flammen – wirksam versteckt. Auf dem weißen
Tischtuch schieben sich die grünen und roten Lichtkegel über-
und untereinander. In den goldenen Urnen gleißt es gleichfalls
grün und rot. Rakkóx ist kaum beim elften Gericht angelangt,
da stört ihn ein dumpfer Glockenton – und herein stürmt ein
weiß gekleideter Diener, legt sanft ein neues Pergament-Manu-
skript auf den Frühstückstisch und eilt lautlos über den
kaminroten Teppichpelz, der den Fußboden des ganzen Saales
bedeckt, wieder hinaus. Vor dem Billionär liegt der Artikel
»über die Endziele der submaritimen Kriegstechnik«, geschrieben von Schultze dem Siebenten, einem berühmten Obergenie.
Der erste Teil der Geschichte beginnt also: *Eine erlösende Idee.*
»Geliebte Brüder! Teure Schwestern! Werteste Verwandte, Bekannte und Unbekannte! Schon oft erhob ich mein Haupt, Euch
was Vernünftiges mitzuteilen – aber dieses Mal will ich Euch
eine erlösende Idee verkünden – darum spitzet die Ohren wie
kluge Mäuse! Ihr wisset, daß wir anitzo Schiffe bauen, die in
die Tiefe des Meeres steigen können wie die Flundern; die
submaritimen Flotten sind die besten Flotten unsrer Zeit. Welches aber sind die Endziele der submaritimen Kriegstechnik?
Habt Ihr darüber schon nachgedacht? Glaubt Ihr vielleicht, es
könne dem submaritimen Militarismus nur darauf ankommen,
den Haifischen der Südsee den Anblick submaritimer Schlachten
zu verschaffen? Oh nein! Laßt Euch nichts weismachen! Ein
wahrhaft moderner Militarismus – der waschechte ist gemeint!
– will als Erstes und Letztes immer nur die Befestigung und
Stärkung der Nationen und Staaten. Das steht bombenfest.
Welches sind nun die Nationen und Staaten, die von der submaritimen Kriegstechnik Befestigung und Stärkung erwarten
dürfen? Hm – die Nationen und Staaten, die sich immer noch
auf den leider allzu trockenen Festländern der Erde vorfinden,
haben die submaritime Kriegstechnik nicht so nötig. Was fragen die nach der? Alles Submaritime ist für die Oberflächen-
politik doch nur eine dekorative Begleiterscheinung der Meeres-

oberflächenflotte. Indessen – jetzt kommt es! Für die Nationen und Staaten, die den Mut haben – lies leis! – in den kolossalen märchenweiten weltfreien Tiefen des Ozeans unter dem Wasser sich anzusiedeln – für diese Nationen und Staaten hätten die submaritimen Flotten eine größere Bedeutung – eine Existenz begründende Bedeutung! Versteht Ihr mich schon? Alsdann würdet Ihr einsehen, daß die Endziele der submaritimen Kriegstechnik auf nicht mehr und nicht weniger als auf die Begründung und Erhaltung submaritimer Nationen und Staaten hinauslaufen. Das ist die erlösende Idee, die Schultze der Siebente euch verkündet. Die herrlichste Perspektive eröffnet sich dem glückseligen Erdbewohner – die Größe der Erde wird durch die Endziele der submaritimen Kriegstechnik für die Menschheit einfach verdreifacht! Die lokale Entwässerung des Meerbodens und die Befestigung der unter den Wassermassen des Ozeans zu erbauenden Riesengewölbe wird für die genialen Baumeister unsrer Zeit so leicht wie ein Kinderspiel sein. Edler Erdenbürger! Bedenke, daß sämtliche submaritimen Länder Normaltemperaturen empfangen können, daß dort also ›Zugluft‹ und ›Hausbau‹ unbekannt bleiben werden. Die Wohnungsmiete wird zur Chimäre. Hausbesitzer und Schnupfen gibts nicht mehr. Daß die Existenz der submaritimen Weltreiche eine Erlösung für die Menschheit bedeutet, muß ja wohl ohne weiteres selbst einem Kalbskopf einleuchten. Entschuldigt, daß ich lache und so was sage. Aber ich kann mir das leisten. Alle idealen Staatsideen lassen sich ja dort unten so leicht realisieren – der aristokratische Idealstaat wie der demokratische Idealstaat – Staaten mit automatischer, wie solche mit parlamentarischer, cäsaristischer, karnevalistischer oder anarchistischer Regierung – auch solche ohne jede Regierung. Alle überflüssigen harmoniezerstörenden Lebewesen können diesen submaritimen Weltreichen ohne jede Anstrengung ferngehalten werden. Das oben auf den trockenen Festländern so lästige Ungeziefer läßt...« Bei dem Worte »Ungeziefer« sinkt dem großen Nabob wiederum das Manuskript aus der Hand und fällt dabei unter den Tisch. »Merkwürdig!« tönt es wieder von Rakkóxens Lippen. Dann aber ißt der große Mann ruhig weiter. Nach der Mahlzeit telegraphiert er an den Direktor seiner Erfindungsabteilung: »Schultze VII. ist ein altes Rhinoceros, bin für seine Pläne leider zu arm. Der Kerl ist ein oberfauler Kopp. Bin mit Ihren Genies und Obergenies sehr unzufrieden. Ihr Personal ist bald für den Jahrmarkt reif. Rakkóx.« An den Direktor seiner kaufmännischen Abteilung, in der fünfzehnhundert verkrachte Gründer beschäftigt sind, telegraphiert der Billionär: »Schnell zehntausend submaritime Torpedoboote bauen lassen – aber beste Konstruktion. Rakkóx.« Danach ruht er in seinem Perlmutterzimmer von seiner Arbeit aus. Auf den weißen Eisbärfellen, die den ganzen Fußboden bedecken, spielen gelbliche und grünliche Lichtbüschel, die oben durch die Glaskuppel hineinkamen. Die Glaskuppel ist so bunt wie ein alter Krötenbauch, und viele weiße Pelzhaare werden zu Rakkóxens Füßen auch so bunt. An den welligen Wänden, die aus zehntausend Perlmutterbuckeln bestehen, glitzerts; mitten auf jedem Buckel sitzt ein kleiner hellblauer Saphir. Rakkóx liegt auf seinem weißen Sammetdivan und schlummert. Ein kurzer kompakter Herr mit dickem Kopf. Kurz ist der graue Bart, kurz ist das graue Haupthaar. Die weißen Augenbrauen sind so buschig wie die Eisbärfelle. Die breite Brust hebt sich und senkt sich wie eine feste Maschine. Der lose perlgraue Anzug hängt schlaff und unordentlich an dem kurzen dicken Körper. Die Glaskuppel macht jetzt auch den losen perlgrauen Anzug krötenbunt. Währenddem schnauzt der Direktor der rakkóxischen Erfindungsabteilung sein Obergenie Schultze VII. mächtig an. Und der Siebente wird wütend wie ein spanischer Stier. Beim Donner der großen Worte verkriechen sich des Direktors Möpse hinter die Aktenregale. Nachdem Rakkóx sich ausgeschlafen hat, wird ihm ein junger Erfinder Namens Kasimir Stummel gemeldet. »Empfangssaal!« flüstert der Billionär. Und Stummel wird in den Empfangssaal geführt. Der ist natürlich köstlicher als alle Harems des Kaisers von China. Feinste Emailwände – durchsichtiges Email! – rot – grün – blau – glitzernd wie spielende Fische im Sonnenschein – Geschmeide von feinsten Goldornamenten dazwischen. Und dann Teppiche – gearbeitet mit dem Mikroskop – Millionen geheimnisvoller Zeichen! – so bestrickend komponiert, daß aller Blütenschnee der Welt gar nichts dagegen ist. Dünne Glassäulen, die die zartesten Farbenwürfel in sich haben – beim Vorbeigehen kaleidoskopartig wirkend. Sessel aus geschnitztem Elfenbein mit weicher Seidenweberei. Stachlige graue Korallenvasen, die beinah bis zur Decke reichen – jede der tausend Stachelspitzen ein kleiner blitzender Smaragd.

Achattische mit Chrysolithschnitzerei – in allen möglichen Formen. Das Ganze so im Halbdunkel – nur erleuchtet von Fenstern auf Rubinglas, die unregelmäßig in verschiedenen Forma-
ten an den Seiten und an der gewölbten Decke verteilt sind.
Stummel staunt doch ein wenig, obgleich ihm die Decke nicht
genügend gegliedert erscheint. »Guten Tag, Herr Stummel!«
sagt Rakkóx, wie er durch die schnell geöffneten Pfauenfedertüren schreitet, reicht dem Stummel die Hand und bittet ihn
freundlich, auf einem Elfenbeinsessel Platz zu nehmen. Kennen
tut er den Herrn noch nicht. Stummel sammelt sich, stammelt
erst seinen herzlichsten Dank für die Audienz und beginnt in
fließendem Deutsch: »Herr Rakkóx, seit Jahren habe ich die
Tätigkeit Ihrer Erfindungsabteilung mit regem Interesse verfolgt
und bin denn doch erstaunt gewesen, daß soviel überflüssige
Ideen Ihnen zur Ausführung anempfohlen wurden. Die täglichen Berichte der Presse haben mich allmählich gereizt. Wenn
ich Sie richtig verstanden habe, liegt Ihnen nur daran, solche
Ideen auszuführen, die eine wesentliche Förderung der Kultur
im Auge haben und gleichzeitig auf größere Dimensionen be-
rechnet sind.« Hier unterbricht Rakkóx den jungen Mann und
bemerkt folgendes: »Das Letztere von den Dimensionen ist
ganz gut. Aber reden Sie bloß nicht von Kultur, das sieht so
philanthropisch aus. Ich bin aber kein Philanthrop, dazu ist die
Menschenmasse nicht zart genug mit mir umgegangen. Man
hat mich immer ausgelacht und hat geglaubt, mir damit einen
Gefallen zu tun. O, für die Menschen bin ich nicht begeistert,
lassen Sie mich bloß mit der Kultur zufrieden. Neue Einrichtungen, die für die Menschen einen notwendigen Entwicklungs-
faktor bilden, brechen sich auch ohne mein Zutun Bahn. Ich
hätte mich ja für Verbesserung der menschlichen Wohnungs-
verhältnisse begeistern können – aber glauben Sie, man würde
mir dabei irgendwie entgegenkommen? Lächerlich! Für die meisten Menschen ist ein Schweinestall als Aufenthaltsort so was
Natürliches.
Doch fahren Sie ruhig fort – ich höre sehr aufmerksam zu.«
Und Stummel fährt unbeirrt fort: »Die Fürsten der Erde haben
jederzeit ihre Existenz durch Kolossalbauten dokumentiert. Es
muß daher auch in Ihrem Interesse liegen, Kolossalwerke mit
architektonischem Charakter zu schaffen. Die früheren Fürsten
der Erde waren zu arm, um in größerem Stile zu arbeiten. Ihr

Reichtum aber, Herr Rakkóx, gestattet Ihnen das Grandiose – ja das Abenteuerliche und Märchenhafte – aufs Korn zu nehmen. Wenn man in größeren Dimensionen bauen will, empfiehlt es sich, die daseiende *Natur* derart zu benutzen, daß es schließlich so aussieht, als hätte man die ursprünglich daseiende Natur ebenfalls mitgeschaffen. Die Stilisierung größerer Felspartieen hat anerkanntermaßen für den Architekten einen höheren Wert als das Aufführen usueller Wandgebäude, die zu den Terrainverhältnissen einen Kontrast bilden sollen. Wie wärs nun, wenn Sie, Herr Rakkóx, geneigt sein möchten, nicht bloß einzelne Partieen eines Felsens – sondern versuchsweise mal einen ganzen Felsen von oben bis unten in ein architektonisches Kunstwerk zu verwandeln? Das wäre was wahrhaft Großes und würde die kommenden Geschlechter anspornen, im Laufe der nächsten Jahrtausende die gesamte Oberfläche des ganzen Erdballs in ein großes kompaktes architektonisches Kunstwerk umzuwandeln. Das Letztere ist natürlich nur als Scherz zu betrachten. Indessen ich hörte, daß Sie auch den Humor in den großen Unternehmungen nicht mit gar zu bösen Blicken zu betrachten pflegen.« Kasimir Stummel hielt inne und lächelte. Rakkóx lächelte ebenfalls, dachte an die submaritimen Staaten seines Obergenies Schultze VII. und hatte plötzlich das Gefühl, daß dieser Kasimir Stummel vernünftiger vorging als alle seine angestellten Genies und Obergenies. Der Kerl imponierte dem Nabob. »Der architektonische Ausbau eines Felsens kann unter Ihrer Leitung in Angriff genommen werden.« Also lautete Rakkóxens kurze Antwort. Stummel traten dicke Freudentränen in beide Augen. Der energische Billionär telegraphierte sogleich an den Direktor seiner kaufmännischen Abteilung: »Schnell kleines Gebirge möglichst mit Gletscher zu Bauzwecken ankaufen. Konferieren Sie mit Herrn Kasimir Stummel. Rakkóx.« Nachdem der Diener das Telegramm notiert hatte, stand der gewaltigste Mann der Erde so ruhig auf, als wäre nichts geschehen, schüttelte Stummeln beide Hände und ging rasch mit fliegenden Rockschößen ab durch die Pfauenfedertüren. Doch eine Stunde später telegraphierte er wieder an den Direktor seiner Erfindungsabteilung – und zwar das folgende schwer wiegende Telegramm: »Kündigen Sie sofort den zweihundert Genies und Obergenies ihre Stellungen. Sie selbst sind ebenfalls mit dem ablaufenden Quartal entlassen. Über-

geben Sie Ihr Amt umgehend Herrn Kasimir Stummel. Rakkóx.«
Dem Rakkóx kam der Stummel so sympathisch vor.

Der Direktor der rakkóxischen Erfindungsabteilung fiel bei
Empfang des schwer wiegenden Telegramms unter seinen
Schreibtisch. Und das Personal der Abteilung wurde beinahe
wahnsinnig; drei Obergenies mußten wegen gefährlicher Tob-
sucht sofort einer Heilanstalt überwiesen werden. Schultze VII.
tat so, als ob ihn die Sache nichts anginge. Und dennoch wußte
er sehr genau, daß ohne sein Zutun die Katastrophe ganz unmöglich gewesen wäre; aber seine Kameraden wußten das nicht,
da ihr Direktor alles Wichtige für sich behielt. Schultze VII. sah
mager aus wie ein Windhund und hatte einen so starken
Schnurrbart, daß der mit zwei Fingern nur mühsam zu umspannen war. Kaum hatte sich der Siebente in sein Lederzimmer
zurückgezogen, so strich er seinen Schnurrbart mit allen zehn
Fingern so heftig auseinander, daß einzelne Haare rausgingen
und nur so rumflogen. Und er knirschte mit den Zähnen – zwar
melodisch – doch nicht sanft. Und er hielt dabei einige seiner
gewöhnlichen Monologe – er war an die Monologe gewöhnt.
»Es ist eigentlich«, sprach er zu seinen braunen Lederwänden,
»durchaus sinnlos, mich über diesen Rakkóx zu ärgern, denn
ich brauche ihn nicht. Und dennoch ärgere ich mich. Ich war ja
ein Wüterich von meiner Geburt an, obgleich ich niemals einen
plausiblen Grund für meine Wut hatte. Aus Wut bin ich sogar
Humorist geworden – nicht aus Liebenswürdigkeit. Es ist zweifellos mein Schicksal, immerzu im Wutstadium zu leben. Andere Leute leiden an Wassersucht – ich aber leide an Wutsucht. Ich
sehne mich ja danach, beleidigt zu werden, damit ich ein Recht
bekomme, meinem tückischen Jähzorn freien Lauf zu lassen.
Und dabei lach ich noch.« Schultze VII. sieht wieder seine ledernen Wände und seine ledernen Möbel – fein gepreßte Sachen –
an und freut sich, so ganz zwischen alten Tierhäuten zu stecken;
ihm sind alle Bestien so recht sympathisch. »Die einfachen
Tiere und die menschlichen Kinder«, fährt Schultze fort, »neigen mehr zur Mordlust als zur Wollust – der entwickelte reife
Mensch desgleichen. Das hängt damit zusammen, daß die ein-
facheren Lebewesen sich ihrer Persönlichkeit nicht bewußt werden und die komplizierteren Lebewesen erst recht nicht an ein
individuelles Leben glauben – daher schätzen beide ihr Leben
und damit auch das der anderen Wesen nicht hoch ein. Die

Geschichte ist gräßlich einfach. Esel verstehens allerdings nicht.
Am Anfange ist die Kreatur grausam und zerstörungssüchtig –
am Ende noch mal. Und daher ist Schultze VII. ein Wüterich,
denn er ist ein Lebewesen, das die höchste Entwicklungsstufe
erreicht hat. Die höchste Genialität ist eben nur dazu da, die
Menschenbrut feste zu verhöhnen und zu verhetzen. Blut will
ich, verfluchtes Biestpack-Blut! Und darum muß Rakkóx – es
läßt sich leider nicht ändern – zerrissen werden – wie die Taube
vom Habicht zerrissen wird. Meine Logik ist immer vernich-
tend.« Er lacht – was sich wie Storchengeklapper anhört – freilich nicht ganz so. Und er kreischt auf wie ein wildes Tier,
schlägt mit beiden Fäusten auf seinen kleinen Kaffeetisch, daß
der zusammenknickt wie eine alte Hutschachtel. »Rhinoceros!
Rhinoceros!« brüllt er. Und dann lacht er – wie die Irrsinnigen
in der Heilanstalt zu lachen pflegen. Nachdem wird er aber
ganz ruhig und kalt, geht zu der Versammlung der entlassenen
Genies und Obergenies, überredet sie, mit ihm nach China
auszuwandern und dort den Kaiser von China gegen den ge-
meingefährlichen Rakkóx aufzuhetzen – und tut so affektlos
wie ein stiller Waldsee. Die Versammelten folgen dem großen
Schultze; alle fahren mit dem nächsten Eilzuge nach China.
In den nächsten Monaten entwickelt sich die Geschichte auf
beiden Seiten programmgemäß. In den Gebirgspalästen, die
Kasimir Stummel auf der Westküste Südamerikas baut, arbeiten
fünfmal hunderttausend Mann – Rakkóxens Geld kommt unter die Leute, er wird immer berühmter und beinahe vergöttert.
Ein ordentlicher Unternehmer geht seinen Weg; ob die Unternehmungen vernünftig oder lächerlich sind, ist allen ganz egal –
wenn nur gezahlt wird. Nach Verlauf eines guten Jahres bemerkt aber der große Billionär ein sichtliches Schwinden seiner
Popularität. Über die Ursachen dieser Erscheinung kommt er
bald ins klare. Schultze VII. telegraphiert ihm nämlich aus
Peking: »Ihr Vorgehen in Südamerika wird hier an höchster
Stelle scharf verurteilt, rate Ihnen, sofort Herrn Stummel ebenfalls zu entlassen, da er sich Übergriffe gegen chinesische Staats-
bürger erlaubt hat. Ehrfurchtsvoll! Schultze VII.« »Aha«, ruft
Rakkóx. Auf Madeira trifft er mit Kasimir Stummel zusammen, dessen glatt rasiertes Gesicht sehr braun und gesund aussieht. Stummel teilt seinem Prinzipal zunächst mit, daß sich an
der Westküste Südamerikas die Anzahl der chinesischen Kriegs-

schiffe nachgerade täglich vermehrt. Die Situation wird brenzlich. Rakkóx telegraphiert demnach an den Direktor seiner Marineabteilung: »Schnell alle fertigen submaritimen Torpedoboote zu Stummeln nach Südamerika senden. Die Geschichte eilt. Rakkóx.« Dieses Telegramm beruhigt jedoch Herrn Kasimir Stummel keineswegs. »Ich kann mir«, führt er aus, »nicht verhehlen, Herr Rakkóx, daß Ihre Offiziere sehr unzuverlässig sind. Sie haben sämtlich nur pekuniäre Interessen und keine nationalen. Die Soldaten, die sich als Vertreter einer Nation betrachten, bieten ohne weiteres viel mehr Sicherheit als die gesamte Rakkóx-Armee. Wir müssen das nationale Element aus den feindlichen Armeen rauspumpen. Es ist mein voller Ernst. Mit internationalen Armeen werden wir immer fertig. Wir müssen aus der chinesischen Armee eine internationale Armee machen.« »Wie machen wir das?« fragt Rakkóx. »Es geht!« erwidert Stummel, »es ist eine kühne Idee – aber ich weiß, Sie schrecken vor kühnen Ideen nicht zurück – besonders wenn sie nur Defensivmaßregeln verkörpern wollen.« »Nu reden Sie doch – was wollen Sie denn?« Also Rakkóx. Und Stummel fährt fort – bedächtig: »Es hört sich toll an – aber es geht! Wir müssen China zum internationalen Staate machen. Wir müssen durch glänzende Anerbietungen eine Vermischung aller Rassen des Erdballs durchzuführen suchen. Wir müssen die Übersiedlung sehr vieler Europäer nach China und sehr vieler Chinesen nach Europa veranlassen. Diese Tätigkeit maskieren wir dadurch, daß wir gleichzeitig die Afrikaner nach Indien und die Inder nach Australien transportieren; die Indianer können ja nach Skandinavien. Sie verstehen wohl! Wir müssen das reine Rührei aus den Nationen machen. Ich sage Ihnen, lachen Sie nicht! Es geht tatsächlich! Dazu gehören nur recht viele Personendampfer, die für die Überfahrt einen lächerlich geringen Preis beanspruchen.« Rakkóx steht auf und telegraphiert an den Direktor seiner kaufmännischen Abteilung: »Sofort tausend Personendampfer ankaufen oder bei der Werft von Europa bestellen. Größtes Format! Rakkóx.« Stummel stammelt seinen Dank, er ist ob seiner Erfolge ganz verwirrt. Im besten Strandhotel essen sie danach ein einfaches Abendbrot. Nach dem Abendbrot rauchen sie auf der Fürsten-Terrasse eine gute Cigarre aus Melbourne, der Mond beleuchtet ganz ausgezeichnet den Atlantischen Ozean, und Rakkóx plaudert von

seinem Obergenie Schultze VII. »Das ist ein ganz gemeinge-
fährlicher Mensch«, sagt er heftig, »stellen Sie sich nur vor, was
für geniale militaristische Ideen mir dieser freche Kerl zu unter-
breiten wagte! Krokodilsregimenter in dunkelblauer Uniform
– wirkliche Krokodile in dunkelblauer Uniform – wollte der
Herr zum Schutze der Hafenforts dressieren lassen. Ich glaube,
er schrieb auch von einer Dressur der Austern zu Kriegszwecken.
Er hätte auch noch die Regenwürmer in Uniform gesteckt –
wenn ich dem Satan nicht den Laufpaß gegeben hätte. Und aus
Rache für den Laufpaß putscht er nun die Chinesen gegen mich
auf. Ein sauberer Kunde! Er ließ keine Gelegenheit vorübergehen, die Bedeutung des Ungeziefers herauszustreichen; das
Ungeziefer nannte er das natürliche Leibregiment der Menschheit. Meine zweihundert Genies glaubten immer, ich könnte
mich nur am Spaß ergötzen. Weil ichs mir selten versagen mag,
gelegentlich einen saftigen Ulk vom Stapel zu lassen – deswegen glaubte man, mir könnte nichts angenehmer sein, als selber
ordentlich verulkt zu werden. Wenn man über die Tiefsinnig-
keit dieser Genies, die das Gehirn eines Billionärs nur für ein
Witzkaninchen halten, nachdenkt, so kann man beinah Bauch-
weh bekommen. Es gibt doch verschiedene Arten von Humor.
Wir können speziell defensiven und aggressiven Humor unterscheiden; der aggressive ist eine ganz entartete Art und diesem
Schultze Numero VII eigentümlich. Sie, Herr Stummel, haben
eine seltsame Abart von Humor, die ich geschäftliche Abart
nennen möchte. Nehmen Sie mirs nicht übel, mir ist die Abart
durchaus nicht unsympathisch. Ich selbst habe einen Humor,
der mehr unfreiwilliger Natur ist. Der unfreiwillige Humor
wird ja wohl von einzelnen Gelehrten für den einzig wahren
erklärt. Ich gestehe aber, daß ich sein Dasein in mir lebhaft
bedaure. Seien Sie nie zu lustig, der ganze Humor ist überhaupt
nur eine gute Nummer für den Armen – für den Reichen ist der
Humor ein Malheur. Ich habe meinen verdammten Mitmen-
schen immer zu wenig übel genommen. Ich habe das fatale Talent bei jedem nur die lächerlichen Seiten zu sehen – und was
man belachen kann, nimmt man nicht krumm. Doch durch
diese Gutmütigkeit verliert man den Respekt. Die Leute glauben einem schließlich nicht, daß man mehr will – als Lachen-
können. Und vom Lachen allein wird man doch noch nicht vergnügt.« Die beiden Männer qualmten mächtige Rauchwolken

in den Mondenschein, der Atlantische Ozean lag glitzernd vor ihnen wie ein verworrenes Spiegelbild der Unendlichkeit. Die beiden Männer schwiegen lange und waren so ernst wie diejenigen, die ihr ganzes Leben nur mit weltzerkneifenden Taten füllen möchten. Und dann sprach Stummel von seinen großen Palastgebirgen: »Ich möchte das Bleibende schaffen!« sagt Stummel, »ich habe zunächst mit den neuen Maschinen größere Höhlungen in den Bergen vorgenommen, die dabei herausgebrachten Stein- und Kalkmassen habe ich draußen am Meeresstrande zu reich gegliederten Terrassenbauten verwandelt. Es lassen sich verschiedene Berge ganz leicht in eine rechtkantige architektonische Form bringen, auch mit komplizierten Kurven lassen sich glänzende architektonische Kompositionen schaffen. Die Säle, die im Innern der Rakkóx-Felsen entstehen, werden beispiellose Dimensionen erhalten. Wir machen das Dimensionale modern. Die neuen Maschinen arbeiten so sicher, daß Einstürze nicht zu befürchten sind. Unsere Mathematiker arbeiten zudem fast viel zu sorgsam. Am Kasimir-Felsen lasse ich den ganzen Gipfel abschneiden, sodaß in allen Sälen Oberlicht sein kann. Ich denke mir die Wände der Säle zumeist ganz mit Wohnungen angefüllt – die hinter Vorbauten, Säulenhallen und Balkons jede beliebige Ausdehnung haben können. Gewaltig werden die Granitsäle wirken. Zweihundert Meter hohe Wände – ganz spiegelglatt! Und da die Beleuchtung mit Fackellicht! In den tieferen Schichten sind riesige Baderäume unterzubringen – mit Springbrunnen, Kaskaden, Teichen und Gondeln. Sämtliche Kirchenbauten fallen vor diesen Gebirgspalästen untern Tisch, nicht wahr? Man muß lächeln, wenn man an die kleinliche Architektur der Vorzeit denkt. Um die Wohnungen wird man sich reißen und märchenhafte Summen bezahlen. Vorzüglich wirken die grandiosen Perspektiven, wenn ganze Ketten von Riesensälen neben-, hinter-, über- und untereinander liegen können. Es sind selbstverständlich durch eleganteste elektrische Bahnen die Säle zu verbinden. Die Wagen müssen allerdings ganz im Stile der Architektur gebaut sein. Wir schreiben da wohl verschiedene Konkurrenzen für die einzelnen Stilarten aus. Von außen aber werden die Gebirge einen hinreißenden Anblick gewähren. Die Natur ist tausendfach übertrumpft. Es lassen sich auch im ägyptischen Geschmack große stilisierte Skulpturen herausarbeiten. Immerhin bin ich eigentlich dage-

gen: die reine Architektur muß allein mit großen Rhythmen
wirken und kleinlichen Zierrat verschmähen, wenn er auch
noch so groß ist. Die neuen Emailfarben bringen übrigens,
wenn man sie vorsichtig zum Rausstreichen der Verhältnisse
benutzt, einen verblüffenden Eindruck hervor – und die Farben
sind wetterfest. Ich bin sehr glücklich . . .« So redete Stummel bis
zum Morgengrauen, und Rakkóx hörte aufmerksam zu, sie
rauchten mit Genuß das Kraut von Melbourne, tranken nur
kühle Limonade und begaben sich erst beim Aufgange der Sonne zur Ruhe. Der Atlantische Ozean glitzerte in tausend Farben, als die Sonne kam. Der Krieg zwischen Rakkóx und dem
Kaiser von China nahm nun seinen Fortgang. Eine Kriegser-
klärung fand natürlich nicht statt, denn sich gegenseitig Schlachten zu liefern, lag durchaus nicht in der Absicht der beiden Par-
teien. Sie lagen bloß auf der Lauer und suchten eine günstige
Gelegenheit zu erspähen, ohne größeren Geld- und Blutverlust
was zu erobern. Es war ein ständiges Manövrieren. Und alles
konzentrierte sich dabei um Stummels Gebirgspaläste; Rakkóxens submaritime Torpedoboote kreuzten immerzu vor dem
Arbeitsfelde und verhinderten das Näherkommen der chinesischen Flotte, ohne zu schießen. Und diese versuchte eigentlich
nichts weiter, als Rakkóxens Admirale zu bestechen. Ein schöner Krieg! Die Bestechungsversuche gelangen aber nicht, da
Rakkóx viel freigebiger war als der Chinesenkaiser. Das Haupt-
ziel der chinesischen Diplomaten war zudem das: Stummel
rumzukriegen. Indessen Stummel war nicht so leicht ins Verderben zu stürzen, da er alle persönlichen Empfindungen unterdrückte und nur für die Erhaltung seiner Gebirgspaläste
kämpfte. Schultze VII., der bald die gesamte Bestechungsaktion
gegen Stummel leitete, wußte wohl, mit welchem hochent-
wickelten Menschen ers zu tun hatte. Doch die bösen Menschen
sind nie in Verlegenheit, wenn es gilt, tückische Pläne auszu-
hecken. Der rachsüchtige Schultze telegraphierte aus Peking an
Herrn Kasimir Stummel: »Ich gratuliere Ihnen zu den Erfolgen
Ihrer Rassenvermischungsidee. Ihre Personendampfer funktio-
nieren ja ganz ausgezeichnet. Erklären Sie Ihre Gebirgspaläste
ebenfalls für international. Begeben Sie sich unter den Schutz
der Vereinigten Staaten des Erdballs und die Konsistenz Ihrer
Arbeit ist für alle Ewigkeit gesichert. Andernfalls können Sie
sich auf das Schlimmste gefaßt machen, da sich in Ihrer näch-

sten Umgebung an die fünfzig Verräter befinden. Schultze VII.«
Stummel erschrickt doch ein wenig, denn am Bestehenbleiben
seiner Paläste, die natürlich nicht so rasch fertig werden, liegt
ihm mehr als an seinem eigenen Leben. Stummel ist ein Diplo-
mat und immer schnell bereit, gleich wieder mit einem andern
Herrn zu arbeiten, wenn der momentan zur Verfügung ste-
hende Herr nicht den genügenden Schutz bietet. Der kluge
Kasimir schickt also an Rakkóx eine umständliche Depesche,
in der er in sehr lustiger, humorvoller Form die Idee des infa-
men Schultze auseinandersetzt und beleuchtet; er läßt durch-
blicken, daß die Gebirgspaläste im Besitze sämtlicher Nationen
des Erdballs an Wert nur gewinnen – nicht verlieren dürften.
Rakkóxens Antwort lautet: »Das Lachen der Verlegenheit ist
immer noch liebenswürdiger als das Lachen der Verlogenheit.
Rakkóx.« Diese grobe Antwort stößt dem Stummel doch furchtbar vor den Kopf, und er zweifelt daran, daß Rakkóx nötigen-
falls bereit sein könnte, für die Paläste Kopf und Kragen zu
riskieren, und er beschließt, nur noch im Interesse seiner Arbeit
zu handeln und sich um den Rakkóx nicht weiter zu beküm-
mern. Stummels internationale Unterhandlungen beginnen
darauf. Rakkóx wird nicht weiter befragt. Gleichzeitig erfährt
die allgemeine Wutstimmung, die sich auf der ganzen Erde gegen den verrückten Billionär im Laufe der Jahre ausbildete, eine
unheimliche Steigerung. Und Schultze VII. wird kühner. Mit
verblüffender Taktik weiß er den Stummel immer tiefer in sein
Netz zu ziehen, sodaß dieser schließlich öffentlich die Gebirgspaläste für internationales Eigentum erklärt und sich und seine
Arbeiter unter den Schutz der Vereinigten Staaten des Erdballs
stellt. Wie Rakkóx in Konstantinopel diese Proklamation liest,
besteigt er sofort sein Blitzboot und fährt bei Gibraltar vorbei
nach Südamerika – erklärt unterwegs die Proklamation des Kasimir Stummel für eigenmächtig und gegenstandslos. Aber
Schultze VII. hat Rakkóxens Reise auf dem Blitzboot voraus-
gesehen. Mit den zweihundert Genies und vielen Chinesen
kreuzt er so »zufällig« im Atlantischen Ozean rum und fängt
das Blitzboot mitten aufm Äquator ab. Das raffinierte Obergenie läßt den Rakkóx fesseln und in seine große Salonkajüte
führen. Zehn alte Indianer mit langen blanken Messern im
Gürtel sitzen schweigend rechts und links neben dem großen
Schultze, der dem Billionär mit gleißenden Augen nur ein ein-

ziges Wort entgegenschleudert: »Rhinoceros!« Rakkóx sieht seinen Feind ruhig an, mustert die verrückten blutgierigen Indianer und sagt milde: »Armer Schuft!« Schultze VII. streicht seinen dicken Schnurrbart, gibt den Indianern ein Zeichen – und
die Indianer stürzen sich heulend auf den Billionär, jagen ihm
die langen Messer in den Leib, drehen ihm den Kopf ab und
schneiden den Leichnam in zweihundert Stücke von ziemlich
gleicher Größe; den Schädel und die größeren Knochen zerlegen
sie mit den Streitäxten. Die zweihundert Stücke werden abge-
waschen und fein säuberlich in zweihundert Emaildosen gepackt. Und diese Emaildosen mit dem Rakkóx-Gebein werden
feierlich unter die zweihundert Genies verteilt. Die Obergenies
erhalten Kopfstücke. Schultze nimmt Rakkóxens Nase. So stürzt
Rakkóx von seiner Höhe. Das Publikum der ganzen Erde schreit
Hurrah und feiert Schultze VII. als Erlöser. Die Verteilung der
Billionen erzeugt natürlich einen ganzen Rattenschwanz von
abenteuerlichen Prozessen. Die Advokaten trinken nur noch
Über-Sekt. Auch ein paar veritable Schlachten werden geschlagen – mit scheußlichem Gedonner. Das macht aber alles nichts
aus. – Rakkóxens Billionen werden verteilt – Rest bleibt nicht
übrig. Die Todesart des reichen Mannes bleibt natürlich ein
Geheimnis – dem Publikum wird was von Selbstmord und Te-
stamentsvernichtung vorgeschwatzt – die Verwandten erhalten
sämtlich Ministerstellen – einige Vettern bekommen den Her-
zogstitel und so weiter, und so weiter, und so weiter. So stürzen
Rakkóxens Billionen von ihrer Höhe. Schultze VII. aber merkt
plötzlich, daß er – zum – Götzen – der – Dummheit – geworden
ist – und – – – verachtet sich. – So stürzt Schultze VII. von seiner
Höhe. Die Gebirgspaläste des Kasimir Stummel verfallen, da
die Nationen für derartige Baukünste kein Geld übrig haben.
Schlangen und wilde Tiere nisten sich in den großen Granit-
sälen ein. Die Arbeiter fahren sämtlich davon, als sie keinen
Lohn mehr bekommen. Und Stummel sieht, wie sein Werk zu-
sammenbricht. Ein paar unternehmende Amerikaner betrachten die Gebirgspaläste als gute Bergwerke, finden dort Gold
und – verwüsten die gesamten »architektonischen« Arbeiten
von oben bis unten. Die herrlichen Terrassenanlagen werden
rücksichtslos zerstört und die feinen großen Maschinen nur
noch zu Bergwerkszwecken verwandt. Stummels Beschwerden
werden von den zur Zeit Vereinigten Staaten des Erdballs mit

lächelndem Bedauern entgegengenommen. So stürzt Kasimir Stummel von seiner Höhe. In Peking aber pflegt der allgemeine Genieverein jeden Sonnabend seine Sitzung mit einem Rundgesang zu beginnen, dessen Kehrreim »Sic transit gloria Rakkóxi« stets mit indianerhaftem Wutgeheule gesungen wird. Der rakkóxische Rundgesang wird mit der Zeit so populär, daß er bei jedem Siegesfeste gesungen werden *muß*.

EDUARD VON KEYSERLING
Die Soldaten-Kersta

Es hatte angefangen ein wenig zu tauen. Der Novemberschnee auf dem Kirchenwege war naß und der schwere Schlitten bewegte sich springend und rüttelnd vorwärts. Vier Rekruten-Weiber saßen in ihm: Marri, Katte, Ilse und Kersta, die Tochter der Häuslerin Annlise. Sie kamen von der Trauung in der Kirche. Morgen sollten ihre Männer fort unter die Soldaten. Über die Brautkronen hatten sie große blaue Tücher gelegt; so saßen sie wie vier spitze, blaue Zuckerhüte in dem Schlitten und wakkelten bei jedem Stoß. Der Rüben-Jehze kutschte sie. Sehr betrunken, peitschte er unbarmherzig auf die kleinen, zottigen Pferde ein. Die Männer kamen hinterdreingefahren je zwei in einem Schlitten. Es war viel getrunken worden, und sie sangen mit lauten, heiseren Stimmen. Die Frauen schwiegen und wakkelten geduldig in ihren blauen Tüchern hin und her. Kersta war die Kleinste von ihnen. Mit einem runden, rosa Gesichte, runden, hellblauen Augen, einer runden Nase, sah sie wie ein Kind aus. Nur der Mund mit den herabgezognen Mundwinkeln war der ein wenig sorgenvolle Mund der lithauischen Bauerfrau. Unverwandt starrte sie in den grauen Nebel hinaus, der über dem flachen Lande lag. Wunderlich schwarz nahmen sich die Wacholderbüsche und die Saatkrähen in all dem Grau aus, während die entlaubten Ellern wesenlos wie kleine rötliche Wolken auf der Heide standen. Vor Kerstas Augen schwankte dieses ganze, farblose Bild sachte, sachte, als säße sie auf einer Osterschaukel und würde langsam hin und her gewiegt. An jedem Kruge hatten sie Halt gemacht, und Kerstas langer blonder Thome war an den Schlitten der Frauen herangetaumelt mit

der Branntweinflasche: »No, is die junge Frau totgefroren, was?«
Dabei reichte er ihr die Flasche. Kersta lächelte dann ein wenig
mühsam, denn die Lippen waren steif von der Kälte, und trank.
Der Branntwein machte die Glieder angenehm warm und
schwer, dazu nahm er die Gedanken fort, und das ist auch gut.
Immer wesenloser wurde die graue Nebelwelt vor Kerstas Augen; selbst Jehzes breiter Rücken schien immer weiter fortzu-
rücken. Dafür kamen aber die Eindrücke des Tages ihr mit einer
bildlichen Deutlichkeit in den Sinn wie Träume; immer wieder,
immer dieselben, wie Menschen, die auf dem Karussell auf dem
Jahrmarkte in Schoden an einem vorbeifliegen: – Hochzeit –
Hochzeit. – Am Morgen das Überwerfen des feinen, weißen
Brauthemdes, fein und kalt, daß es Kersta bis in die Fußspitzen
erschauern ließ; – die Brautkrone, die so fest auf die Stirn gedrückt worden war, daß es schmerzte. Jetzt mußte ein roter
Streif auf der Stirne sein. Dann die Kirche. Feierlich kalt war's
dadrin. Kerstas neue Schuhe klapperten hübsch auf den Steinflie-
sen des Fußbodens. Sie mußte achtgeben, nicht auszugleiten wie
auf dem Eise. Der Pastor hatte ein rundes, rotes Gesicht, und er
schmatzte im Sprechen mit den Lippen, als schmeckte ihm etwas gut. Aber schön hatte er gesprochen; von dem Fortgehn der
Männer und von Treubleiben und von Gottes Wort. Kersta
hatte geweint, natürlich! Soldatenfrauen weinen immer bei der
Trauung, das weiß man. Weinen tut auch gut, weinen, so daß
das Gesicht warm und naß wird und dazu ganz tief seufzen, so
daß die Haken am Mieder krachen. Sie hatte stärker geweint,
als die anderen Frauen, das konnte sie wohl sagen, wenn später
darüber gestritten wurde. Nachher im Kirchenkruge war getrunken worden und die Männer hatten untereinander Streit
angefangen. Alles war gewesen, wie es auf einer Hochzeit sein
muß. »Hochzeit-Hochzeit« bimmelten die Schellen an Jehzens
kleinen Pferden, und Kersta begann ihren Traum wieder mit
dem feinen, kalten Brauthemde.
Die drei anderen Frauen schwiegen auch und schauten mit demselben stätigen Blick, der nichts zu sehen schien, in den Nebel.
Nur als ein Hase vom Felde quer über den Weg setzte – da riefen alle vier: »Sieh – ein Hase« – und sie lächelten mühsam mit
den steifgefrorenen Lippen.
Im Dorfe hielten sie vor dem Kruge. Dort standen schon die
Hochzeitsgäste in ihren Festkleidern und schrieen. An die blin-

den Fensterscheiben der Dorfhütten drückten sich bleiche
Frauen- und Kinder-Gesichter. Alle wollten die Bräute sehn.
Das gab Kersta wieder ein starkes Festgefühl. Eine junge Frau
sein, die von der Trauung kommt, ist eine Ehre und der Hoch-
zeitstag der schönste Tag des Lebens. Vor der Krugstüre wartete
Kersta auf Thome, denn sie mußte mit ihm zusammen in das
Haus gehn. Sehr ernst stand sie da und sprach mit den alten
Frauen über den Weg; selbst der Gemeindeälteste redete sie an,
und die Mädchen starrten neugierig auf ihre Brautkrone. Kersta, die Tochter der Häuslerin Annlise, war es nicht gewohnt,
von allen achtungsvoll und freundlich angesehen zu werden,
sie war klein, arm, hatte nur eine Ziege und zählte bisher nicht
mit. Aber wenn eine Hochzeit hält, dann ist sie schon was. Kerstas rundes Kindergesicht wurde rot und blank wie ein Apfel
vor Stolz. Nun fuhren auch die Männer singend und schreiend
vor. Thome kam mit unsicheren Schritten auf Kersta zu, faßte
sie um den Leib und hob sie in die Höhe: »Klein is sie«, sagte
er: »aber schwer wie'n Mehlsack.« Alle lachten. Kersta errötete
vor Freude und war Thome sehr dankbar.
In der großen Krugsstube setzte sich die Hochzeitsgesellschaft
an die weißen Brettertische. Alle wurden still und ernst und
machten sich über die Milchsuppe mit Nudeln her. Ein lautes,
gleichmäßiges Schlürfen war eine Weile der einzige Ton im Ge-
mache. Dann kam das Schweinefleisch, dann das Schaffleisch,
dann wieder Schweinefleisch. Der Dampf der Speisen erfüllte
die Luft wie mit einem dichten, heißen Nebel. Kersta aß eifrig,
aß so viel, daß sie sich endlich erschöpft zurücklehnte und die
untersten Haken ihres Mieders aufspringen ließ. »Das ist nun
die Hochzeit. Ja, schön ist sie!« – sagte sie sich. Leicht strich sie
mit der Hand über Thomes Rockärmel. Der war nun ihr Mann,
der gehörte ihr. Gut ist es, wenn man einen Mann hat: »Trink,
junge Frau, trink!« sagte Thome.
Draußen begann es zu dämmern; es wurde Licht in die Stube
gebracht, Talgkerzen, die in Bierflaschen steckten. Im dunstigen
Zimmer bekamen die kleinen, gelben Flammen buntschillernde
Lichthöfe. Die Musik: eine Geige, eine Klarinette und eine
Ziehharmonika – spielte einen Polka. »Ja – tanzen!« Kersta
seufzte ganz tief vor Behagen. Sie trat einen Augenblick vor die
Haustüre hinaus. Der Abend war dunkel, ein feuchter Wind
fegte über den Schnee hin, die Wolken, grau, wie ungebleichte

Leinwand, hingen ganz niedrig am Himmel: »Morgen gibt es
Schnee« – dachte Kersta. An der stillen Dorfstraße entlang
kauerten die Hütten; hie und da blinzelte ein schläfriges Licht
hinter einer Fensterscheibe, ein Kind weinte, eine Frau sang ein
Wiegenlied, immer dieselbe müde, langgezogene Notenfolge.
Und dort unten, am Ende der Straße, das kleine, schwarze, stille
Ungeheuer, das war die Hütte der Mutter Annlise. Morgen wird
alles vorüber sein, als sei nichts gewesen. Kersta wird wieder
dort unten mit der Mutter hausen und ... Sie fuhr sich mit dem
Ärmel über die Augen. Warum ihr das Weinen kam? Dazu war
morgen Zeit genug! Sie ging hinein und tanzte. Das war gut.
Wenn man beständig und gewaltsam von einem rücksichtslo-
sen Männerarm gedreht wird, wobei einem die große, heiße
Männerhand auf dem Rücken brennt, das nimmt die unnützen
Gedanken weg. Nur der Körper bleibt, mit dem warmen Rinnen des Blutes und dem Pochen des Herzens. Die Welt ringsum
wurde für Kersta immer undeutlicher und traumhafter. Ernst
und eifrig drehten sich die schweren Gestalten in dem dichten
Tabaksqualm, die Männer schlugen im Takte mit den Absätzen
auf, es klang wie fleißiges Dreschen auf der Tenne. »So muß es
sein! Das ist das große Vergnügen des Lebens!« fühlte Kersta.
Später bekamen die Männer Streit, es wurde gerauft. Kersta griff
ein wie die anderen Frauen, aber dieses Mal mit dem stolzen
Gefühle, für ihren eignen Mann zu schreien und den anderen
Männern in die Haare zu fahren. Endlich führten die Burschen
und Mädchen singend das Paar die Dorfstraße hinab, zu der
Hütte der Annlise, wo das Brautbett aufgeschlagen war.
Während Kersta in der kleinen Stube das Licht ansteckte, warf
Thome sich schwer auf das Bett. Er war sehr betrunken und
schlief sofort ein. Kersta zog ihm die Stiefel aus, rückte das
Kopfkissen zurecht, dann legte auch sie sich nieder. Die Glieder
waren ihr wie zerschlagen. Wenn sie die Augen schloß, war es
ihr, als schwankte das Bett hin und her wie ein Kahn. Wirklich
schlafen jedoch konnte sie nicht. Wenn der Traum anfing, wenn
sie wieder in der Kirche stand oder im Kruge sich drehte, daß
die Bänder der Brautkrone wie Peitschenschnüre schwirrten,
dann ließ etwas sie auffahren, als schüttele sie jemand. Sie
starrte in die Dunkelheit hinein und sann: Etwas Schlechtes
wartete auf sie; was war das doch? Ja so! morgen geht der Mann
fort – und das alte Leben geht weiter – die Hochzeit ist vorüber

und nichts – nichts Gutes mehr für lange Zeit? Draußen dämmerte der Morgen. Die Fensterscheiben wurden blau. Kersta richtete sich auf und betrachtete Thome. Er lag in schwerem Schlaf; das blonde Haar hing ihm wirr und feucht um die Stirn, das Gesicht war sehr rot, aus dem halbgeöffneten Munde kam ein tiefes, regelmäßiges Schnarchen. Langsam strich Kersta mit der Hand über seine Brust, seine Arme: »Schlaf, schlaf!« sagte sie wie zu einem Kinde. Ihr Mann der gehörte ihr wie ihr Hemd, ihr Garn, ihre Ziege, mehr als die Ziege, denn die gehörte auch der Mutter. Das war gut! Nun hatte sie das, was alle Mädchen wollten, um was sie alle beteten – einen Mann; und groß war er und stark. Aber was hatte sie davon, wenn sie ihn gleich wieder fortgeben mußte? Gott, es war besser, über solch eine Schweinerei gar nicht nachzudenken! Kersta stieg aus dem Bette und nahm den Melkeimer. Sie wollte die Ziege melken.

Draußen wehte es stark und es fiel ein feuchter Schnee. Die Ebene lag grau-blau in der Morgendämmerung da. Am Horizont, über dem schwarzen Strich des fernen Waldes hing ein weißes, blindes Scheinen. Wie jeden Morgen blieb Kersta stehn, schützte mit der Hand die Augen, zog die Nase kraus und schaute ernst und mißmutig dem aufsteigenden Tage entgegen. Und die Dorfstraße entlang, vor den kleinen, grauen Häusern, standen andere Frauen mit ihren Melkeimern, wie Kersta die Augen mit der Hand schützend, und blickten ernst und mißmutig in das graue Dämmern, als hätten sie von dem kommenden Tage etwas zu erwarten.

Kersta fror. Sie lief in den Stall, in den niedrigen Bretterverschlag, in dem die Ziege, das Schwein und die Hühner wohnten. Die Luft war hier warm und schwer. Die Hühner schlugen auf der Stange mit den Flügeln. Das Schwein grunzte gemütlich vor sich hin. Kersta kauerte bei der Ziege nieder und begann zu melken. Angenehm heiß rann die Milch über ihre Finger. Eine wohlige Schlaffheit überkam die kleine Frau. Sie stützte ihren Kopf auf den Rücken der Ziege und weinte, nicht das starke, offizielle Weinen wie bei der Trauung und wie sie heute in der Stadt weinen würde, wenn der Mann abfährt; nein! ein Weinen wie sie es als Kind kannte. Die Tränen kamen leicht, badeten das Gesicht, als wüsche sie sich in lauwarmem Wasser; dabei wurde das Herz weich vor Mitleid mit sich selber. Im Weinen schlief sie ein, traumlos und süß. Die Ziege hielt ganz still, wandte den Kopf und sah die Schlummernde mit den gelben, friedlichen Augen mütterlich an.

Kersta erwachte davon, daß die Mutter neben ihr sagte: »Guter Gott! Is die beim Melken eingeschlafen! Was gehst du heute auch zum Melken!«

»Einer muß's doch tun«, erwiderte Kersta schlaftrunken.

»Tun!« meinte Annlise: »und dabei schlafen.« Die Stimme der Alten war brummig wie gewöhnlich, dennoch hörte Kersta heute etwas wie schmunzelnde Achtung heraus. Na ja, mit einer Frau spricht man anders als mit einer Marjell: »Geh nur, mach Feuer, der Mann muß früh fort.« Kersta sprang auf. Ja, richtig! Heute war noch kein gewöhnlicher Arbeitstag; heute durfte sie noch die Sonntagskleider anziehen und zur Stadt fahren; heute würde sie noch von allen bemerkt und bemitleidet werden. Das tröstete ein wenig.

Die Rekruten sollten in einem großen Schlitten von dem Gemeindeältesten zur Stadt gebracht werden. Die Mütter, Väter und Frauen wollten nachfahren, um im Bahnhof Abschied zu nehmen.

Während des Frühstücks sprach Thome nur von dem Prozeß und gab seiner Frau Verhaltensmaßregeln. Das kleine Dundur-Gesinde, links vom Dorf zum Walde hin, war von dem Peter Ruze in Besitz genommen worden; es kam aber Kersta zu, denn sie war das einzige Geschwisterkind des verstorbenen Wirtes, während Peter nur der Mann der Stieftochter war. Thome hatte in Kersta die Anwartschaft auf das Dundur-Gesinde geheiratet, und es war Kerstas Aufgabe, in seiner Abwesenheit ihren Anspruch durchzusetzen: »Geh zum Advokaten Jakobsohn, der is klug, die Juden sind immer die Klügsten, und billig is er auch. Laß dich nicht betrügen.«

Kerstas Gesicht nahm einen sehr verständigen Ausdruck an. Sie fühlte ihre Verantwortlichkeit wohl: »Ich werd schon machen«, sagte sie: »dumm bin ich nicht.«

»Wenn du dumm wärst, hätte ich dich nicht genommen«, schloß Thome die Unterhaltung.

Johlend bestiegen die Rekruten ihren Schlitten. Weiber und Kinder des Dorfes umstanden sie und weinten. Die vier Soldatenfrauen fuhren wieder zusammen in einem Schlitten. Es schneite jetzt stärker. Die spitzen, blauen Zuckerhüte, die sich wie gestern hin und her wackelnd gegenübersaßen, wurden weiß.

Im Walde sagte Marri: »Was hat man nu davon? Morgen is man wie gewesen.« – »Was soll man machen!« antworteten die drei anderen und seufzten. Später, als sie am Meere entlang fuhren, bemerkte Ilse: »Wenn's nicht friert, fault der Roggen aus.« Die anderen seufzten wieder und murmelten: »Ach Gottchen! Schlecht is schlecht.« Mehr wurde auf der Fahrt nicht gesprochen.

In der Stadt hatten sie kaum Zeit, um traurig zu sein. Man sieht sich nach allen Seiten um. Dann das lange Warten vor dem Rathause, bis die Männer herauskamen, das Essen in der Schenke, der Branntwein und die Wasserkringel, endlich der Abschied auf dem Bahnhof und das laute Weinen. Thome klopfte Kersta auf den Rücken: »Nu, nu; man stirbt auch nicht dort. Schick Geld, die Kost ist knapp dort.« – »Ja – ja.« – »Denk an den Prozeß. Geh zum Advokaten.« – »Ja – ja.« – »Sei klug, sonst komm' ich heim und bin betrogen.« – »Ja – ja.« Als der Zug fort war, standen die Frauen noch auf dem Bahnhofssteig und jammerten: »Ach Gottchen! Ach Gottchen!« Kersta war die erste, die damit aufhörte, sie mußte zum Advokaten.

Dort wartete sie in einer hübschen, warmen Stube. Der Advokat war ein kleiner, freundlicher Herr, der sie geduldig anhörte und ihr das Beste versprach. Er war sogar spaßig, er faßte Kersta unter das Kinn und sagte: »So'n hübsches Soldatenfrauchen muß nun lange fasten – ei – ei.« Das war schon ein gutes Zeichen für den Prozeß.

Es wurde schon Abend, als die lange Reihe der Schlitten sich auf den Heimweg machte. Feuerfarbene Wolkenstreifen, riesig und spitz, liefen über den bleichen Himmel. Die Sonne, himbeerrot und wie von dem Meere plattgedrückt, verschwand langsam. Über das krause, graue Meer rann ein purpurner Schimmer. Die Wellen rauschten leise und seidig. Die Soldatenfrauen waren von dem Gehen und Stehen und Trinken und Weinen erschöpft. Stumpf und geduldig saßen sie da und schauten mit gedankenleeren Augen in das Abendlicht. Im Walde, als es dunkel wurde und der Mond über die schwarzen Schöpfe der Fichten aufstieg, da wurde den Verlassenen das Herz schwer. Weinen konnten sie heute nicht mehr; so sangen sie denn, das erste, beste Lied, riefen klagend die Töne in den Wald hinein:

»Früher, Liebchen, gehe früher,
»Gehe nicht am Abend spät!
»Lose flattern Deine Tüchlein,
»Dornbusch am Wege steht.

Was war denn bei der ganzen Heiraterei herausgekommen? Das
Leben in Annlises Hütte ging dahin wie früher. Kersta melkte
die Ziege, ging in den Wald Reisig sammeln, webte. In den
Dezembertagen, in denen es um drei Uhr nachmittags schon
finster wird, kroch sie um sechs Uhr in ihr schmales Mädchen-
bett. Ein anderes hatte man nicht angeschafft; wozu denn! Um
zwei Uhr nachts war sie mit dem Schlafe fertig und setzte sich
wieder fröstelnd an den Webstuhl. Immer dasselbe; gedankenlos und freudlos, wie das Weberschiffchen, das gleichmäßig hin
und her durch die grauen Wollenfäden schießt. Daß sie verheiratet war, merkte Kersta nur daran, daß sie die Zöpfe nicht
mehr wie die Mädchen über den Rücken niederhängen ließ,
sondern sie aufband. An den Festtagen ging sie nicht mehr zum
Tanz in den Krug, und in der Sonnabendnacht schlich sich kein
Jung mehr zu ihr. Die große Beschäftigung des Mädchenlebens
fehlte ihr jetzt: das Denken an die Jungen, das Warten auf die
Jungen, das Weinen um die Jungen. Mit wem sollte sie denn
überhaupt noch reden? Die Mädchen sprachen von ihren Jungen, die Frauen sprachen von ihren Kindern, Männern, ihrem
Haushalt. Kersta hatte nichts von alledem. Sie wurde schweigsam und mürrisch. Schlimme Augenblicke kamen, wenn sie im
Bette lag, sich von der einen Seite auf die andere warf und nicht
schlafen konnte. Um sie her alles still. Durch die kleinen Fensterscheiben blinzelten grell die Wintersterne. Dann hörte sie
jeden Ton in den benachbarten Hütten. Das Kind der Bille
schrie. Jehze kam heim. Er war betrunken, er stolperte über die
Schwelle. Jetzt prügelte er die Bille; sie schrie und schimpfte.
Kersta wurde sehr einsam zumute. Warum hatte sie nicht auch
all das? Sie wollte ihren Mann, sie wollte Thome. Die Tränen
liefen ihr über die Backen und sie biß in ihr Bettuch.
Aber der Prozeß war da. Der füllte ihr Leben, gab ihr Würde
und Wichtigkeit. Einmal wöchentlich wanderte sie den vier
Stunden langen Weg bis in die Stadt, um ihren Advokaten zu
sprechen. Jeden Baum, jeden Stein kannte sie auf dem weiten
Wege. Bei jedem Wetter war sie ihn gegangen, war es nicht so

kalt, daß die Finger froren, dann strickte sie im Gehen ihren Strumpf. Alle kannten die kleine Frau mit dem roten Kopftuch, dem Strickstrumpf und dem großen Prozeß. Im Walde riefen die Holzknechte sie an: »He, Soldaten-Kersta, wie geht's ohne Mann?« Kersta blieb stehen und wischte sich mit dem Ärmel über das heiße Gesicht: »Gut. Wie denn anders.« – »Der Thome kann noch sechs Jahre fortbleiben – was?«

»Laß er bleiben – meinetwegen.«

Die Holzknechte lachten laut in den Wald hinein: »Eine, der das Fasten schmeckt! No, und der Prozeß, wie steht's?«

»Gut. Wenn einer recht hat, ist ein Prozeß immer gut.«

»So – so.« –

Häufig begegnete ihr der Forstgehülfe, ein hübscher Jungherr, mit einem schwarzen Schnurrbart, braunen, ganz blanken Augen. Dazu eine Jacke mit grünem Kragen und eine silberne Uhrkette. Er hielt Kersta jedesmal an und sprach so spaßig.

»Kleines Soldatenweibchen, wie geht's?« Kersta errötete ein wenig und bog den Kopf zurück, um den Forstgehülfen anzusehn: »Wie soll's gehn!« »Und der Thome kommt immer noch ohne Frau aus?«

»Oh! der hat dort genug, Polinnen und Jüdinnen!«

»– So! Und du hast hier auch genug Mannsleute, was?«

»Genug sind schon da?«

»Gott! Wäre ich so'n hübsches Weibchen wie'n Apfel, ich würde nicht warten, bis so einer von den Soldaten zurückkommt.«

»Wer wartet denn?« Kersta lachte laut, wie man lachen muß, wenn ein Jung einen Witz macht.

»So! nicht? Wir beide würden gut passen; Du klein wie'n Sperling, ich lang.«

»Gut, gut«, rief Kersta, weitergehend: »Zu Georgi wollen wir einen Kontrakt machen.« O, sie verstand es auch, mit Jungen zu spaßen. Einmal packte der Forstgehülfe sie, wollte sie küssen und umwerfen, sie aber riß sich los und lief davon. Noch den ganzen Tag über mußte sie darüber lachen. Zu Hause im Bett sah sie immer die Augen des Forstgehülfen vor sich, und als sie hörte, wie draußen die Jungen leise an die Fenster der Mädchen klopften, da machte sie das unruhig und ließ sie nicht schlafen.

Mit dem Frühling wurden die Gänge in die Stadt für Kersta leichter. Sie konnte sich auf dem Rückwege Zeit nehmen, denn die Nächte waren ganz hell. Sie ging dann oft so langsam,

Schritt vor Schritt, als könnte sie sich nicht entschließen, aus
dem Walde hinauszukommen: »Im Frühling bei nacht, da ist
es eigen; man wird faul, ganz faul«, sagte sie sich: »Und nicht
einmal an den Prozeß kann man dabei denken. Wunderlich!«
Zwischen den hohen Föhren standen jungbelaubte Birken, als
hätte jemand ein dünnes, grünes Tuch dort hingehängt. Oder
etwas Weißes leuchtet im Walde, ganz weiß wie ein Mensch,
der sich ein Bettlaken umgeworfen hat, das ist dann ein Faul-
baum in voller Blüte; der duftet einem schon auf eine Werst
entgegen. Auf der Waldwiese stehen Rehe, schwarz und still
im Nebel wie in einem Teich von Milch. Und überall, von den
Hügeln und Weiden, klingt das Singen der Mädchen herüber,
die Lieder, die Kersta so gut kannte. Ja, als Mädchen ist man toll
in solchen Nächten, keines kann schlafen. Kersta hatte das auch
erlebt. Auch sie hatte nächtelang draußen gesessen, die Hände
um die Knie geschlungen, hatte gesungen, immerzu gesungen,
recht laut die Töne in die Nacht hineingerufen und dabei gewartet: wird nicht einer antworten? wird nicht einer kommen?
wird ein blonder Schnurrbart nicht bald sich fest auf ihre Lippen drücken? Daran mußte Kersta immer wieder denken, während sie langsam, mit schlaffen Gliedern, die Landstraße entlang ging und in den Wald hineinhorchte.
In einer Nacht hörte Kersta es im Walde brechen. Ein Rehbock
wurde aufgescheucht und bellte laut; wieder raschelte es, und
der Forstgehülfe stand vor ihr: »Kleines, kleines Soldatenfrauchen!« sagte er. Der Mond stand gerade am Himmel, daher
schienen die Augen und die breiten, weißen Zähne des Forstgehülfen so blank: »No – wieder unterwegs?«
Kersta blieb stehen und sah zu ihm hinauf: ja, sie war wieder in
der Stadt gewesen, wie denn anders.
»Heute ist gut spazieren.«
Ja, gut war's schon.
Der Forstgehülfe lachte, sah Kersta an und schwieg. Sie schwieg
auch und wartete. Endlich legte er seinen Arm um ihre Schultern und sagte: »Du und ich, du und ich, Komm.«
»Was nu wieder«, meinte Kersta. Sie versuchte es, in dem rauhen, spaßigen Ton zu sprechen, den man mit Jungen haben
muß, allein, es kam unsicher und leise heraus; auch ließ sie sich
willig von der Landstraße in den Wald führen. Als unter den
Bäumen der Forstgehülfe ihr mit seiner großen, heißen Hand

über die Wange und über die Brust strich, da wußte sie es, daß
sie tun würde, was er wollte.

Der Morgen dämmerte, der Birkhahn war schon auf die Waldwiese herausgekommen und kollerte, als Kersta eilig ihrem
Dorfe zuschritt. »Na ja!« dachte sie: »wenn eine bei Nacht mit
einem Jungen im Walde ist, dann geht's mal nicht anders. Was
kann man da machen!«

Von nun an fand sich der Forstgehülfe oft auf Kerstas Rückweg
von der Stadt ein. Mutter Annlise brummte: »Was du jetzt spät
nach Hause kommst!« »Der Prozeß«, meinte Kersta: »Gott! so'n
Prozeß geht nicht so rasch wie'n Ei kochen.« Das Singen der
Mädchen und das Klopfen der Jungen bei Nacht an den Mäd-
chenfenstern beunruhigte Kersta nicht mehr.

Um die Zeit der Heuernte merkte Kersta, daß sie schwanger sei.
Das war schlimm! Was nun? Sie ging in den Ziegenstall, wo
keiner sie sah, und heulte eine Stunde, dann ging sie wieder
still an die Arbeit. Als sie den Forstgehülfen traf, war sie sehr
böse und schimpfte. Aber was half das? In sich gekehrt ging sie
umher, bleich mit fest aufeinandergekniffenen Lippen. Sie tat
die schwere Sommerarbeit, war sehr unwirsch mit der Mutter,
schlug die Ziege beim Melken und wanderte öfter denn je in
die Stadt, den Prozeß zu betreiben. Ging es mit dem Prozeß
schief, dann war sie verloren, dann schlug Thome sie und das
Kind tot. Und überhaupt das Kind! Was weiß man! So'n Kind
wird geboren und stirbt, und Thome kam noch lange nicht.
Dennoch mußte sie immer wieder an das Kind denken, an die
Wiege, an die Leinwand für die Laken, und wie es sein wird,
wenn so was Kleines, Weiches, Warmes sich an sie drückt und
sich bewegt und seine Lippen an ihre Brust legt: »Ach, ach –
Dummheiten. Gebe Gott, daß nichts wird mit dem Kinde.«

Während der Kartoffelernte ließ sich Kerstas Zustand nicht
mehr verbergen. Sie ging gerade, langsam und gebückt ihre Furche entlang und sammelte die Kartoffeln in ihren Rock, da
hörte sie hinter sich die Bille sagen: »Na, die Kersta erwartet
den Thome mit 'nem Geschenk. Der wird sich freuen.« Die anderen Frauen lachten laut, über den ganzen Kartoffelacker setzte
sich das Lachen fort: »Kommen mußte das. Nun ist's da«, dachte Kersta. Ihre Knie zitterten, die Kartoffeln, die sie gesammelt,
rollten wieder auf die Erde. Sie richtete sich auf und sah die

Frauen mit dem bösen, hilflosen Blick der Tiere an, die nicht mehr entrinnen können. Dann beugte sie sich wieder auf die Furche nieder und sammelte schweigend weiter. Das Spotten nahm jetzt kein Ende. Wenn Kersta über das Feld gehen mußte, um ihre Kartoffeln in den Wagen zu schütten, war es wie Spießrutenlaufen: »Sag, wo hast du das Geschenk machen lassen? In der Stadt? Ja, da kriegt man so was billig. Das kommt wohl beim Prozeßmachen heraus. Oder hat's der Thome dir mit der Post geschickt?« Kersta schwieg. Sie werden sich schon ausreden und aushöhnen, und dann wird Ruhe sein. –

Schlimm war es auch mit der Mutter, die jammerte und schimpfte den ganzen Tag. Was half das! »Kommen wird, was kommt«, sagte sich Kersta: »Das Leben is nu mal schwer.« Das machte sie ruhig und stumpf.

Im Winter, als Kersta in den Wald gegangen war, um Reisig zu holen, da überkamen sie die Geburtswehen. Die Frauen legten sie auf den Schlitten und zogen sie lachend und schreiend in das Dorf zurück. Kersta wurde von einem Mädchen entbunden. Das Kind war also da, und sterben wollte es auch nicht, es war ein kräftiges Ding mit braunen, blanken Augen im sorgenvollen Säuglingsgesicht. Die Leute im Dorf hatten sich an die Tatsache gewöhnt, daß Kersta ein Kind hatte. Es fiel niemandem etwas Witziges mehr darüber ein. Kersta selbst aber hatte außer dem Prozeß jetzt noch etwas anderes, wofür sie leben konnte. Der Prozeß war die Hauptsache, gewiß! Aber so'n Kind hat einen den ganzen Tag nötig, man wiegt es, man gibt ihm die Brust, an warmen Abenden sitzt man mit ihm auf der Türschwelle und singt: »Rai-rai-r-a-a, tai-tai-ta-a.« –

»Liebe Kersta!« schrieb Thome: »Ich schreibe Dir, damit Du weißt; mir ist's schlecht gegangen. Krank bin ich gewesen. Jetzt schicken sie mich nach Hause. Ich komme nächste Woche. Bleib gesund; Dein Mann Thome.«

Kersta hatte den Brief vor dem Herdfeuer mühsam entziffert.

»Was schreibt er?« fragte die Mutter.

»Was soll er viel schreiben«, erwiderte Kersta. Sie setzte sich auf die Ofenbank, denn sie fühlte sich ein wenig schwach: »Is er gesund?« fragte die Mutter weiter. Kersta antwortete nicht, sondern starrte in das Herdfeuer: »Warum antwortest du nicht? Ich will doch wissen.«

»Zurück kommt er«, warf Kersta mit ruhiger, verdrießlicher Stimme hin.

»Wenn er dem Kinde nur nichts tut«, dachte Kersta. Die Mutter mußte ähnliche Gedanken gehabt haben, denn sie sagte: »Die Wiege wirst du so stellen müssen, daß er es nicht immer unter den Augen hat.« Ja, das konnte man machen. Eine Weile saßen sie noch stumm beieinander, dann seufzten sie und standen auf, um schlafen zu gehen. Im Bett fragte die Mutter noch: »Mit dem Prozeß ist's doch gut?«

»Wie dann soll's anders sein?«

»No denn!«

An einem Sonnabendnachmittag stand Kersta vor dem Kruge und wartete auf den Schlitten, der die entlassenen Soldaten aus der Stadt bringen sollte. Es fror. Am glashellen Himmel ging die Sonne rot unter. Alle Frauen des Dorfes waren vor dem Kruge versammelt. Sie wickelten die Hände in die Schürzen und sahen, die Nasen krausziehend, die Landstraße hinab. Da kamen die Männer! Sie schwenkten die Soldatenmützen und schrieen.

»Was ist? Klein bist du geblieben und lebendig bist du auch«, sagte Thome, als er vor Kersta stand. Kersta wurde rot. Daß der Thome so groß war, hatte sie fast vergessen. Sie wurde ordentlich verlegen: »Warum soll ich nicht lebendig sein?« antwortete sie scherzend, aber die Tränen spritzten ihr in die Augen und sie streichelte Thomes Rockärmel: »Komm«, sagte sie, »das Essen ist fertig.« »Essen – ha – ha.« Thome lachte flott: »Die will mich auffüttern, ich bin ihr zu mager.« So gingen sie heim. Thome voran, Kersta hinterher.

Die Stube in der Häuslerei war geschmückt. Der Tisch weiß bedeckt. Zwei Talgkerzen brannten. Der Fußboden war mit Tannennadeln überstreut. Mutter Annlise stand am Herde und rührte im Kessel.

»Was, alte Mutter, Ihr lauft auch noch herum! Halten die alten Knochen noch beieinander?« rief Thome. »Es geht, solange es geht«, meinte Annlise, »gut, daß du da bist.«

Thome setzte sich an den Tisch und ließ sich das Schweinefleisch auftragen. Er aß langsam und aufmerksam, kaute jedes Stück lange, dabei sah er Kersta an und sagte mit vollem Munde: »Wirtin – Dundur-Wirtin.« Kersta saß ihm gegenüber, die Hände im Schoß gefaltet. »Eigen, wie hübsch so 'ne Mannsper-

son sein kann«, dachte sie. Das Gesicht war zwar so braun geworden, daß der blonde Schnurrbart darin fast weiß erschien,
aber die Schultern, die Arme, der Nacken! Gut ist's, wenn ein
Mann stark ist. – Thome hatte jetzt den ersten Hunger gestillt.
Er fuhr mit dem Handrücken über seinen Schnurrbart und lehnte
sich im Stuhl zurück: »Also der Prozeß; erzähl«, sagte er. Kerstas Gesicht nahm einen sehr überlegnen Ausdruck an, als sie
zu berichten begann; lauter kluge Sachen, die der Advokat gesagt hatte, die sie gesagt und getan hatte. Das Gesinde war so
gut wie ihres. Thome hörte gespannt und achtungsvoll zu: »Was
nicht alles an Verstand in so einer Kleinen stecken kann!« Das
feuerte Kersta noch mehr an. In der finstern Ecke des Zimmers
begann ein leises Wimmern. Kersta, eifrig fortsprechend, erhob
sich mechanisch, ging zu der Wiege hinüber, nestelte ihre Jacke
auf, nahm das Kind und gab ihm die Brust. Sie erhob ein wenig
die Stimme, um aus der Ecke verstanden zu werden. Dann
plötzlich, mitten im Satze blieb sie stecken. Mutter Annlise verließ leise das Zimmer: »Ja, nun kommt es«, dachte Kersta. Thome kam schon auf sie zu, langsam, den Kopf vorgestreckt, als
wollte er etwas fangen. Schnell legte sie das Kind in die Wiege
zurück und stellte sich davor. Sie wurde sehr blaß, schob die
Unterlippe vor, und die runden Augen öffneten sich ganz weit
und wurden glasklar wie bei geängstigten Tieren. Weil die
Hände ihr zitterten, faltete sie sie über dem Bauch. So wartete
sie: »Jetzt kommt, was kommen muß.«
»Was ist das?« Thome sprach leise, als würgte ihn einer.
»Was soll es sein?«
»Wo – wo kommt das Kind her?«
»Ein Kind – nu ja. Wo soll's denn herkommen?«
Sie hatte das mißmutig und trotzig herausgebracht. Jetzt aber
drückte sie die Knöchel beider Hände in die Augen und begann
zu schreien, laut, mit weitgeöffnetem Munde, wie ein Kind, das
über einer Untat ertappt worden ist. – »So – so – eine bist du«,
fauchte Thome. Er faßte ihr Handgelenk und zerrte sie in die
Mitte des Zimmers: »Den Mann betrügen – was? Hündin –
Hündin! Totschlagen werd' ich dich und den Balg.«
Er begann Kersta zu schlagen, unbarmherzig. Sie jammerte –
wehrte sich: »Eine Faust wie Eisen – ei – ei –«, dachte sie: »Der
Mann ist stark. Gott! er schlägt mich tot.« – Wie das schmerzte
– und doch – und doch – etwas war in alldem – das wie Befrie-

digung, wie Wollust aussah. Sie fühlte doch, daß sie einen
Mann hatte. Thome war außer Atem. Er schleuderte seine Frau
mit einem Fluch von sich, spie aus und setzte sich wieder an
den Tisch. Kersta lag still am Boden. Die Glieder brannten ihr.
Sie schielte zu Thome hinüber. War es nun vorüber? Fast hätte
sie gewünscht, es wäre nicht vorüber, als daß er so dasaß und
sich nicht um sie bekümmerte. Thome, den Kopf in die Hand
gestützt, brütete vor sich hin. Da erhob sich Kersta mühsam,
setzte sich auf die Ofenbank, rieb sich ihre zerschlagenen Glieder und weinte still vor sich hin: »Der arme Mann!« dachte sie
dabei.

Die Kerzen waren tief herabgebrannt und hatten lange schwarze Nasen. Kleine, harte Schneekörner klopften von draußen an
die Fensterscheiben. Ein Heimchen begann eifrig im Herde zu
schrillen. »Was wird er machen? Wird er mich heute abend
noch schlagen?« dachte Kersta. Thome trank einen Schnaps,
gähnte, begann sich die Stiefel auszuziehen. Kersta stand auf
und zog ihm die Stiefel aus. Dann entkleidete er sich und warf
sich auf das Bett; das Bett krachte, als wollte es zerbrechen.
Kersta mußte lächeln. »Na ja – ein so schwerer Mann?« Sie
löschte die Kerzen aus und setzte sich wieder auf die Ofenbank.
Die glimmenden Kohlen im Herde warfen ein wenig rotes Licht
und Wärme auf die nackten Füße der kleinen Frau, die bange
und regungslos auf den Atem des Mannes horchte. »Du!« er-
scholl es plötzlich. Kersta schreckte auf: »Was sitzt du? Wirst du
nicht schlafen?«

»Was soll ich sonst tun«, erwiderte Kersta mit ihrer brummig-
sten Stimme. Als sie aber zum Bett hinüberging, wurde ihr
warm um das Herz: »Jetzt – war sie auch – wie andere Frauen!«

In der ersten Zeit war das Leben in der Häuslerei schwierig. Die
Wut über das ihm angetane Unrecht stieg immer wieder in
Thome auf; dann gab es Geschrei und Schläge. Im Kruge er-
klärte Thome, er wolle die Frau und das Kind totschlagen. Das
Kind mußte beständig vor ihm versteckt werden: »Er wird sich
schon gewöhnen«, sagte Kersta ruhig: »Na ja, ein Mann ist ein-
mal nicht anders. Was kann man da machen.« Und wirklich,
Thome begann immer weniger vom Kinde zu sprechen, dafür
war um so mehr von dem Prozeß die Rede. Sie berieten, wieviel
Kühe, wieviel Schweine sie im Gesinde halten würden; darüber

war genug zu sagen. Er vergaß das Kind, er sah es nicht mehr,
spie nicht mehr aus, wenn er an der Wiege vorüberging. Kersta
konnte dem Kinde die Brust geben, ohne sich zu verstecken.

Thome beschloß, selbst in die Stadt zu fahren, um nach dem
Rechten zu sehen. Für ein Weib war die Kersta klug genug, aber,
was so wirklich Verstand ist, hat doch nur ein Mann. »Das ist
schon richtig«, meinte Kersta ... »wer soll denn sonst Verstand
haben?« So fuhr er ab. Spät abends kehrte er ein wenig ange-
trunken und sehr aufgeräumt heim. Der Prozeß war gewonnen:
»Komm her, junge Dundur-Wirtin«, rief er: »hier ist was für
dich.« Er legte Kersta ein rotseidenes Tuch auf den Kopf: »Eine
Wirtin muß Staat machen.«

»Ein Tuch, wozu war das nötig«, meinte Kersta und lachte.

»Na – so« –; und halb abgewandt, wie verlegen, warf Thome
eine Semmel auf den Tisch: »Und das da – hab ich gekauft –
für – für den da ...«

»Für wen?«

»Nu – für den Balg.«

Kersta nahm die Semmel und drückte sie andächtig gegen ihr
Mieder: – »So, – jetzt kam vielleicht auch für sie ein bißchen
gute Zeit!«

RAINER MARIA RILKE

Die Turnstunde

In der Militärschule zu Sankt Severin. Turnsaal. Der Jahrgang
steht in den hellen Zwillichblusen, in zwei Reihen geordnet,
unter den großen Gaskronen. Der Turnlehrer, ein junger Offizier mit hartem braunen Gesicht und höhnischen Augen, hat
Freiübungen kommandiert und verteilt nun die Riegen. »Erste
Riege Reck, zweite Riege Barren, dritte Riege Bock, vierte Riege
Klettern! Abtreten!« Und rasch, auf den leichten, mit Kolopho-
nium isolierten Schuhen, zerstreuen sich die Knaben. Einige
bleiben mitten im Saale stehen, zögernd, gleichsam unwillig.
Es ist die vierte Riege, die schlechten Turner, die keine Freude
haben an der Bewegung bei den Geräten und schon müde sind
von den zwanzig Kniebeugen und ein wenig verwirrt und
atemlos.

Nur Einer, der sonst der Allerletzte blieb bei solchen Anlässen, Karl Gruber, steht schon an den Kletterstangen, die in einer etwas dämmerigen Ecke des Saales, hart vor den Nischen, in denen die abgelegten Uniformröcke hängen, angebracht sind. Er hat die nächste Stange erfaßt und zieht sie mit ungewöhnlicher Kraft nach vorn, so daß sie frei an dem zur Übung geeigneten Platz schwankt. Gruber läßt nicht einmal die Hände von ihr, er springt auf und bleibt, ziemlich hoch, die Beine ganz unwillkürlich im Kletterschluß verschränkt, den er sonst niemals begreifen konnte, an der Stange hängen. So erwartet er die Riege und betrachtet – wie es scheint – mit besonderem Vergnügen den erstaunten Ärger des kleinen polnischen Unteroffiziers, der ihm zuruft, abzuspringen. Aber Gruber ist diesmal sogar ungehorsam und Jastersky, der blonde Unteroffizier, schreit endlich: »Also, entweder Sie kommen herunter oder Sie klettern hinauf, Gruber! Sonst melde ich dem Herrn Oberlieutenant...« Und da beginnt Gruber, zu klettern, erst heftig mit Überstürzung, die Beine wenig aufziehend und die Blicke aufwärts gerichtet, mit einer gewissen Angst das unermeßliche Stück Stange abschätzend, das noch bevorsteht. Dann verlangsamt sich seine Bewegung; und als ob er jeden Griff genösse, wie etwas Neues, Angenehmes, zieht er sich höher, als man gewöhnlich zu klettern pflegt. Er beachtet nicht die Aufregung des ohnehin gereizten Unteroffiziers, klettert und klettert, die Blicke immerfort aufwärts gerichtet, als hätte er einen Ausweg in der Decke des Saales entdeckt und strebte danach, ihn zu erreichen. Die ganze Riege folgt ihm mit den Augen. Und auch aus den anderen Riegen richtet man schon da und dort die Aufmerksamkeit auf den Kletterer, der sonst kaum das erste Drittel der Stange keuchend, mit rotem Gesicht und bösen Augen erklomm. »Bravo, Gruber!« ruft jemand aus der ersten Riege herüber. Da wenden viele ihre Blicke aufwärts, und es wird eine Weile still im Saal, – aber gerade in diesem Augenblick, da alle Blicke an der Gestalt Grubers hängen, macht er hoch oben unter der Decke eine Bewegung, als wollte er sie abschütteln; und da ihm das offenbar nicht gelingt, bindet er alle diese Blicke oben an den nackten eisernen Haken und saust die glatte Stange herunter, so daß alle immer noch hinaufsehen, als er schon längst, schwindelnd und heiß, unten steht und mit seltsam glanzlosen Augen in seine glühenden Handflächen schaut. Da fragt ihn der eine oder

der andere der ihm zunächst stehenden Kameraden, was denn
heute in ihn gefahren sei. »Willst wohl in die erste Riege kommen?« Gruber lacht und scheint etwas antworten zu wollen,
aber er überlegt es sich und senkt schnell die Augen. Und dann,
als das Geräusch und Getöse wieder seinen Fortgang hat, zieht
er sich leise in die Nische zurück, setzt sich nieder, schaut ängstlich um sich und holt Atem, zweimal rasch, und lacht wieder
und will was sagen ... aber schon achtet niemand mehr seiner.
Nur Jerome, der auch in der vierten Riege ist, sieht, daß er wieder seine Hände betrachtet, ganz darüber gebückt wie einer, der
bei wenig Licht einen Brief entziffern will. Und er tritt nach
einer Weile zu ihm hin und fragt: »Hast du dir weh getan?«
Gruber erschrickt. »Was?« macht er mit seiner gewöhnlichen, in
Speichel watenden Stimme. »Zeig mal!« Jerome nimmt die eine
Hand Grubers und neigt sie gegen das Licht. Sie ist am Ballen
ein wenig abgeschürft. »Weißt du, ich habe etwas dafür«, sagt
Jerome, der immer Englisches Pflaster von zu Hause geschickt
bekommt, »komm dann nachher zu mir.« Aber es ist, als hätte
Gruber nicht gehört; er schaut geradeaus in den Saal hinein,
aber so, als sähe er etwas Unbestimmtes, vielleicht nicht im
Saal, draußen vielleicht, vor den Fenstern, obwohl es dunkel ist,
spät und Herbst.
In diesem Augenblick schreit der Unteroffizier in seiner hoch-
fahrenden Art: »Gruber!« Gruber bleibt unverändert, nur seine
Füße, die vor ihm ausgestreckt sind, gleiten, steif und ungeschickt, ein wenig auf dem glatten Parkett vorwärts. »Gruber!«
brüllt der Unteroffizier und die Stimme schlägt ihm über. Dann
wartet er eine Weile und sagt rasch und heiser, ohne den Ge-
rufenen anzusehen: »Sie melden sich nach der Stunde. Ich
werde Ihnen schon ...« Und die Stunde geht weiter. »Gruber«,
sagt Jerome und neigt sich zu dem Kameraden, der sich immer
tiefer in die Nische zurücklehnt, »es war schon wieder an dir,
zu klettern, auf dem Strick, geh mal, versuchs, sonst macht dir
der Jastersky irgend eine Geschichte, weißt du ...« Gruber nickt.
Aber statt aufzustehen, schließt er plötzlich die Augen und gleitet unter den Worten Jeromes durch, als ob eine Welle ihn trü-
ge, fort, gleitet langsam und lautlos tiefer, tiefer, gleitet vom
Sitz, und Jerome weiß erst, was geschieht, als er hört, wie der
Kopf Grubers hart an das Holz des Sitzes prallt und dann vorn-
überfällt ... »Gruber!« ruft er heiser. Erst merkt es niemand.

Und Jerome steht ratlos mit hängenden Händen und ruft:
»Gruber, Gruber!« Es fällt ihm nicht ein, den anderen aufzurichten. Da erhält er einen Stoß, jemand sagt ihm: »Schaf«, ein
anderer schiebt ihn fort, und er sieht, wie sie den Reglosen auf-
heben. Sie tragen ihn vorbei, irgend wohin, wahrscheinlich in
die Kammer nebenan. Der Oberleutnant springt herzu. Er gibt
mit harter, lauter Stimme sehr kurze Befehle. Sein Kommando
schneidet das Summen der vielen schwatzenden Knaben scharf
ab. Stille. Man sieht nur da und dort noch Bewegungen, ein
Ausschwingen am Gerät, einen leisen Absprung, ein verspätetes
Lachen von einem, der nicht weiß, um was es sich handelt.
Dann hastige Fragen: »Was? Was? Wer? Der Gruber? Wo?«
Und immer mehr Fragen. Dann sagt jemand laut: »Ohnmächtig.« Und der Zugführer Jastersky läuft mit rotem Kopf hinter
dem Oberleutnant her und schreit mit seiner boshaften Stimme, zitternd vor Wut: »Ein Simulant, Herr Oberleutnant, ein
Simulant!« Der Oberleutnant beachtet ihn gar nicht. Er sieht
geradeaus, nagt an seinem Schnurrbart, wodurch das harte Kinn
noch eckiger und energischer vortritt, und gibt von Zeit zu Zeit
eine knappe Weisung. Vier Zöglinge, die Gruber tragen, und
der Oberleutnant verschwinden in der Kammer. Gleich darauf
kommen die vier Zöglinge zurück. Ein Diener läuft durch den
Saal. Die vier werden groß angeschaut und mit Fragen be-
drängt: »Wie sieht er aus? Was ist mit ihm? Ist er schon zu sich
gekommen?« Keiner von ihnen weiß eigentlich was. Und da
ruft auch schon der Oberleutnant herein, das Turnen möge
weitergehen, und übergibt dem Feldwebel Goldstein das Kommando. Also wird wieder geturnt, beim Barren, beim Reck, und
die kleinen dicken Leute der dritten Riege kriechen mit weit-
gekretschten Beinen über den hohen Bock. Aber doch sind alle
Bewegungen anders als vorher; als hätte ein Horchen sich über
sie gelegt. Die Schwingungen am Reck brechen so plötzlich ab
und am Barren werden nur lauter kleine Übungen gemacht.
Die Stimmen sind weniger verworren und ihre Summe summt
feiner, als ob alle immer nur ein Wort sagten: »*Ess, Ess, Ess . . .*«
Der kleine schlaue Krix horcht inzwischen an der Kammertür.
Der Unteroffizier der zweiten Riege jagt ihn davon, indem er
zu einem Schlage auf seinen Hintern ausholt. Krix springt zurück, katzenhaft, mit hinterlistig blitzenden Augen. Er weiß
schon genug. Und nach einer Weile, als ihn niemand betrach-

tet, gibt er dem Pawlowitsch weiter: »Der Regimentsarzt ist gekommen.« Nun, man kennt ja den Pawlowitsch; mit seiner
ganzen Frechheit geht er, als hätte ihm irgendwer einen Befehl
gegeben, quer durch den Saal von Riege zu Riege und sagt ziemlich laut: »Der Regimentsarzt ist drin.« Und es scheint, auch die
Unteroffiziere interessieren sich für diese Nachricht. Immer
häufiger wenden sich die Blicke nach der Tür, immer langsamer
werden die Übungen; und ein Kleiner mit schwarzen Augen ist
oben auf dem Bock hocken geblieben und starrt mit offenem
Mund nach der Kammer. Etwas Lähmendes scheint in der Luft
zu liegen. Die Stärksten bei der ersten Riege machen zwar noch
einige Anstrengungen, gehen dagegen an, kreisen mit den Beinen; und Pombert, der kräftige Tiroler, biegt seinen Arm und
betrachtet seine Muskeln, die sich durch den Zwillich hindurch
breit und straff ausprägen. Ja, der kleine, gelenkige Baum schlägt
sogar noch einige Armwellen, – und plötzlich ist diese heftige
Bewegung die einzige im ganzen Saal, ein großer flimmernder
Kreis, der etwas Unheimliches hat inmitten der allgemeinen
Ruhe. Und mit einem Ruck bringt sich der kleine Mensch zum
Stehen, läßt sich einfach unwillig in die Knie fallen und macht
ein Gesicht, als ob er alle verachte. Aber auch seine kleinen
stumpfen Augen bleiben schließlich an der Kammertür hängen.
Jetzt hört man das Singen der Gasflammen und das Gehen der
Wanduhr. Und dann schnarrt die Glocke, die das Stundenzei-
chen gibt. Fremd und eigentümlich ist heute ihr Ton; sie hört
auch ganz unvermittelt auf, unterbricht sich mitten im Wort.
Feldwebel Goldstein aber kennt seine Pflicht. Er ruft: »Antreten!« Kein Mensch hört ihn. Keiner kann sich erinnern, welchen Sinn dieses Wort besaß, – vorher. Wann vorher? »Antreten!« krächzt der Feldwebel böse und gleich schreien jetzt die
anderen Unteroffiziere ihm nach: »Antreten!« Und auch mancher von den Zöglingen sagt wie zu sich selbst, wie im Schlaf:
»Antreten! Antreten!« Aber im Grunde wissen alle, daß sie
noch etwas abwarten müssen. Und da geht auch schon die Kammertür auf; eine Weile nichts; dann tritt Oberlieutenant Wehl
heraus und seine Augen sind groß und zornig und seine Schritte
fest. Er marschiert wie beim Defilieren und sagt heiser: »Antreten!« Mit unbeschreiblicher Geschwindigkeit findet sich alles in
Reihe und Glied. Keiner rührt sich. Als wenn ein Feldzeugmei-
ster da wäre. Und jetzt das Kommando: »Achtung!« Pause und

dann, trocken und hart: »Euer Kamerad Gruber ist soeben gestorben. Herzschlag. Abmarsch!« Pause.
Und erst nach einer Weile die Stimme des diensttuenden Zöglings, klein und leise: »Links um! Marschieren: Compagnie,
Marsch!« Ohne Schritt und langsam wendet sich der Jahrgang
zur Tür. Jerome als der letzte. Keiner sieht sich um. Die Luft
aus dem Gang kommt, kalt und dumpfig, den Knaben entgegen. Einer meint, es rieche nach Karbol. Pombert macht laut
einen gemeinen Witz in Bezug auf den Gestank. Niemand
lacht. Jerome fühlt sich plötzlich am Arm gefaßt, so angesprun-
gen. Krix hängt daran. Seine Augen glänzen und seine Zähne
schimmern, als ob er beißen wollte. »Ich hab ihn gesehen«, flüstert er atemlos und preßt Jeromes Arm und ein Lachen ist innen in ihm und rüttelt ihn hin und her. Er kann kaum weiter:
»Ganz nackt ist er und eingefallen und ganz lang. Und an den
Fußsohlen ist er versiegelt...«
Und dann kichert er, spitz und kitzlich, kichert und beißt sich
in den Ärmel Jeromes hinein.

PAUL ERNST

Der Tod des Dschinghiskhan

Der Dschinghiskhan ließ sich in den letzten Wochen vor seinem Tode oft in seine Schatzkammer hinuntertragen, und dort
verweilte er viele Stunden lang allein, spielend mit den edlen
Steinen, den Perlen und den Goldmünzen. Das war ein heimliches Vergnügen, von dem Niemand wußte außer den vertrau-
testen Dienern, denn vor dem Volk verachtete er Prunk und
Geschmeide; so ging er auch in Leder und Eisen gehüllt.
Da fand er einen Haufen Goldstücke von einem seltsamen und
kunstvollen Gepräge, deren Schrift er nicht lesen konnte. Der
Kämmerer erzählte ihm, daß sie aus einem Schatze stammten,
der hier an diesem Orte aus der Erde gegraben sei, und man
mußte glauben, daß sie von einem früheren Könige des Landes
geschlagen waren.
Der Dschinghiskhan ließ einen großen Gelehrten kommen, damit ihm dieser die Schrift entziffere und von dem König erzähle,
dessen Bild die Münzen trugen. Der Gelehrte erwiderte, daß

ihm und seinen Freunden die Münzen wohl bekannt seien,
aber Niemand von ihnen habe vermocht, die Zeichen zu deuten; nur das sei gewiß, daß die Goldstücke länger in der Erde
liegen mußten als zweitausend Jahre, weil in dieser Zeit Sprache
und Schrift der Bewohner dieses Landes sich nicht geändert. Er
für sich sei der Meinung, daß der König, dessen Bild auf den
Stücken geprägt war, über ein sehr großes und gesittetes Reich
geherrscht habe, denn die Prägearbeit sei über die Maßen kunst-
voll und fein; wenn ein König aber so kunstvolle Münzen
präge, so müsse er geschickte und gebildete Untertanen haben,
und es müsse Reichtum herrschen, und schöne Häuser, Schau-
spiele, Kriegsheere, eine Menge Ackerbauer und Handwerker,
Tempel mit Göttern und vieles Andere müsse in hoher Voll-
endung dagewesen sein.

Als der Dschinghiskhan das gehört hatte, ward er nachdenklich
und sprach: »Was ist doch der Ruhm, wenn der Name eines so
mächtigen Königs gänzlich aus dem Gedächtnis der Menschen
verschwinden konnte, mitsamt seiner Macht und seinem Reichtum! Und vielleicht hat er auch gedacht, daß sein Andenken
nie untergehen wird bei den Menschen, und hat Bauten ge-
türmt, und man hat seine Taten besungen, und Gelehrte haben
Geschichtswerke geschrieben über ihn und seine Vorfahren,
und haben sein Land ausgemessen in die Länge und Breite; und
seine Untertanen haben gehandelt und gearbeitet, Schätze gesammelt, sich vergnügt, gebetet und ihren rechtmäßigen Erben
ihren Besitz verlassen. Und siehe da, nichts ist übrig von alledem, wie dieses Stückchen Gold.«

Da erwiderte der Gelehrte:

»Wenn im Frühjahr die Sonne geradere Strahlen auf die Erde
sendet und den Schnee fortschmilzt, so sprießen aus dem feuchten und schwarzen Boden allerhand bunte Frühlingsblümchen
hervor, weiße, gelbe und blaue. Die freuen sich des Sonnen-
scheins, blühen und verwelken, und wir denken, daß das so
sein muß; und im nächsten Frühling kommen neue Blümchen;
und so ist es von Ewigkeiten her gewesen und wird es auch
später immer sein. Ebenso die Tiere des Waldes und das Vieh,
welches dem Menschen hilft bei seiner Arbeit. Sie werden geboren, saugen an den Eutern ihrer Mütter, hüpfen und springen, und werden größer, und nähren sich von Gräsern und
Kräutern, oder verzehren andere Tiere; und wenn ihre Zeit ge-

kommen ist, so sterben sie oder werden getötet, und es ist, als wären sie nicht gewesen; aber es kommen immer neue, zu leben in Freude und Harmlosigkeit. Der Mensch nun ist dieser Geschöpfe Krone, weil er sich alle unterjochen kann und dienstbar machen. Aber auch er ist nur ein Geschöpf und untertan dem Zwange, daß auf seine Blüte der Tod folgt. Jedoch unterwerfen sich alle andern Wesen diesem Zwange gutmütig und freudig, er aber ist hochmütig und will auch in diesem Punkte mehr haben denn alle andern und wehrt sich gegen den Tod. Ja, noch mehr: die Blume weiß, daß sie eine Blume ist und das Tier, daß es ein Tier; der Mensch aber will unterschieden sein von allen andern Menschen, und nicht nur vor den Blumen und Tieren Etwas voraus haben, sondern jeder Mensch auch vor seinem Nächsten: alle sollen ihn rühmen, er selbst aber rühmt kaum jemals einen Andern, alle sollen ihn lieben, aber er liebt kaum jemals Einen. Und nicht nur für sich selbst verlangt er Solches, sondern auch für seine Kinder und Kindeskinder. Die Pflanze streut sorglos ihren Samen aus, und es sprießen aus ihm Pflanzen, die ihr gleich sind; das Tier zieht sein Junges auf, bis es seine Nahrung selbst finden kann, und dann verläßt es sein Kind und kennt es nicht weiter; aber der Mensch will mehr, er macht sich ein Bild von Größe und Glück für seine Kinder, indem sie Höheres sein sollen wie die Kinder seines Nächsten, und deshalb dehnt er seinen Willen aus über sie. Aber das Alles ist ein leerer Hochmut des Menschen; und indem er sich nicht genügen läßt mit seiner Herrschaft über die andern Geschöpfe, sondern will außerdem noch etwas Besonderes haben, so macht er sich unglücklich; denn wer nach Ruhm, Ehre, Reichtum, Glanz, Liebe der Menschen, Herrschaft über die Kinder läuft, der läuft nach Etwas, das ihm von der Natur nicht beschieden ist. So bekümmerst auch du dich, o König, um den verschollenen Herrscher nur aus einer falschen Meinung heraus, weil du denkst, daß man dich gleichfalls vergessen wird wie diesen hier; und vielleicht hast du dich auch schon früher unglücklich gemacht durch andere solche Wünsche, die hinausgehen über Das, was wir haben können, und könntest doch glücklicher sein als alle andern Menschen, weil du sie beherrschest, wie der einfachste Mensch glücklicher sein könnte wie alle Tiere, weil er sie beherrscht.«

Der König antwortete: »Du hast sehr kühn gesprochen, aber ich will dir nicht zürnen, denn ein Weiser ist dem Könige gleich, weil er den Tod nicht fürchtet. Wäre ich ein Gelehrter, so würde ich denken wie du, und oftmals, wenn ich mit meinem ehrgeizigen Pferd und meinen gierigen Hunden hinter dem schnellen Asa herjagte, schien mir, im Vergleich mit Gaul und Köter der Mensch nur ein vor Hochmut krankes Tier. Auch sind ja wohl die andern Geschöpfe glücklicher als wir, denn ich wenigstens, der ich der Herr der Welt bin, und tausend Könige sind mir untertan, so daß ich sie kann hinrichten lassen, wenn ich will und ihre Völker und Städte austilgen vom Erdboden, ich habe nur zweimal in meinem Leben ein Glücksgefühl verspürt, nämlich, als ich den ersten Asa mit meinem Pfeile getroffen, und als ich meine Braut raubte und auf mein Pferd schwang. Aber da ich ein König bin, so denke ich anders; und um dir zu zeigen, daß ich das nicht aus Torheit oder Verblendung tue, so will ich dir mein Leben erzählen, denn das Leben eines Menschen ist das klarste Bild seiner Lehre. Was ich dir sagen will, das habe ich noch nie Jemandem mitgeteilt, denn der König soll ein Schauspieler sein; aber da mein Tod herannaht, so möchte ich gern einem Manne erzählen über mich, den ich verschwiegen weiß und treu, und der das nicht gebrauchen kann für seine Zwecke; der auch meine Worte versteht. Merke dir wohl: Wenn ich dir auch ein schweres und wenig glückliches Leben erzähle, so klage ich doch nicht, sondern ich freue mich, und nicht möchte ich, daß ich ein anderes Leben geführt hätte.

Du wirst immer sehen, daß Kinder und junge Leute frohe, aber leere Gesichter haben, denn das Leben hat für sie keinen Zweck, und sie blühen und gedeihen für jeden Tag, weil sie im täglichen Zunehmen ihrer Kraft sind, die ohne ihre Mithilfe ihren Muskeln übermäßiges Blut verleiht und ihrer Seele hochgemute Zuversicht. Deshalb entsprechen sie dem Bilde, welches du soeben von Pflanzen und Tieren maltest; und ich selbst dachte zuweilen, es müßte doch ein merkwürdiger Versuch sein, wenn man in einem Volke alle Leute über zwanzig Jahre in jedem Frühling hinrichten ließe, also daß das ganze Volk nur aus Jugend bestände; wahrscheinlich würde vieles Glück, Lustigkeit, Kunst und Stolz in solchem Volke wohnen, und die Nachbarn würden es beneiden. So war auch ich ein froher Knabe und Jüngling, und ich sagte dir bereits von den beiden Augenblicken des Glücks in der damaligen Zeit. Am merkwürdigsten geschah mir, als ich meine Braut raubte, da hatte ich ein Gefühl, als sei ich der wichtigste Mensch auf der Welt und es gehöre mir Alles, während ich doch nur ein geringer Reiterhäuptling war; später, als ich der Herr der Welt wurde und mir Alles gehörte, soweit Solches überhaupt möglich, hatte ich nie wieder dieses Gefühl, denn schon ein schlichter Ackersmann, der hinter seinen pflügenden Ochsen herging und auf die Furche vor sich schaute, hätte mich in solcher Meinung irre gemacht, wiewohl der Mann in Wahrheit für mich doch nichts war wie ein Käferchen oder eine Blattlaus; oftmals wurde ich, als ich noch in meinen Mannesjahren stand, wütend über solche törichten Gefühle, und da ein König, weil die Leute ihn immer fürchten müssen, denn sonst werden sie übermütig, oft Taten begehen muß, die ihnen unbegreiflich sind, so ließ ich auch wohl dieser Wut die Zügel schießen und befahl, daß harmlose Leute getötet wurden.

Ich bin nicht von wollüstiger Art, und deshalb kam ich bald in einen gleichmütigen Zustand, nachdem ich verheiratet war; ich freute mich meines Weibes, meiner Waffen, meiner Pferde und alles anderen Besitzes, und das größte Vergnügen gewährte mir die Jagd. Nun scheint es aber, daß ich eine gewisse Schwäche in meinem Wesen habe, welche man sonst wohl Güte nennt, indem man ein falsches Wort gebraucht. Nämlich nachdem mein Weib zwei Kinder geboren, den Sohn und die Tochter, die du kennst, wendete sie sich einer neuen Gemütsverfassung zu, indem sie mich nach vielen kleinen Dingen fragte, mir Vorwürfe machte über törichte Dinge, beständige Sorge hatte, daß die Kinder krank seien und mir mit ihrer Sorge die Ohren erfüllte, und so fort. Ich aber war zu schwach, diesem Unwesen zu steuern, und vielleicht wäre ihm gar nicht zu steuern gewesen, und so wurde ich am Ende ganz furchtsam, wenn sie zu mir sprechen wollte, weil ich immer meinte, daß sie klagen werde. Deshalb sann ich mir allerhand Arbeit aus, welche mich so beschäftigte, daß mein Weib nicht an mich kommen konnte, oder wenn sie doch zu mir sprach, so hatte ich so viele andere Gedanken, daß ich ihre Worte und Sätze gar nicht hörte. Es geschah dies alles aber nicht absichtlich, sondern ganz langsam, wie von selbst. Mir war später immer merkwürdig, daß große Dinge einen so lächerlichen Anfang nehmen können. Aber wahrscheinlich habe ich in meinem geheimsten Innern doch immer einen Willen gehabt zur Herrschaft über die Welt.

Nun will ich dir ein großes Geheimnis aus der Kunst der Könige sagen, welches zwar so einfacher Art ist, daß man sich nicht genug über die Einfältigkeit der Menschen wundern kann, welche es nicht merken. Du weißt, daß die Reiche und Staaten der Menschen von der verschiedensten Art sind, und die Macht und Vorzüglichkeit der einen beruht auf großem Reichtum der Untertanen, der andern auf großer Menge des Volkes, der dritten auf Freigebigkeit des Bodens, und so fort. Die größte Macht aber hat ein König, welcher ein Heer von tapferen Männern besitzt, die hungrig nach Erwerb und Belohnung sind, denn mit diesen kann er alle Könige unterwerfen und zinspflichtig machen; solche Männer aber findet man gemeiniglich nicht bei den reichen oder fleißigen Völkern, oder welche viele Menschen haben und guten Boden, sondern bei den armen Völkern in schlechten und rauhen Ländern, welche sich nicht viel vermehren können aus Armut, wie wir Mongolen sind. Nur kann man schwer so viele Männer, wie erfordert werden, zusammenbringen und halten, weil eben das Volk zu klein ist und die Entfernungen in armen Ländern zu groß. Diesen Mangel aber vermag man zu ersetzen durch Schnelligkeit, denn wenn ein Heer so schnell ist, daß es zwei feindliche Heere nacheinander schlagen kann, so ist es offenbar ebenso gut wie zwei Heere. Da ich nun mich sehr viel mit den Dingen des Volkes beschäftigte, so fiel mir Dieses ein, und nach langem Nachdenken auch die Mittel zu solcher Schnelligkeit; nämlich weil ein großes Heer durch das Mitschleppen oder Suchen von Nahrung viel Zeit verliert, so erfand ich eine Weise, wie man die Nahrung für Mann und Pferd so trocknete und zusammenpreßte, daß ein Mann für zwei Wochen immer ohne Beschwerde mit sich führen konnte. Hierdurch bewirkte ich, daß meine Reiter die ganze Welt eroberten, indem sie immer viel schneller waren als die Feinde und deshalb angreifen konnten, ehe die Gegner sich zu einem Heere zusammengetan hatten, das ihnen überlegen war.

Du wirst ja auch wissen, daß jede Handlung, welche man begeht, solche Folgen hat, daß man die nächste Handlung nicht mehr mit derselben Freiheit begehen kann wie die erste; und so kommt es, daß wir mit den Jahren immer unfreier werden durch die Verstrickung in das Netz unserer eigenen Taten; mit je geringerer Freiheit man aber handelt, mit desto geringerer Lust handelt man; deshalb hatte ich mit der Zeit immer weni-

ger Vergnügen an den Eroberungen und hatte mehr Langeweile. Zuletzt übergab ich die Führung des Heeres meinem
Neffen Marzuk, da mein Sohn zu töricht ist für solche Dinge,
und beschäftigte mich selbst mit der Einrichtung und Verwaltung der eroberten Länder; mit großem Verdruß, denn auch
hier handelt es sich nur um ein paar ganz einfache Dinge, die
sich immer wiederholen, und es fehlt doch die Freude an
Kampf, Lager, Reiten, Gefahr und heller Luft. Aber Erobern ist
nötig, denn stehen wir still, so fallen erstens die andern Völker
über uns her, und weil wir bei unserer geringen Zahl nur im
Angriff siegen können, wie ich dir schon erklärte, so würden sie
uns dann ganz ausrotten. Zweitens aber ist unser Heer natur-
gemäß von einem törichten Dünkel beseelt, als seien unsere
Siege irgendwelchen übermenschlichen Eigenschaften verschuldet, welche es besitzt, und es würde daher nie Ruhe halten. Da
aber doch endlich das letzte Volk der Welt bezwungen sein
wird, so muß ich bis dahin alle früher eroberten Völker so in
Ordnung gebracht haben, daß sie auf das engste mit mir verbunden sind durch ihre Verwaltung und nicht los können, und
alsdann werde ich wahrscheinlich meine alten Krieger nebst
ihrem Führer Marzuk ermorden lassen müssen, weil sie sicherlich im Innern Aufruhr erwecken würden, wenn sie ihre Tätigkeit nicht mehr nach außen wenden können.
Aber was rede ich – meine Tage sind ja gezählt, meinem törichten Sohn kann ich Nichts anvertrauen, und Marzuk wird heute
oder morgen zurückkehren, weil er weiß, daß ich bald sterben
muß, und weil er meinem Sohn die Herrschaft entreißen will;
nur auf meine Tochter kann ich mich verlassen, auf ein Weib!«
Der Dschinghiskhan schwieg. Der Gelehrte vermochte nichts
zu erwidern vor Bewegung und Furcht, denn er meinte, der
Dschinghiskhan werde ihn hinrichten lassen, wenn er ausge-
redet habe, weil er sich alsdann vor ihm schämen müsse.
Der Dschinghiskhan fuhr fort: »Siehst du jetzt, daß ich vom
Leben eine andere Meinung haben muß wie du? Mir erscheint
die Erde wie ein großer Ameisenhaufen wimmelnder Ameisen,
und ich könnte mir gar nicht vorstellen, daß ich selbst eine
solche Ameise wäre, wie ich mir doch bei verständiger Überlegung sagen muß. Mein ganzes Leben war Verdruß und Langeweile, denn viel lieber wie aller Ruhm, Macht und Reichtum
wäre mir gewesen, wenn ich in Schnee und Wetter in der Steppe

hätte jagen können, oder mit Freunden lustig sein und Lieder singen. Dazu habe ich einen viel elenderen Tod wie andere Menschen, denn den Ärger über das Lügen und die geheuchelte Trauer haben wohl alle, und wohl alle merken, wenn sie sterben, daß sie doch ganz allein sind auf der Welt und auch immer allein gewesen sind, weil die Andern ja nur an sich denken, wie man selbst doch auch; aber als Besonderes habe ich die Sorge um mein Reich und wie Alles nach meinem Tode werden soll, und ich sehe keinen rechten Ausweg, und das letzte Mittel wird auch nicht nützen; ich will nämlich meinen törichten Sohn mit meiner tüchtigen Tochter verheiraten, damit sie ihn leitet. Und doch, Gelehrter, will ich kein anderes Leben geführt haben, und dein Frühlingsblumenleben möchte ich nicht.«

Auch sagte der Dschinghiskhan noch: »Erst jetzt sehe ich, daß ich gar nicht glücklich war; früher habe ich es nicht gewußt; das ist sehr merkwürdig; aber ich hatte wohl keine Zeit zu spüren, daß ich nur Verdruß hatte und Langeweile.«

Nach diesem Gespräch wurde der Gelehrte mit reichen Geschenken entlassen, und der Dschinghiskhan lebte weiter in seiner jetzigen Art.

Er wußte aber, daß sein Übel tödlich war, denn alle seine Vorfahren hatten in den Jahren, in welchen er sich jetzt befand, über dieselben Leiden geklagt wie er und waren daran gestorben.

Zwar haßte er die Ärzte, aber als das erste und noch leichte Mißbehagen wochenlang anhielt, ließ er doch einen berühmten Arzt kommen; dieser erschien mit einer besorgten, teilnehmenden und beruhigenden Miene, welche ihn ärgerte; er befühlte ihn, fragte viel und bereitete ihm ein Mittel. Als dieses nichts half, wurde ein zweiter Arzt geholt, dessen Angesicht aussagte, daß der erste ein Dummkopf sei, er aber werde schon Hilfe bringen. Als auch dieses zweite Mittel nichts half, wurden beide zugleich bestellt, und nun zeigte es sich, daß sie zwar zitternde Furcht vor dem Dschinghiskhan hatten und in tiefster Seele um ihr Leben besorgt waren, ihnen jedoch vor allem Eines wichtig war, daß jeder recht zu haben meinte und den andern für dumm hielt. Der Dschinghiskhan aber, wiewohl er ganz genau sah, daß er selbst den Beiden gänzlich gleichgültig war, und wiewohl er wußte, daß auch seinem Vater und Großvater Nie-

mand hatte helfen können, lauschte doch mit heimlicher Angst
und Hoffnung auf ihre Worte, indem er sich dabei über ihre
Dummheit ärgerte. Er lag in seinem kahlen und leeren Zimmer
auf einem harten Bett unter einer einfachen Decke, und neben
ihm stand ein Tischchen mit vielen aufgehäuften Schrift-
stücken.

Es kam auch täglich seine Gattin und sprach zu ihm, um ihn zu
trösten. In der ersten Zeit sagte sie, heute sei es gewiß besser
als gestern; dieser Satz war ihr endlich ganz geläufig geworden,
so daß sie ihn gedankenlos aussprach, obwohl sie wußte, daß
der Dschinghiskhan die tödliche Krankheit seines Vaters hatte,
den sie in seinen letzten Jahren noch gekannt. Nachher fragte
sie ihn immer, wie er geschlafen habe, und fügte dann hinzu,
sobald er nur erst wieder schlafen könne, werde er auch wieder
gesund werden. Daran knüpfte sie dann einen Vorwurf, daß er
sich überarbeite.

An einem Tage, als er sich ganz besonders heftig ärgerte über
ihre gedankenlosen Reden, sagte er ihr, wenn er tot sei, so
werde sie keinen Schutz haben in den Unruhen, die alsdann
ausbrächen, und vielleicht werde man sie ermorden. Da weinte
sie, machte ihm Vorwürfe, daß er jetzt, wo sie ohnehin ein so
schweres Herz habe, noch solche Dinge sage, und ging hinaus;
nach kurzer Zeit aber trat sie wieder ein und sprach, wenn er
tot sei, so wolle sie auch nicht mehr leben. Über diese Worte
stieg ihm solche Bosheit auf, daß er sich der Wand zudrehte und
Nichts mehr sagte.

Dann kam sie eine Zeitlang mit irgendwelchen gleichgültigen
Geschichten, von ihren Mägden oder von den vornehmen Herren und Damen des Hofes; alle Erzählungen aber begleitete sie
durch bemitleidende Blicke und vorwurfsvolle Seufzer.

So fühlte er zuzeiten einen heftigen Schmerz in der Brust, weil
er so allein war, und er fragte sich, ob wohl alle Menschen nur
so leere Hülsen seien; sein eigenes Leben durchforschte er und
fand, daß er nur einmal in einer Lage gewesen sei wie seine
Frau, nämlich am Sterbebett seines Vaters; und er erinnerte
sich, daß er in der Todesstunde des kranken Mannes daran
gedacht hatte, daß jetzt gerade die schönste Jagdzeit sei, und daß
er nicht werde jagen können; und wie ihm das durch den Geist
schoß, da sah er einen tief schwermütigen Blick seines Vaters
auf sich gerichtet; er schämte sich, wurde ärgerlich auf seinen

Vater, und machte ihm Vorwürfe, daß er nicht auf sich achte, genau in dem liebevollen und doch feindseligen Tone wie seine Frau, und mit demselben gezwungenen Blick; der Kranke aber wendete sich seufzend ab und schaute geduldig ins Leere. Das fiel ihm jetzt ein. Sein Vater war ein harter Mann gewesen, einmal hatte er eigenhändig fünfzig Vornehmen das Haupt abgeschlagen, während die Frauen und kleinen Kinder um Gnade bettelten, er aber hatte sie wegschleifen lassen; und als er einst eine Verwundung im Oberschenkel durch einen vergifteten Pfeil erhalten, brannte er mit einem weißglühenden Eisen selbst die zischende und brodelnde Wunde aus, ohne mit dem Gesicht zu zucken, ja, was ihm am stärksten schien, ohne in prahlerischer Weise zu lachen oder zu scherzen. Damals aber hatte er einen so jammervoll geduldigen Blick gehabt.

Auch sein Sohn kam täglich, ihm die Hand zu küssen und nach seinem Befinden zu fragen. Als er noch ganz klein gewesen, hatte er wunderbar strahlende Augen gehabt und einen Ausdruck von Festigkeit und Stolz in dem unentwickelten Gesicht. Jetzt war sein Gesicht hübsch und leer geworden. Er sprach Vielerlei durcheinander, ohne starke Zuneigung zum Einen oder Andern; der Dschinghiskhan hörte ihm traurig und gelangweilt zu, er wußte, daß die Gedanken des jungen Mannes bei irgendeiner Torheit waren, einem Putz oder einer eitlen Verliebtheit, und daß seine Reden noch weniger aus einer Überlegung hervorgingen wie bei seiner Mutter; denn er schwatzte nur, sie aber wollte ihn zerstreuen; Gefühl aber hatte er ebensowenig wie sie. Ihm jedoch kamen nun in den einsamen Stunden, wo ihn die Schmerzen nicht arbeiten ließen, allerhand Dinge von vormals; so eine Zärtlichkeit, als er einst den Kleinen, da er noch nicht sprechen konnte, zu sich aufs Pferd gehoben und der Kleine hatte gejauchzt und vor Freude gezappelt.

Und einmal war es ihm in einer einsamen Stunde, als er vor sich hinsann, daß er hätte weinen mögen, weil er sich selbst bemitleidete; und er sehnte sich, ein kleines Kind zu sein, das krank in seinem Bettchen liegt, und die Mutter sitzt neben ihm, stützt ihm das Köpfchen, und das Kind sieht beruhigt und gläubig in die Höhe in die Augen der Mutter.

Ganz anders wie mit Diesen war es mit Alang, seiner Tochter. Diese war die einzige, mit welcher er ruhig darüber sprach, daß

er sterben werde, weil sie nicht verdrießende und lügnerische
Worte sagte und mit teilnehmenden Augen blickte, sondern bei
ihr war das Sterben so einfach und selbstverständlich, wie es in
Wirklichkeit ist; deshalb erweckte sie ihm nie das Gefühl der
Verlassenheit zwischen Masken. Nur in seiner besonderen
Angst, wie es später mit seinem Reiche werde, konnte auch
Alang ihn nicht beruhigen, und er hatte eine Scheu, zu ihr von
seinem Plane zu sprechen, denn er wußte wohl, daß sie eine
Zuneigung für Marzuk empfand; zuweilen dachte er deshalb
auch, daß sie ihn vielleicht vergiftet habe.

Mit Alang nun geschah ihm etwas sehr Sonderbares. Einmal,
als sie sich unbeobachtet wähnte, wendete er rasch den Kopf
und blickte ihr ins Gesicht. Da ersah er bei ihr einen Ausdruck
heftigen Mitleidens. Hierüber geriet er in solche Wut, daß er
nach seinem Schwert griff, welches neben seinem Bett stand,
und sie mit schrecklicher Stimme anschrie; sie erschrak, daß er
sie in den Knien zittern sah; als er das sah, legte sich seine Wut
plötzlich, aber Alang entfloh durch die Tür. Dieser Vorgang blieb
ihm immer unbegreiflich, weil er kurz vorher Sehnsucht gehabt
hatte nach wirklichem Mitgefühl, welches nicht gelogen wäre.

Es war aber das Reich des Dschinghiskhan das größte, welches
je auf der Erde gewesen, und seine Macht war die vollständigste,
denn die Großen und Vornehmen ihres Volkes hatten sein
Vater und er mit der Zeit alle vernichtet, und seine Diener
waren Sklaven, für Geld gekauft; nur Marzuk ausgenommen,
weil das Heer sich nur durch einen Freien führen ließ. Und so
genau war Alles geordnet, so bestimmt war die Pflicht eines
Jeden beschrieben, so klar seine Abhängigkeit und sein Befehlen, daß ohne die geringste Veränderung, Nachlässigkeit
oder Verzögerung jeder Auftrag des Dschinghiskhan auf das
Peinlichste und Genaueste ausgeführt wurde, als seien die Diener Arme, nicht besonders und für sich lebende Menschen. Von
seinem Hause aus gingen strahlenförmige Wege in die ent-
legensten Teile des Reiches; auf diesen waren in gewissen Entfernungen Posten aufgestellt mit Pferden, und die trugen von
Hand zu Hand seine Befehle überall hin mit Windeseile, wie
beim Löschen eines Feuers eine Kette Menschen die Eimer in
Schnelligkeit wandern läßt.

Es dehnte sich aber das Reich aus vom Norden, wo ewiger

Schnee liegt, und die Menschen Hunde vor ihre Schlitten schir-
ren, mit weißen Bären kämpfen und der Hauch des Atems ge-
friert, bis zum Süden, wo die übergroße Hitze die Leute schlaff
macht, und Einzelne allein in Wäldern wohnen, büßen und
über Gott nachdenken und solche Kraft gewinnen, daß sie Felsen und Berge bewegen durch ihr Wort; wo Elefanten in großen
Herden grüne Wiesen haushohen Grases durchziehen, und ver-
fallene Tempel im schweigenden Walde ruhen mit steinernen
Bildern von Göttern und Königen; und nach Osten dehnte es
sich, wo die Menschen reich sind an Seide, Porzellan und edlen
Metallen, und sich in kostbare Felle kleiden, deren Härchen
vergoldet sind, und hohe Türme bauen sie aus Porzellan mit
goldenen Glöckchen, die im Winde klingeln; und nach Westen
herrschte der Dschinghiskhan über das Land hinweg, wo Wasser aus der Erde quillt, welches brennt und in hohen Flammen-
säulen die Nacht erleuchtet, und wo wunderbare Tiere wohnen,
Vögel, welche Wolle tragen, und ein Vogel, welcher so groß ist
wie ein Berg, und ungeheure Schlangen, welche Erdbeben er-
zeugen, wenn sie sich bewegen, Wälder zerbrechen und hochge-
mauerte Städte umwerfen. Und im Norden war die äußerste
Grenze, die Eiswüste, wo kein Mensch leben kann vor Kälte,
und im Süden die feurige Mauer am Ende der Welt, der nur die
hitzegewohnten Leute des dortigen Landes nahe kommen dürfen, und im Osten war die Grenze das öde Meer, welches sich
ausdehnt ohne Ende, und im Westen stießen die Heere auf die
Länder der Menschen, welche von Kopf bis Fuß in Eisen ge-
panzert sind und auf ungeheuren und eisengepanzerten Rossen
reiten, also, daß niemand sie verwunden kann. Und alle Völker waren dem Dschinghiskhan untertan, welche in diesem
Kreise wohnten, und zitterten vor seinen Befehlen. Das waren
die Völker mit brauner und weißer und gelber und schwarzer
Hautfarbe, welche den Acker bebauen mit Pflug und Stier, oder
mit dem Spaten den Boden umwenden, oder reiche Herden
weiden in der blühenden und duftenden Steppe, in das finstere
Innere der blauen Gebirge sich hineinarbeiten, Gold und Silber
zu holen, auf schnellen Rossen das flüchtige Wild jagen und
abends am Feuer unter dem freien Himmel verzehren, mit großen Karawanen durch sandige und weiße Wüsten ziehen und
ungemessene Reichtümer gewinnen, aus den weiten und still
gleitenden Flüssen, in winzigen Kähnen sitzend, Fische fangen,

aus unzugänglichen Bergen auf kleinen Rossen flink hervorbrechend rauben, plündern und sengen, in den dichten Wäldern lebend kostbare Spezereien gewinnen von den Bäumen, Gummi und Mastix und Gewürze aller Art, in das Meer untertauchen und Perlen fischen vom Grunde. Und alle diese Völker schickten Abgaben und Steuern dem Dschinghiskhan, edle Metalle, Perlen, Jünglinge und Jungfrauen, seltene Tiere, kostbare Felle, Edelsteine, Gewürze, fremde Muscheln, Meernüsse, Zähne vom Einhorn und das Gefieder der Vögel, die aus dem Paradies kommen, Schnitzereien aus Elfenbein und Kästchen aus wohlriechendem Holz, Seidenstoffe mit Blumen durchwirkt oder kunstvollen Figuren von Menschen und Tieren, und blaue Seidenstoffe mit goldenen Sternen und Sonne und Mond; edle Rosse wurden geschickt mit Jahrtausende altem Stammbaum, deren Sehnen auf dem Fleisch lagen wie Peitschenschnüre, und ihre Augen funkelten vor Lust und Hochmut. Alle diese Reichtümer kamen zusammen beim Dschinghiskhan, der gekleidet war in Leder und Eisen, und wohnte in einem kahlen Raum, in welchem ein schlechtes Bett stand, ein Tischchen und ein Schreibzeug. Und hätte er mit diesem Schreibzeug einige Worte geschrieben auf einen Streifen Pergament und ein Siegel beigefügt, und hätte die Briefe fortgeschickt in die vier Weltgegenden, und hätte geschrieben, daß seine Diener sollen alle Städte anzünden und verbrennen auf den Grund, und alle Reichtümer in die Flammen werfen, und alle Saaten verheeren durch stampfende Rosse, so wären alle Städte aufgeflammt zum Himmel an demselben Tage, und in einem Schrei hätten alle Völker sich zum Himmel gewendet, und alle Saat wäre vernichtet, und Keiner hätte gewagt, auch nur das Häuschen einer Witwe zu verschonen und den Acker einer Waise. Und hätte er befohlen, daß alle Erstgeburt der Menschen in seinem Reich solle in den Sklavenstand gestoßen und vor ihn gebracht werden, so wären an einem Tage lange Züge gekommen von den vier Enden der Welt von kettenbeladenen Jünglingen und Jungfrauen, die das Haupt beugten, weinten und vor ihm in den Staub fielen, und die Eltern in der ganzen Welt hätten gejammert, aber auch nicht ein blinder Mann hätte gewagt, den einzigen Sohn zu behalten, der ihn ernährte.

Der Dschinghiskhan hatte Alang, seine Tochter, und seinen
Sohn Hia vor sich kommen lassen. Durch viele Kissen gestützt,
saß er aufrecht im Bett, und seine Brust brodelte. Er sprach:
»Hia, ich weiß, daß du ein *Narr* bist und mein Reich nicht wirst
halten können. Schon ist Marzuk zurückgekehrt, und wenn ich
gestorben bin, so wird er dich ins Gefängnis werfen, deine
Schwester heiraten und die Herrschaft an sich reißen. Zurückgekehrt ist Marzuk gegen meinen Befehl, und ich kann ihn
nicht bestrafen, denn weil ich im Sterben liege und einen törichten Sohn habe, so würde einen Befehl gegen Marzuk Niemand befolgen; aber auch ihn heimlich ermorden zu lassen ist
unmöglich, denn er ist schlau und vorsichtig. Deshalb sollst du
deine Schwester als Gattin heimführen, und das soll noch heute
geschehen. Du wirst Alles anordnen.«
Die Geschwister wurden blaß und verneigten sich vor dem
Dschinghiskhan.
»In drei Stunden soll die Feier stattfinden, bis dahin muß Alles
bereit sein.
Dann werde ich dir meinen Siegelring geben und du wirst König sein, ich aber will heute sterben.
Wenn ich tot bin, so öffnet ihr diesen Brief; der enthält meine
Befehle für die künftige Regierung des Landes. Hia, Hia, bedenke, daß du eine schwere Arbeit vor dir hast. Alang soll dir
helfen, sie hat Einsicht und weiß Vieles. Du sollst die unter-
worfenen Völker nicht drücken, sondern sollst sie begünstigen.
Du sollst ihnen sagen, ich sei ein blutgieriger Tyrann gewesen,
du aber wollest für sie sorgen, daß sie in Ruhe leben und reich
werden.«
Nach diesen Worten sank der Dschinghiskhan in die Kissen
zurück. Die Geschwister verließen das Zimmer. Hia ging nach
unten. Alang schritt nach ihrer Kammer zu.
Hia kleidete sich in köstliche Gewänder, seidene, in purpurne
Leinewand, in Schmuck von Gold und edlen Steinen. Dann
setzte er sich auf sein Roß, und sein Gefolge stieg zu Roß und
ritt hinter ihm her. Voraus gingen zwei Trompeter, die bliesen,
und das Gefolge rief: Hoch lebe König Hia. Die Leute kamen
aus den Häusern, nahmen die Mützen ab; einige riefen: Hoch
lebe König Hia. Viele standen unmutig zur Seite. Krieger schrien
dem Zuge höhnende Worte zu.
Wie Alang nach ihrer Kammer ging, sah sie Marzuk, welcher

in einer Fensternische saß. Er lachte ihr zu mit strahlenden Augen, und seine weißen Zähne blitzten.

»Weshalb lachst du mir zu, Marzuk?« fragte Alang.

»Weil du das schönste Geschöpf Gottes bist, das ich gesehen habe in meinem Leben.«

»Wenn das wahr ist, weshalb küssest du mich nicht auf den Mund?« erwiderte Alang.

Alang stieg in ihre Kammer, setzte sich auf ihre Truhe und sah nach dem offenen Fenster. Schneeflocken trieb der Sturm herein. Marzuk trat in die Kammer, sah in ihr Gesicht; ihr Gesicht bewegte sich nicht, blickte in die Schneeflocken. Da warf er den Riegel vor die Tür, daß er klirrte, hob sie in die Höhe mit seinen Armen und küßte sie, und seine Augen leuchteten wie Wolfsaugen, und sie hängte sich an seinen Hals, lachte und rief: »Marzuk« und wand sich gleich einer Schlange in seinen Armen. »Ich habe das Reich«, schrie er, »ich halte das Reich.« Sie lachte laut. »Hörst du meines Bruders Trompeten und die Hochrufe?«

Ferner sprach sie:

»Du riechst nach frischer Luft, Pferdeschweiß und Blut. Du sollst das Reich erben, meinen Bruder Hia sollst du umbringen; aber du mußt mir schwören, daß du mich nicht verstoßen willst. Aber auch wenn du mich verstoßen wolltest, so solltest du das Reich doch haben.« Sie lachte. »Wer hat denn die Tür verriegelt? Ich weiß nicht, daß ich die Tür verriegelt habe. Wenn meine Mägde kommen, so werden sie sagen: ›Alang hat ihren Liebsten in ihrer Kammer, deshalb hat sie die Tür verriegelt. Am hellen Tage hat sie ihren Liebsten in der Kammer.‹ Dann werden sie sagen: ›Ein Held ist ihr Liebster, er hat Narben auf seiner Brust, breite feurige. Stark ist er, mit einem Arm riß er ein Pferd nieder, das sich bäumte. Eine schallende Stimme hat er, wenn er befiehlt, so hören es Zehntausend.‹«

Ferner sprach sie:

»Hörst du die Leute, welche rufen: Hoch König Hia? Mein Bruder kommt zurück mit seinen Schmeichlern. Er will den Ring holen, du aber mußt jetzt mit zum Vater kommen, dir soll er den Ring geben.«

Und sie gingen hinab zum Dschinghiskhan. Der lag allein in seinem kahlen Zimmer. Denn seine Sklaven huschten in den langen Gängen des Schlosses, brachen verschlossene Türen auf, suchten und raubten kostbare Gewänder und Silbergeräte, und große Elefantenzähne, welche gefunden werden im Norden unter dem Schnee; sie schleppten keuchend und schwitzend, flüsterten hastig und scheu, denn sie hatten Angst, daß der Dschinghiskhan aufwache aus seinem Sterben und heraustrete aus seinem Zimmer unter sie. Vor seiner Tür vorbei huschten sie am schnellsten, ein frecher Knecht aber schrie laut: »Ich schlage ihn tot, wenn er kommt.« Da gaben die Andern ihm einen Stoß, daß er stolperte, denn er war mit lang schleppenden Seidenstoffen beladen. Und die Frau des Dschinghiskhan irrte umher in dem finsteren Schatzgewölbe, suchte die kostbarsten Steine und Perlen, welche sich leicht verbergen lassen, und große Beutel voll Gold stellte sie sich auf die Seite, sie auf ihrem Zimmer zu halten, denn sie wollte fliehen nach dem Tode des Dschinghiskhan, weil sie fürchtete für sich von dem neuen Herrn, mochte das nun ihr Sohn sein oder ein Anderer.

Halb gebrochen waren schon die Augen des Dschinghiskhan, aus seiner Brust röchelte es und pfiff. Aber er hob noch die Augenlider, wie die Beiden eintraten. Alang rief ihm ins Ohr: »Hier, Vater, mein Bräutigam, gib ihm den Ring«, und hatte Marzuk an der Hand gefaßt. Der Dschinghiskhan konnte keine weitere Bewegung machen, nur seine Augäpfel gingen nach oben, daß man das Weiße sah, und seine Hand mit dem Ring ballte sich.

»Den Ring«, rief ihm Alang ins Ohr.

Aber der Dschinghiskhan rührte sich nicht mehr, es war, als ob seine Gestalt in sich zusammensinke, weil sie schwer geworden war.

»Er ist tot, Alang«, sagte Marzuk.

»Wenn er tot ist, so wollen wir ihm die Hand öffnen, solange sie noch warm ist und biegsam, damit wir den Ring bekommen«, sprach Alang, und versuchte, die Faust zu öffnen. Aber die Faust war so zusammengekrampft, daß sie nicht geöffnet werden konnte. Marzuk faßte sie, wendete seine Kraft an, aber er konnte die Hand nicht öffnen. Die Augen des Dschinghiskhan waren stehen geblieben nach der letzten langsamen Bewegung, man sah nur das Weiße. Alang griff das Schwert Marzuks, schnitt in das Gelenk des Fingers ein. Marzuk wendete sich ab.

»Das tat ich für dich«, sprach Alang, reichte ihm den Ring. Nun gingen die Beiden hinaus, stiegen auf ihre Pferde. An Marzuks Hand blitzte der Ring des Dschinghiskhan. Um ihn scharten sich die Krieger, jubelnd riefen sie: »Hoch Marzuk, unser König!« Schneeflocken schmolzen auf glühenden Gesichtern. Hia wurde verlassen von Allen, stand allein, erstaunt und ängstlich, da ward er ergriffen und ins Gefängnis geworfen.

Marzuk aber sprach zu den Kriegern, daß sie sich freuen sollten; denn der Dschinghiskhan habe das gemeine Volk geliebt, welches den Rücken beugt und den Boden bearbeitet, Handel treibt und reich wird in steinernen Häusern. Aber er wolle die Welt zu einer glatten Tenne machen für die stolzen Reiter, ritterliche Spiele darauf zu treiben mit ihren Rossen.

PAUL HEYSE

Ein Ring

Wie bist du zu dem seltsamen Ringe gekommen, liebe Tante? Einen so massiven, mit großen schwarzen Buchstaben habe ich nie gesehen. Ist's ein Trauerring? Und was steht in der Inschrift?

Die kleine alte Frau, an die ich diese Fragen richtete, war eine ältere Schwester meiner Mutter, nur Tante Klärchen von uns genannt. Vor siebzehn Jahren hatte sie ihren Mann verloren, den Bankier Herz, dessen große, schwerfällige Figur mit dem feinen jüdischen Kopfe mir noch aus meiner frühesten Kinderzeit vor Augen steht, da meine Eltern, als ich zwei Jahre alt war, die Frankfurter Verwandten besucht hatten. Nun war diese Lieblingsschwester meiner Mutter nach einem glänzenden Leben an der Seite des wohlhabenden Gatten, dem sie schöne Töchter geboren, in eine unscheinbare Dunkelheit versunken, hatte aber ihre Wohnung an der »Schönen Aussicht« behalten und sie nur selten verlassen, teils weil ihre äußere Lage ihr den früheren Aufwand nicht mehr gestattete und zunehmende Kränklichkeit sie oft ans Bett fesselte, teils weil sie in diesem Hause die freundliche Pflege und Gesellschaft ihres ältesten Bruders genoß, meines Onkels Louis Saaling und seiner Frau, von denen ich in meinen »Jugenderinnerungen« ein mehreres erzählt habe.

Als ich nun in meinem neunzehnten Jahre als fahrender Schü
ler von Bonn aus den Rhein hinauf wallfahrtete und einige
Tage von meinem Onkel beherbergt wurde, ehe ich in die
Schweiz weiterzog, faßte ich eine lebhafte Neigung zu dieser
Tante Klärchen, die auch mich, schon um meiner Mutter willen
mit einer rührenden Zärtlichkeit ins Herz schloß.

Sie lag damals schon fest auf dem Krankenbett, das sie nicht
mehr verlassen sollte. Aber wer von ihren Schmerzen nichts
wußte und das feine, edelgebildete Gesichtchen unter dem
kostbaren Spitzentuch betrachtete, noch von schwarzen, glän
zenden Locken trotz ihrer sechzig Jahre eingefaßt, die Augen
von einer seltsamen Onyxfarbe in dem bläulichen Weiß unter
den beiden Lidern, dazu das Grübchen in der glatten linken
Wange, das bei jedem Lächeln sich vertiefte – konnte sich nicht
vorstellen, daß die Tage dieser lieblichen alten Frau gezählt sein
sollten.

Klärchen hat immer einen »Chain« gehabt, pflegte meine Mut
ter zu sagen – der jüdische Ausdruck für das, was wir mit dem
Franzosen Charme nennen. Diesem Zauber weiblicher Anmut
der aus dem ganzen Naturell der Tante hervorging und bis ins
hohe Alter ihr treu blieb, konnte auch ich nicht widerstehen
Ich saß stundenlang an ihrem Bette und ließ mir von ihren Er
lebnissen aus der Zeit, da sie mit meiner Mutter jung und lustig
gewesen war, erzählen. Sie war nie witzig gewesen, wie »Jul
chen«, aber ein dankbares Publikum für den Humor der Schwe
ster, und hatte eine Menge der drolligen Einfälle meiner Mutter
im Gedächtnis behalten. Dagegen mußte ich ihr von meinem
Studentenleben berichten, meine kleinen romantischen Aben
teuer und Herzensangelegenheiten beichten, und da es kein
Geheimnis war, daß ich Verse machte, ihr auch ein und das
andere dieser jugendlichen Exerzitien vorlesen. Sie sagte mir
nichts darüber, hörte aber mit zugedrückten Augen und einer
träumerischen Miene zu, und als ich aufhörte, zog sie meinen
Kopf an ihr Gesicht heran, küßte mich auf die Augen und
sagte ganz leise: Ich danke dir, lieb Kind. Du bist ein gebensch
ter (gesegneter) Mensch.

Gewöhnlich ruhten ihre beiden kleinen Hände regungslos auf
der grünseidenen Decke, die mit kostbaren Spitzen eingefaßt
war. Die ungemein zarte Haut war bleich wie alter, weißer
Atlas, der etwas vergilbt ist und seinen Glanz verloren hat, wie

auch über ihrem Gesicht kein Schimmer von Röte lag. An beiden Händen aber blitzten die kostbarsten Ringe, zwischen deren Juwelen der dicke Trauerring sich wie ein schlichter Fremdling ausnahm, der sich in eine vornehme Gesellschaft verirrt hatte.

Als ich sie nach ihm fragte, hob die Tante sacht die linke Hand, die ihn trug, und hielt sie nahe vor die Augen, deren Sehkraft schon ein wenig geschwächt war.

Es ist auch ein Trauerring, sagte sie mit ihrer weichen Stimme, nachdem sie ihn eine Weile still betrachtet hatte. Der, von dem ich ihn habe, ist lange schon nicht mehr auf der Erde. Neben den anderen nimmt er sich nicht glänzend aus, und doch ist er mir der liebste von allen. Daß er so dick ist, kommt davon her, weil er eine kleine Haarlocke einschließt, die man sieht, wenn man die innere Kapsel öffnet. Ich habe es seit vielen Jahren nicht mehr getan, will's auch jetzt nicht, es greift mich zu sehr an. Die Emailinschrift aber kannst du selbst lesen.

Sie hielt mir den Ring wieder hin, und ich buchstabierte: Lebe wohl! Dann sank die Hand wieder auf die seidene Decke.

Wir schwiegen eine Weile.

Ich begriff, daß an dem Ringe ein Stück Leben hing, das ich nicht heraufbeschwören wollte, da es traurig war und ich die liebe Kranke schonen wollte. Ich war aber doch zu neugierig, um nicht auf Umwegen die Enthüllung des Geheimnisses zu versuchen, und so sagte ich nach einiger Zeit ganz unschuldig: Du mußt viele Anbeter gehabt haben, Tante, in deiner früheren Zeit, noch da du schon große Töchter hattest. Mutter hat mir gesagt, wenn du mit ihnen in einen Ballsaal getreten seiest, habe man dich für ihre älteste Schwester gehalten.

Sie nickte still vor sich hin.

Jawohl, lieb Kind, sagte sie, ich wußte das selbst, es wäre kindisch gewesen, mir's verleugnen zu wollen. Aber Anbeter, was man so nennt, die sich einbildeten, sie könnten sich Hoffnungen machen, in besondere Gunst bei mir zu kommen, die hatte ich eigentlich nicht. Es wußt's alle Welt, daß ich meinen Mann lieb hatte und in Ehren hielt, obgleich ich gar keine schwärmerische Neigung zu ihm fühlte, als ich mit siebzehn Jahren ihm angetraut wurde. Ich hatte ihn kaum sechsmal vorher gesehen, und schön war er ja nicht, und daß er mir immer treu bleiben

würde, machte ich mir auch keine Hoffnung. Ich weiß auch
nicht, wie's später damit stand, wollt's auch nicht wissen. Du
weißt aber, bei uns Juden versteht sich's von selbst, daß die
Frauen ihren Männern treu bleiben, und die etwa eine Aus
nahme von der Regel machten, wurden nicht zum besten darum
angesehen, selbst in der damaligen Zeit, wo die guten alten
Sitten sehr ins Wackeln kamen.

Damals freilich kam's nicht gar selten vor, und gerade von der
Reichsten und Schönsten erzählte man sich allerlei Skandale
Ich hörte nicht viel danach hin. Ich hatte meine Kinder und viel
Freude daran, auch an meinem Hause, wo damals ein groß Le
ben war, da all die fremden Gesandten beim Bundestage bei
uns eingeführt waren.

Natürlich wurde auch mir die Cour gemacht, aber immer au
Französisch, wobei man ja wußte, all die schönen Redensarten
durfte man nicht au pied de la lettre nehmen. Ich konnt's um
so leichter, weil Herz gar keine Ader von Eifersucht hatte, son
dern nur schmunzelte, wenn man auch seine Frau noch schön
fand, obwohl sie auf die Vierzig losging und drei große Töchte
hatte, eine immer schöner als die andere. Die Adelheid heira
tete denn auch bald den Rothschild, die Helene, die die hüb
scheste war, den Fénélon Salingnac, und die Marianne de
Baron Haber. Da hatte ich mit den Ausstattungen, Hochzeiten
und bald hernach auch mit Großmutterpflichten alle Händ
voll zu tun und das Herz auch, denn daß es auch viel zu sorgen
und zu seufzen gab, kannst du dir wohl denken, lieb Kind.

Einen wirklichen, richtigen »Anbeter«, wie du's meinst, hatt
ich aber doch.

Das war kein eleganter, galanter Herr, der mir auf Französisch
erklärte, daß er mich reizend, unwiderstehlich und grausan
fand, sondern ein häßlicher, schüchterner alter Jude, der bei
uns im Hause wohnte und mit zur Familie gehörte.

Alt war er nicht gerade, kaum fünfzig, aber er machte den Ein
druck, als wäre er nie jung gewesen. Julchen, sagte er, sehe au
»wie alt gekauft«. Er hieß deshalb nur der alte *Ebi*, war Buch
halter bei meinem Manne gewesen und hatte dann seinen Ab
schied nehmen müssen, weil er den Star auf dem linken Auge
bekam und das gesunde rechte geschont werden mußte. Her:
wollte ihn wegen seiner treuen Dienste mit einer reichen Pen
sion entlassen, er bat aber, man solle ihm nur die Hälfte geben

ihm aber erlauben, im Hause zu bleiben, an das er sich einmal
so gewöhnt habe, daß er draußen keinen frohen Tag leben
werde. Herz lachte so mit seinem tiefen Baß und sagte: Das
Haus, an das er gewöhnt ist, das bist du, Klärchen, denn der
alte Bursche, das sieht ein Blinder, ist in dich verliebt. Obwohl
er aber sonst meschugge ist, die Narrheit kann ich ihm ja nach-
empfinden – dabei küßte er mir die Hand – und darum will ich
ihm, als ein Muster von nachsichtigem Ehemann, den Gefallen
tun und er mag im Hause bleiben, bis er mal was ganz Ver-
rücktes anstellt und dich durch seine Narrheit kompromittiert.
Dann hat er sich's selbst zuzuschreiben, wenn wir geschiedene
Leute sind.

Der Ebi aber nahm sich wohl in acht, irgend so was anzustellen,
was mir auch nur unbequem gewesen wäre.

Er saß die meiste Zeit ganz still in seinem Stübchen, das wir
ihm eingeräumt hatten, las durch eine große Brille in allerlei
hebräischen Schriften, denn bevor er die Kaufmannschaft lernte,
war er ein Bocher gewesen und wußte im Talmud Bescheid,
und dazwischen schrieb er allerlei auf großen Bogen, was er
niemand zeigte. Marianne behauptete, er mache Gedichte. Ich
fürchtete, wenn ich ihn danach fragte, würde er sie mir zeigen
wollen, und sie seien am Ende an mich gerichtet.

Übrigens machte er sich im Hause nützlich, wo er nur konnte, führte meinen Viktor spazieren, blieb, wenn die Töchter
Musikstunden hatten, als Anstandswächter dabei und ließ sich
zu jeder Kommission, die ihm einer auftrug, bereit finden, so
daß wir ohne unseren alten Ebi ein paar Dienstboten mehr
hätten halten müssen. Er aß nie mit uns, sondern in einem
kleinen koscheren Gasthause, da er die Speisegesetze hielt, und
nur zum Tee kam er manchmal, wo er dann immer sehr reinlich gekleidet erschien, in einem langen schwarzen Rock, der
ein bißchen an den Kaftan oder Schubbiz erinnerte, wie ihn die
richtigen polnischen Juden tragen, eine weiße Krawatte umge-
knüpft, das Haar sorgfältig frisiert. Schön sah er dann erst recht
nicht aus, eher komisch, aber bei alledem auch wieder ehrwür-
dig, mit der großen Nase in dem glattrasierten gelblichen Gesicht, dem feinen blassen Munde und den kleinen, tiefliegen-
den Augen, die aber, wenn er sich einmal in Eifer sprach, ganz
merkwürdig leuchteten.

Man fühlte überhaupt, daß ein ganz eigener Geist in ihm

steckte, der die Menschen gründlich durchschaute, und vor vielem, was der großen Menge imponiert, gar keinen Respekt hatte, am wenigsten vor dem goldenen Kalbe. So gesteh' ich auch, daß mir seine stumme Huldigung heimlich schmeichelte und ich jede Gelegenheit ergriff, mich gütig gegen ihn zu erweisen. Er nahm es als eine besondere Ehre auf, daß ich ihn bat, sich in mein Stammbuch einzuschreiben. Am anderen Tage brachte er mir's wieder, ich las, was er geschrieben, in seiner Gegenwart: »Werde, was du bist, dann bist du, was nötig ist.« Er war aber nicht zu bewegen, mir den Sinn, der mir dunkel blieb, zu erklären. Herz lachte wieder, da ich's ihm zeigte. Er sagte aber nur, es sei die feinste Schmeichelei, und ich würde eitel werden, wenn ich's verstünde.

Damals hatte ich eine Haushälterin, Mamsell Zipora, keine üble Person und nicht viel über vierzig, die sich in der Zeit, wo sie in unserm Dienste stand, auf rechtem oder unrechtem Wege ein ganz artiges Sümmchen erspart, auch eine Erbschaft zu erwarten hatte. Die hatte sich's in den Kopf gesetzt, den Ebi zu heiraten, und ich begünstigte ihr Projekt, da mir's doch manchmal unheimlich war, wenn die Augen meines Verehrers so schwärmerisch auf mich gerichtet waren, wie die Katholen (so sagte die Tante immer für die Katholiken) zu ihrer Gottesmutter aufblicken. Ebi aber blieb unerschütterlich. Wenn das gute Wesen ihre Karten gar zu offen vor ihn hinlegte, mit Schmeicheln und Streicheln und allerhand aufdringlichen Liebesdiensten wie ein Kätzchen um ihn herumstrich, zog er die dicken, schwarzen Brauen zusammen und sagte im Tone des tiefsten Abscheues: Ich bitt' Sie, Mamsell Zipora, kriechen Sie von mer 'runter!

Worauf die so schnöde Abgewiesene mit einem Ausrufe heftigster Kränkung fortrannte, ohne jedoch die Belagerung ein für allemal aufzugeben.

Ich machte ihm einmal Vorstellungen über seine Herzenskälte. Er sah mich wehmütig an. Madame Herz, sagte er, verzeihen Sie, jeder Mensch hat sein Schicksal. Den meisten kommt's von bösen Menschen, ich hab' meine Not mit den guten – die mir nicht lassen meine Ruh'. Was ich lieb', das bekomme ich nicht, und was mich liebt, das mag ich nicht. Glauben Sie, Madame Herz: Wenn der Mensch ein Schlemihl ist, nimmt sich der Unglück en Kütsch und fahrt em nach.

Die Marianne, die ihn einmal in seinem Zimmer aufgesucht hatte mit irgendeinem Auftrage, erzählte mir sehr belustigt, sie habe ihn beim Schreiben an einem großen Hefte betroffen und wohl gesehen, daß es Verse seien mit dazwischengeschriebenen Namen, und habe ihn gefragt, was für ein Stück er dichte. Er habe es ihr aber nicht gestehen wollen.

Beim nächsten Begegnen fragt' ich ihn selbst darum. Da er mir nun nichts abschlagen konnte, gestand er mit einem schüchternen Erröten, es sei ein Trauerspiel, die Tochter Jephthas, das dichte er aber nicht, um es irgendeinem Theater anzubieten, da er wohl wisse, er verstehe sich nicht auf die richtige dramatische Kunst, sondern nur für sich, zu seinem eignen Vergnügen.

Das müssen Sie uns aber mitteilen, Ebi, sagt' ich. Wenn's fertig ist, müssen Sie mir's vorlesen. Versprechen Sie mir's!

Er errötete noch tiefer, verbeugte sich, ohne ein Wort zu sagen, und ich konnte nicht erkennen, ob meine Bitte ihm lieb oder leid sei.

Auch vergaß ich sie selbst. Ich hatte es nur gesagt, um ihn damit zu erfreuen, daß ich mich für sein Tun und Treiben interessierte.

Die gute Tante schwieg eine Weile. Sie hatte den Kopf gegen das Kissen zurückgelegt und die schwarzen Augen still nach der Zimmerdecke hinaufgerichtet. Ich fragte sie, ob sie das Sprechen nicht zu sehr angreife. Sie möge mir das übrige morgen oder ein andermal erzählen, wenn sie sich frischer fühle.

Nein, lieb Kind, sagte sie, ich fühle mich morgen nicht frischer als jetzt. Alte Leute werden überhaupt nur noch ein bißchen aufgefrischt, wenn sie an ihre jungen Tage denken. Aber gib mir das Fläschchen dort von dem Toilettentisch!

Ich reichte ihr das Kristallflacon mit dem silbernen Verschlusse, und sie goß von der Eau de Cologne über ihre Hände und hielt sie dann vors Gesicht. Meine Nase bleibt mir am längsten treu, lächelte sie. Die Zunge ist nicht mehr viel wert, Augen und Ohren lassen mich im Stich, aber an Blumenduft und feinem Parfüm erquick' ich mich noch.

Sie behielt das Fläschchen in der Hand und sah wieder auf den Ring herab.

Nun kommt erst die Geschichte, sagte sie. Ich hab' sie noch keinem Menschen erzählt, nicht mal meinem Mann. Du aber

sollst sie hören, weil du ein gutes Kind bist und Schwester Julchen ähnlich siehst und schöne Verse machst. Also paß auf und
hör auch, was ich verschweige.

Denn 's ist für eine alte Frau nicht leicht, so recht zu sagen, was
sie viele Jahre auf den Herzen gehabt hat und, obwohl's eine
Schwäche war, nicht hat loswerden können. Aber du wirst es
schon verstehen.

Also, vor etwa einundzwanzig Jahren war's, im Herbst, auf dem
ersten Ball, mit dem die Saison wieder eröffnet wurde, im Beth-
mannschen Hause. Herzens waren natürlich eingeladen und
erschienen en grande tenue, Mutter Klärchen und die drei großen Töchter, die jüngste allerdings erst sechzehnjährig. Und die
Mädchen sahen wirklich wie die drei Grazien aus, heißt das,
wenn deren Toilette nicht von Mutter Natur, sondern von
einer Pariser Schneiderin besorgt worden wäre. Das Wort von
drei Grazien aber mußt' ich an dem Abend wohl ein dutzend-
mal hören.

Wir waren natürlich in unserem Anzuge, wie immer, die ein-
fachsten; Herz liebte es nicht, daß ich mich oder die Kinder
»putzte«, da wir an Schmuck und anderem Luxus doch nicht
mit den großen Häusern rivalisieren konnten. So hatte ich nur
meine Perlen um den Hals und in den Ohren, die Mädchen
nichts als frische Blumen, freilich von den zu dieser Jahreszeit
teuersten, die weißen Tüllkleider nach der neuesten Mode, aber
ohne kostbare Spitzen, ich in einer ganz hellen, pfirsichfarbe-
nen Robe, ziemlich dekolletiert, wie man eben damals ging,
und eine kleine Federagraffe im Haar. Ich wußte, es stand mir
gut, doch war's schon längst mein Bestreben, mich zu eklipsie-
ren, um meine Mädchen glänzen zu lassen.

Sie machten auch Sensation, als sie den Saal betraten, und hatten im Umsehen alle Tänze vergeben. Ich selbst gesellte mich
zu ein paar älteren Damen, die mir allerlei Schönes über meine
Kinder und auch über mich sagten, und ergab mich dann in das
allgemeine Mutterschicksal, mich nur noch an fremdem Vergnügen zu amüsieren.

Das hatte ich aber schon oft getan, als daß mich's nicht bald
ermüdet hätte, und da auch die Damen neben mir mich langweilten, versank ich endlich in eine Art Halbschlaf mit offenen
Augen, in dem nur die tanzenden Paare mit der lebhaften Musik wie Schatten, die man im Traum sieht, vorüberschwebten.

Auf einmal aber, in einer Tanzpause, weckte mich aus diesem Dämmerzustand eine bekannte Stimme, die des Grafen Fénélon, der mir einen Freund vorstellte, den Vicomte Gaston de – auch ein sehr aristokratischer Name –, der gestern in Frankfurt angekommen sei als Attaché bei der französischen Gesandtschaft und um die Ehre bitte – und so weiter.

Ich machte, ein wenig verwirrt, die Augen weit auf und sah einen jungen Herrn vor uns stehen, der auch einer geträumten Erscheinung ähnlicher sah als einem leibhaftigen Menschen. Denn so ein schönes, glänzendes Gesicht, mit so mädchenhaft zarten Zügen und doch ganz ernsthaften und feurigen Augen, eine so tadellose männliche Gestalt, dazu angezogen wie ein Gott, doch ohne Stutzerhaftigkeit, war mir noch nicht vorgekommen.

Ich will ihn dir nicht beschreiben. Du könntest dir doch keine Vorstellung von ihm machen.

Dazu seine Stimme, die durchs Ohr gleich ins Herz drang, obwohl sie gar nichts Insinuantes hatte, sondern ganz schlicht und treuherzig klang, und ein Französisch, wie man's nur in den besten Pariser Kreisen spricht.

Ich war so benommen von all dem, daß ich nicht imstande war, meinen usage du monde zu zeigen, auf den ich mir sonst was zugute tat. Als ich das merkte, wurde ich erst recht ungeschickt, stammelte mein sonst so geläufiges Französisch wie ein Schulkind heraus und dachte: Wenn er nur wieder ginge! Was soll er von dir denken? Im stillen lacht er über dich!

Es schien aber nicht, als ob ihm etwas Lächerliches an mir auffiel. Vielmehr unterhielt er mich auf die geistreichste Art und bat endlich, da ein Platz neben mir frei wurde, um die Erlaubnis, sich zu mir setzen zu dürfen. Fénélon hatte sich verabschiedet und ihm noch etwas zugeraunt. Ich glaubte, gehört zu haben: Elle a quarante ans! und er darauf, so daß ich's hören mußte: Mais elle est ravissante, mille fois plus belle que ses filles! – was meine Verlegenheit natürlich noch steigerte, so sanft mir's einging.

Die Musik setzte wieder ein. Sie werden Pflichten gegen die jungen Damen haben, sagte ich, denen Sie eine alte Mama nicht abtrünnig machen darf. – Er habe sich für diesmal mit dieser corvée schon abgefunden; mit seinen dreißig Jahren könne man nicht verlangen, daß er einen ganzen Abend herum-

wirble –, wenn ich erlaubte, möchte er um die Ehre bitten, mich
zu Tische zu führen.

Wie gern ich's erlaubte, kannst du denken.

Es war lange her, daß sich jemand ernstlich um mich bemüht
hatte, meine Jugend lag weit hinter mir, nun war's, als stünde
sie aus ihrem Grabe wieder auf, ich vergaß, daß ich erwachsene
Töchter hatte und keine Ansprüche mehr auf eine Eroberung
– und eine solche! – Es war wie ein Märchen!

Aber ich kannte ihn ja noch gar nicht. Er ist zehn Jahre jünger
als du, dacht' ich. Eine Laune wird es von ihm sein, einmal
einer femme de quarante ans so beflissen den Hof zu machen,
als sei es ihm Ernst damit, vielleicht bloß um eine andere, mit
der er gerade boudiert, zu kränken. Morgen denkt er nicht mehr
daran.

Gleichviel! Das Heute war reizend, und ich genoß es, ohne mir
Sorgen darüber zu machen, daß es nur ein Traum sein könne.
Ich merkte, daß ich zum erstenmal in meinem Leben erfuhr,
was es heißt, sich verlieben, und zwar, was ich immer für eine
Fabel gehalten hatte, so auf den ersten Blick, wie ein Blitz aus
blauem Himmel. Ich erfuhr auch, daß Liebe blind macht. Wenigstens dachte ich während des ganzen Soupers und auch, als
er nachher mir immer zur Seite blieb, keinen Augenblick daran,
was man von unserem langen Tete-a-tete mitten in der großen
Gesellschaft sagen würde, und erst als die Töchter beim Nach-
hausefahren mich mit diesem Verehrer neckten, kam ich ein
wenig zur Besinnung.

Herz war nicht auf dem Ball gewesen. Bälle langweilten ihn,
wir wechselten also ab, da auch ich wenig Vergnügen an der
Rolle der Ballmutter fand, und so chaperonierte der Papa die
Kinder bei anderen Gelegenheiten, wo ich dann zu Hause
blieb.

Diese Nacht schlief ich nur wenig. Ich war aber so voller Freude
über das Erlebnis, daß mich gar nicht danach verlangte, von
mir selbst nichts mehr zu wissen. So muß einem ganz jungen
Mädchen zumute sein nach seinem ersten Ball, wo sein Herz-
chen zum erstenmal gesprochen hat.

Er hatte um die Erlaubnis gebeten, sich meinem Manne vorzustellen. Daß er gleich am folgenden Tage davon Gebrauch
machen würde, wagte ich kaum zu hoffen. Aber wirklich kam
er gleich am nächsten Abend, wo wir en petit comité waren,

und betrug sich so taktvoll Herz gegenüber, daß der die beste Meinung von ihm faßte und mir zu diesem Anbeter gratulierte. Die Adelheid hatte mich verpetzt, was er aber in seiner gewohnten Manier mit Lachen aufnahm.

Auch wie er nun immer öfter kam und sich als Hausfreund en titre bei uns etablierte, hatte mein Mann nicht das geringste dagegen einzuwenden.

Wir waren auch nie allein, eins oder das andere der Kinder war immer zugegen, mit einer Häkelarbeit oder am Klavier, und oft brachte er auch seinen Freund Fénélon mit, der sich damals eifrig um Helene bewarb. So zu vieren war mir's am liebsten. Jedes Paar gehörte sich dann allein an und hörte nicht nach dem anderen hin. Aber du mußt nicht glauben, daß wir dann zärtliche Gespräche führten. Nie hörte ich ein Wort von ihm, was nicht auch mein Mann hätte hören dürfen, und nur seine Augen und zuweilen sein Verstummen sagten mir alles, was in ihm vorging.

Auch brachte er zuweilen Bücher mit, die mir noch unbekannt waren, da ich ziemlich ungebildet war, und wir sprachen hernach darüber. Oder er las uns eine Racinesche Tragödie vor, was er ganz herrlich konnte, oder Gedichte von Victor Hugo, der damals eben erst bekannt zu werden anfing. In der Sprache der Dichter machte er mir die feurigsten Erklärungen, und an der Art, wie ich zuhörte, konnte er erraten, wie es um mein eigenes Herz stand.

In der Gesellschaft erzählte man sich, er sei in Paris als ein gefährlicher mangeur de coeurs bekannt gewesen, und man wunderte sich, daß er in Frankfurt gar keinen Abenteuern nachging. Daß er mein Haus so fleißig besuchte, erklärte man sich durch eine Verliebtheit in eine meiner Töchter. Die ehrbare »alte« Madame Herz hatte niemand im Verdacht, dem leichtfertigen jungen Vogel die Flügel beschnitten zu haben.

So dauerte das den ganzen Winter. Es war die seligste Zeit meines Lebens.

Auch dadurch wurde das Glück nicht etwa getrübt, daß ich mir Vorwürfe gemacht hätte. Ich verstand nicht, daß es Sünde hätte sein können, das Liebenswürdige zu lieben und das Schöne schön zu finden. Meinen Pflichten als Gattin und Mutter wurde ich darum nicht untreu, wenn ich in dem Umgang mit diesem reizenden jungen Freunde mein Herz lebhafter schlagen fühlte. Ich wollte und hoffte auch wirklich nichts weiter, als daß es immer so fortgehen möchte, er einen Tag wie den andern über meine Schwelle treten, um sich dann zu mir zu setzen und eine Stunde lang ganz ernsthaft mit mir zu plaudern. Ich höre noch, wie er beim Eintreten sagte: Guten Tag, Madame Herz. Wie geht es Ihnen? Und dann beim Scheiden: Leben Sie wohl! Auf Wiedersehen!

Das waren die einzigen deutschen Sätze, die ich ihm beigebracht hatte, und die er mit so drolligem Akzent von sich gab, daß die unartigen Mädchen immer darüber lachten.

Und so ging der Winter hin. Keines von uns machte sich Gedanken über die Zukunft.

Ende März aber kam das Unglück.

Es war bei einem Diner im Hause Guaita, zu dem auch die Herren von der französischen Gesandtschaft geladen waren. Die Frau vom Hause, die mein Faible für ihn kannte, hatte ihm den Platz neben mir angewiesen. Ich erschrak aber heftig, als er mir den Arm bot, mich zu Tisch zu führen.

Denn er war totenblaß, und auf meine Frage, ob er sich krank fühle, schüttelte er nur stumm den Kopf. Erst als wir nebeneinander Platz genommen hatten, flüsterte er mir zu, er habe vor einer Stunde sein Todesurteil vernommen. Sein Chef habe ihm mitgeteilt, daß er, der Gesandte, nach Konstantinopel versetzt sei. Er, Gaston, müßte schon in der folgenden Nacht dorthin vorausreisen, um allerhand Präliminarien abzumachen und gewisse Weisungen für das Gesandtschaftshotel persönlich zu überbringen. Leider könne der Gesandte ihm nur vierundzwanzig Stunden bewilligen, um sich zur Abreise zu rüsten und sein Zelt in Frankfurt abzubrechen.

Du kannst denken, lieb Kind, wie diese Eröffnung auf mich wirkte. Ich war einer Ohnmacht nahe, und nur ein Glas Cherry, das Gaston mich auszutrinken nötigte, gab mir wieder ein wenig Contenance.

Aber der Rest des Diners verlief so traurig, wie eine Henkersmahlzeit. Wir sprachen fast nichts miteinander und aßen kaum einen Bissen. Zuletzt kamen wir überein, daß er morgen noch einmal kommen sollte, um Abschied zu nehmen. Am nächsten Abend war eine Soiree, ich entsinne mich nicht, bei wem, nur daß schon ausgemacht war, Herz sollte diesmal die Mädchen hinbegleiten und ich zu Hause bleiben. Um halb neun fuhren sie zusammen fort. Wenn Gaston um neun kam, traf er mich allein, und da er um zehn zu seinem Chef bestellt war, um noch Briefe und Depeschen in Empfang zu nehmen, blieb eine volle Stunde, die uns gehörte. Ich werde Ihnen Briefe an Wiener Damen mitgeben, mit denen ich befreundet bin: Frau Arnstein und Eskeles und die Baronin Pereira. Da Sie sich einige Zeit in der Kaiserstadt aufhalten sollen, kann Ihnen die Einführung bei diesen sehr angesehenen Damen vielleicht irgendwie nützlich sein, und jedenfalls wird es Ihnen wohltun, mit irgend jemand von Ihrer alten Frankfurter Freundin sprechen zu können.

So überstanden wir dies martervolle Diner. Aber die folgende Nacht und der Tag darauf vermehrten nur meinen Schmerz, der manchmal zu völliger Verzweiflung wurde. Jetzt erst kam mir so recht zum Bewußtsein, daß ich ihn liebte, immer geliebt hatte, und wie ich ihn liebte! Von ihm getrennt zu werden, stand mir vor Augen wie der schlimmste Tod, mein Leben hernach wie eine Wüste, in der nichts Grünes, Tröstliches für mich sprießen könnte!

Und so schrieb ich die Empfehlungsbriefe unter strömenden Tränen und erwartete die letzte Stunde wie eine zum Tode Verurteilte.

Um halb neun kam Herz mit den Kindern, mir gute Nacht zu sagen. Sie fanden mich blaß und angegriffen. Du hast Fieber, Frau, sagte Herz. Du mußt früh zu Bett gehen. – Freilich hatte ich den ganzen Tag wie im Fieber zugebracht, es brannte und glühte mir im Blut, wenn ich an den Abend dachte, an den Abgrund, in den mich's dann fortreißen konnte. Aber obwohl mir bei den Gedanken schwindelte, fürchtete ich's doch nicht und sehnte es herbei. Mir war wie einem Fieberkranken, der am Rande eines tiefen Meeres hingeht. Bloß um sich endlich zu kühlen, möcht' er sich hineinstürzen, wenn ihm die Wellen auch über den Kopf zusammenschlügen, daß er in eine bodenlose Tiefe versänke.

Gleich nachdem die anderen fortgegangen waren – ich lag auf dem Sofa und zählte die Minuten –, das klopft's. Ich fahre auf und denke: Sollt' er's schon sein? – Ich hatte meiner Kammer-

jungfer gesagt, ich sei für niemand zu Hause, bloß wenn der
Vicomte käme, der verreise; und ich hätte ihm noch Briefe
mitzugeben. – Aber wie ich Herein! rufe und die Tür sich öffnet, wer tritt über die Schwelle? Der Ebi.

Sie haben mir erlaubt, Madame Herz, wenn ich mit dem Trauerspiel fertig wär', sollt' ich kommen und 's Ihnen vorlesen. Da
Sie heute bleiben zu Haus, hab' ich mir gedacht –

Ich nickte bloß, und er kam herein. Ich fand nicht gleich einen
Vorwand, ihn fortzuschicken, und dann dacht ich: Laß ihn nur
lesen, das hilft mir über die Pein der Erwartung hinweg, und
wenn Gaston dann kommt, wird er von selbst wieder aufbre-
chen. Er bleibt ja nie, wenn ich Besuch habe.

Also setzte er sich auf ein Fauteuil neben dem Sofa, schlug sein
großes Heft auf und fing an zu lesen, wobei seine Stimme vor
Aufregung zitterte und auch die Hände, die die Blätter um-
schlugen. Er las mit einer eintönigen, leisen Stimme, und zuweilen geriet er in einen singenden Ton, wie die Vorbeter im
Tempel, die ich als Kind gehört hatte. Denn seit meiner Verheiratung war ich nicht mehr in die Synagoge gekommen.

Was er las, wußte ich nicht, auch nicht, ob es Verse waren oder
überhaupt Sinn und Verstand hatte. Nur so viel wurde mir allmählich klar, daß es eine Liebesgeschichte war, die er zu der
biblischen Historie hinzuerfunden hatte. Ein junger Ammoni-
ter, der unter den Gefangenen mit Jephtha nach Hause gekommen war, hatte sich in die unglückliche Tochter verliebt, die
nach dem übereilten Gelübde des Vaters sterben sollte, weil sie
die erste gewesen war, die dem heimkehrenden Sieger aus seinem Hause entgegengekommen war. Auch das Mädchen hatte
zu dem Jüngling eine Neigung gefaßt, obwohl er aus dem
Stamm der Feinde ihres Volkes war und nicht zu dem Gott ihrer
Väter betete. Als er aber in sie drang, während der Todesfrist
von zwei Monaten, die sie auf dem Berge zubrachte, um ihr ver-
lorenes Leben zu beweinen, sich zu retten und mit ihm zu entfliehen, widerstand sie ihrem Herzen und blieb beharrlich dabei,
sich zu opfern, da ihr Vater »seinen Mund aufgetan habe gegen
den Herrn«, und sie sein Gelübde heilig halten müsse.

Das Beste an der Dichtung schien nur, soviel ich davon begriff,
daß sie kurz war und viele Psalmenstellen und fromme Sprüche
aus der Schrift enthielt, und so kam der Vorleser fast bis ans
Ende, zu dem schwärmerischen Lobgesange der Jungfrau kurz

vor ihrem Tode, als es wieder an der Tür klopfte. Und diesmal war er's.

Seine schönen Augen verfinsterten sich, als er den Alten bei mir fand. Auch brachte er nicht seine paar deutschen Redensarten vor, mit denen er mich sonst begrüßte, sondern sagte: »Bon soir, Madame! Vous allez bien? Mais vous n'êtes passeule. Si je vous dérange –«

Ich faßte mich so gut ich konnte, stellte die Herren vor, wobei Gaston dem armen Ebi einen Blick zuwarf, wie einem todeswürdigen Verbrecher, und sagte, unser alter Hausgenosse habe mir ein selbstverfaßtes Drama vorgelesen, wir seien eben zum Schlusse gelangt.

Ich dachte nicht anders, als daß der Alte nun gehen würde. Er sprach auch nicht Französisch, obwohl er es verstand. Er machte aber keine Miene, aufzubrechen, nur daß er seinen Platz mit einem anderen Sitz etwas weiter vertauschte.

Sie lesen mir den Schluß wohl ein andermal, Ebi, sagte ich. Das Stück ist sehr schön. Vielleicht kann es sogar aufgeführt werden.

Auch das half nicht. Er antwortete mit einer stummen Verbeugung, blieb dann aber stocksteif sitzen, das Heft auf den Knien, die Augen gegen das Teppichmuster gerichtet.

Ich dachte, er würde doch endlich merken, daß er zuviel sei, wenn ich gar keine Notiz mehr von ihm nähme und die Konversation französisch weiterginge. Also bat ich den Vicomte, Platz zu nehmen, fragte, wann er reiten würde – diese Nacht noch um Mitternacht –, ob er auch mit warmen Decken versorgt wäre – eine von mir müsse er durchaus mitnehmen – und sprach dann von den Briefen an die Wiener Damen, das gleichgültigste Geplauder von der Welt, während mir das Herz klopfte, als ob es aus der Brust springen wollte.

Und der Alte dabei immer regungslos wie eine Bildsäule!

Noch jetzt weiß ich nicht, warum ich's nicht über die Lippen brachte, zu sagen: Lassen Sie uns allein, Ebi. Ich habe dem Herrn Vicomte noch etwas unter vier Augen zu sagen. Aber ich wußte, bei den Worten würde ich rot werden, wie ein ertapptes Schulkind, und er würde mir meine sündhafte Leidenschaft am Gesicht ablesen.

So quälte ich mich, den Faden des Gesprächs fortzuspinnen, wobei Gaston mir wenig half. Denn er war dermaßen verzweifelt über sein Unglück, mich zum letztenmal nicht ohne Zeugen sehen zu können, daß ihn alle Geistesgegenwart verließ und er die sonderbarsten Antworten auf meine Fragen gab. Zuweilen sprang er auf, tat ein paar hastige Schritte durchs Zimmer, blieb vor der Uhr auf dem Kaminsims stehen und warf sich dann wieder in den Sessel, mit einem Seufzer, der einen Stein hätte erweichen können, an dem alten Cerberus aber ohne jeden Eindruck abglitt.

Je länger es dauerte, je mehr sank mir der Mut, je länger wurden auch die Pausen in unsrer Konversation. Endlich schlug die Uhr zehn. Da stand er auf, er konnte sich kaum auf den Knien halten. Es ist Zeit, stammelte er. Der Graf erwartet mich. Oh, Madame...

Die Stimme versagte ihm. Auch ich hatte mich erhoben, obwohl ich mich nur mit Mühe aufrecht erhielt. Ich begleite Sie noch hinaus, sagte ich, Herr Ebi wird mich einen Augenblick entschuldigen.

So ging ich ihm voran nach der Tür. Ah, Madame, j'ai la la mort au coeur. Vous quitter, sans vous dire – Oh si vous saviez –!

Je sais tout, mon ami, flüsterte ich, et croyez – moi, si vous souffrez – moi aussi, j'ai le coeur si plein – je suis au désespoir!

Damit öffnete ich die Tür und dachte, draußen – wenn auch nur auf kurze Minuten – würd' ich mich ihm an die Brust werfen und ihm sagen, was ich um ihn gelitten. Als ich aber hinaustrat, sah ich eine andere Feindin meines letzten schmerzlichen Glücks bei einer Lampe am Pfeilertischchen sitzen, eine Näharbeit in den Händen – Mamsell Zipora!

Ich habe nachher erfahren, meine Kammerjungfer hatte der tückischen Person, ohne sich was dabei zu denken, erzählt, ich erwartete heute abend den Vicomte, der Abschied zu nehmen komme. Das hatte die sich zunutze gemacht, um es dem Ebi, den sie immer noch zu fangen hoffte, schadenfroh beizubringen, die Frau, die er heimlich vergötterte, sei auch nicht besser als alle anderen, um sich und ihre Tugend dadurch in ein vorteilhaftes Licht zu setzen. Und der unselige Mensch hatte sich von einer Eifersucht, die er sich selbst vielleicht nicht eingestand, verleiten lassen, den Wächter zu machen und den Rivalen aus dem Felde zu schlagen!

Sie war von der Erinnerung an diese schmerzlichste Stunde ihres Lebens so erschüttert, daß sie lange nicht fortfahren konnte, sondern immer sich mit dem Kölnischen Wasser die Stirn benetzte und mit geschlossenen Augen dalag.

Endlich sagte sie: Wie ich den Weg in mein Zimmer zurückfand und bis zu dem Sofa gehen konnte, ist mir ein Rätsel. Ich fühlte mich wie vernichtet, was jetzt noch werden konnte, war mir unfaßbar, ich sank auf das Polster nieder, drückte mein Tuch gegen die Augen, und brach in krankhaftes Schluchzen aus.

Daß Ebi im Zimmer war, hatte ich völlig vergessen.

Da hörte ich plötzlich seine Stimme, in dem feierlich singenden Tone, wie bei den Psalmenversen seines Trauerspieles: Madame Herz, ich habe Sie immer verehrt, heute bewundere ich Sie. Der Sieg, den Sie über sich selbst davongetragen, ist größer als der von Jephthas Tochter. Sagen Sie nicht, daß ich Ihnen dabei geholfen hab'. Wenn Sie nur gesagt hätten ein einzig Wort: Ebi, verlassen Sie mich, – so wahr Gott lebt – ich wäre gegangen, so sehr es mich hätt' geschmerzt, aber Sie wissen, ich bin ihrem Wort gehorsam, wie ein Hündlein seinem Herrn. Daß Sie nicht gesagt haben das eine Wort, das macht Ihnen mehr Ehre als einem König, der große Länder erobert, oder einem gewappneten Mann, der allein ein ganzes Heer besiegt. Denn wie es im Prediger Salomonis heißt: Lieblich und schön sein ist nichts, aber ein Weib, das den Herrn fürchtet, das soll man loben, und in Jesus Sirach: Ein schönes Weib, das fromm bleibt, ist wie die helle Lampe auf dem heiligen Leuchter. Erlauben Sie, Madame Herz, daß ich den Saum küsse an Ihrem Gewande.

Ich fühlte dunkel, wie er es tat, und hörte, wie er dann das Zimmer verließ. Da brach es erst recht bei mir aus, und ich weinte und weinte – bis eine Ohnmacht sich meines armen gefolterten Herzens erbarmte.

Am folgenden Tage und auch den nächsten darauf konnte ich das Bett nicht verlassen. Es war keine Krankheit, meinte der Arzt, aber eine Erschöpfung all meiner Lebenskraft. Als ich wieder aufstehen konnte, dauerte es noch Wochen, bis ich den Anblick von Menschen wieder ertragen konnte. Ebi und Mamsell Zipora durften mir nicht vor Augen kommen.

Dann erhielt ich von Konstantinopel aus seinen Ring und einen Brief dabei, voll schmerzlichster Geständnisse. Ich zeigte beides meinem Manne, ohne ein Wort dabei zu sagen, und er gab es mir ebenso schweigend zurück. Ich wußte, daß er ein zu kluger Kenner des weiblichen Herzens war, um es als eine Sünde anzusehen, wenn meines gegen das liebenswürdigste, was die Erde trug, schwach gewesen war.

Daß ich einen ganz ähnlichen Ring machen ließ mit der Inschrift: »Pour toujours«, sagte ich Herz nicht. Er hätte die Devise, die zweideutig war und ewige Liebe oder ewige Trennung bedeuten konnte, doch vielleicht in dem ersten Sinne verstanden. Zugleich schrieb ich ein paar Zeilen, die die Bitte enthielten, mir nicht wieder zu schreiben. Er erfüllte diesen Wunsch. Ich hörte nur selten einmal durch Dritte von ihm. Schon nach fünf Jahren kam die Nachricht von seinem Tode.

Das ist die Geschichte von diesem Ringe, die du hast wissen wollen, lieb Kind. Daß ich sie dir erzählt hab', mag dir beweisen, wie lieb du mir bist. Nicht einmal deine Mutter weiß das Genauere davon. Du magst es ihr einmal wiedererzählen. – –

Ich war sehr ergriffen von dieser rührenden Geschichte und wußte nicht, was ich sagen sollte, meinen Anteil auszudrücken. Als der naive Jüngling, der ich war, sagte ich endlich das Ungeschickteste: So schmerzlich es dir sein muß, Tante, so oft du den Ring betrachtest, du kannst es wenigstens ohne Reue tun.

Sie sah still vor sich hin. O Kind, sagte sie leise, du bist noch jung. Du hast noch nicht erfahren, daß es manchmal am bittersten schmerzt, wenn man bereut, daß man nichts zu bereuen hat. Das sage aber nicht weiter!

Am folgenden Tage setzte ich meine Reise fort. Als ich einen Monat später wieder nach Frankfurt kam, fand ich die geliebte Tante nicht mehr unter den Lebenden. Der Onkel händigte mir eine kleine Schachtel ein, die sie ihm für mich übergeben hatte, und deren Inhalt er nicht kannte. Der Ring lag darin und ein zärtliches Segenswort, das sie mit zitternder Hand noch auf ihrem Sterbebette geschrieben hatte.

Seitdem ist dies teure Andenken nicht von meiner Hand gekommen. Die Emailbuchstaben sind ausgewaschen, der Goldreif ist brüchig geworden, die kleine Hand, an der ich das Kleinod zuerst gesehen, ist längst vermodert, doch was mir der sanfte Mund vertraut, lebt unvergeßlich in meiner Erinnerung fort.

RICARDA HUCH
Das Judengrab

In Jeddam gab es nur einen einzigen Juden, der auf folgende Weise dorthin verschlagen war: Seine Frau, mit der ihn treueste Liebe verband, war aus Jeddam gebürtig, und als ihr Vater mit Hinterlassung bedeutender Ländereien starb, war es wünschenswert, daß sie sich zur Regelung ihrer Erbschaft selbst hinbegebe. Mit der Möglichkeit, das Vaterhaus wiederzusehen, erwachte in ihr das Heimweh, und die Familie, die aus Vater, Mutter und zwei kaum erwachsenen Kindern bestand, trat die weite Reise an. Da nun der Ort Jeddam, mit mehr dörflichem als städtischem Charakter, so trotzig und anmutig zwischen mäßig hohen Bergen, reichen Saatfeldern und grünen Geländen lag, die das Flüßchen Melk bewässerte, und da die Frau sich in ihrer vertrauten Kinderheimat so wohl fühlte, willigte der gutmütige Mann ein, ganz und gar überzusiedeln. Er konnte freilich nicht daran denken, das große Gut seiner Frau selbst zu bewirtschaften, sondern stellte dazu einen jungen Verwalter an, während er selbst ein Geschäft in dem Ort eröffnete, wie er es früher betrieben hatte. Da es ein solches in Jeddam bisher nicht gegeben hatte und die Einkäufe in der nächsten größeren Stadt besorgt worden waren, hätte das Geschäft wohl gedeihen können, wenn nicht der Inhaber ein Jude gewesen wäre, von welchem Volke die Bewohner von Jeddam durchaus nichts wissen wollten. Verkauft wurde zwar genug, aber wenig bezahlt, und wenn Herr Samuel die ausstehenden Gelder einklagen wollte, mußte er erleben, daß sich die Behörden seiner nicht annahmen und er höchstens Prozeßkosten zahlen mußte, ohne zu seinem offenkundigen Recht kommen zu können. Es machte ihm oft Sorgen, was daraus werden sollte, und er wäre gern mit den Seinigen auf und davon gegangen, wenn er gewußt hätte, wie er in dieser feindseligen Umgebung zu seinem Gelde kommen und die Güter seiner Frau ohne zu großen Schaden verkaufen sollte.

Eine Reihe von Jahren ging es so weiter, bis eines Tages Herr Samuel krank wurde und nach dem Arzte im nächsten Städtchen schickte; als er auf seine zweite Bitte, schleunig zu kommen (denn die erste hatte keinerlei Erfolg gehabt), die Antwort erhielt, der Doktor sei sehr beschäftigt und bedaure, dem Rufe nicht Folge leisten zu können, wurde es ihm unheimlich zumute, und er bedachte zum ersten Male gründlich, wie er hier elend sterben und verderben könne. Während die Familie sorgenvoll und ratschlagend um sein Bett herumsaß, sagte er: »Das beste wäre, da ich doch einmal krank bin, wenn ich stürbe, dann könntet ihr unangefochten hier leben und glücklich sein.« Seine Frau Rosette und die beiden Kinder, Anitza und Emanuel, verwiesen ihm, so zu reden, da sie ohne ihn auch im Paradiese nicht glücklich sein könnten, und Herr Ive, der Verwalter, der Anitzas Verlobter war, sagte, daß es auch deshalb unrichtig sei, weil die Bewohner von Jeddam die abtrünnige Frau, die einen Juden geheiratet hatte, und dessen Kinder ebensowenig unter sich leiden möchten wie ihn selber.

»Wie wäre es aber«, sagte Anitza, »wenn wir dich, Vater, als tot ausgäben und begrüben, während du heimlich in deine Heimat zurückkehrtest, und Ive, als unser natürlicher Freund und Vormund, unsre Angelegenheiten ordnete und uns dann zu dir führte?«

Herr Samuel wollte anfänglich von solchen Schlichen nichts hören, aber da der Verwalter erklärte, er getraue sich wohl, die Sache zu einem guten Ende zu bringen, und da Frau und Kinder zu dem Abenteuer, mittels dessen zugleich denen von Jeddam ein Streich gespielt wurde, voll Lust und Ungeduld waren, willigte er schließlich ein, es ins Werk zu setzen. Kaum war er wieder einigermaßen hergestellt, als er nächtlicherweise Jeddam verließ; es glückte ihm, unbemerkt zu dem nächsten größeren, am Meere gelegenen Ort zu gelangen, wo er sich einschiffte.

Unterdessen stopften Frau Rosette und Anitza mit Herrn Ives Hilfe einen netten Balg aus, befestigten eine passende Larve mit einem Bart aus Roßhaar vor dem Strohkopfe und legten diese Figur, in ein reinliches Sterbehemd gekleidet, auf Herrn Samuels Bett. Die Larve bedeckten sie mit einem Schnupftuch, doch die wachsenen Hände, die sie der Echtheit und Ähnlichkeit halber mit dem schönen Diamantring geschmückt hatten, den Samuel auf dem Zeigefinger zu tragen pflegte, blieben sichtbar. Der Betrug wäre wohl doch entdeckt worden, wenn das Haus des Juden nicht wie das eines Aussätzigen gemieden worden wäre; als die Nachricht von seinem Tode ausgesprengt war, fehlte es zwar nicht an Neugierigen, aber sie hielten an sich und spähten aus der Ferne, so daß nur die eignen Dienstboten scheu von der Türschwelle aus den künstlichen Leichnam betrachteten.

Demnächst begab sich Herr Ive zum Gemeinderat, um den Tod des Herrn Samuel anzuzeigen und die Beerdigung zu bestellen, wurde dort aber an den Pfarrer verwiesen, der diese Dinge zu erledigen habe. Der Pfarrer war ein Mann mit dichtem, lockigem Haar und kurzer, hölzerner Stirn über einem breiten Gesicht, für gewöhnlich schweigsam, nicht aus Neigung oder Anlage, sondern weil er nichts zu sagen wußte. Seine großen Augen flackerten ängstlich und bekümmert vor der großen Leere seines Schädels, und er war im ganzen ein mehr hilflos trauriger und unschädlicher Mann, als ein bösartiger, außer wenn es sich um gewisse kirchliche Fragen handelte. Sowie nämlich irgendeine Sache vorkam, in der er sein Urteil, sei es auch ein noch so verkehrtes, hatte, und in der er überhaupt maßgebend war, bemächtigte er sich derselben mit Heftigkeit, blähte sich auf und spie Gift gegen alle, die ihm nahe kamen, im unbewußten Drange, sich dafür zu rächen, daß sie ihn so oft als einen unwichtigen, blöden Tölpel unbrauchbar in der Ecke hatten stehen sehen. Als Herr Ive sich bei ihm meldete, wußte er schon, um was es sich handelte, und empfing ihn mit den Worten: »Was gibt es, Herr Ive? Da muß etwas Gewaltiges im Schwange sein, daß Ihr zu mir kommt! Ihr pflegt mich nicht zu überlaufen, weder in meinem Hause, noch im Hause Gottes! Diese Leute bedürfen der Seelsorge nicht; aber jetzt gilt es wohl eine Erbschaft oder eine Heirat, wo sie immer bei der Hand sind!«

Herr Ive entschuldigte sich höflich und sagte, daß er nur den Tod des verstorbenen Herrn Samuel anzeigen wolle, was ihm als Vormund der hinterbliebenen Familie zukomme. »Da habt Ihr Euch ein sauberes Amt ausgelesen«, sagte der Pfarrer; »wer Pech angreift, besudelt sich, wißt Ihr das nicht? Bleibt mir mit Eurem toten Juden vom Leibe, ich habe nichts damit zu schaffen!« Herr Ive erklärte, daß der Gemeinderat ihn an den Pfarrer gewiesen hätte; der die Beerdigungsförmlichkeiten samt und sonders zu erledigen pflegte. »Ja«, rief der Pfarrer aufbrausend, »die Beerdigung von Christenmenschen freilich! Den Juden mögen seine Rabbiner und Pharisäer in ihre Erde graben und sich selber dazu, was desto besser für sie und uns wäre.«

Der Herr Pfarrer wüßte wohl, sagte Herr Ive, daß es in Jeddam
weder Pharisäer noch Sadduzäer gäbe, noch weniger einen jüdischen Kirchhof, weswegen der Wunsch des Herrn Pfarrers
nicht könnte ausgeführt werden; es müßte der verstorbene Samuel wohl oder übel neben den übrigen Bürgern Jeddams bestattet werden. Der Pfarrer zog die schwachen Brauen über die
großen rollenden Augen hoch, schlug mit der geballten Faust
dreimal auf den Tisch und rief: »Nichts da! Heraus mit Euch!
Werft Euern toten Juden wohin Ihr wollt, aber laßt Euch nicht
mit ihm auf unserm christlichen Kirchhof blicken!« Worauf
Herr Ive, dem das Blut bereits zu kochen anfing, sich herumdrehte, die Tür laut hinter sich zuschlug und spornstreichs zurück zum Gemeinderat eilte.

Dort gab es ein Köpfezusammenstecken und eiliges Hin- und
Herlaufen, bis es Herrn Ive endlich gelang, zum Bürgermeister
vorzudringen, der es im allgemeinen nicht liebte, in seinen
Geschäften gestört zu werden. Er war ein beleibter Herr, der
unter seiner Freundlichkeit äußerste Verachtung der meisten
übrigen Menschen verbarg und sich einbildete, seine Stellung
als Bürgermeister einzig seiner weltmännischen Gewandtheit
und geistigen Überlegenheit zu verdanken. Ihm war alles
gleichgültig, außer daß er den Ruf seiner Unfehlbarkeit und
seine Beliebtheit nicht einbüßte, und es war deshalb ebenso
angenehm, mit ihm zu verkehren, wie schwer, irgend etwas
von ihm zu erreichen und in Gang zu bringen.

Herr Ive erzählte atemlos und heftig, was ihm beim Pfarrer
begegnet war, häufig unterbrochen vom Bürgermeister, der sich
nach unzähligen Einzelheiten erkundigte, teils um seine sach-
kundige Gründlichkeit und menschliche Teilnahme zu beweisen, teils um im allgemeinen Zeit zu gewinnen. Als Herr Ive
durchaus nichts mehr zur Klärung der Sachlage beizubringen
wußte und augenscheinlich auf eine Antwort erpicht war, legte
der Bürgermeister den Kopf auf die Seite, faltete die Hände
über dem Bauche und sagte nachdenklich: »Schade, schade, daß
der Herr Samuel sterben mußte! Ein fleißiger Herr, ein braver
Herr, als Familienvater ausgezeichnet und als nützlicher Bürger,
aber ein Jude. Unleugbar ein Jude! Er hätte noch eine Weile
länger leben dürfen.«

Herr Ive sagte ungeduldig: »Euer Gnaden werden Ihre rühm-
lich bekannte Gerechtigkeitsliebe beweisen und nicht dulden,

daß Leute, die Euer Gnaden selbst als nützliche Bürger bezeichnen, wie faules Obst in den Graben geworfen, anstatt rechtlich begraben werden.«

»Wie faules Obst in den Graben werfen!« rief der Bürgermeister erschrocken. »Das wäre in der Tat ein Unfug, den ich scharf ahnden würde. Die Geistlichkeit läßt sich oft, wie wir alle wissen, vom frommen Eifer hinreißen, allein das bürgerliche Haupt der Gemeinde folgt unbestechlich der Gerechtigkeit. Es soll mir nimmermehr ein verstorbener Jude, der tugendhaft gelebt hat, wie faules Obst auf der Gasse liegen!«

So würde, fragte Herr Ive, der Bürgermeister Befehl geben, daß der Verstorbene schicklich auf dem allgemeinen Friedhof beerdigt würde. Das würde er freilich, antwortete jener, nachdem er zuvor die Herren Gemeinderäte versammelt und ihre Meinung eingeholt hätte: »Denn«, sagte er lächelnd, »den Tyrannen möchte ich nicht spielen, gerade, weil ich es könnte.«

Herr Ive mußte sich bescheiden, unverrichtetersache heimzukehren, und eilte zur Familie des Samuel, um von dem Vorgefallenen Bericht zu erstatten. Er hatte im Laufe der Verhandlungen fast vergessen, daß sein Schwiegervater nicht in Wirklichkeit tot war, wie er aber zu Hause die vergnügten Gesichter sah, kam es ihm wieder zur Besinnung, und er mußte lachen, daß der Pfarrer sich dermaßen über eine Sache erhitzt hatte, die nur in der Einbildung bestand. Die zierliche Anitza warf sich auf einen Teppich und lachte lautlos in ein Kissen, so daß ihr die Tränen über das Gesicht liefen, aber ihre Mutter, eine hohe, kräftige Frau, die nicht mit sich spaßen ließ, stand auf und sagte: »Ive, du bist gut, aber du hast einen Lammsmut, du verstehst mit diesen Leuten nicht umzugehen, die man nicht höflich, sondern grob und unverschämt, wie sie selber sind, behandeln muß. Du wirst bescheiden vor der Tür gestanden und um Erlaubnis gefragt haben, anstatt zu sagen: ›Kurz und gut, morgen begraben wir meinen Schwiegervater, und wer sich mir in den Weg stellt, dem zerschmettere ich mit diesen Fäusten die Knochen zu Butter.‹«

»Ich habe mich so fest und entschlossen benommen, wie ich glaube, daß ein Mann soll«, sagte Herr Ive, dessen helles, hübsches Gesicht über und über rot geworden war, als ihm Zaghaftigkeit vorgeworfen wurde. »Wenn es nötig ist, kann ich auch dreinschlagen, doch ich dachte, es wäre dazu immer noch Zeit.«

Der junge Emanuel sagte: »Mama, die Leute haben im Grunde ganz recht. Auf einen christlichen Kirchhof gehören Christen, auf einen jüdischen Juden. Die Frage ist nicht so leicht zu entwirren, wie du dir einbildest.«

Nun loderte Frau Rosette in lichtem Zorne auf und rief: »Geh mir mit deinen Spitzfindigkeiten! Dein Vater ist kein Dieb oder Mörder, sondern ein besserer Mann als alle die Ochsenköpfe von Jeddam, die froh sein können, einen solchen auf ihrem Friedhof begraben zu dürfen. Glaubst du, sie würden dich und mich und Anitza, obwohl wir gut katholische Christen sind, achtungsvoller behandeln? Sie würden uns auch in das erste beste Loch werfen; aber sie haben sich in mir verrechnet. Ich nehme es mit andern Leuten auf als mit dem hohlköpfigen Pfarrer und dem windigen Bürgermeister.«

Anitza klatschte vor Vergnügen in die Hände und sagte zu ihrem Bruder: »Mama möchte, daß wir beide stürben, nur damit sie uns dem Pfarrer zum Tort ein christliches Begräbnis herrichten könnte!« Und Emanuel, der es liebte, seine Mutter zu necken, sagte: »Frau und Kinder gehen nach des Vaters Seite, und ich bezweifle, ob wir das Recht haben, uns auf dem Jeddamer Friedhof beerdigen zu lassen.«

»Gelbschnabel!« rief seine Mutter. »Meine Urgroßväter, Großväter und mein Vater sind hier begraben, und ich möchte den sehen, der mich hindern kann, an ihrer Seite zu liegen. Ich gehe bis zum Kaiser, wenn es nötig ist, um diesen Prahlhänsen zu zeigen, wo ich mich begraben lassen kann!«

Es gelang Herrn Ive, die zürnende Frau zu bewegen, daß sie den Bescheid abwartete, den er jetzt vom Gemeinderat bekommen würde, und er machte sich alsbald auf, um denselben in Empfang zu nehmen. Ehe er in das Beratungszimmer geführt wurde, wo sich unter den übrigen Herren auch der Pfarrer befand, sagte der Bürgermeister: »Es kommt mir nicht in den Sinn, nach Tyrannenweise das Recht zu beugen, und daß dem Rechte nach kein Jude auf unserm christlichen Gottesacker bestattet werden darf, sehe ich ein; doch halte ich mich gern an den alten lateinischen Spruch, der besagt, daß man zwar unerschütterlich im Handeln, aber gefällig und lieblich in der Form sein soll, und werde deshalb dem jungen Manne den abschlägigen Bescheid so sanft wie möglich eingehen lassen.«

Als hierauf Herr Ive vorgelassen wurde, empfing er ihn mit

wohlwollenden Blicken, streichelte kosend über das Protokoll-
papier, das vor ihm lag, und sagte: »Sie sind ein geschätzter
Mitbürger, Herr Ive, auch der verstorbene Herr Samuel war
es, soweit er Bürger war, als Bekenner stand er mir fern. Sagen
Sie selbst, gibt es eine jüdische Gemeinde hier?«
Diese Frage konnte Herr Ive nicht anders als mit nein! beant-
worten, worauf der Bürgermeister fortfuhr: »Es gibt hier keine
jüdische Gemeinde, oder, was dasselbe sagen will, keine Juden.
Gibt es aber keine Juden hier, so gibt es auch keinen Juden,
und so hat auch Herr Samuel, der ein Jude war, im rechtlichen
Sinne niemals hier existiert. Seine Familie mag ihn beweinen,
seine Freunde, ja alle fühlenden Herzen mögen seinen Hin-
schied betrauern, die Gemeinde als solche muß ihn als nie dagewesen betrachten und kann ihn infolgedessen auch nicht begraben.«
»So bitte ich den Herrn Bürgermeister, mir zu sagen«, rief Herr
Ive drohend, »wo ich ihn begraben soll, denn begraben muß er
doch einmal werden.«
»Das wäre zu wünschen«, sagte der Bürgermeister, »und es sei
ferne von mir, den Hinterbliebenen darin auch nur das geringste in den Weg zu legen. Nur den christlichen Gottesacker
bitte ich auszunehmen, und daß innerhalb der Stadtgrenzen
kein Toter sich aufhalten darf, ist Ihnen sowie jedermann bekannt.«
Jetzt aber war es mit Herrn Ives Geduld zu Ende, und indem
ihm das Blut heiß in die Wangen schoß, rief er: »Wenn ihr
den lebenden Juden unter euch dulden konntet, werdet ihr
auch den toten ertragen. Ich verlange kein Geläut und kein
Geplärr und Gezeter an seinem Grabe, aber ein Fleckchen Erde,
wo er ruhig liegen kann, das soll er trotz euch haben. Laßt es
euch gesagt sein, daß ich ihn morgen selber auf den Kirchhof
bringen und jeden niederschlagen werde, der mich dabei stören
will.«
Diese groben Worte entzündeten ein heftiges Wortgemenge,
das durch den plötzlichen Eintritt Frau Rosettens unterbrochen
wurde, die, des Wartens überdrüssig, selbst gekommen war, um
mit ein paar kernigen Worten die Leute zur Vernunft und die
Sache zu Ende zu bringen. Als sie in großer Majestät, vom Kopf
bis zu den Schuhen in Schwarz gekleidet, auf der Schwelle
stand, verstummten alle, und der Bürgermeister beeilte sich,

ihr entgegenzugehen und einige Worte des Beileids zu sprechen. »Laßt die Phrasen, Herr Bürgermeister«, sagte sie abwehrend, »auf die ich keinen Wert lege. Ich verlange von Euch
nichts als mein Recht, ich will meinen Mann auf den Kirchhof
bringen, wo mir Vater und Mutter, Großväter und Urgroßväter
ruhen, und darin verlange ich von Euch mehr unterstützt als
behindert zu werden.«
»Euer verewigter Vater war mein geschätzter Freund«, sagte der
Bürgermeister, indem er sich mit einem großen buntseidenen
Taschentuche den Schweiß von der Stirn wischte, »und sein
Grab gereicht unserm Gottesacker zur Ehre. Er war ein guter
Bürger und ein guter Christ, und mehr braucht es nicht, um in
Jeddam gut aufgenommen und begraben zu werden.«
»So denke ich«, sagte Frau Rosette, sich stolz umsehend, »daß
ich diese Ehre verdiene. Ich wünsche aber, was niemand einem
christlichen Eheweibe verargen wird, dereinst an meines Gat-
ten Seite zu ruhen.«
Der Bürgermeister trocknete sich den Angstschweiß ab und besann sich, welche Gelegenheit der Pfarrer, der sich nur ungern
das Wort so lange hatte nehmen lassen, ergriff und losfuhr:
»Bückt Ihr Euch vor dieser stolzen und abgöttischen Jesebel?
Du hast einen Greuel in deine Familie und unsre Gemeinde
gebracht, Weib, aber auf unsern Friedhof sollst du ihn nicht
bringen. Es gibt genug Kehricht auf der Erde, wohin ihr eure
ungläubigen Knochen werfen könnt, unserm heiligen Gottes-
garten sollen sie fern bleiben!«
Frau Rosette trat dicht an den Pfarrer heran und sagte: »Höre
du, ich mach mir zwar keine Ehre daraus, zwischen euren hohlen Gerippen begraben zu liegen, aber mein angeborenes und
angestammtes Recht lasse ich mir von euch nicht rauben und
möchte gleich auf dem Flecke sterben, damit ihr mit ansehen
müßtet, wie ich auf euern Schutthaufen Einzug halte.«
Die Anzüglichkeit der Frau Rosette hatte auch die übrigen Gemeinderäte in Zorn versetzt, von denen einer sagte: »Die Frau
eines Juden hat keinerlei Recht mehr in Jeddam.«
»Ja, ich hätte meine Mitgift einem von euch hungrigen Bären
bringen sollen!« höhnte sie.
»Besser ein Bär als ein Schwein!« rief ein andrer; denn so pflegte
man die Juden in Jeddam zu nennen.
Frau Rosette erbleichte und sagte: »Du mußt wohl ein Hund

sein, daß du einen edlen Toten beschimpfst.« Dann legte sie
eine Hand auf Herrn Ives Arm und sagte, indem sie ihn mit
sich zog: »Komm, wir werden uns selber helfen.«

Während der Bürgermeister auseinandersetzte, daß der Weise
und Weltmann nicht schimpfe, sondern fest und gelinde auf
dem Buchstaben des Rechts beharre, trug der Pfarrer Sorge, daß
die übermütige Frau Rosette ihren Samuel nicht insgeheim in
den Kirchhof einschmuggelte.

Das war diese allerdings willens, aber nicht verstohlenerweise,
sondern öffentlich und prächtig, am hellen Tage, indem sie darauf rechnete, daß man es nicht zu einer Prügelei auf dem Kirchhof würde kommen lassen. Der Pfarrer hatte aber noch zur
rechten Zeit eine Menge von Bauern versammelt und zu ihnen
gesagt: »Kinder, der tote Jude wird unsre gute Erde verpesten!
Leidet es nicht! Mag er draußen auf dem Felde liegen, wo es
nur Raben und Krähen gibt! Wenn ihr nicht auf der Hut seid,
werdet ihr Gift und Pestilenz und Viehseuche haben!« Die
Folge davon war, daß die Knechte, die den Sarg mit dem künstlichen Samuel trugen, die Kirchhofpforte verrammelt und von
feindseligen Bauern besetzt fanden, die ihnen den Eingang
wehrten. Frau Rosette, Herr Ive und die Kinder, die in einem
offenen Wagen folgten, sahen voll Erstaunen, wie sich ein
tüchtiges Handgemenge entspann, in dem ihre Knechte bald
den kürzeren zogen, da sie bedeutend in der Minderzahl waren. Herr Ive verfolgte den Kampf eine Weile mit dem Kenner-
blick eines jungen Straßenbuben und wachsender Ungeduld,
bis er schließlich nicht mehr an sich zu halten vermochte, aus
dem Wagen sprang, die Jacke abwarf und sich mit einem lauten,
schnalzenden Schrei unter die Prügelnden mischte. Emanuel,
dessen dunkle Augen vor Kampflust feucht geworden waren,
schickte sich an, es seinem Schwager nachzutun, und die Mutter
hatte Mühe, ihn festzuhalten und Anitzas Heiterkeit, die sich
ihrer beim Anblick des tapfer ringenden Bräutigams bemächtigt
hatte, durch Zupfen, Winken und Warnen in etwas zu mäßigen. Ihren Schwiegersohn sah Frau Rosette zwar mit Genugtuung und Billigung im Kampfgewühl, dennoch bat sie ihn,
angesichts der immer wachsenden Zahl seiner Gegner, für heute
abzustehen, da man mit so geringen Streitkräften nicht hoffen
könne, den Sieg davonzutragen. Herr Ive, da er einmal im Raufen war, hörte nur ungern auf, doch sah er ein, daß seine

Schwiegermutter recht hatte, und führte die Familie unter hellem Übermut der Kinder und prasselndem Zornfeuer Frau Rosettens nach Hause zurück.

Die Zurückgebliebenen prügelten sich weiter und waren so eifrig dabei, daß es der Gemeindepolizei kaum gelang, sie bei einbrechender Nacht auseinanderzutreiben. Dieser Auflauf machte den Bürgermeister und mehrere Herren vom Rate so bedenklich, daß sie sich nochmals in einem verschwiegenen Zimmer des Wirtshauses, das öfter zu wichtigen Beratschlagungen diente, versammelten, um einen gütlichen Ausweg dieser heiklen Angelegenheit zu finden.

»Es ist nicht zu leugnen«, begann der Bürgermeister freundlich, indem er tändelnd den Deckel seines Bierkruges auf- und zuklappte, »daß ein toter Mensch irgendwo begraben werden sollte. Auch kann man der Frau Rosette nicht zumuten, daß sie ihren verstorbenen Gatten zwischen ihren Getreidefeldern und Kartoffeläckern beerdigt.«

»Beileibe nicht!« rief der Pfarrer drohend. »Soll er unsern christlichen Erdboden verpesten? Hinaus mit ihm! Weit weg mit ihm! Werden doch auch die toten Pferde und Hunde da draußen eingescharrt.«

Der Bürgermeister klapperte sinnend mit seinem Deckel und sagte: »Ich gebe zu, Ehrwürden, daß ein Jude kein Christ ist, sollte er aber deswegen unter die Tiere fallen?«

Hieran knüpfte sich eine längere Beratung, und nachdem in dieser Weise genugsam hin und her gestritten war, machte einer der Gemeinderäte folgenden Vorschlag: »Es wird den Herren bekannt sein«, sagte er, »daß wir in einer Ecke des Kirchhofes, wo wildes Unkraut wächst und der Totengräber zu keiner Pflege und Säuberung verpflichtet ist, die kleinen Kinder begraben, die tot geboren wurden oder gleich nach der Geburt starben, so daß sie leider die heilige Taufe nicht empfangen konnten. Diese schienen mir insofern mit dem Juden vergleichbar, als sie, wie er, ungetauft sind, und es dünkt mich deshalb nicht unschicklich, wenn man ihn dort in aller Stille vergrübe.«

Der Bürgermeister wollte eben einen mäßigen Beifall dieses Vorschlages laut werden lassen, als der Pfarrer, die Hände über dem Kopfe zusammenschlagend, ausrief: »Wo ist euer Christentum? Ihr schwatzt wie Heiden und Türken daher! Wißt ihr nicht, daß die vor und während der Geburt gestorbenen Chri-

stenkinder Engel sind? Kleine Engelkinder, die ihre schwarzen
Augen niemals aufgetan und durch den Anblick unsrer häßlichen Erde getrübt haben! die mit ihren kleinen Rosenfüßen
niemals den Dreck berührt haben, durch den wir waten! Auf
der Schwelle unsres Lebens haben sie die Flügel geschüttelt und
sind wieder davongeflogen in den Himmel.«

Hier fing der Pfarrer, der die kleinen Kinder zärtlich liebte, an
zu weinen, und auch einige Gemeinderäte wischten sich die
Augen, indessen der Bürgermeister sagte: »Es bleibt den Kindern unbenommen, in den Himmel zu fliegen, und dem Juden,
in die Hölle zu fahren, nichtsdestoweniger sind sie vom bürgerlichen Standpunkte aus alle ungetauft, und es scheint mir
daher billig und recht, daß sie am selben Orte begraben werden.« Er fürchtete nämlich die große und behäbige Verwandtschaft Frau Rosettens, die sich zwar um Herrn Samuel wenig
bekümmert hatte, von der es aber doch anzunehmen war, daß
sie die Kränkung einer von ihrer Sippschaft übel vermerken
würden.

Der Pfarrer konnte gegen den Gemeinderat, der einmütig war,
nichts ausrichten, machte sich aber an das Volk, stellte ihm die
Unbill vor, die ihm angetan werden sollte, und ermunterte es,
dieselbe in Gottes Namen mit Fäusten abzuwehren. »Würdet
ihr ruhig zusehen«, rief er, »wenn man einen Wolf in euern
Schafstall ließe? Und sie wollen einen falschen Judas zwischen
eure unschuldigen Kinder legen, die am Throne der Dreieinig-
keit für arme Sünder beten. Pestilenz! Feuersbrunst! Wasser-
not! Kriegsnot und Hungersnot werden über euch kommen,
wenn ihr zulaßt, daß der heilige Gottesacker durch diesen Verräter vergiftet wird.«

Die Bürger von Jeddam ließen sich dies nicht zweimal sagen,
rotteten sich zusammen und schwuren, jedweden totzuschlagen, der den toten Samuel auf ihren Friedhof bringen würde.
Am furchtbarsten unter den Aufwieglern war ein Großbauer
namens Pomilko, ein hünengroßer Mann mit dickem Kopf und
weißblonden Haaren, der mit seinem Gefolge von Angehörigen, Verwandten, Abhängigen und Knechten das ganze Ge-
meindewesen hätte über den Haufen werfen können. Pomilko
hatte vor kurzem eine zweite Frau genommen, die ihm ein
totes Kind geboren hatte. Demselben hatte er zwar keinen
Blick geschenkt, sondern, als ihm die Botschaft gebracht worden

war, hatte er sich fluchend und zähneknirschend aufs Feld begeben und sich zwei Tage lang nicht im Hause blicken lassen;
jedoch sah er es als eine gröbliche Ehrenkränkung an, daß ein
Jude in der Nähe seines Sprößlings begraben sein sollte, und
erklärte laut, er fürchte weder den Bürgermeister noch den Kaiser und würde diesen zeigen, was Pomilko vermöchte, wenn sie
sich ihn zu beleidigen getrauten. Er hatte aus erster Ehe eine
erwachsene Tochter namens Sorka, ein großes, starkes Mädchen
mit kecken, blitzenden Augen, einem feinen Mund und Zähnen, die fest wie Kieselsteine und gelbglänzend wie Marmor
waren. Als das Mädchen das hörte, daß eine Stiefmutter ins
Haus ziehen sollte, erklärte sie dem Vater, sie wolle das nicht
leiden, er möchte davon abstehen, was ihn bewog, die Heirat
um so schneller zu vollziehen. Als Sorka beim ersten gemeinsamen Mittagsmahle fehlte, der Vater sie hereinrief und die
Stiefmutter ihr mit saurer Miene die Suppe in den Teller füllte,
schob Sorka denselben so heftig zurück, daß das reine Tischtuch
über und über bespritzt wurde, sagte: »Ich esse nicht, was du
gekocht hast!« und schaute dem Vater und seiner Frau heraus-
fordernd und mit verhaltenem Frohlocken ins Gesicht. »So
magst du hungern«, rief der Vater zornig, »andre Speise gibt es
hier für dich nicht!« Sorka lachte und sagte: »Lieber such' ich
mir selbst mein Brot«, und zog stracks mit einem Bündel Habseligkeiten aus dem Hause.

Sie nahm, da sie nicht gleich etwas andres fand, bei einem kleinen Bauer einen Dienst an und hatte bald eine Liebschaft mit
dessen Sohn, was der Vater, der alte Darinko, geschehen ließ,
weil er wußte, daß Pomilko seiner Tochter ihr mütterliches Erbe
nicht vorenthalten konnte. Diese Vorgänge hatten den Pomilko
mit übler Laune, Ärger, Zorn und Rachsucht ganz angefüllt,
weshalb er die Gelegenheit, zu zanken, zu raufen und allenfalls
jemand totzuschlagen, sogleich ergriffen hatte.

Der Bürgermeister konnte sich nicht verhehlen, daß eine förm-
liche Revolution im Anzuge sei, und in seiner Verlegenheit
hielt er eine Ansprache an das Volk, er würde die Frage wegen
des Judengrabes Seiner Majestät dem Kaiser zur Entscheidung
vorlegen, inzwischen möchten sie ihren Geschäften nachgehen
und sich still verhalten, das Gemeinwesen ruhe sicher in seinen
Händen. In Wirklichkeit begab er sich nicht zum Kaiser, son-
sern zu dem Kommandanten einer Garnison, die im nächsten

Orte lag, und dieser erklärte sich vollständig damit einverstanden, daß Herr Samuel in jener Ecke des Jeddamer Kirchhofes, wo die ungetauften Kinder lägen, beerdigt würde, bewilligte auch dem Bürgermeister eine kleine Abteilung Soldaten für den Fall, daß bei der Bestattung Ruhestörungen vorkämen.

Es wurden nun der Frau Rosette mitgeteilt, wo und wie sie ihren Gemahl beerdigen dürfe, und sie wurde zugleich ersucht, das Begräbnis bei Nacht vor sich gehen zu lassen, damit Ärgernis vermieden würde. Frau Rosettens Stolz wurde dadurch zwar nicht ganz befriedigt, doch sagte sie sich, daß es sich eigentlich nicht um ihren Samuel, sondern nur um eine nachgemachte Puppe handle, und daß sie froh sein müsse, wenn die Schwindelei so bald wie möglich von der Erde verschwände, und versprach infolgedessen, sich gemäß der empfangenen Weisung zu verhalten.

Die Bürger von Jeddam hatten angesichts der Soldaten beschlossen, sich in diese Sache nicht mehr zu mischen, hielten sich aber während des Begräbnisses in den Häusern, da sie es doch nicht anständig fanden, gegenwärtig zu sein und keinen Tumult zu veranstalten. Es trabte also der schwarzverhangene Wagen durch die stille Mitternacht, als wäre das Dorf durch Zauberei gebannt oder versteinert, und nichts war hörbar als das Trotten der Pferde, das Rollen der Räder und das leise Schwatzen von Frau Rosette und Herrn Ive, die im leichten Gefährt dem Sarge folgten. Mit Hilfe des Totengräbers wurde der vermeintliche Samuel aufs Geratewohl in jene verwilderte Ecke gestopft, worauf die Familie, die unterdessen schon die Koffer gepackt hatte, sich schleunigst auf die Reise begab, um sich mit dem Vater wieder zu vereinigen. Herr Ive blieb einstweilen wegen der Angelegenheiten, um derentwillen der ganze Betrug angezettelt war, in Jeddam zurück.

Dort war aber der Kampf noch keineswegs beendet. Es fanden sich nämlich am Tage nach dem Begräbnis auf der Kirchhofmauer, da, wo die ungetauften Kinder lagen, allerlei fürwitzige Inschriften angemalt, wie zum Beispiel: Hier ist Schweinemarkt! oder: Misthaufen von Jeddam! oder Kehrichthof! und andre Witze dieser Art, was bald zu Ohren der Leute kam, die Kinder an dieser Stelle begraben hatten. An die Spitze der Beleidigten stellte sich der mächtige Pomilko, dem es ohnehin lieber war, auf seiten der Regierung zu stehen, und der nicht zweifelte, daß der alte Darinko, bei dem sich seine Tochter befand, ihm diese Beschimpfung angetan hätte. Dadurch wurde dieser das Haupt einer geistlichen Partei, die fortfuhr, gegen die Anwesenheit des verstorbenen Samuel auf dem Kirchhof zu meutern; er leugnete zwar, die Inschriften an der Mauer verfaßt zu haben, war es aber übrigens wohl zufrieden, aus seiner ärmlichen Bedeutungslosigkeit herausgerissen zu sein, und raufte und hetzte fröhlich unter dem Schutze der Kirche und des Pfarrers. Allmählich geriet der tote Jude, der die Ursache des langwierigen Kampfes gewesen war, bei den beiden Rotten in Vergessenheit, und sie benutzten die Gelegenheit, um allerlei alten Hader auszufechten, taten sich alle erdenklichen Übel an, und es gab so viele blutige Köpfe, gebrochene Gliedmaßen und brennende Scheuern, daß Ärzte, Bader, Polizei und Löschmannschaften Tag und Nacht vollauf zu tun und zu laufen hatten. Der Bürgermeister hätte gern zum Pomilko gehalten, der der mächtigste und begütertste unter den Bauern war und zudem die gerechte Sache vertrat, allein die geistliche Partei war bei weitem zahlreicher, so daß er es mit dieser auch nicht verderben wollte. Der Pfarrer war trunken vom Gefühl seiner Wichtigkeit und triumphierte außer sich: »Feuer ist da! Brand ist da! Vatermord und Brudermord ist da! Habe ich es nicht prophezeit? Habe ich euch nicht gewarnt? Jeddam ist verpestet? Durch Unglauben ist es verpestet! Heraus mit der Eiterbeule von Jeddam! Heraus mit dem ungetauften Gebein aus Jeddam, oder wir werden alle verderben! Kinder, wir werden alle verderben!« Und er weinte, weil er durchaus nicht mehr zweifelte, daß es wirklich so wäre. Der Bürgermeister bat ihn, gleichfalls unter Tränen, dergleichen aufreizende Reden zu unterlassen und lieber das wütende Heer zu beruhigen, aber er brachte den Pfarrer dadurch nur noch mehr auf, der entrüstet sagte, er würde seinen Gott nicht verkaufen und wenn man ihm hundert Goldgulden dafür böte.

Vielleicht wäre Jeddam in Blut und Flammen untergegangen, wenn sich der Bürgermeister nicht aufgemacht hätte, um noch einmal die Hilfe des Kommandanten in Anspruch zu nehmen. Die Nachricht, daß der Kaiser an der Spitze eines Regimentes daherziehe und die Aufrührer niederschmettern würde, verbreitete lähmenden Schrecken, und einer nach dem andern schlich sich nach Hause und an seine Arbeit.

»Darinko«, sagte der Pfarrer an diesem Tage zum Sohne des kleinen Bauern, der an der Spitze der geistlichen Partei gestanden hatte, »ich verspreche dir, daß du Sorka heiraten und ihr Erbe ungeschmälert erhalten wirst, wenn du diese Nacht auf den Kirchhof gehst, den Samuel ausgräbst und in die Melk wirfst.«

»Das will ich wohl tun«, sagte der junge Darinko, »und ich wundere mich, daß wir es nicht schon längst getan haben.«

»Tu es heute«, sagte der Pfarrer, »und es wird dich nicht gereuen«, was alles Darinko der Sorka getreulich wiedererzählte. Sorka erklärte, dem Geliebten in diesem Unternehmen beistehen zu wollen, da es für ihn allein eine schwierige Sache gewesen wäre, denn er mußte sich mit vielen Werkzeugen versehen, nicht nur um das Grab, sondern auch um den schweren Sarg aus Eichenholz zu öffnen, den er nicht bis zum Flusse hätte tragen können. Als es völlig Nacht und rings alles still war, stahlen sie sich aus dem väterlichen Hof und machten sich auf den Weg. Es war eine lange und harte Arbeit, das Grab des Samuel zu finden, das auf keinerlei Art bezeichnet war, und sie mußten graben und wühlen, daß ihnen der Schweiß von der Stirne troff, bis sie endlich auf den großen Sarg stießen, den sie als den richtigen erkannten. Sie atmeten erleichtert auf, und da sie noch eine Weile Zeit hatten, kauerten sie sich nebeneinander auf die aufgeworfene Erde nieder, und Sorka holte Brot, Käse und eine Flasche Bier hervor, die sie zur Stärkung mitgenommen hatte. Ohnehin vergnügt über die Aussicht auf die Heirat, die ihnen der Pfarrer eröffnet hatte, teilten sie das Essen miteinander, faßten sich bei den Händen und küßten sich, und Sorka sagte: »Meinetwegen hätte der alte Jude hier können liegen bleiben, der Stiefmutter zum Tort.«

»War sie wirklich so schrecklich böse?« fragte Darinko neugierig.

»Sie war nicht böser als ich«, sagte Sorka, »aber ich mochte sie nicht leiden, und darum bin ich weggelaufen und lache, wenn sie sich ärgert«, und sie lachte, daß ihre gelben Zähne glänzten.

Sie hatten inzwischen die Arbeit wieder aufgenommen und machten sich daran, den Sarg zu öffnen, was um so schwieriger war, als sie sich bemühen mußten, so wenig Lärm wie möglich dabei zu machen. Als es gelungen war, hielt Darinko einen

Augenblick inne und sagte: »Jetzt kommt das schwerste Geschäft; es ist dunkle Mitternacht, und wir sind ganz allein.«
Sorka sah ihn listig an und sagte: »Fürchtest du dich? Hast du
dich doch nicht gefürchtet, als du mir den ersten Kuß gabst,
und ich hätte dir doch ebensogut eine Ohrfeige geben können
wie der tote Jude?«

Darinko fühlte seinen Mut durch die Erinnerung an dieses Hel-
denstück neu belebt, schlug den Deckel zurück und faßte den,
der im Sarge lag, um den Leib, in der Absicht, geschwind, ohne
ihn anzusehen, mit ihm davonzulaufen und ihn in die Melk
zu werfen. Kaum hatte er ihn aber gefaßt, als er ihn mit einem
Schrei wieder fallen ließ, etwas so Unerwartetes und Unheimliches war es, den Strohbalg zu berühren. Sorka lachte hell auf
über die Bangigkeit des Darinko und beugte sich über die zu-
sammengefallene Puppe, um zu sehen, was es da Fürchterliches
gäbe. Als sie inne wurden, daß sie wirklich nur eine ausge-
stopfte Figur mit Larve und Wachshänden vor sich hatten, blieb
dem Darinko vor Erstaunen der Mund offenstehen, während
Sorka so unmäßig lachte, daß sie sich auf die Erde werfen und
hin und her wälzen mußte. »Was kann das bedeuten?« fragte
endlich Darinko, der unsicher war, ob es sich vielleicht um
eine zauberhafte Verwandlung oder sonst eine höllische Kunst
handelte. »Was geht das uns an?« sagte Sorka. »Wir können keinen andern Samuel in die Melk werfen, als den, den wir gefunden haben; ob es der richtige ist, das ist nicht unsre Sache.«
Sie war unterdessen aufgestanden und untersuchte die Puppe
eifrig unter fortwährendem Gelächter, wobei sie denn auch
den herrlichen Diamantring entdeckte, der noch am Zeigefinger
der einen Wachshand saß, sei es, daß Frau Rosette ihn vergessen
hatte, oder daß sie ihn absichtlich als ein freiwilliges Opfer zum
glücklichen Ausgang des dreisten Abenteuers hatte mit begraben lassen. Jetzt erschrak auch Sorka und fuhr zurück im Gedanken, es könnte hier Gott weiß was für eine Teufelsschlinge
verborgen sein; doch gewöhnte sie sich schnell an die Seltsam-
keit und kam zu der Überzeugung, der Ring sei ein kostbarer
Ring und nichts weiter, den sie mit Fug und Recht als Belohnung für ihre Arbeit an sich nehmen und für sich behalten
könnten. Sie bemächtigten sich des Ringes, gaben sich gegenseitig das Wort, über ihre Entdeckungen gegen jedermann zu
schweigen, und fast berauscht vor Glückseligkeit kugelten und

tummelten sie noch eine geraume Weile auf dem nächtlichen Friedhof; dann schleppte Darinko den Balg in die Melk, während Sorka den leeren Sarg wieder eingrub, die Erde darüberschaufelte und alles so machte, wie es zuvor gewesen war.

Die Soldaten, die am andern Tage in Jeddam einrückten, fanden nichts mehr zu tun, und da die Rädelsführer bei den verschiedenen Brandstiftungen, Raufereien und andern Missetaten schwer festzustellen waren, kam es auch nicht zu erheblichen Bestrafungen.

Nach einiger Zeit, als in weiter Ferne der arglose Herr Samuel, dem die Familie die Vorfälle in Jeddam verschwiegen hatte, damit er sich nicht etwa eine Kränkung daraus zöge, das gute alte häßliche Gesicht von Wiedersehensfreude glänzend, seine Lieben in die Arme schloß, saß der Pfarrer von Jeddam beim Bürgermeister zu Tisch, und der letztere sagte: »Jedermann weiß, daß Ehrwürden in der Theologie und allen Dingen der Gottesfurcht weiser sind als meine Wenigkeit. Doch kann ich die Bemerkung nicht unterdrücken, daß Pestilenz, Feuersbrunst und Kriegsnot vorüber sind, seit die Soldaten bei uns einrückten, wiewohl der tote Samuel nach wie vor inmitten der ungetauften Kinder begraben liegt.«

»Das tut er bei Gott nicht«, triumphierte der Pfarrer und schlug mit der Faust auf den Tisch, daß es klirrte. »In der Nacht, ehe die Soldaten kamen, habe ich ihn ausgraben und in die Melk werfen lassen, die ihn wohl längst ins Meer geschwemmt hat, wo er bei Fischen und anderm Unrat liegen bleiben mag.«

Der Bürgermeister war so verblüfft, daß er nicht wußte, ob er lachen oder zornig werden sollte. »Meint Ihr wirklich«, fragte er endlich, »daß das die Ursache ist, warum Frieden und Wohlergehen wieder bei uns eingekehrt sind?«

»Was sonst?« rief der Pfarrer; »unser Gemeinwesen war in großer Gefahr, und ich habe es gerettet, doch prahle ich nicht laut damit, sondern gebe Gott die Ehre.« Und er erhob das volle Weinglas und hielt es dem Bürgermeister zum Anstoßen hin, der, obwohl ihn seine Niederlage wurmte, es für das Feinste hielt, zu schweigen und zu trinken.

Henkermahl

Die Tage wurden allgemach wieder länger, und die Wärmekraft der Sonne mehrte sich von Morgen zu Morgen. Da saß der rote Jörg eines Abends in der Armensünderzelle des Kreisgerichtes beim Speisen.

Diese unscheinbare, aber stimmungsvolle Bude war vor einigen Stunden der Schauplatz eines seltenen Ereignisses gewesen. Mehrere schwarzgekleidete Herren waren nämlich erschienen und hatten laut und feierlich verkündet, man habe der Gerechtigkeit freien Lauf gelassen.

»Also morgen, präzise sieben Uhr, ob schön, ob Regen!«

Der Jörg hatte sich zu guter Letzt noch einen gebackenen Karpfen bestellt und eine Portion Erdäpfelsalat mit viel Zwiebel, denn es war Freitag. Hernach gedachte er noch einige Solokrebse zu wählen. Warum sollten nicht vorher mindestens noch ein paar niedere Krustentiere ihr Leben lassen, bevor er, der hochorganisierte Jörg, an die Reihe kam.

Mein Gott, gar so eine schwere Untat hatte er nach seiner eigenen Ansicht nicht verübt. Er hatte ein Weibsbild geheiratet, dann wäre er sie wieder gerne los gewesen, weil ihm eine andere besser gefiel. In der Stadt weiß man sich in einem solchen Falle doch zu helfen, aber auf dem Lande sind die Moralbegriffe stärker; da werden die Ehen recht und schlecht nur durch den Tod geschieden. Und da hatte halt der Jörg in gutem Glauben ein bißchen nachgeholfen. Das war aber auch alles.

Weiß der Himmel, wieso das Gericht zur Ansicht kam, daß für den Jörg eine Luftentziehungskur das beste sei.

An dem Verteidiger lag die Schuld entschieden nicht. Der hatte, wie man so sagt, die Sache des Jörg ganz zu der seinigen gemacht. Aus den verborgensten Löchern und Schlupfwinkeln kitzelte er die psychologischen Entlastungsmomente hervor und verwertete sie zu einer packenden Schilderung furchtbarer Seelenkämpfe, die der Angeklagte bis zum Augenblick der Tat durchgemacht haben mußte.

Der Jörg war zuerst geknickt und bekümmert dagesessen, wie er aber den Verteidiger so sprechen hörte, begann er verwundert den Kopf höher und höher zu heben, und endlich blickte er stolz, mit unsäglicher Verachtung im Saale umher. Wer von allen, die da saßen, hatte so ein reichverzweigtes, vielgestaltiges Seelenleben aufzuweisen? Aber kaum war der Verteidiger zu Ende, da stand gleich wieder an einem andern Nebentischchen so ein Stänkerer auf. Der war schon früher dem Jörg durch sein teuflisches Lächeln und Kopfbeuteln in der unangenehmsten Weise aufgefallen. Der Jörg hatte sich noch darüber gewundert, daß der Präsident diesen notorischen Hetzer und Ruhestörer nicht schon längst hatte aus dem Saale weisen lassen. Der borgte sich nun den Angeklagten noch einmal aus, nur auf ein Viertelstündchen, wie er sagte; und nach kaum zehn Minuten hing an dem ganzen Jörg kein guter Faden mehr. Da begann sein Haupt wieder zu sinken, tiefer und tiefer, und endlich überkam ihn vor sich selbst ein solches Grausen, daß er entrüstet ausspuckte und murmelte:

»Pfui Teufel, hängts ihn auf, der verdient den Strick redlich!«
Also morgen um sieben Uhr.

Der Scharfrichter hatte soeben vorgesprochen und seinen Besuch auch richtig zu Hause getroffen.

Der Jörg saß gerade bei seiner letzten Mahlzeit und aß sich mit wütendem Behagen immer weiter in den Karpfen hinein.

Der Scharfrichter wollte ein Gespräch in Gang bringen, aber der Jörg war nicht dafür zu haben und bedeutete ihm: »Herr, Sie sind für mich Luft!«

Der Herr hätte auf diese Bemerkung manche nicht ganz unbegründete Einwendung machen können, aber man will doch nicht immer gleich fachsimpeln anheben. Also schwieg er und drehte verlegen seine beiden Daumen umeinander herum.

Da hub der Delinquent auf einmal gewaltig zu räuspern und würgen an.

»Mensch, was ist Ihnen?« fuhr der Henker besorgt vom Sessel auf. »Am Ende gar eine Gräte geschluckt? Um Gottes willen!«
Er klopfte dem räuspernden Jörg den Rücken ab und erteilte seine Ratschläge.

»Stecken Sie einen Finger in den Hals, vielleicht geht dann die Gräte herauf! Essen Sie einen Bissen Brot, vielleicht geht sie mit hinunter!«

Bald war der Gefängnisarzt zur Stelle.
»Eine Gräte geschluckt? Gut!«
Dann schob er sich das Röllchen ein wenig zurück und tastete

mit dem Finger Jörgs Rachen ab, rechts und links, oben und unten.

»Na, wo steckt denn das Luderchen?«

Mit Hilfe des Spiegels entdeckte er die Gräte endlich in einer Schleimhautfalte nahe dem Kehlkopfeingang.

»Gut! Jetzt den Grätenfänger her!«

Der Grätenfänger ist ein Stäbchen, dessen Spitze einen kleinen Schwamm trägt. Beim Einführen dieses Instrumentes in den Rachen soll sich angeblich die Gräte in dem Schwämmchen verfangen. Dann und wann trifft dies zu, häufiger aber löst sich bei solchem Beginnen vom Stäbchen der kleine Schwamm los und sucht sich neben der Gräte zu etablieren. Der Schwamm wird dann meist mühelos wieder heraufbefördert.

Inzwischen stürzte schon bleich vor Aufregung der Präsident herbei. Man hatte den alten Herrn aus dem Schlaf geklopft. Dann kamen der Vizepräsident und der Staatsanwalt, beide in höchster Aufregung. »Ein wenig Geduld, meine Herren! Sie steckt an einer etwas schwer zugänglichen Stelle! Ich gehe soeben mit dem Grätenfänger ein!«

Der Arzt hatte kaum das Instrument aus dem Hals zurückgezogen, da wurde er auch schon umringt und umtobt:

»Herr Doktor, die Gräte, die Gräte, wo ist sie?«

Der Arzt untersuchte den Grätenfänger und deutete dann mit bewunderungswürdiger Seelenruhe auf Jörgs Hals:

»Da drinnen!«

Der Direktor wimmerte, der Präsident wischte sich den Angstschweiß von der Stirn, der Staatsanwalt starrte mit hochgezogenen Brauen den Grätenfänger an. Sein scharfes Auge mußte daran etwas Ungehöriges entdeckt haben:

»An diesem Stäbchen war soeben noch ein Schwämmchen dran«, stänkerte er den Doktor an. »Wo ist jetzt das Schwämmchen hingekommen?«

»Das ist auch da drinnen!« lächelte resigniert der Arzt und förderte nun wenigstens das Schwämmchen aus Jörgs Rachen zutage. Er kannte diese Grätenfänger zur Genüge.

Jörgs Rachenschleimhaut begann zu schwellen. Die Aufregung wuchs.

»Da gibt es kein Besinnen, ein Spezialist muß her!«

Der Spezialist für Hals, Kehlkopf usw. kam mit einer riesigen Instrumententasche herangerast.

Um ihn herum lagerte ein dichter Dunstkreis von Zuversicht und Selbstvertrauen.

»Aber, meine Herren«, tröstete er nach allen Seiten. »Seien Sie getrost, es wird alles gut, ich bin ja da!«

Aus den Tiefen der Riesentasche wurden die Instrumente hervorgeholt und reihenweise auf dem Tisch ausgebreitet. Er führte ganz andere Sonden als sein Kollege, ganz anders konstruierte Spiegel und vor allem viel höher entwickelte Grätenfänger. Er machte auch ungleich raffiniertere, kompliziertere Handgriffe. Die Gräte bekam er zwar auch nicht aus der schwellenden Schleimhaut heraus, aber die kühne Art und Weise, wie er sie durch anderthalb Stunden hindurch unter den Verzweiflungsrufen der Gerichtsherren drinnen ließ, war schon an und für sich ein technisches Meisterstück und wirkte überwältigend.

Endlich zog sich Jörgs boshafte Rachenschleimhaut vollends über der Gräte zusammen und entrückte sie so allen Späherblicken.

»Kalte Umschläge, rasch!«

Jörgs Schleimhaut schwoll, der Atem ging schwer. Die Uhr schlug zwei, schlug drei.

»Der arme Mann muß Luft bekommen«, schrie der Präsident und raufte sich die Haare.

Der keuchende Jörg wurde rasch für einen Luftröhrenschnitt zurechtgelegt. Der Spezialist war in seinem Element, seine Haare sträubten sich vor Wichtigkeit. Im Nu hatte er sich des Rocks entledigt und die Hemdärmel aufgestülpt. Er entwickelte in der Ausführung der Operation eine Geschicklichkeit und Fixigkeit ohnegleichen.

Auf ein, zwei hatte der Jörg den Luftröhrenschnitt appliziert, und auf drei saß ihm die Kanüle bereits tadellos im Röhrenschlitz. Pfeifend strömte die Luft ein. Nun mochte über dem Kehlkopfeingang die boshafte Schleimhaut schwellen, wie sie wollte, der Jörg atmete frank und frei durch die Kanüle.

»Gott sei gelobt, er hat Luft bekommen!« jubelte der Präsident. Stiegenauf und -nieder, durch alle Korridore hallte die frohe Kunde:

»Er hat Luft bekommen!«

Sogar der ewig dräuende Staatsanwalt sah nun versöhnlicher drein und senkte auf einen Augenblick mildbewegt die hochgezogenen Brauen.

Nun ging nach dem Befinden des Jörg Tag für Tag ein Gefrage
los; ein hoher Gerichtsfunktionär nach dem anderen kam vor-
gefahren:

»Wie geht's ihm, was macht er, hat er eine gute Nacht gehabt?
Wie lang kann es dauern, bis wir den Patienten endgültig her-
aushaben?«

Der Arzt vermochte kaum mit den auf ihn einstürmenden
Fragern fertig zu werden.

Eine von Jörgs Wärterinnen, die beim Verbandwechsel zu assi-
stieren pflegte und sich dabei einmal eines kleinen Vergehens
gegen die Regeln der Antiseptik schuldig machte, wurde auf der
Stelle entlassen.

Als nach wenigen Tagen die kleine Halswunde geheilt war,
machte man sich sogar noch an die Massage der Narbe.

Und als sich der Jörg endlich infolge der aufopferndsten Pflege
bei Tag und Nacht so pudelwohl und kerngesund fühlte wie
noch nie in seinem Leben, da wurde er eines Morgens um sieben Uhr zu einem kleinen Spaziergang eingeladen.

Nicht weit, hieß es. Nur ein paar Schritte über den Korridor,
vier bis sechs Stufen hinunter und dann durch ein kleines Tür-
chen hinaus in den kleinen, dreieckigen Galgenhof. Dort wurde
der Jörg bereits feierlich erwartet. Sie waren alle da, die kürzlich
über seine verlegten Luftwege in so aufrichtige Verzweiflung
geraten waren. Der Präsident brach ein dünnes Holzstäbchen
entzwei, schob dann feierlich den Delinquenten einem schwarz-
gekleideten Herrn zu (es war derselbe, den der Jörg gelegentlich
seines Besuches so unfreundlich abgetan hatte), und der legte
ihm ganz unbeirrt einen Strick um den Hals und zog den Jörg
hoch. Der Jörg hatte nur noch knapp Zeit gefunden, den Kopf
zu schütteln, als ob er manche Dinge ganz und gar nicht verstünde.

Der anwesende Gefängnisarzt untersuchte den baumelnden
Jörg zweimal, als ob er nicht wüßte, was ihm fehle; aber er
schnitt ihn nicht vom Strick, wie es seine ärztliche Pflicht gewesen wäre, sondern ärgerte sich noch darüber, daß das Herz
des Jörg nicht aufhören wollte zu schlagen.

Als dann alles gut vorüber war, betete der Anstaltsgeistliche das
übliche Vaterunser. Und als er zu der Stelle kam: »Vergib uns
unsere Schuld, wie auch wir vergeben unsern Schuldigern«, da
gab es dem Jörg, obwohl er schon ganz tot war, noch einen Riß.

Die Honorarforderung des Halsspezialisten für den erfolgreichen Luftröhrenschnitt und die Rechnung des Scharfrichters für
die mit Erfolg durchgeführte Luftentziehung liefen gleichzeitig
beim Präsidenten ein und wurden beide unter einem beglichen.

FERDINAND VON SAAR
Die Familie Worel

I

In der Landeshauptstadt waren Arbeiterunruhen entstanden,
die sich mehr und mehr steigerten und auch auf die benachbarten Fürstlich Roggendorffschen Eisenwerke überzugreifen droh-
ten. Es galt also dort, einen voraussichtlichen Streik hintanzu-
halten. Man erwartete das Eintreffen des Fürsten, der sich mit
seiner Mutter und seiner jungen Gemahlin in Florenz befand,
während die Leiter der Betriebe Tag und Nacht auf ihren Posten
blieben, eingehende Verhandlungen in Aussicht stellend. Inzwischen aber war es in der Stadt zum Äußersten gekommen.
Man hatte Militär aufbieten müssen; die bei solchen Anlässen
unvermeidlichen Opfer hatten geblutet, worauf eine dumpfe,
unentschiedene Ruhe eingetreten war.
In dieser bang erwartungsvollen Zeit saß ich eines Abends mit
dem Grafen Erwin in dem kleinen Salon des Schlosses. Es war
ein traulicher Raum, nach einer Seite hin durch einen pracht-
vollen alten Gobelin abgegrenzt. An der Wand gegenüber hingen einige intimere Familienporträts, unter denen eines ganz
besonders hervorleuchtete. Von Lampi gemalt, stellte es den
Urgroßvater des Fürsten dar in der grünen Uniform eines Land-
sturmmajors aus den Befreiungskriegen. Hohe Intelligenz sprach
aus den edlen, aber keineswegs scharfen Zügen des noch im
kräftigsten Alter stehenden Mannes, der das Haar, der Tracht
seiner Zeit gemäß, leicht gepudert und nach rückwärts in einen
Beutel zusammengefaßt trug. Die Farben des meisterlichen Bildes waren noch so frisch, als stammte dieses von heute, und die
ungemein lebensvolle Wiedergabe der bedeutenden und doch
anmutigen Persönlichkeit reizte immer wieder zu längerer Be-

trachtung. So blickten wir beide auch jetzt schweigend darauf hin.

Endlich sagte der Graf: »Ja, der Mann dort ahnte nicht, wie sehr sich die Verhältnisse, unter denen er seine – wenigstens für damals – großartige Schöpfung unternahm, im Laufe der Zeit ändern würden. Als er hier Erzlager erschloß, Hochöfen baute und so mit den Hüttenwerken die erste große Eisenindustrie des Landes ins Leben rief, schuf er auch den vergleichsweise nicht unbeträchtlichen Wohlstand der ganzen Gegend. Denn der Syenitboden hier herum ist nicht ergiebig; die Landwirtschaft hat niemals etwas Rechtes abgeworfen. So lebte, mit Ausnahme einiger größerer Besitzer, die Bevölkerung in Not. Nun waren mit einemmal unvermutete Erwerbsquellen erschlossen. Von meilenweit kamen die Leute hergeströmt, um Arbeit zu suchen und zu finden. Waren die Löhne auch gering, mußte auch bei Errichtung so manchen Objektes noch die Robot mithelfen: man segnete den unternehmenden Gutsherrn und nannte ihn den Wohltäter der Gegend. Heute nennt man uns die Ausbeuter. Vielleicht sind wir es auch, obgleich ich Ihnen ganz bestimmt versichern kann, daß mein Neffe, wenn er die Löhne nur einigermaßen nennenswert erhöhen wollte, aus den Werken nicht den geringsten Nutzen zöge. Aber vielleicht braucht er auch keinen zu ziehen. Denn es sind ja nur die Arbeiter, die das Unternehmen im Gang halten – und warum sollten sie den Roggendorffern durch ihre Mühen Gewinn schaffen müssen? Sie könnten doch den Betrieb selbst in die Hand nehmen und weiterführen. Dahin zielt ja, wie ich glaube, die sozialistische Bewegung überhaupt. Ich sage: ich glaube. Denn bestimmt weiß ich es nicht. Man kann, wie ich schon einmal, vielleicht zur Unzeit, ausgesprochen habe, diese Doktrin in gewissen Jahren sich ebensowenig zu eigen machen, wie das Seiltanzen. Aber immerhin. Daß die alte Gesellschaftsordnung im Absterben begriffen ist, erkenne ich sehr wohl, und es fällt mir nicht ein, für sie eine Lanze brechen zu wollen. Aber Institutionen, die durch das Leben selbst geworden sind und sich im Laufe von Jahrhunderten gewissermaßen eingefleischt haben, besitzen denn doch ein zähes Leben, so daß sich manches bereits Totgesagte plötzlich wieder zu ganz unerwarteter Daseinsfrische erhebt. Zum Beispiel die Macht der Kirche, die man nach dem Fall des Konkordats schon für immer gebrochen glaubte. Dagegen hat der Libe-

ralismus, der sich damals so siegreich gebärdete, ein ziemlich
rasches Ende gefunden. Ob der sozialdemokratischen Idee eine
längere Dauer beschert sein kann, darüber erlaube ich mir keine
Meinung. Jedenfalls wird sie das Schibboleth der nächsten Epoche sein, und den Tatsachen, wenn sie sich vollziehen, wird
man sich beugen müssen. Das ist seit jeher meine Maxime gewesen, und ich hab' mich den Ereignissen gegenüber stets ob-
jektiv verhalten, wenn mir auch begreiflicherweise der Feuda-
lismus, in dessen Zeichen ich geboren bin, hin und wieder in
den Nacken schlägt.«

Ein bejahrter Kammerdiener war leise eingetreten und brachte
den Tee.

»Hört man Neues aus der Stadt?« fragte der Graf.

»Nichts Gutes. Die Arbeiter bestehen noch immer auf ihren
Forderungen. Wer weiß, ob es morgen nicht wieder losgeht.
Und es hat doch genug Tote und Verwundete gegeben. Auch
Weiber sind erschossen worden. Und wissen Erlaucht, wer dar-
unter war?«

»Na, wer denn?«

»Die Tochter des Worel.«

»Des Worel? Die Olga?«

»Jawohl«, fuhr der Alte fort, während er den Tisch besorgte.
»Seit sie ihren zweiten Mann geheiratet hat, ist sie die reinste
Anarchistin geworden. Sie soll den ersten Stein nach den Solda-
ten geschleudert haben.«

Der Graf erwiderte nichts.

»Mein Gott, wer hätte das von dem schönen Mädel gedacht, das
sozusagen im Durchlauchtigsten Hause aufgewachsen war! Aber
ihr Vater, dieser eingebildete Narr, trug an allem die Schuld. Er
hat seine Familie ins Unglück gebracht.« Damit entfernte sich
der Mann.

Der Graf schwieg noch immer. Nach dem Tee zündete er eine
Zigarre an und sagte: »Sie haben gehört, was unser Mischko da
berichtet hat, und werden erstaunt sein, wenn ich hinzufüge,
daß ich einst dieses *Mädel* heiraten wollte.«

Ich blickte ihn wirklich höchst überrascht an.

»Staunen Sie übrigens nicht allzu sehr. Es war eben eine Stimmung – eine Laune, wenn Sie wollen. Aber die Absicht hatt'
ich. Da wir just so hübsch allein beisammen sitzen, will ich Sie
einmal etwas in mein Leben blicken lassen, indem ich Ihnen

die Geschichte der Familie Worel erzähle. Angesichts der jüngsten Vorgänge ist sie in gewissem Sinne lehrhaft. Sie können
daraus entnehmen, wie die Schicksale der einzelnen mit dem
Zuge der Zeit im Zusammenhang stehen – wie die Menschen
von ihm ergriffen und je nach Umständen emporgetragen oder
dem Untergange zugetrieben werden.«

2

»In unserem kleinen Schlosse Blansek, das nun ganz leer steht,
waren seinerzeit die herrschaftlichen Verwaltungen untergebracht: das Forstamt, das Rentamt, die Buchhaltung der Eisenwerke – und was eben sonst noch Bureaus benötigte. Auch
wohnten dort einige Beamte. Dabei war ein der Tischlerei kun-
diger Mann angestellt, der die Dienste eines Hausbesorgers und
Kanzleidieners zu verrichten hatte. Zu tun gab es für ihn genug,
denn er wurde, da es damals keine Telegraphen, noch weniger
aber Telephone gab, auch als Botengänger verwendet. Dafür
bezog er keinen allzu hohen Gehalt. Aber er hatte ein kleines
Nebengebäude mit vielfachen Räumlichkeiten zur Verfügung;
dahinter einen Obst- und Gemüsegarten. Außerdem ein schönes Stück Feld, auf dem man abwechselnd Korn und Kartoffeln
bauen konnte. So führte er mit seiner Familie eine den damaligen Verhältnissen entsprechende und zufriedenstellende Existenz. Er hieß Worel. Hoch und kräftig gewachsen, blond und
blauäugig, wie er war, machte er beim ersten Anblick den Eindruck einer deutschen Reckengestalt. Sah man aber näher zu,
so erkannte man an der runden, vorspringenden Stirn, an den
stark entwickelten Backenknochen und der etwas verkümmer-
ten Nase den Slawen. Seine Frau, eine zierliche, lebhafte Brü-
nette, deren Augen wie zwei große schwarze Kirschen glänzten,
gab ein ganz hübsches Gegenbild ab. Es war eine Freude zu sehen, wie sie in der kleinen Wirtschaft waltete und mit Hilfe
ihrer Mutter, die im Hause lebte, die Feld- und Gartenarbeit
verrichtete. Kinder hatten die Leute damals zwei, Mädchen. Das
erste, der Großmutter ähnlich, ein unschönes, verwachsenes
Geschöpf, das zweite hingegen, erst ein paar Jahre alt, ein höchst
lieblicher Anblick – ein wahres Christkindl. So also nahm sich
die Familie Worel aus, die wir jüngeren Geschwister nicht un-

gern aufsuchten, wenn wir zuweilen nach Blansek fuhren. Denn der Mann hatte immer etwas Besonderes vorzuweisen. Entweder einen ausgestopften schönen Vogel, oder den Wurf einer seltenen Kaninchenart, die er züchtete – und ähnliches. Und die Frau pflegte uns mit gewissen Kuchen zu regalieren, die sie sehr schmackhaft zu bereiten verstand.

Da geschah es, daß mein erstgeborener Bruder, der um zwölf Jahre älter war als ich, heiratete, und ihm unser Vater Blansek als Ehesitz übergab. Die Bureaus wurden an den Ort der Betriebe verlegt und alle Räumlichkeiten des Schlosses durch eine Schar von Handwerkern in den notwendigen Stand versetzt. Auch Worel half treulich mit und zeigte dabei eine Anstelligkeit, die Erstaunen erregte. Mein Bruder gewann ihn daher sehr lieb, ernannte ihn zum Zimmerwärter und ließ ihm im Laufe der Jahre alle möglichen Vergünstigungen zuteil werden. Sie waren auch wohl verdient. Denn er waltete nicht bloß sehr eifrig seines Amtes, sondern legte überall Hand an, wo es etwas zu besorgen gab. So wurde er im Schlosse gewissermaßen das Faktotum. Wenn Ereignisse eintraten, die besondere Veranstaltungen notwendig erscheinen ließen, da hieß es gleich: ›Ach, das wird der Worel schon machen!‹ Und er machte es auch. Sogar ein ganz stattliches Haustheater stellte er einmal her, wobei er sich auch als Dekorationsmaler versuchte. Durch seine Verwendbarkeit kam die ganze Familie in Gunst. Man beschenkte die hübsche Frau Aninka, die inzwischen einen Knaben zur Welt gebracht, und die Kinder mit gefallsamen Kleidern, und als meinem Bruder ein Töchterchen geboren wurde, nahm man gleich die kleine Olga als künftige Gespielin in Aussicht.

Ich selbst war zu jener Zeit als Zögling ins Theresianum getreten. Von dort kam ich nur in den Ferialzeiten nach Hause, dann aber natürlich auch oft genug nach Blansek. Dabei konnte ich wahrnehmen, wie die Olga, die nun wirklich die Gespielin meiner kleinen Nichte geworden war, von Jahr zu Jahr schöner aufblühte. Sie geriet mehr dem Vater nach, hatte aber die großen schwarzen Augen der Mutter und eigentümlich blondes Haar, das wie blasses Kupfer schimmerte. Es war von solcher Fülle, daß es in seiner Schwere den Kopf des Mädchens nach rückwärts zog, wodurch dieses unwillkürlich eine stolze und hoheitsvolle Haltung annahm. Sie entwickelte sich auch sehr rasch, so daß sie mit neun oder zehn Jahren schon wie zwölfjährig aussah. Etwa fünfzehn mochte sie gewesen sein, als ich, des Studierens satt, gleich als Offizier – das ging ja damals – in die Armee trat. Bei kürzeren Sommer- oder Herbsturlauben – der Winter wurde ja meistens in der Stadt zugebracht – traf ich mit ihr oft im Blanseker Park zusammen. Sie war dort immer um meine Nichte beschäftigt, die sie sehr liebte. So entwikkelte sich zwischen uns auch eine Art vertraulichen Verkehrs, der meinerseits freilich immer von oben herab blieb. Hauptsächlich vielleicht deshalb, weil ich fühlte, daß ich nahe daran war, Feuer zu fangen. Sie selbst hielt sich, wie auch der jungen Komtesse gegenüber, in den Schranken jener stillen Unterwürfigkeit, die ihre Stellung mit sich brachte; nicht eine Spur von Koketterie war an ihr wahrzunehmen. Als ich aber knapp vor dem Kriege mit Italien für ein paar Tage nach Hause kam, um von den Meinen vielleicht auf Nimmerwiedersehen Abschied zu nehmen, traf ich sie zufällig allein. Sie saß in einer blühenden Geißblattlaube und blätterte in einem Bilderbuche, das meiner Nichte gehörte. Ich hätte sie wahrscheinlich gar nicht bemerkt, denn die Laube war sehr tief. Aber ein brauner Dackel, der immer um die Mädchen war, kam herausgesprungen. Ich blieb am Eingang stehen. Olga erhob sich und legte das Buch weg. Ich trat hinein und reichte ihr die Hand. ›Adieu, Olga!‹ sagte ich. ›Heute abend reise ich wieder ab – und dann geht's ins Feld.‹ Sie blieb regungslos und sprach kein Wort. Aber sie war ganz blaß geworden, und ein Beben ging durch ihren schlanken Leib. Ich sah, wie sie gewaltsam an sich hielt. Plötzlich in krampfhaftes Schluchzen ausbrechend, warf sie sich mir an die Brust. Einen Augenblick war ich ganz fassungslos. Dann aber, das warme Leben an mir fühlend, umschloß ich sie mit beiden Armen. ›Liebe, liebe Olga‹, flüsterte ich, während ich ihr Haar, ihre Stirn, ihren Mund küßte. Jetzt riß sie sich los, und das Gesicht mit den Händen verhüllend, entfloh sie.«

3

»Sie begreifen«, fuhr der Graf fort, »daß mir dieses Erlebnis einen großen Eindruck machte. Ich konnte den ganzen Tag über an nichts anderes denken und war beim Abschied von meinen Angehörigen sehr zerstreut. Auch während der Fahrt zum Regiment befand ich mich in jenem süßen Taumel, den man sehr bezeichnend einen Seelenrausch nennt. Aber wie andere Räusche hielt er nicht vor. Schon als ich wieder den Dienst antreten mußte, begann er zu verfliegen. Dann kam der unglückliche Feldzug. Nach diesem verlor ich die Lust, das Soldatenspiel weiter zu spielen. Ich wollte ein größeres Stück Welt, wollte bedeutenderes Leben kennenlernen und beschloß, mich der Diplomatie zu widmen. Es war leicht durchzusetzen, daß ich einer Gesandtschaft attachiert wurde. So kam ich nach Madrid. Dort geschah, was so ziemlich jedem jungen Manne geschieht: ich verliebte mich in eine verheiratete Frau. Sie kennen sie nach dem Bilde, das über meinem Schreibtische hängt. Keine Spanierin, wie Sie vielleicht glauben könnten, sondern eine Italienerin. Ihr Gemahl, der in Madrid einen deutschen Mittelstaat vertrat, hatte die Komtessa als Legationsrat in Rom, seinem früheren Dienstposten, erehelicht. Er war ein hagerer, fadblonder und, wie es schien, auch blutloser Geselle, denn er benahm sich ungemein artig gegen die Liebhaber' seiner Frau. Sie hatte deren, um es gleich zu sagen, sehr viele. Damals nahm ich ihr das höchst übel, heute ist es ihr längst verziehen. Denn sie war eine Frau, deren eigentümlich zarter Reiz alle Männer gleichmäßig anzog. Sie brauchte sich nur zu zeigen, mit ihren durchsichtigen dunklen Augen zu lächeln und ein paar Worte zu sagen, so war jeder hingerissen. Konnte es da wundernehmen, daß sie, temperamentvoll wie sie war, von der Macht des männlichen Od, das ihr von allen Seiten so heiß entgegenströmte, leichter überwältigt wurde, als andere schöne Frauen, die man vielleicht bewundert, aber nicht sofort begehrt? Und sie verstand die große Kunst, sich mehrseitig hinzugeben, ohne dabei im Schlamm zu versinken. Sie tat es mit einer fast kindlichen Unbefangenheit und mit vollendeter Grazie. So mußte Josefine Beauharnais gewesen sein, die den großen Napoleon fesselte, obgleich er von ihrer Untreue überzeugt war. Nun, ich war kein Napoleon und verzieh ihr die Untreue nicht – mit Ausnahme der gegen ihren Gatten. Ich wollte der einzige sein, und da mir das nicht gelang, quälte ich sie mit rasender Eifersucht. Mehr als einmal hatte ich unsere Beziehungen abgebrochen, um doch immer wieder zu ihr zurückzukehren. Aber es kam auch immer wieder zu den unerquicklichsten Szenen. Ich

bedrohte – ja, ich beschimpfte sie sogar. Mit einer wahren En-
gelsgeduld ließ sie alles über sich ergehen, was mir doch hätte
zeigen können, daß ich ihr mehr war, als meine gutmütigeren
Nebenbuhler. Als ich mich jedoch eines deutschen Malers wegen, der nach Spanien gekommen war, um Velasquez zu studieren, zu einer Mißhandlung hinreißen ließ, da wies sie mir mit
einem kalten Blick die Tür. Natürlich war jetzt *ich* der Beleidigte
und schnaubte Rache. Ich dachte daran, den Maler zu fordern –
und was derlei Ausgeburten einer verstörten Gemütslage mehr
waren. Zum Glück war aber meine Vernunft schon damals stark
genug, solch wahnwitzige Regungen zu besiegen. Aber ich litt
unsäglich. Von Tag zu Tag wuchs meine Sehnsucht nach dem
geliebten Weibe, aber auch die Erkenntnis, daß jetzt alles zu
Ende sei. Ihren Anblick jedoch, dem ich täglich ausgesetzt war,
ertrug ich nicht. Ich nahm, da ohnehin die Zeit der politischen
Windstille herannahte, sofort Urlaub. Mein Vater und mein
zweitältester Bruder, der nun auch schon tot ist, befanden sich
noch in Wien, mein anderer Bruder jedoch war schon in den
ersten Frühlingstagen nach Blansek gezogen. Dorthin wollte
ich, denn große Städte mit ihrem Highlife waren mir jetzt
gründlich verhaßt. Dabei kam mir mit einem Mal Olga in den
Sinn, die ich im Laufe der Ereignisse gänzlich vergessen hatte.
Wie greifbar trat mir die Gestalt des schönen Mädchens vor die
Seele – und sehen Sie: in diesem Augenblick faßte ich den Entschluß, es zu heiraten. Ich war immer etwas romantisch ange-
haucht gewesen. Und trotz aller weltmännischen Genußfähig-
keit – und wenn Sie wollen, Genußsucht, auch immer mit
einem unbestimmten Hange nach stiller, beschaulicher Zurück-
gezogenheit in irgendeinem Erdenwinkel behaftet. Das konnte
ich jetzt haben, wenn ich mir auf unserem Grund und Boden
– etwa zwischen Roggendorf und Blansek – ein komfortables
Blockhaus mit waldigem Hintergrund und weiter Fernsicht er-
bauen ließ, um dort an der Seite eines schlichten, mir ganz
ergebenen Weibes ein unabhängiges, wenn auch keineswegs
müßiges Dasein zu führen. Denn ich hatte – auch das will ich
Ihnen anvertrauen – zu jener Zeit schriftstellerische Neigungen.
Montaigne und Larochefoucauld reizten mich zur Nachah-
mung. Auch als Familienvater dachte ich mich bereits und ent-
warf nach Rousseaus Emile weitgehende Erziehungspläne für
meine prächtigen Kinder. Daß man mir Schwierigkeiten ma-

chen könnte, sah ich wohl ein, ich achtete sie aber gering. Meine Brüder kannte ich als ziemlich vorurteilslos – und mein Vater, der allerdings zu fürchten war, mußte schließlich nachgeben. Es war ja damals nichts geradezu Horrendes, daß ein Fürst oder Graf eine Försters- oder Schafferstochter heiratete. Auch Wäschermädchen kamen vor. Heutzutage werfen sich meine Standesgenossen mehr auf Sängerinnen und Tänzerinnen, was wohl ein Zeichen höheren Geschmacks sein soll. Nun, ich erkor die Tochter des Worel. Papa und Mama waren nun freilich nicht besonders erwünscht, aber es waren brave Leute – und man konnte mit ihnen einen modus vivendi vereinbaren. Also mein Entschluß stand fest. Daß das Mädchen selbst einen Strich durch die Rechnung machen könnte, fiel mir nicht ein. Daß sie mich damals geliebt, darüber konnte kein Zweifel sein. Warum sollte sie es nicht auch jetzt – und mir etwa einen Korb geben, wenn ich ihr meine Hand antrug? Daß sie vielleicht inzwischen schon geheiratet haben könnte, kam mir gar nicht in den Sinn. So sicher war ich der ganzen Sache.

Mit diesem Gefühle fuhr ich durch das Schloßportal in Blansek ein. Da fiel mir gleich als sehr seltsam auf, daß Vater Worel in einer Art von Schlafrock, den Kopf mit einem türkischen Fez bedeckt, auf der Bank vor seiner Wohnung saß und eine lange Pfeife rauchte, die er jetzt, indem er gravitätisch aufstand und mit einer Verbeugung die rote Mütze lüftete, bei Fuß nahm. Von der übrigen Familie, die doch sonst bei ähnlichen Anlässen immer Spalier bildete, war niemand zu sehen. Als ich später meinem Bruder mein Befremden über dieses Verhalten äußerte, sagte er mißmutig: ›Ach ja, der Worel! Der hat mir den Dienst gekündigt.‹ Ich war sehr überrascht. ›Ja‹, fuhr mein Bruder fort, ›in den Mann ist der Hochmutsteufel gefahren. Und eigentlich bin ich selbst schuld daran.‹ ›Wieso?‹ fragte ich. ›Wirst es gleich hören. Du kennst meine Lust an alten Sachen und weißt, daß ich ab und zu nach solchen alle Rumpelkammern durchstöbere. Das tat ich nun wieder einmal und fand dabei unter wertlosem Zeug ein ganz hübsches Treppengeländer aus Eichenholz mit geschnitztem Laubwerk. Ich freute mich sehr darüber und wollte es gleich an einer Mansardenstiege anbringen lassen. Da zeigte sich aber, daß es nicht langte und überdies eines kurzen Kniestückes bedurfte. ,Nah‘, sagte ich zu Worel, der mich bei meinen Forschungen immer begleitete, ,du bist ja ein

Tausendkünstler!' – Ich erwähne hier, daß wir damals zu allen unseren Bediensteten noch *Du* sagten. – Also: ‚Du bist ja ein Tausendkünstler – wie wär' es, wenn du das Ding da vollständig machen und dich dabei auch einmal als Holzschnitzer versuchen würdest?' Der Mensch, der immer ziemlich eitel gewesen ist, wurde ganz rot vor Stolz. ‚Das werd' ich schon machen, Erlaucht', erwiderte er, ‚wenn ich das richtige Holz bekomme.' Er bekam es und brachte wirklich nach einer gewissen Zeit das Geländer derart ergänzt, daß man, nachdem es gleichmäßig gestrichen und gefirnißt war, kaum einen Unterschied zwischen dem alten und neuen Teil wahrnehmen konnte. Ich belobte und entlohnte ihn für diese Arbeit, die ihm doch genug Mühe und Schweiß gekostet haben mochte. Seit diesem Tage dachte er nur mehr an derlei Leistungen. Er kramte nach Bruchstücken von Rokokomöbeln und vermorschten Wandtäfelungen, die er nachmachen wollte. Ich hatte ihm einmal zwei alte Quartbände geschenkt, die kunstgewerbliche Kupfer enthielten. Er hatte sie früher kaum angesehen, jetzt vertiefte er sich in ihr Studium. Darüber vernachlässigte er seine eigentlichen Arbeiten. Ich ließ es ihm hingehen, da ich wußte, daß er sehr empfindlich war; auch stand ja der Winter vor der Tür, den wir in Wien zubrachten. Zurückgekehrt, trafen wir im Schlosse auf ungenügende Vorkehrungen. Als ich Worel zur Rede stellte, warf er sich in die Brust und erklärte, daß er es an nichts habe fehlen lassen. Da ich mit meinen Leuten nicht gern hadere, schwieg ich und beschloß, sein weiteres Verhalten abzuwarten. Da zeigte sich sehr bald, daß aus einem ergebenen und beflissenen Diener ein starrköpfiges, von Größenwahn erfülltes Individuum geworden war, das die ihm zukommenden Verrichtungen unter seiner Würde hielt. Er hatte den Winter benützt, um in der Bibliothek, zu der er die Schlüssel hatte, allerlei Bücher zu lesen, und sich derart gebildet, daß er in einem geselligen Verein, der im Orte entstanden war, Vorträge hielt. Dieser Verein verfolgte tschechische Parteizwecke. Es war mir also höchst unangenehm, daß einer unserer Bediensteten daran teilnahm. Und mit dem Oberhaupt hat sich auch die ganze Familie verändert. Die Frau, deren Mutter inzwischen gestorben ist, scheint keine Lust mehr am Hauswesen zu haben. Sie überläßt alles der buckligen Maruschka und legt die Hände in den Schoß. Die Olga geht als junge Dame einher. Sie liest auch alle möglichen Bücher und bezeigt sich sehr hochnasig gegen unsere Minka. Meine Frau wollte sie als Kammerjungfer zu sich nehmen; daran war nicht mehr zu denken. Und der jüngste Sproß, der eben die Volksschule hinter sich hat, lümmelt den ganzen Tag müßig herum oder kratzt jämmerlich auf einer Geige. Dabei verlottert die ganze Wirtschaft. Der Garten ist verwildert, und das Stück Feld liegt brach da, von Unkraut überwuchert. So entgeht den Leuten ein gut Teil ihres Einkommens, und ich weiß nicht, wie sie ihr Auskommen finden. Alle diese Wahrnehmungen verstimmten mich, und ich sann hin und her, was ich nun mit dem Worel anfangen sollte. Ihn Knall und Fall zu entlassen, ging doch nicht an. Denn er hatte uns ja zwanzig Jahre hindurch treue und ersprießliche Dienste geleistet. Und eigentlich Übles konnte ich ihm nicht vorwerfen. Da brach er selbst das Eis, indem er bei mir – wie er sich jetzt ausdrückte – um eine Audienz nachsuchte. ›Ich komme‹, sagte er, ›um Eurer Erlaucht eine Bitte vorzutragen. Mein Franz hat eine sehr gute Klassifizierung erhalten, und ich habe die Absicht, ihn das Gymnasium machen zu lassen. Auch Olga will sich zu irgendeinem Berufe vorbereiten. Ich möchte also beide Kinder bei Bekannten in der Stadt unterbringen. Dazu fehlen mir aber die Mittel. Ich bitte daher, Erlaucht möchten die Gnade haben, für den Franz einen Erziehungsbeitrag zu bewilligen.‹ ›So?‹ sagte ich, ›du willst also – ich sah, wie sehr ihn das *du* verschnupfte – deinen Sohn studieren lassen? Ich hatte gedacht, du würdest ihn in dein Handwerk einführen, und er würde einst dein Nachfolger werden. Und die Olga wollte meine Frau als Kammerjungfer nehmen.‹ ›Das geht nicht, Erlaucht‹, versetzte er. ›Es sind geistig sehr begabte Kinder.‹ ›Das will ich nicht bestreiten‹, sagte ich. ›Aber einen Erziehungsbeitrag bewillige ich entschieden nicht.‹ Er wurde puterrot vor Zorn. ›Dann muß ich Euer Erlaucht bitten, mich meines Dienstes zu entheben. Ich habe schon vor einiger Zeit von einer großen Kunsttischlerei in der Stadt einen sehr vorteilhaften Antrag erhalten. Den würde ich jetzt annehmen und dort eintreten.‹ ›Das ist deine Sache‹, erwiderte ich. ›Und da du so lange bei uns in Dienst gestanden, erhältst du eine Pension von jährlich vierhundert Gulden. Du kannst also in der Stadt deine Kinder ausbilden lassen.‹ Damit war die Sache im reinen. Zu Neujahr ziehen die Leute ab.

Ich war natürlich über all das sehr erstaunt, aber doch begierig,

die Olga zu sehen. Daß sie sich auf die junge Dame hinaus-
spielte, konnte mir ja nicht wider den Strich gehen – und daß
sie Bücher las, auch nicht. Es traf sich, daß sie, als wir nach Tisch
auf der Terrasse den Kaffee nahmen, in einiger Entfernung an
uns vorüberschritt. Es kam ihr zu, uns zu grüßen. Sie tat es auch.
Aber so, daß sie ganz komtessenhaft nur das Kinn anzog. Sie
hatte sich in den letzten Jahren voll entwickelt und war sehr
groß geworden. Ihre Züge kamen mir härter und schärfer vor;
auch hatten ihre Haare eine dunklere Kupferfarbe angenommen. Aber sie war jetzt ein wahres Prachtgeschöpf, dessen Erscheinung meine Absichten keineswegs erschütterte.

Da geschah es, daß ich mich erkältete und ein paar Tage die
Zimmer hüten mußte. Eines Nachmittags – es war Sonntag und
mein Bruder mit den Seinen nach Roggendorf hinübergefah-
ren – stand ich an einem Fenster, das auf einen Seitenpfad des
Parkes hinausging. Ein mächtiger alter Ahornbaum stand davor
und verdeckte es. Wie ich nun so durchs Gezweige hinuntersah,
gewahrte ich Olga, die mit einem anderen, wahrscheinlich ihr
befreundeten Mädchen vorüberkam. ›Na, du hast ja jetzt wieder
deinen Grafen da‹, hörte ich das andere Mädchen sagen. ›Ach
was, der!‹ erwiderte Olga wegwerfend. ›Heiraten würde er mich
doch nicht, und nur so‹ – sie machte eine verächtliche Handbewegung.

Noch niemals war es mir so deutlich geworden, daß, wie man
zu sagen pflegt, der Ton die Musik mache. Gegen ihre Äußerung war ja nicht das geringste einzuwenden. Sie war vielmehr
sehr löblich und hätte mich überzeugen können, wie ehrenwert
ihre Gesinnung war. Aber die Art und Weise, wie sie ihre, noch
dazu tschechisch gesprochenen Worte vorbrachte, wirkte auf
mich erkältend wie Eis. Denn sie zeigte mir, daß meine Erko-
rene nicht die geringste Empfindung für mich hege. Es war bei
ihr damals eben nichts anderes gewesen als eine vorübergehende
Emotion der Pubertät, wie sie jeder Backfisch durchzumachen
hat. Diese Erkenntnis stimmte mich plötzlich ganz froh, und
von diesem Augenblick an war auch Olga für mich Luft. Ich
machte noch die Jagden mit und kehrte dann auf meinen Posten
nach Madrid zurück.«

4

»Was ich dabei gefürchtet hatte, war das Wiederzusammen-
treffen mit jener Dame. Aber der Herr Gesandte war allein
gekommen. Seine Gemahlin hatte in einem nordischen Seebad
einen russischen Fürsten kennengelernt und sich scheiden lassen. An der Seite des Russen soll sie in Petersburg noch eine
sehr hervorragende Rolle gespielt haben – und tugendhaft geworden sein. Das kommt manchmal bei solchen Frauen vor,
wenn sie zufällig auf den Richtigen treffen – und nebenbei ein
wenig zu altern anfangen. Sie aber stand eigentlich noch immer
in der Blüte ihrer Jahre, als sie plötzlich starb. Ich hatte es erst
einige Zeit nach ihrem Tod erfahren. Aber die Kunde traf mich
wie ein heftiger Schlag ins Innerste, der mich fühlen ließ, wie
sehr ich dieses Weib geliebt hatte.«
Er schwieg, in Gedanken versinkend. Dann fuhr er fort: »Das Leben in Spanien war mir inzwischen immer öder geworden. Die
Liebschaften der dicken Königin Isabella und die beständigen
Pronunziamentos langweilten mich mehr als sie mich aufreg-
ten. So griff ich endlich wieder zum Schwert und machte das
Mexikanische Abenteuer mit. Nach dem unglücklichen Ausgang unternahm ich noch eine Reise nach Paris und London
und kehrte in unsere mährische Heimat zurück. Mein Bruder
residierte, da unser Vater gestorben war, schon als Fürst in
Roggendorf, wo jetzt auch ich meine Tage beschließen will.
An die Worels dachte man schon längst nicht mehr. Einmal
aber kam doch die Rede auf sie, und mein Bruder sagte: ›Wie
ich höre, ist es ihnen eine Zeitlang ganz gut gegangen. Er ist ja
wirklich ein geschickter Mensch, und die ersteren Arbeiter in
jener Kunsttischlerei sollen sehr gut bezahlt werden. Aber in
seiner Familie hatte er Unglück. Die Olga, die in Blansek die
Bewerbungen eines unserer Forstleute schnöd zurückgewiesen,
hat sich in der Stadt mit dem Sohn eines reichen Fabrikanten
eingelassen. Er soll ihr die Ehe versprochen haben. Als sie aber
durch ihn in andere Umstände gekommen war, verließ er sie.
Man sagt, es sei eine böse Geschichte gewesen, denn Papa Worel
wollte es mit Gewalt durchsetzen, daß sie der junge Herr zu
seiner Frau mache. Aber es nützte nichts; sie mußten sich mit
einer nicht unansehnlichen Abfindungssumme zufriedengeben.
Aber da war auch gleich ein Schwindler da, der die Vaterschaft

und auch das Kapital auf sich nahm, indem er Olga heiratete.
Er hatte die Absicht, eine Fabrik zu errichten, in der alte Tuch-
reste zu frischen Stoffen verarbeitet werden sollten. Nach ein
paar Jahren war das Geld zum Teufel gegangen, und da auch
Wechselfälschungen mitspielten, kam der Herr Gemahl ins
Zuchthaus. So mußte die Olga mit zwei Kindern zu ihrem
Vater flüchten. Und der Schlingel von Sohn ist natürlich nicht
einmal durch die zweite Gymnasialklasse gekommen. Er hat
sich dem Violinspielen gewidmet, um es darin, wie der Alte
versichern soll, zur Meisterschaft zu bringen. Nun, wir werden
ja sehen.‹

Nicht lange nach diesem Gespräch wies mir mein Bruder ein
Schreiben vor, das er eben von Worel erhalten hatte. Dieser
teilte darin mit, daß er unverschuldet in eine große Notlage geraten sei, die jetzt um so drückender geworden, als ihn seine
Frau wieder mit einem Kinde – einem Knaben, beschenkt habe.
Er bitte daher, ihm einen Vorschuß von dreihundert Gulden zu
gewähren, welche Summe er in kleinen Monatsraten dankbarst
von seiner Pension zurückerstatten werde.

›Was wirst du tun?‹ fragte ich.

›Auf Ratengeschäfte lasse ich mich nicht ein‹, erwiderte mein
Bruder. ›Aber ich werde ihm das Geld schicken, damit er sieht,
daß man ihm nichts nachträgt.‹

›Weißt du was?‹ sagte ich. ›Ich muß dieser Tage ohnehin nach
der Stadt fahren, und werde ihm das Geld überbringen.‹

Mein Bruder sah mich etwas erstaunt an. Da ich aber erklärte,
es interessiere mich, die Verhältnisse kennenzulernen, in denen
die Leute jetzt lebten, so stimmte er zu.

Ich begab mich also schon am nächsten Tage nach der Stadt. Es
war Sonntag und ich hoffte, da Worel in seiner Wohnung an-
zutreffen. Diese befand sich in einer breiten, entlegenen Straße,
in der noch sehr viele alte und niedere Häuser standen. Dazwischen waren mehrstöckige neue Bauten aufgeführt worden.
Echte Proletarierhäuser. In einer dieser Zinskasernen hauste er
jetzt, hoch oben in der letzten Etage. Schon im Torweg schlug
mir ein beklemmender Geruch entgegen, der sich in jedem
Stockwerk in einen anderen Mißduft auflöste. Endlich war ich
vor der gesuchten Tür angelangt, die halb offen stand. Drinnen
im Dunst des Herdes kochte die bucklige Maruschka das Mittagessen. Als sie mich erblickte und erkannte, ließ sie den Löffel

fallen, stürzte nach der Zimmertür, riß sie auf und schrie hinein: ›Graf Erwin ist da!‹ Ich vernahm, wie die Leute überrascht und bestürzt durcheinander fuhren; sie wußten offenbar nicht, wie sie mich empfangen sollten. Ich aber war schon eingetreten. In der Mitte eines kleinen, mit allerlei brüchigem Hausrat vollgepfropften Zimmers war Worel zu sehen, seinen jüngsten Sprößling auf dem Arm. In einiger Entfernung von ihm, an allen Gliedern zitternd, sein gealtertes, abgehärmtes Weib. Links stand eine schmale Kammer offen, in welche zwei notdürftig bekleidete und widerstrebende Kinder hineinzuziehen Olga bemüht war. Ein Blick auf sie genügte mir, um zu erkennen, daß sie noch immer schön – aber ihr Antlitz auch schon von scharfen Furchen durchzogen war. In der Kammer saß, mager und dünnbärtig, ein junger Mann mit fahlem Gesicht und finster blickenden Augen. Als es gelungen war, die Kinder hineinzubringen, zog Olga die Tür hinter sich zu.

›Herr Worel‹, sagte ich jetzt, während mir die Frau einen abgenützten Stuhl zurechtschob, ›ich überbringe Ihnen hier im Auftrag meines Bruders die erbetene Summe. An Rückzahlung brauchen Sie nicht zu denken, und wir wünschen nur, daß Ihnen damit geholfen sei.‹

Der Mann hatte sich inzwischen gefaßt. ›Ich danke sehr‹, erwiderte er gemessen, während er den Säugling in den Arm der Mutter legte, deren Augen bei meiner Rede feucht geworden waren. ›Es wird sich schon alles wieder machen. Ich hoffe auf einige größere Arbeiten außer Akkord. Es ist, wie ich mir mitzuteilen erlaubte, nur eine momentane Notlage. Der da‹ – er wies auf das Kleine – ›hat sie auf dem Gewissen. Im übrigen verspricht er, ein prächtiger Bursche zu werden. Sehen ihn Erlaucht nur an. Nicht wahr? Eine ganz tüchtige Leistung von Eltern in so späten Jahren.‹

Während ich nach dem Kinde blickte, das keinen Tropfen Blut in den Adern zu haben schien, aber jetzt heftig zu schreien anfing, ging die Zimmertür auf und der Sohn Worel trat mit einer kurzen Verbeugung herein. Breitspurig, aufgedunsen, das vulgäre Gesicht von langen Haaren umwallt.

›Das ist mein Franz‹, sagte Worel. ›Erkennen ihn Erlaucht noch? Er hat sich ganz auf die Musik geworfen. Er hofft auch bald im Orchester des Stadttheaters einen Platz zu finden.‹

›Ich gratuliere‹, sagte ich, während der Virtuose mit einem

blöden Lächeln vor sich hinstierte. ›Und nun leben Sie alle
wohl‹, fügte ich mit einem letzten Blick auf die geschlossene
Kammertür hinzu und ging, von Worel durch die Küche ge-
leitet.

Als ich langsam und vorsichtig die schmutzige Treppe hinunter-
schritt, vernahm ich, wie mir jemand nachgehuscht kam. Es
war die Frau, ›Verzeihung, Erlaucht‹, flüsterte sie. ›Haben die
Gnade, nur auf ein Wort –‹

›Was wünschen Sie, liebe Frau Worel?‹ fragte ich, auf einem
Absatz der Treppe stehen bleibend.

›Ach, mein Gott‹, erwiderte sie, und brach in Tränen aus. ›Wir
sind so unglücklich!‹

›Unglück? Ihr Mann sprach doch nur –‹

›Ach der!‹ unterbrach sie mich. ›Der sieht immer alles ganz
anders an. Wie er es eben haben möchte. Und dann schämt er
sich auch. Und unsere jetzige Notlage wäre auch das geringste.
Worel ist ja fleißig und verdient viel. Aber die Kinder!‹ Sie hielt
sich schluchzend die Hände vor die Augen.

›Was ist es mit den Kindern?‹

›Ach, der Franz! Der ist ein Lump geworden. Mit dem Geigen-
spielen ist es nichts, rein nichts. Der Meister hat ihn aufgegeben. Er soll gar kein Talent haben. Und nun lungert er den
ganzen Tag herum, trinkt und macht Schulden. Das mit dem
Theaterorchester hat er dem Vater vorgelogen.‹

Ich wußte nicht, was ich erwidern sollte, und zuckte daher bloß
die Achseln.

›Und dann die Olga! Ihre traurigen Schicksale werden in Rog-
gendorf wohl bekannt geworden sein. Nun aber hat sie einen
Menschen kennengelernt, der in einer Spinnfabrik arbeitet. Die
Leute sagen, daß er ein Sozialist ist und schlechte Gedanken im
Kopf hat. In den hat sie sich verliebt. Zum erstenmal in ihrem
Leben! Denn alles andere war doch nur so. Und nun, da ihr
Mann im Gefängnis gestorben ist, will sie ihn heiraten – und
selbst Arbeiterin in der Spinnfabrik werden. Denken Sie nur,
Erlaucht, unsere Olga in einer Spinnfabrik!‹

Mir schien das nicht gerade das allergrößte Unglück zu sein.
Aber ich dachte daran, daß ich sie einst selbst hatte heiraten
wollen. ›Nun, wenn sie durchaus will‹, sagte ich, ›so läßt sich
nichts dagegen tun. Sie ist großjährig.‹

›Ja, ja‹, entgegnete die Frau, ›es läßt sich nichts machen! Sie hat einen harten Kopf, gerade wie mein Mann. Aber es wird kein gutes Ende nehmen.‹

›Nun, wer weiß‹, sagte ich. ›Sie kennen ja den alten Spruch: des Menschen Wille ist sein Himmelreich.‹

›Ach Gott!‹ sagte sie, trostlos aufblickend. ›Und jetzt auch noch das Kind. Daß uns das hat geschehen müssen!‹

›Sie müssen es jetzt eben hinnehmen. Aber verzweifeln Sie nicht. Wir werden Sie nicht verlassen.‹

›O tausend Dank!‹ rief die Frau, wieder in Tränen ausbrechend. ›Auch Seiner Durchlaucht für die gütige Gabe!‹ Sie wollte meine Hand erfassen und küssen.

›Ist gern geschehen‹, sagte ich, mich losmachend. ›Und schreiben Sie nur, wenn Hilfe nottut.‹

Während ich jetzt die Treppe vollends hinabstieg und dem Innern der Stadt zuschritt, gedachte ich der Zeiten, da diese Menschen in einem behaglichen Heim, von frischer, gesunder Luft umweht, ein kräftig blühendes Dasein führten. Und jetzt atmeten sie dort oben in dem verpesteten Hause, in enge Räume zusammengepfercht, dem Elend preisgegeben! Dieser Wandel der Dinge durchschauerte mich, als hätte ich ihn am eigenen Leibe erfahren, und unwillkürlich sprach ich wieder die banale Phrase vor mich hin: des Menschen Wille ist sein Himmelreich.«

»Alles Weitere ist bald erzählt«, fuhr der Graf nach einer Pause fort. »Welchen Ausgang Olga genommen, wissen Sie. Ihr älterer Bruder blieb ein Taugenichts, der in schlechten Wirtshäusern aufspielte. Schließlich wurde er zum Landstreicher und soll in einer offenen Scheune, darin er einmal bei starkem Winterfrost genächtigt, erfroren sein. Ein bezeichnendes Ende hat der Vater genommen. Er hatte sich durch sein selbstbewußtes, hochfahrendes Wesen schon lange bei seinen Mitarbeitern verhaßt gemacht. Als man einmal eine Lohnerhöhung durchsetzen wollte, arbeitete er während des Streiks im geheimen für den Besitzer der Tischlerei fort. Wohl durch Not dazu bewogen, aber noch mehr durch seine Eitelkeit. Denn es wurde ihm gesagt, daß nur er imstande sei, einen kleinen, besonders komplizierten Schrank anzufertigen, der dringend bestellt worden war. Die Sache wurde entdeckt und von den Ausständigen sehr übel aufgenommen. Sie überfielen ihn bei günstiger Gelegenheit und prügelten ihn weidlich durch. Das schien weiter keine Folgen gehabt zu haben. Nach und nach aber begann er zu kränkeln, und eines Tages starb er ohne bestimmt nachweisbare Todesursache. So sind jetzt nur mehr drei Familienglieder am Leben. Die Mutter, die älteste Schwester, welche beide sich mit ihrer Hände Arbeit durchbringen – und der Jüngste, der den romantischen Namen Jaroslav führt. Wie es heißt, ein hübscher, anstelliger Knabe. Er soll auch ein sehr fleißiger Schüler sein und genießt von uns einen Erziehungsbeitrag. Vielleicht ist er schon der Mensch der Zukunft.«

FRANK WEDEKIND

Die Schutzimpfung

Wenn ich euch, ihr lieben Freunde, diese Geschichte erzähle, so tue ich es keinesfalls, um euch ein neues Beispiel von der Durchtriebenheit des Weibes oder von der Dummheit der Männer zu geben; ich erzähle sie euch vielmehr, weil sie gewisse psychologische Kuriositäten enthält, die euch und jedermann interessieren werden und aus denen der Mensch, wenn er sich ihrer bewußt ist, großen Vorteil im Leben zu ziehen vermag. Vor allem aber möchte ich von vornherein den Vorwurf zurückweisen, als wollte ich mich meiner Übeltaten aus vergangenen Zeiten rühmen, jenes Leichtsinnes, den ich heute aus tiefster Seele bereue und zu dessen Betätigung mir jetzt, da meine Haare grau und meine Knie schlottrig geworden, weder Lust noch Fähigkeit mehr geblieben sind.

»Du hast nichts zu befürchten, mein lieber, süßer Junge«, sagte Fanny eines schönen Abends zu mir, als ihr Mann eben nach Hause gekommen war, »denn die Ehemänner sind im großen ganzen nur so lange eifersüchtig, als sie keinen Grund dazu haben. Von dem Augenblicke an, wo ihnen wirklich Grund zur Eifersucht gegeben ist, sind sie wie mit unheilbarer Blindheit geschlagen.«

»Ich traue dem Ausdruck seines Gesichtes nicht«, entgegnete ich kleinlaut. »Mir scheint, er muß schon etwas gemerkt haben.«

»Diesen Ausdruck mißverstehst du, mein lieber Junge«, sagte

sie. »Sein Gesichtsausdruck ist nur das Ergebnis jenes von mir erfundenen Mittels, das ich bei ihm anwandte, um ihn ein für allemal gegen jede Eifersucht zu feien und ihn für immer davor zu bewahren, daß er je von einem ihn beunruhigenden Verdacht gegen dich befallen wird.«

»Welcher Art ist dieses Mittel?« – fragte ich erstaunt.

»Es ist eine Art von Schutzimpfung. – An demselben Tage, als ich mich entschloß, dich zu meinem Geliebten zu nehmen, sagte ich ihm auch schon ganz offen ins Gesicht, daß ich dich liebe. Seitdem wiederhole ich es ihm täglich beim Aufstehen und beim Schlafengehen. Du hast allen Grund, sage ich, eifersüchtig auf den lieben Jungen zu sein; ich habe ihn wirklich von Herzen gern, und weder dein noch mein Verdienst ist es, wenn ich mich nicht gegen meine Pflichten versündige, sondern es liegt nur an ihm selbst, daß ich dir so unerschütterlich treu bleibe.«

In diesem Augenblick wurde mir klar, warum mich ihr Mann bei all seiner Liebenswürdigkeit manchmal, wenn er sich von mir nicht beobachtet glaubte, mit einem so eigentümlich mitleidig verächtlichen Lächeln ansah.

»Und glaubst du wirklich, daß dieses Mittel seine Wirksamkeit auf die Dauer behält?« fragte ich befangen.

»Es ist unfehlbar«, entgegnete sie mit der Zuversichtlichkeit eines Astronomen.

Trotzdem setzte ich noch großen Zweifel in die Unverbrüchlichkeit ihrer psychologischen Berechnungen, bis mich eines Tages folgendes Ereignis in staunenerregender Weise eines Besseren belehrte.

Ich bewohnte damals inmitten der Stadt in einer engen Gasse ein kleines möbliertes Zimmer im vierten Stock eines hohen Miethauses und hatte die Gewohnheit, bis in den hellen Tag hinein zu schlafen. – An einem sonnigen Morgen um neun Uhr etwa geht die Türe auf, und sie tritt ein. Was nun folgt, würde ich niemals erzählen, böte es nicht den Beweis für eine der überraschendsten und trotzdem begreiflichsten Verblendungen, die im Geistesleben des Menschen möglich sind. – Sie entledigt sich auch der letzten Hülle und gesellt sich zu mir. Weiter habt ihr lieben Freunde nichts Verfängliches, Anzügliches von meiner Erzählung zu gewärtigen. Ich muß immer wieder betonen, daß es mir nicht darum zu tun ist, euch mit Unschicklichkeiten zu unterhalten. – Kaum hat die Decke die Reize ihres Körpers verhüllt, als Schritte vor der Türe laut werden; es klopft und ich habe eben noch Zeit, durch rasches Emporziehen der Decke ihren Kopf zu verbergen, als ihr Mann eintritt, schweißtriefend und pustend infolge der Anstrengung, mit der er die hundertundzwanzig Stufen zu mir heraufgestiegen war, aber mit glückstrahlendem, freudig erregtem Gesicht.

»Ich wollte dich fragen, ob du mit Röbel, Schletter und mir einen Ausflug machst. Wir fahren per Bahn nach Ebenhausen und von dort mit dem Rad nach Ammerland. Eigentlich wollte ich heute zu Hause arbeiten; nun ist meine Frau aber schon früh zu Brüchmanns gegangen, um zu sehen, was deren Jüngstes macht, und da fand ich bei dem herrlichen Wetter keine rechte Sammlung mehr zu Hause. Im Café Luitpold traf ich Röbel und Schletter, und da haben wir die Partie verabredet. Um zehn Uhr siebenundfünfzig fährt unser Zug.«

Derweil hatte ich etwas Zeit gehabt, mich zu sammeln. »Du siehst«, sagte ich lächelnd, »daß ich nicht allein bin.«

»Ja, das merke ich«, entgegnete er mit dem nämlichen verständnisinnigen Lächeln. Dabei begannen seine Augen zu funkeln, und die Kinnlade wackelte auf und ab. Zögernd trat er einen Schritt vorwärts und stand nun dicht vor dem Stuhl, auf den ich meine Kleider zu legen pflegte. Zuoberst auf diesem Sessel lag ein feines batistenes Spitzenhemd ohne Ärmel mit rotgesticktem Namenszug und darüber zwei lange schwarzseidene, durchbrochene Strümpfe mit goldgelben Zwickeln. Da nichts anderes von einem weiblichen Wesen sichtbar war, hefteten sich seine Blicke mit unverkennbarer Lüsternheit auf diese Garderobestücke.

Dieser Augenblick war entscheidend. Nur ein Moment noch und er mußte sich erinnern, diese Kleidungsstücke irgendwo in diesem Leben schon einmal gesehen zu haben. Kostete, was es kosten wollte, ich mußte seine Aufmerksamkeit von dem verhängnisvollen Anblick ablenken und derart bannen, daß sie mir nicht mehr entglitt. Das war aber nur durch etwas Nochniedagewesenes zu erreichen. Dieser Gedankengang, der sich blitzartig in meinem Hirne vollzog, veranlaßte mich dazu, eine Roheit von solcher Ungeheuerlichkeit zu begehen, daß ich sie mir heute nach zwanzig Jahren, wiewohl sie damals die Situation rettete, noch nicht verziehen habe.

»Ich bin nicht allein«, sagte ich. »Wenn du aber eine Ahnung von der Herrlichkeit dieses Geschöpfes hättest, würdest du mich beneiden.« Dabei preßte sich mein Arm, der die Decke über ihren Kopf gelegt hatte, krampfhaft auf jene Stelle, wo ich den Mund vermutete, um auf die Gefahr hin, ihr den Atem zu nehmen, jede Lebensäußerung ihrerseits zu verhindern.

Gierig glitten seine Blicke an den von der Decke gebildeten Wellenlinien auf und nieder.

Und nun kommt das Ungeheuerliche, das Nochniedagewesene. Ich ergriff die Decke an ihrem untersten Ende und schlug sie bis an den Hals empor, so daß nur ihr Kopf noch verhüllt war. – »Hast du je in deinem Leben eine solche Pracht gesehen?« fragte ich ihn.

Seine Augen standen weit aufgerissen, aber er geriet in sichtliche Verlegenheit.

»Ja, ja – das muß man sagen – du hast einen guten Geschmack – nun, ich – werde jetzt gehen – verzeih mir bitte, daß – daß ich dich gestört habe.« – Dabei zog er sich zur Türe zurück, und ich ließ den Schleier, ohne mich zu beeilen, wieder sinken.

Darauf sprang ich rasch auf die Füße und stellte mich neben der Türe so vor ihn hin, daß er die Strümpfe, die auf dem Sessel lagen, unmöglich mehr sehen konnte.

»Ich komme jedenfalls mit dem Mittagszug nach Ebenhausen«, sagte ich, während er die Klinke schon in der Hand hielt. »Vielleicht erwartet ihr mich dort im Gasthof zur Post. Dann fahren wir zusammen nach Ammerland. Das wird eine prächtige Tour. Ich danke dir bestens für deine Einladung.«

Er machte noch einige wohlgemeinte, jovial-scherzhafte Bemerkungen und verließ darauf das Zimmer. Ich blieb wie angewurzelt stehen, bis ich seine Schritte unten im Hausgang verhallen hörte.

Ich will es mir ersparen, den entsetzlichen Zustand von Wut und Verzweiflung zu schildern, in dem sich die bedauernswürdige Frau nach dieser Szene befand. Sie war seelisch wie aus den Fugen gegangen und gab mir Beweise von Haß und Verachtung, wie ich sie nie in meinem Leben empfangen habe. Während sie sich hastig ankleidete, bedrohte sie mich damit, mir ins Gesicht zu spucken. Ich verzichtete natürlich auf jeden Versuch, mich zu verteidigen.

»Wohin denkst du denn jetzt zu gehen?«

»Ich weiß nicht – – ins Wasser – – nach Hause – – oder auch zu Brüchmanns – um zu sehen, wie es deren Jüngsten geht. – Ich weiß es nicht.«

– – Am Mittag gegen zwei Uhr saßen wir zusammen unter den schattigen Kastanienbäumen neben dem Gasthof zur Post in Ebenhausen, Röbel, Schletter, mein Freund und ich, und erlabten uns an gebratenen Hühnern und hellschimmerndem saftigen Kopfsalat. Mein Freund, dessen Seelenzustand ich argwöhnisch beobachtete, beruhigte mich durch die ganz außergewöhnlich fröhliche Laune, in der er sich befand. Er warf mir scherzhaft treffende Blicke zu und rieb sich siegreich schmunzelnd die Hände, ohne indessen zu verraten, was sein Inneres so froh bewegte. Die Tour verlief ohne weitere Störung, und gegen zehn Uhr abends waren wir wieder in der Stadt. Am Bahnhof angekommen, verabredeten wir uns in ein Bierlokal.

»Erlaubt mir nur«, sagte mein Freund, »daß ich eben nach Hause gehe und meine Frau hole. Sie hat den ganzen schönen Tag bei dem kranken Kinde gesessen und würde es uns übelnehmen, wenn wir sie nun den Abend zu Hause allein verbringen lassen.«

Bald darauf kam er mit ihr in den verabredeten Garten. Das Gespräch drehte sich natürlich um die überstandene Tour, deren Ereignislosigkeit von allen Teilnehmern nach Kräften zu erzählungswürdigen Abenteuern aufgebauscht wurde. Die junge Frau war etwas wortkarg, etwas betreten und würdigte mich keines Blickes. Er hingegen trug noch mehr als während des Nachmittags in seinem jovialen Gesicht jenes für mich so rätselhafte Siegesbewußtsein zur Schau. Seine überlegenen, triumphierenden Blicke galten jetzt aber mehr seiner versonnen dasitzenden Gattin als mir. Es war nicht anders, als hätte er irgendeine innere, ihn tief beseligende Genugtuung erfahren.

Erst einen Monat später, als ich mit der jungen Frau zum erstenmal wieder allein war, klärte sich mir dieses Rätsel auf. Nachdem ich noch einmal die heftigsten Vorwürfe über mich hatte ergehen lassen müssen, war eine oberflächliche Versöhnung erfolgt, nach deren mühevollem Zustandekommen sie mir anvertraute, wie ihr Mann, als sie am Abend jenes Tages zu Hause mit ihm allein war, ihr mit verschränkten Armen folgenden Vortrag gehalten hatte:

»Deinen lieben, süßen Jungen, mein Kind, den habe ich jetzt

aber gründlich kennen gelernt. Jeden Tag gestehst du mir, daß
du ihn liebst, und ahnst dabei gar nicht, wie der sich über dich
lustig macht. Heute morgen traf ich ihn in seiner Wohnung an;
natürlich war er nicht allein. Freilich ist mir jetzt auch völlig
klar geworden, warum er sich nichts aus dir macht und deine
Empfindungen verächtlich zurückweist. Denn seine Geliebte
ist ein Weib von so berückender, so überwältigender Körper-
schönheit, daß du mit deinen wenigen verblühten Reizen allerdings nicht mit ihr wetteifern kannst.« –
Das, meine lieben Freunde, war die Wirkung der Schutzimpfung. Ich habe sie euch nur geschildert, damit ihr euch vor diesem Zaubermittel bewahren könnt.

ISOLDE KURZ
Schlafen

Es war zufällig gerade am Sedantag, daß ich zum letztenmal die
Stadt meiner Jugend besuchte. In den beflaggten Straßen um-
herschlendernd, geriet ich unversehens in den Menschen-
schwarm, der sich hinter dem Festzug her nach dem Krieger-
denkmal auf dem Friedhof wälzte. Wie war das Fähnlein der
Veteranen zusammengeschmolzen, das an der Spitze marschierte. Schwere, gedrungene Männergestalten mit ergrauten Häup-
tern, die einst als behende Jünglinge im Siegeszug mitgeschrit-
ten waren, und die stämmigen Landwehrleute von dazumal
gebeugte Greise. Sie gingen fest zusammengeschlossen und ab-
gesondert von dem großen Haufen, diese Veteranen mit ihren
Ehrenzeichen und den in ihren harten Zügen tief eingegrabe-
nen Erinnerungen, wie wandelnde Monumente inmitten einer
neuen Zeit, für die der große Krieg schon fast zum Märchen
verklungen war. Selbst ihre Fahne schien nicht mehr so stolz
und triumphierend zu flattern, als fühlte auch sie, daß sie nur
noch ein Ding der Vergangenheit war. Denn die Errungen-
schaften des furchtbaren Jahres waren dieser jungen Welt schon
ein ererbter Besitz, und von seinen Opfern nannte man kaum
noch die Namen. Darum trug auch die Feier, die einst Flammen
der Begeisterung entfesselt hatte, jetzt ein kühles und förm-
liches Gepräge, und in der Tat war es eines der letzten Male,
daß sie überhaupt begangen wurde.

Ich ließ mich vom Takte der Musik mit fortreißen, und ehe ich es wußte und wollte, fand ich mich mit den andern auf dem Friedhof. Während die Fahnenkränze niedergelegt wurden und ein Festredner vortrat, verlor ich mich in die stillen Baumstraßen des Gartens, die zwischen den eingesunkenen Gräberreihen durchführen. Die lange Zeile der Thujen, die ich, selber noch klein, als kleine Bäumchen gekannt hatte, fand ich als stattliche Bäume wieder. Ich entzifferte auf den Steinen manchen wohlbekannten, schon halb verwaschenen Namen, andere, deren Träger ich noch am Leben geglaubt hatte, blinkten mir von frischen Denkmälern als traurige Überraschung entgegen. Tod und Leben sprachen heute von nichts anderem als von dem Wandel der Zeit.

Als ich von meinem Rundgang zurückkam, war die Feier schon zu Ende, und die Versammlung hatte sich aufgelöst; nur wenige Personen blieben bei dem frisch geschmückten Obelisken zurück. Unter diesen fiel mir ein dürftig gekleidetes altes Frauchen auf, das unverwandt, aber mit einem Ausdruck des Vorwurfs zu der goldenen Inschrift emporstarrte, welche die Namen der im Siebziger Kriege Gefallenen der Nachwelt aufbewahrt. Es war nicht möglich, aus ihrem Äußeren auf den Stand, dem sie etwa angehören mochte, zu schließen, aber jeder Zug ihres vergrämten runzligen Gesichts sagte mir, daß ich eine trauernde Mutter vor mir sah. Hier war eine, die vom Wandel der Zeit nichts wußte – die Wunde, die sie im Herzen trug, war unverheilt und blutete beim Anblick dieser Marmortafel aufs neue. Als sie sich beobachtet sah, geriet sie in Verwirrung und wendete sich verschüchtert hinweg, wie wenn ich sie auf unrechten Wegen ertappt hätte. Unwillkürlich drängte sich mir die Frage über die Lippen, ob sie unter den Braven, denen dieser Denkstein errichtet sei, einen lieben Angehörigen habe.

Aber gleich bereute ich meine Worte, denn ich sah, daß eine heiße Röte in die welken Wangen des Weibleins stieg und sich bis über die von dünnem weißem Haar umrahmte Stirn verbreitete, während Tränen in ihre Augen traten.

Nein, meines Wilhelms Name steht nicht auf dem Stein, antwortete sie mit vor Unwillen und Kränkung zitternder Stimme – und er ist doch so gut wie die andern fürs Vaterland gefallen – aber meinen Wilhelm haben sie vergessen.

Dabei rannen ihr die Tränen plötzlich und unaufhaltsam nieder, und sie sah sich wie hilfesuchend nach einem der Veteranen um, die noch bei dem Denkmal standen, einem rüstigen, mit dem Eisernen Kreuze geschmückten Mann, der freundlich zu ihr trat.

Sehen Sie, Herr Inspektor, rief sie ihm mit klagendem Ton entgegen, noch immer steht meines Wilhelms Name nicht auf dem Stein.

Lassen Sie's gut sein, Frau Präzeptorin, die Herren haben jetzt anderes zu denken. Was liegt auch an dem Namen! Deshalb wird doch an dieser Stelle für Ihren Wilhelm so viel und vielleicht noch mehr gebetet als für irgendeinen von diesen braven Gefallenen.

In diesen einfachen Worten und in dem Ton, womit sie gesprochen wurden, lag ein gewisses Etwas, das mich seltsam berührte. Zudem wollte mir das Gesicht des Mannes bekannt erscheinen, ich hatte aber keine Zeit, mich darüber zu besinnen, denn das Gespräch der beiden fesselte meine Aufmerksamkeit.

Ja, das sagen Sie mir jedesmal, Herr Inspektor, entgegnete die alte Frau im vorwurfsvollen Tone eines Kindes, dem der Erwachsene die Erfüllung eines Versprechens schuldig geblieben ist. – Aber das ist ein schlechter Trost für eine Mutter, die ihren liebsten Sohn hat hergeben müssen. Anfangs freilich, solange mein armer Wilhelm noch zu den Vermißten gerechnet wurde, da konnten sie seinen Namen nicht hinaufsetzen zu den anderen, aber jetzt – wo seit so langer Zeit jede Hoffnung verschwunden ist – ein Schluchzen riß ihr die Worte ab. Ich kann's eben nicht verwinden, Herr Inspektor, fuhr sie trostlos fort, daß mein armer Bub allein von allen vergessen sein soll.

Die dabei waren, werden ihn nicht vergessen, entgegnete der alte Soldat in einem Ton, der tröstlich klingen sollte, durch den es aber wie ein heimliches Zittern lief. Und, setzte er mit sinkender Stimme hinzu, um keinen haben die Kameraden mehr geweint.

Diese letzten Worte schienen die alte Frau ein wenig aufzurichten.

Er war ein so lieber, herzensguter Mensch, mein Wilhelm, sagte sie, zu mir gewendet, alle waren ihm gut, die ihn kannten. Aber man hätte ihn mir so jung nicht nehmen sollen, er war ja gar nicht stark genug für die schrecklichen Strapazen, und wenn ihn

auch die Kugel bei Champigny verschont hätte, so wäre er mir
doch nicht gesund zurückgekehrt. Sie wissen es ja, was für ein
zartes Pflänzchen er war, Herr Inspektor. Er ist eben im Leid zur
Welt gekommen, nachdem sein Vater schon gestorben war, und
hat nie die rechte Lebenskraft gehabt wie seine Brüder. Dabei
war er doch so brav, so fleißig, der Beste von allen. Das Früh-
aufstehen fiel ihm schwer, und doch war er immer der Erste in
der Schule. Abends fand ich ihn oft über seinen Büchern eingeschlafen, es zerriß mir dann das Herz, daß ich ihn wecken mußte, aber der Herr Lehrer war so streng, und die Aufgaben mußten gemacht sein. Und wie er sich dabei noch Mühe gab, mir zu
helfen, woran keiner von den andern dachte! Wie er das Wasser
für mich schleppte und das Holz klein machte, die Einkäufe
besorgte. Einen besseren Sohn hat es nie auf der Welt gegeben.
Alles tat er für seine Mutter, wenn er auch oft die Augen kaum
offen halten konnte vor Müdigkeit. Ach, was mag er ausge-
standen haben bei dem harten Dienst, mein armer Wilhelm!
– Daran darf ich gar nicht denken.
Der alte Soldat, an den diese Worte gerichtet waren, hörte ihr
geduldig zu, obgleich er dieselben Reden wohl schon hundertmal aus ihrem Munde vernommen haben mochte. Er hatte sie
vorsichtig untergefaßt, da ihr beim Herabsteigen der Fuß an
dem niedrigen Unterbau des Obelisken ausgeglitten war, und
leitete die alte Frau über den rauhen Kiesweg sorgsam bis ans
Gittertor.
Unwillkürlich schloß ich mich den beiden an, mehr und mehr
betroffen von der Aufmerksamkeit des derben Veteranen für
dieses zittrige, kümmerliche Mütterlein, an das ihn doch augenscheinlich kein Verwandtschaftsverhältnis knüpfte.
Ja, ja, antwortete er im Gehen auf ihre Reden, er hatte immer
die große Müdigkeit und tat alles wie im Traum. Nur wenn die
Feldpost kam, wurde er lebendig.
Das Weiblein glänzte auf. Dann kamen die Briefe von seiner
Mutter – und die Pakete – sie verlor sich in heitere und traurige
Erinnerungen jener verhängnisvollen Tage. – Jetzt darf er schla-
fen, sagte sie endlich mit ergebener Mutterliebe, die ihrem Lieb-
ling das Beste gönnt. Der Veteran drückte ihr die Hand zum
Abschied mit einer Erschütterung in den grobgeschnitzten Zü-
gen, die mich überraschte.
Und ich will doch nicht sterben, bis meinem Wilhelm seine

Ehre widerfahren ist, sagte sie eigensinnig, sich noch einmal nach dem Obelisken zurückwendend.

Wir müssen eben eine neue Eingabe machen, Frau Präzeptorin, antwortete der alte Soldat und sah ihr mit unbeschreiblichem Ausdruck nach, wie sie gestärkt und gehoben durch dieses Versprechen mit rüstigeren Schritten von dannen ging.

Ich hatte unterdessen Zeit gehabt, mir den Mann zu betrachten, und glaubte in ihm einen Nachbarssohn zu erkennen, der als Unteroffizier im Jägerkorps gestanden hatte und, wenn er sich auf Urlaub bei den Seinen aufhielt, zuweilen auch in mein elterliches Haus gekommen war.

Als ich ihn ansprach, zeigte sich's, daß meine Vermutung mich nicht täuschte. Nachdem wir uns die Hände geschüttelt und die üblichen Erkundigungen ausgetauscht hatten, fragte ich: Warum wird denn der Frau ihr Anliegen nicht erfüllt? Sie ist doch wahrhaftig im Rechte.

Der alte Soldat sah sich um, ob niemand zuhöre. Dann antwortete er in gedämpftem Ton:

Ach, das ist eine traurige Geschichte. Der Wilhelm war so ein lang aufgeschossener schwächlicher Mensch, und sie hätten ihn freilich nicht zu den Soldaten nehmen sollen. Er schlief oft während des Marschierens ein und taumelte hin und her wie ein Betrunkener; einer schob ihn dem andern mit dem Ellbogen zu. Daß er den furchtbaren Gewaltmarsch nach Sedan ausgehalten hat, nimmt mich noch heute Wunder! Die Kameraden halfen ihm durch, wo sie konnten, aber in einer eiskalten Nacht bei Champigny traf ihn sein Schicksal doch. Unsere Feldwache hatte ihre Doppelpostenkette gegen das Marneufer ausgestellt. Der Vorpostendienst in den schaurigen Novembernächten war dort viel gefürchteter als die offene Schlacht. Wir mußten jeden Augenblick auf einen Überfall gefaßt sein und wurden Tag und Nacht, ohne uns regen zu dürfen, von den Kugeln der Zuaven belästigt. Sie dürfen glauben, es war kein Spaß, auf der sumpfigen Wiese bei Schnee und Regen, mit den Füßen im Kot, die Hand beinahe festgefroren am Gewehr, stunden- und stundenlang unbeweglich auszuhalten, nichts zu sehen als die dichteste Finsternis, nichts zu hören als das Rauschen des Wassers und ab und zu eine vorbeisausende Kugel.

Die Reihe kam auch an den Wilhelm, und es fügte sich, daß mit ihm zusammen der schneidigste Bursche aus der ganzen

Kompagnie auf den Posten befehligt wurde. Aber beim Morgengrauen, als die Ablösung kam, da gaben die zwei keine Antwort, und erst nach längerem Suchen fand man das eine Postenglied, mit dem Kopf in einer Pfütze liegend, tot, durch eine Kugel vom anderen Marneufer niedergestreckt. Zehn Schritte davon hinter einem Weidengebüsch saß der Wilhelm, gegen einen Baumstumpf gelehnt, auf dem nassen Boden. Der Kopf hing ihm auf die Brust herab, und angerufen regte er sich nicht. Wir glaubten, auch er sei tot, – wär' er's doch gewesen! Aber nach vielem Rütteln kam er zu sich, er sah ganz verworren umher und konnte auf keine Frage Antwort geben. Er war vor Frost und Übermüdung eingeschlafen, der arme Teufel – *eingeschlafen auf Vorposten vor dem Feinde!* Die Kameraden hätten ihn gern gerettet, aber da war kein Vertuschen möglich, auch hatte er einen Feldwebel, der ihm aufsässig war. Ja, weiß Gott, setzte er nach einer Pause seufzend hinzu, es ist eine harte und schwere Sache um das Soldatenleben im Kriege.

Was ist mit ihm geschehen? drängte ich atemlos.

Das Kriegsgericht trat noch am selben Morgen zusammen. Das ganze Bataillon weinte um ihn. Aber was wollen Sie – die Disziplin –

Erschossen?! rief ich.

Der Veteran sah sich um und machte eine Handbewegung, die um Schweigen bat.

Nach einer langen Pause fuhr er leise fort: Es war die härteste Stunde meines Lebens. Das ganze Bataillon wurde dazu aufgestellt, und die besten Schützen mußten vortreten – ich war auch darunter. Allen zerriß es das Herz, außer dem Wilhelm selbst. Dem war alles gleichgültig, er konnte nicht mehr. Nur schlafen! Nun, dafür ist ihm gesorgt worden.

Aber sehen Sie, so große Tage noch für uns nachkamen, die Gründung des Reichs und der siegreiche Einzug in der Heimat – das Bild des Wilhelm in seiner letzten Stunde, wie er da mit verbundenen Augen an der Mauer lehnte, das bringe ich nicht aus den Gedanken. Und nie faßt seine Mutter meine Hand, daß mich nicht ein Schauer überläuft und ich denken muß: Wenn sie wüßte! – Sie weiß es nicht und wird nie davon erfahren. Sie lebt von der Hoffnung, seinen Namen da droben an der Marmortafel lesen zu können, was doch nie geschehen wird. Alle paar Jahre muß ich eine neue Eingabe für sie machen, die schreibe ich auf Stempelpapier, falte sie schön zusammen und stecke sie daheim in meinen Ofen. Es hülfe ja doch zu nichts, und die alten Geschichten läßt man besser schlafen. Wir können nur hoffen, daß die Völker endlich zur Vernunft kommen und daß so schreckliche Kriege sich nicht erneuern. Sonst – wie sollte ein Familienvater, der so etwas in seiner Jugend miterlebt hat, je noch eine Nacht ruhig schlafen!

JAKOB WASSERMANN

Der Stationschef

Auf einer unbedeutenden Station zwischen Pisa und Rom, an der Eisenbahnstrecke, die durch die gemiedenen Maremmen führt, lebte ein gewisser Antonio Varga als Amtsvorstand. Er war durch die vorübergehende Protektion eines Priors zu diesem Posten gekommen, und als er ihn einmal innehatte, blieb er dort vergessen. Sein Vater war Türhüter im Vatikan; nicht einer von den strahlenden Schweizern, sondern ein bescheidenerer Würdenträger, obschon hinreichend farbig angetan und stattlich zu betrachten. Wenn der junge Antonio seinen Vater besuchte, ging er voll Ehrfurcht durch die Hallen, blieb aufgeregt vor den Portalen stehen, um vornehme Leute an sich vorüberwandeln zu lassen, und einst wurde er erwischt, als er sich in ein Prunkgemach geschlichen hatte und mit Entzücken den Möbelstoff eines Sessels betastete. Wenn er vor einem Haus eine Karosse warten sah, verweilte er, bis der Herr oder die Dame erschien, und zu allen Tageszeiten trieb er sich in der Nähe der großen Hotels herum, auch vor den Museen und Kirchen, um die Fremden zu betrachten, die er mit erfundenen Namen und Titeln belegte, keineswegs um zu prahlen, denn es gab keinen Menschen, den er jemals eines vertraulichen Wortes würdigte, sondern um sich in eingebildete Beziehungen zu einer Welt zu setzen, nach der er das glühendste Verlangen hegte. Ob es nun die Säle des Vatikans oder die königlichen Gärten oder die nächtlich erleuchteten Fenster eines Palastes am Corso oder die Ringe an der Hand einer schönen Frau oder die Orden auf der Rockbrust eines Generals waren, stets empfand er beim Anblick von Dingen, die an Macht, Herrschaft und Reichtum erinnerten, den Groll eines Menschen, der um den rechtmäßigen Genuß seines Eigentums betrogen wird. Er hatte keinen Freund, an allen Männern stieß ihn die Genügsamkeit und Ergebenheit ab; keine Geliebte, da ihm die Mädchen aus dem Volk durch Tracht und Wesen verächtlich waren und er sich in den verwegensten Träumen gefiel, in denen er nur mit Gräfinnen und Herzoginnen, und zwar in einer grausamen, kalten und stolzen Weise verkehrte. Er hatte die Manie, bunte Stoffe, Hutbänder, Photographieen von Leuten der großen Gesellschaft, ferner Visitenkarten mit erlauchten Namen, Spitzenreste, Stiche aus Modenblättern und einzelne Handschuhe, die er vor einem Ballsaal oder einem Bazar aufgelesen, zu sammeln, und durch diese Schwäche verwandelte er das billige Mietszimmer, das er bewohnte, in eine Schaubude, einen Triumph der Abgeschmacktheit.

Die Sumpföde der Maremmen, wohin er sich im Alter von dreißig Jahren versetzt sah, raubte ihm die Möglichkeit, seine bisherigen Neigungen zu befriedigen, und drängte den ohnehin finstern und reizbaren Mann so tief in sich selbst zurück, daß er auch in seiner dienstfreien Zeit verschmähte, die traurige Wüstenei zu verlassen. Er durchstreifte die menschenleere Gegend, lag stundenlang am Meeresufer und heftete die Blicke, die voll von unerforschlichen Wünschen und Vorsätzen waren, ins Weite hinaus. Abends beschäftigte er sich mit seiner seltsamen Sammlung, breitete die Stücke auf einen Tisch vor sich aus und betrachtete die nichtigen Gegenstände mit der Freude eines Geizhalses, der vor seinen Schätzen und Wertpapieren sitzt.

Es verkehrt auf dieser Bahnlinie ein Luxuszug, der eine Verbindung zwischen Paris und Neapel herstellt und am Morgen nach Süden, am Abend nach Norden fährt. Eines Tages ereignete es sich, daß ein Streckenwärter diesem Zug das Haltesignal gab; sein Weib hatte in der Nacht vorher ein Kind geboren, lag in einem tödlichen Fieber, und da meilenweit im Umkreis keine ärztliche Hilfe zu haben war und der Posten behütet werden mußte, so griff er zu dem verzweifelten Mittel, den Zug zum Stehen zu bringen, weil er hoffte, daß unter den Passagieren ein Arzt sein würde. Aber das Wagnis war umsonst, die Fahrgäste durften nicht gestört werden, der Beunruhigung war ohnehin schon zu viel, und es schien ein Glück, daß der Zugführer eine menschliche Regung verspürte und es dabei bewendet sein ließ, den Vorfall schriftlich an den Stationschef Varga zu melden, wobei er den Wächter, dessen Frau nach einigen Stunden starb, am meisten geschont zu haben wähnte. Dies war ein Irrtum. Antonio Varga raste, und seiner Darstellung wie seiner Forderung bei der Behörde war es zuzuschreiben, daß der Unglückliche binnen kurzer Frist von Haus und Brotstelle gejagt wurde.

Man hatte natürlich angenommen, daß er den Frevel eines pflichtvergessenen Beamten gestraft wissen wollte. Solches konnte er glauben machen, aber der geheime und schreckliche Grund seines Wütens war, daß der Wächter etwas getan, wozu er selbst sich täglich und von Tag zu Tag unwiderstehlicher versucht fühlte. Der Luxuszug hielt nicht bei der kleinen Station; zur vorgezeichneten Minute tauchte er fern in der Ebene auf, die Schienen knatterten, der Boden zitterte, donnernd fuhr er in einem Luftwirbel daher und vorüber, um alsbald im Dunst der Ferne zu verschwinden. Erregender war es am Abend; die gleißend hellen Fenster durchblitzten für die Dauer von fünf Sekunden den einsamen Perron und ließen die Öllampen in den Laternen doppelt jämmerlich erscheinen; schwarze Menschenkörper bewegten sich geisterhaft, träg und schnell zugleich, hinter den Scheiben, und Antonio Varga dachte an Perlenketten und Geschmeide, die sie trugen, an die rauschenden Gewänder in ihren Koffern, an ihre hochmütigen Blicke, ihre gepflegten Hände, an ihre Feste, ihre Liebeleien, ihre Spiele, ihre geschmückten Häuser, und die Erbitterung über diese glänzende und satte Welt, die so unhemmbar an ihm vorüberrollte, ihn so durstig stehen ließ, wuchs mit solcher Gewalt, daß er den Gedanken einer Rache nicht mehr verdrängen konnte. Gepeinigt von seinem düstern Trieb sagte er sich: kann ich nicht zu euch gelangen, will ich euch zu mir zwingen, und wie Knechte und Bettler sollt ihr vor mir liegen. Eines Abends war der Güterzug aus Genua verspätet eingetroffen und mußte, um dem Luxuszug die Fahrt freizugeben, auf ein totes Geleise rangiert werden. Bevor die Verschiebung beendet war, kam der andere Zug in Sicht. Nun sollte das Haltesignal gestellt werden, und da die Hilfsbeamten auf dem Bahnkörper beschäftigt waren, eilte Antonio Varga in das Offizio. Anstatt so schnell zu handeln wie es die Situation gebot, zögerte er am Apparat. Er hob den

Arm und ließ ihn wieder sinken; er ward sich dessen bewußt,
wie viel Leben und Schicksal an der einzigen Bewegung seiner
Hand hing, und eine nie empfundene aber vorgeahnte Lust
erfüllte ihn. Sein Herz klopfte reiner, sein Blut floß kühler, und
als das unheimlich krachende Getöse der aufeinanderstürzen-
den Wagen erschallte, verließ er den Raum, schritt durch die
fliehenden und wehklagenden Bediensteten und stand alsbald
mit verschränkten Armen neben dem ungeheuren Trümmer-
platz. Emporprasselnde Flammen beleuchteten die letzten
Zuckungen derselben Menschen, deren Leben er Jahr um Jahr
mit seinem Haß und seiner vergeblichen Begierde verfolgt hatte.
Während er den Anblick genoß wie ein Feldherr die Ruinen
einer erstürmten Festung und drüben beim Stationshaus Arbeiter und Beamte noch wie gelähmt verharrten, traf eine rührende
Stimme sein Ohr. Den Lauten nachgehend, gewahrte er nach
wenigen Schritten ein Mädchen von außerordentlicher Schönheit, das Gesicht von jener Lieblichkeit des Schnitts und jener
Zartheit der Färbung, wie man es fast nur bei den Engländerinnen findet; ihr Leib war zwischen Metall- und Holzteilen so
eingepreßt, daß der keuchende Atem mit Blut vermischt aus
dem Munde drang und die schönen Augen bald gebrochen sein
mußten. Mit einer Geste trunkener Angst, in einem holden
Wahnsinn des Schmerzes streckte das Mädchen die Arme aus,
als ob es sagen wollte: umfange mich, halte mich, gib mir, was
meine Jugend entbehren mußte; in ihrem Blick war eine Glut,
die die strengen Züge und die adeligen Lippen Lügen strafte
und dem Tode selbst noch ein kurzes Stück Leben abzuringen
schien. Antonio Varga schauderte, und indem er das Haupt der
Sterbenden sanft auf seine Knie bettete, mehr vermochte er zu
ihrer Erleichterung nicht zu tun, ergriff ihn zum erstenmal in
seinem Leben ein Bedürfnis nach dem andern Menschen, nach
Hingabe, eine Ahnung von Liebe. Als das Mädchen tot war, entzog er sich dem Gewühl der um Hilfe und Rettung bemühten
Leute, ging in seine Stube, verfaßte eine Beichte seiner Untat,
ein ziemlich pedantisches Schriftstück, und nachdem er die
Rechnung mit der Menschheit in gewohnter Sorgfalt aufgestellt
hatte, beglich er sie sogleich und erhängte sich. Das macht die
großen Verbrecher am Ende doch klein, daß sie unter ihren
Handlungen zusammenbrechen, nicht bloß, weil sie das irdische
Gericht fürchten, sondern weil ihr Geist zu schwächlich ist, um

das Antlitz einer Wirklichkeit zu ertragen und ihre Seele zu verkümmert, um einer Verantwortung gewachsen zu sein.

HERMANN HESSE

Die Verlobung

In der Hirschengasse gibt es einen bescheidenen Weißwarenladen, der gleich seiner Nachbarschaft noch unberührt von den Veränderungen der neuen Zeit dasteht und hinreichenden Zuspruch hat. Man sagt dort noch beim Abschied zu jedem Kunden, auch wenn er seit zwanzig Jahren regelmäßig kommt, die Worte: »Schenken Sie mir die Ehre ein andermal wieder«, und es gehen dort noch zwei oder drei alte Käuferinnen ab und zu, die ihren Bedarf an Band und Litzen in Ellen verlangen und auch im Ellenmaß bedient werden. Die Bedienung wird von einer ledig gebliebenen Tochter des Hauses und einer angestellten Verkäuferin besorgt, der Besitzer selbst ist von früh bis spät im Laden und stets geschäftig, doch redet er niemals ein Wort. Er kann nun gegen siebzig alt sein, ist von sehr kleiner Statur, hat nette rosige Wangen und einen kurz geschnittenen grauen Bart, auf dem vielleicht längst kahlen Kopfe aber trägt er allezeit eine runde steife Mütze mit stramingestickten Blumen und Mäandern. Er heißt Andreas Ohngelt und gehört zur echten, ehrwürdigen Altbürgerschaft der Stadt.

Dem schweigsamen Kaufmännlein sieht niemand etwas Besonderes an, es sieht sich seit Jahrzehnten gleich und scheint ebensowenig älter zu werden, als jemals jünger gewesen zu sein. Doch war auch Andreas Ohngelt einmal ein Knabe und ein Jüngling, daß er vorzeiten »der kleine Ohngelt« geheißen wurde und eine gewisse Berühmtheit wider Willen genoß. Einmal, vor etwa fünfunddreißig Jahren, hat er sogar eine »Geschichte« erlebt, die früher jedem Gerbersauer geläufig war, wenn sie auch jetzt niemand mehr erzählen und hören will. Das war die Geschichte seiner Verlobung.

Der junge Andreas war schon in der Schule aller Rede und Geselligkeit abgeneigt, er fühlte sich überall überflüssig und von jedermann beobachtet und war ängstlich und bescheiden genug, jedem andern im voraus nachzugeben und das Feld zu räumen.

Vor den Lehrern empfand er einen abgründigen Respekt, vor
den Kameraden eine mit Bewunderung gemischte Furcht. Man
sah ihn nie auf der Gasse und auf den Spielplätzen, nur selten
beim Bad im Fluß, und im Winter zuckte er zusammen und
duckte sich, sobald er einen Knaben eine Handvoll Schnee auf-
heben sah. Dafür spielte er daheim vergnügt und zärtlich mit
den hinterbliebenen Puppen seiner älteren Schwester und mit
einem Kaufladen, auf dessen Waage er Mehl, Salz und Sand
abwog und in kleine Gucken verpackte, um sie später wieder
gegeneinander zu vertauschen, auszuleeren, umzupacken und
wieder zu wägen. Auch half er seiner Mutter gern bei leichter
Hausarbeit, machte Einkäufe für sie oder suchte im Gärtlein
die Schnecken vom Salat.

Seine Schulkameraden plagten und hänselten ihn zwar häufig,
aber da er nie zornig wurde und fast nichts übelnahm, hatte er
im ganzen doch ein leichtes und ziemlich zufriedenes Leben.
Was er an Freundschaft und Gefühl bei seinesgleichen nicht
fand und nicht weggeben durfte, das gab er seinen Puppen. Den
Vater hatte er früh verloren, er war ein Spätling gewesen, und
die Mutter hätte ihn wohl anders gewünscht, ließ ihn aber gewähren und hatte für seine fügsame Anhänglichkeit eine etwas
mitleidige Liebe.

Dieser leidliche Zustand hielt jedoch nur so lange an, bis der
kleine Andreas aus der Schule und aus der Lehre war, die er am
obern Markt im Dierlammschen Geschäft abdiente. Um diese
Zeit, etwa von seinem siebzehnten Jahre an, fing sein nach
Zärtlichkeiten dürstendes Gemüt andere Wege zu gehen an.
Der klein und schüchtern gebliebene Jüngling begann mit
immer größeren Augen nach den Mädchen zu schauen und
errichtete in seinem Herzen einen Altar der Frauenliebe, dessen
Flamme desto höher loderte, je trauriger seine Verliebtheiten
verliefen.

Zum Kennenlernen und Beschauen von Mädchen jeden Alters
war reichliche Gelegenheit vorhanden, denn der junge Ohngelt
war nach Ablauf seiner Lehrzeit in den Weißwarenladen seiner
Tante eingetreten, den er später einmal übernehmen sollte. Da
kamen Kinder, Schulmädchen, junge Fräulein und alte Jung-
fern, Mägde und Frauen tagaus, tagein, kramten in Bändern
und Linnen, wählten Besätze und Stickmuster aus, lobten und
tadelten, feilschten und wollten beraten sein, ohne doch auf

Rat zu hören, kauften und tauschten das Gekaufte wieder um. Alledem wohnte der Jüngling höflich und schüchtern bei, er zog Schubladen heraus, stieg die Bockleiter hinauf und herunter, legte vor und packte wieder ein, notierte Bestellungen und gab über Preise Auskunft, und alle acht Tage war er in eine andere von seinen Kundinnen verliebt. Errötend pries er Litzen und Wolle an, zitternd quittierte er Rechnungen, mit Herzklopfen hielt er die Ladentür und sagte den Spruch vom Wiederbeehren, wenn eine schöne Junge hoffärtig das Geschäft verließ.

Um seinen Schönen recht gefällig und angenehm zu sein, gewöhnte Andreas sich feine und sorgfältige Manieren an. Er frisierte sein hellblondes Haar jeden Morgen sorgfältigst, hielt seine Kleider und Leibwäsche sehr sauber und sah dem allmählichen Erscheinen eines Schnurrbärtchens mit Ungeduld entgegen. Er lernte beim Empfange seiner Kunden elegante Verneigungen machen, lernte beim Vorlegen der Zeuge sich mit dem linken Handrücken auf den Ladentisch stützen und auf nur anderthalb Beinen stehen und brachte es zur Meisterschaft im Lächeln, das er bald vom diskreten Schmunzeln bis zum innig glücklichen Strahlen beherrschte. Außerdem war er stets auf der Jagd nach neuen schönen Phrasen, die zumeist aus Umstandsworten bestanden und deren er immer neue und köstlichere erlernte und erfand. Da er von Hause aus im Sprechen unbeholfen und ängstlich war und schon früher nur selten einen vollkommenen Satz mit Subjekt und Prädikat ausgesprochen hatte, fand er nun in diesem sonderbaren Wortschatz eine Hilfe und gewöhnte sich daran unter Verzicht auf Sinn und Verständlichkeit sich und andern eine Art von Sprechvermögen vorzutäuschen.

Sagte jemand: »Heut ist aber ein Prachtswetter«, so antwortete der kleine Ohngelt: »Gewiß – o ja – denn, mit Verlaub – allerdings –.« Fragte eine Käuferin, ob dieser Leinenstoff auch haltbar sei, so sagte er: »O bitte, ja, ohne Zweifel, sozusagen, ganz gewiß.« Und erkundigte sich jemand nach seinem Befinden, so erwiderte er: »Danke gehorsamst – freilich wohl – sehr angenehm –.« In besonders wichtigen und ehrenvollen Lagen scheute er auch vor Ausdrücken wie »nichtsdestoweniger, aber immerhin, keinesfalls hingegen« nicht zurück. Dabei waren alle seine Glieder vom geneigten Kopf bis zur wippenden Fußspitze

ganz Aufmerksamkeit, Höflichkeit und Ausdruck. Am aus-
drucksvollsten aber sprach sein verhältnismäßig langer Hals,
der mager und sehnig und mit einem erstaunlich großen und
beweglichen Adamsapfel ausgestattet war. Wenn der kleine
schmachtende Ladengehilfe eine seiner Antworten im Stakkato
gab, hatte man den Eindruck, er bestehe zu einem Drittel aus
Kehlkopf.

Die Natur verteilt ihre Gaben nicht ohne Sinn, und wenn der
bedeutende Hals des Ohngelt in einem Mißverhältnis zu dessen Redefähigkeit stehen mochte, so war er als Eigentum und
Wahrzeichen eines leidenschaftlichen Sängers desto berechtig-
ter. Andreas war in hohem Grade ein Freund des Gesanges.
Auch beim wohlgelungensten Komplimente, bei der feinsten
kaufmännischen Gebärde, beim gerührtesten »Immerhin« und
»Wennschon« war ihm vielleicht im Innersten der Seele nicht
so schmelzend wohl wie beim Singen. Dieses Talent war in den
Schulzeiten verborgen geblieben, kam aber nach vollendetem
Stimmbruch zu immer schönerer Entfaltung, wenn auch nur im
geheimen. Denn es hätte zu der ängstlich scheuen Befangenheit
Ohngelts nicht gepaßt, daß er seiner heimlichen Lust und Kunst
anders als in der sichersten Verborgenheit froh geworden
wäre.

Am Abend, wenn er zwischen Mahlzeit und Bettgehen ein
Stündlein in seiner Kammer verweilte, sang er im Dunkeln
seine Lieder und schwelgte in lyrischen Entzückungen. Seine
Stimme war ein ziemlich hoher Tenor, und was ihm an Schu-
lung gebrach, suchte er durch Temperament zu ersetzen. Sein
Auge schwamm in feuchtem Schimmer, sein schön gescheiteltes
Haupt neigte sich rückwärts zum Nacken, und sein Adamsapfel
stieg mit den Tönen auf und nieder. Sein Lieblingslied war
»Wenn die Schwalben heimwärts ziehn«. Bei der Strophe
»Scheiden, ach Scheiden tut weh« hielt er die Töne lang und
zitternd aus und hatte manchmal Tränen in den Augen.

In seiner geschäftlichen Laufbahn kam er mit schnellen Schritten vorwärts. Es hatte der Plan bestanden, ihn noch einige
Jahre nach einer größeren Stadt zu schicken. Nun aber machte
er sich im Geschäft der Tante bald so unentbehrlich, daß diese
ihn nicht mehr fortlassen wollte, und da er später den Laden
erblich übernehmen sollte, war sein äußeres Wohlergehen für
alle Zeiten gesichert. Anders stand es mit der Sehnsucht seines

Herzens. Er war für alle Mädchen seines Alters, namentlich für die hübschen, trotz seiner Blicke und Verbeugungen nichts als eine komische Figur. Der Reihe nach war er in sie alle verliebt, und er hätte jede genommen, die ihm nur einen Schritt entgegen getan hätte. Aber den Schritt tat keine, obwohl er nach und nach seine Sprache um die gebildetsten Phrasen und seine Toilette um die angenehmsten Gegenstände bereicherte.

Eine Ausnahme gab es wohl, allein er bemerkte sie kaum. Das Fräulein Paula Kircher, das Kircherspäule genannt, war immer nett gegen ihn und schien ihn ernst zu nehmen. Sie war freilich weder jung noch hübsch, vielmehr einige Jahre älter als er und ziemlich unscheinbar, sonst aber ein tüchtiges und geachtetes Mädchen aus einer wohlhabenden Handwerkerfamilie. Wenn Andreas sie auf der Straße grüßte, dankte sie nett und ernsthaft, und wenn sie in den Laden kam, war sie freundlich, einfach und bescheiden, machte ihm das Bedienen leicht und nahm seine geschäftsmännischen Aufmerksamkeiten wie bare Münze hin. Daher sah er sie nicht ungern und hatte Vertrauen zu ihr, im übrigen aber war sie ihm recht gleichgültig, und sie gehörte zu der geringen Anzahl lediger Mädchen, für die er außerhalb seines Ladens keinen Gedanken übrig hatte.

Bald setzte er seine Hoffnungen auf feine, neue Schuhe, bald auf ein nettes Halstuch, ganz abgesehen vom Schnurrbart, der allmählich sproßte und den er wie seinen Augapfel pflegte. Endlich kaufte er sich von einem reisenden Handelsmanne auch noch einen Ring aus Gold mit einem großen Opal daran. Damals war er sechsundzwanzig Jahre alt.

Als er aber dreißig wurde und noch immer den Hafen der Ehe nur in sehnsüchtiger Ferne umsegelte, hielten Mutter und Tante es für notwendig, fördernd einzugreifen. Die Tante, die schon recht hoch in den Jahren war, machte den Anfang mit dem Angebot, sie wolle ihm noch zu ihren Lebzeiten das Geschäft abtreten, jedoch nur am Tage seiner Verheiratung mit einer unbescholtenen Gerbersauer Tochter. Dies war denn auch für die Mutter das Signal zum Angriff. Nach manchen Überlegungen kam sie zu dem Befinden, ihr Sohn müsse in einen Verein eintreten, um mehr unter Leute zu kommen und den Umgang mit Frauen zu lernen. Und da sie seine Liebe zur Sangeskunst wohl kannte, dachte sie ihn an dieser Angel zu fangen und legte ihm nahe, sich beim Liederkranz als Mitglied anzumelden.

Trotz seiner Scheu vor Geselligkeit war Andreas in der Hauptsache einverstanden. Doch schlug er statt des Liederkranzes den
Kirchengesangverein vor, weil ihm die ernstere Musik besser
gefalle. Der wahre Grund war aber der, daß dem Kirchengesangverein Margret Dierlamm angehörte. Diese war die Tochter
von Ohngelts früherem Lehrprinzipal, ein sehr hübsches und
fröhliches Mädchen von wenig mehr als zwanzig Jahren, und
in sie war Andreas seit neuestem verliebt, da es schon seit ge-
raumer Zeit keine ledigen Altersgenossinnen mehr für ihn
gab, wenigstens keine hübschen.

Die Mutter hatte gegen den Kirchengesangverein nichts Trifti-
ges einzuwenden. Zwar hatte dieser Verein nicht halb soviel
gesellige Abende und Festlichkeiten wie der Liederkranz, dafür
war aber die Mitgliedschaft hier viel wohlfeiler, und Mädchen
aus guten Häusern, mit denen Andreas bei Proben und Auf-
führungen zusammenkommen würde, gab es auch hier genug.
So ging sie denn ungesäumt mit dem Herrn Sohn zum Vor-
stande, einem greisen Schullehrer, der sie freundlich empfing.

»So, Herr Ohngelt«, sagte er, »Sie wollen bei uns mitsingen?«

»Ja, gewiß, bitte –«

»Haben Sie denn schon früher gesungen?«

»O ja, das heißt, gewissermaßen –«

»Nun, machen wir eine Probe. Singen Sie irgendein Lied, das
Sie auswendig können.«

Ohngelt wurde rot wie ein Knabe und wollte um alles nicht anfangen. Aber der Lehrer bestand darauf und wurde schließlich
fast böse, so daß er am Ende doch sein Bangen überwand und
mit einem resignierten Blick auf die ruhig dasitzende Mutter
sein Leiblied anstimmte. Es riß ihn mit, und er sang den ersten
Vers ohne Stocken.

Der Dirigent winkte, es sei genug. Er war wieder ganz höflich
und sagte, das sei allerdings sehr nett gesungen und man merke, daß es con amore geschehe, allein vielleicht wäre er doch
mehr für weltliche Musik veranlagt, ob er es nicht etwa beim
Liederkranz probieren wolle. Schon wollte Herr Ohngelt eine
verlegene Antwort stammeln, da legte seine Mutter sich für ihn
ins Zeug. Er singe wirklich schön, meinte sie, und sei jetzt nur
ein wenig verlegen gewesen, und es wäre ihr gar so lieb, wenn
er ihn aufnähme, der Liederkranz sei doch etwas ganz anderes
und nicht so fein, und sie gebe auch jedes Jahr für die Kirchen-

bescherung, und kurz, wenn der Herr Lehrer so gut sein wollte, wenigstens für eine Probezeit, man werde ja alsdann schon sehen. Der alte Mann versuchte noch zweimal begütigend davon zu reden, daß das Kirchensingen kein Spaß sei und daß es ohnehin schon so eng hergehe auf dem Orgelpodium, aber die mütterliche Beredsamkeit siegte zuletzt doch. Es war dem bejahrten Dirigenten noch nie vorgekommen, daß ein Mann von über dreißig Jahren sich zum Mitsingen gemeldet und seine Mutter zum Beistand mitgebracht hatte. So ungewohnt und eigentlich unbequem ihm dieser Zuwachs zu seinem Chore war, machte ihm die Sache im stillen doch ein Vergnügen, wenn auch nicht um der Musik willen. Er bestellte Andreas zur nächsten Probe und ließ die beiden lächelnd ziehen.

Am Mittwoch abend fand sich der kleine Ohngelt pünktlich in der Schulstube ein, wo die Proben abgehalten wurden. Man übte einen Choral für das Osterfest. Die allmählich ankommenden Sänger und Sängerinnen begrüßten das neue Mitglied sehr freundlich und hatten alle ein so aufgeräumtes und heiteres Wesen, daß Ohngelt sich selig fühlte. Auch Margret Dierlamm war da, und auch sie nickte dem Neuen mit freundlichem Lächeln zu. Wohl hörte er manchmal hinter sich leise lachen, doch war er ja gewöhnt, ein wenig komisch genommen zu werden, und ließ es sich nicht anfechten. Was ihn hingegen befremdete, war das zurückhaltend ernste Betragen des Kircherspäule, das ebenfalls anwesend war und, wie er bald bemerkte, sogar zu den geschätzteren Sängerinnen gehörte. Sie hatte sonst immer eine wohltuende Freundlichkeit gegen ihn gezeigt, und jetzt war gerade sie merkwürdig kühl und schien beinahe Anstoß daran zu nehmen, daß er hier eingedrungen war. Aber was ging ihn das Kircherspäule an?

Beim Singen verhielt sich Ohngelt überaus vorsichtig. Wohl hatte er von der Schule her noch eine leise Ahnung vom Notenwesen, und manche Takte sang er mit gedämpfter Stimme den andern nach, im ganzen aber fühlte er sich seiner Kunst wenig sicher und hegte bange Zweifel daran, ob das jemals anders werden würde. Der Dirigent, den seine Verlegenheit lächerte und rührte, schonte ihn und sagte beim Abschied sogar: »Es wird mit der Zeit schon gehen, wenn Sie sich dranhalten.« Den ganzen Abend aber hatte Andreas das Vergnügen, in Margrets Nähe sein und sie häufig anschauen zu dürfen. Er dachte daran,

daß bei dem öffentlichen Singen vor und nach dem Gottesdienst
auf der Orgel die Tenöre gerade hinter den Mädchen aufgestellt
waren, und malte sich die Wonne aus, am Osterfest und bei
allen künftigen Anlässen so nahe bei Fräulein Dierlamm zu
stehen und sie ungescheut betrachten zu können. Da fiel ihm
zu seinem Schmerze wieder ein, wie klein und niedrig er gewachsen war und daß er zwischen den andern Sängern stehend
nichts würde sehen können. Mit großer Mühe und vielem
Stottern machte er einem der Mitsinger diese seine künftige
Notlage auf der Orgel klar, natürlich ohne den wahren Grund
seines Kummers zu nennen. Da beruhigte ihn der Kollege
lachend und meinte, er werde ihm schon zu einer ansehnlichen
Aufstellung verhelfen können.
Nach dem Schluß der Probe lief alles davon, kaum daß man
einander grüßte. Einige Herren begleiteten Damen nach Hause,
andere gingen miteinander zu einem Glas Bier. Ohngelt blieb
allein und kläglich auf dem Platze vor dem finsteren Schulhause
stehen, sah den andern und namentlich der Margret beklommen
nach und machte ein enttäuschtes Gesicht, da kam das Kircherspäule an ihm vorbei, und als er den Hut zog, sagte sie: »Gehen
Sie heim? Dann haben wir ja einen Weg und können miteinander gehen.« Dankbar schloß er sich an und lief neben ihr her
durch die feuchten, märzkühlen Gassen heimwärts, ohne mehr
Worte als den Gutenachtgruß mit ihr zu tauschen.
Am nächsten Tag kam Margret Dierlamm in den Laden, und er
durfte sie bedienen. Er faßte jeden Stoff an, als wäre er Seide,
und bewegte den Maßstab wie einen Fiedelbogen, er legte Gefühl und Anmut in jede kleine Dienstleistung, und leise wagte
er zu hoffen, sie würde ein Wort von gestern und vom Verein
und von der Probe sagen. Richtig tat sie das auch. Gerade noch
unter der Türe fragte sie: »Es war mir ganz neu, daß Sie auch
singen, Herr Ohngelt. Singen Sie denn schon lang?« Und während er unter Herzklopfen hervorstieß: »Ja – vielmehr nur so –
mit Verlaub«, entschwand sie leicht nickend in die Gasse.
»Schau, schau!« dachte er bei sich und spann Zukunftsträume,
ja er verwechselte beim Einräumen zum ersten Male in seinem
Leben die halbwollenen Litzen mit den reinwollenen.
Indessen kam die Osterzeit immer näher, und da sowohl am
Karfreitag wie am Ostersonntag der Kirchenchor singen sollte,
gab es mehrmals in der Woche Proben. Ohngelt erschien stets

pünktlich und gab sich alle Mühe, nichts zu verderben, wurde auch von jedermann mit Wohlwollen behandelt. Nur das Kircherspäule schien nicht recht mit ihm zufrieden zu sein, und das war ihm nicht lieb, denn sie war schließlich doch die einzige Dame, zu der er ein volles Vertrauen hatte. Auch fügte es sich regelmäßig, daß er an ihrer Seite nach Hause ging, denn der Margret seine Begleitung anzutragen, war wohl stets sein stiller Wunsch und Entschluß, doch fand er nie den Mut dazu. So ging er denn mit dem Päule. Die ersten Male wurde auf diesem Heimgang kein Wort geredet. Das nächste Mal nahm die Kircher ihn ins Gebet und fragte, warum er nur so wortkarg sei, ob er sie denn fürchte.

»Nein«, stammelte er erschrocken, »das nicht – vielmehr – gewiß nicht – im Gegenteil.«

Sie lachte leise und fragte: »Und wie geht's denn mit dem Singen? Haben Sie Freude dran?«

»Freilich ja – sehr – jawohl.«

Sie schüttelte den Kopf und sagte leiser: »Kann man denn mit Ihnen wirklich nicht reden, Herr Ohngelt? Sie drücken sich auch um jede Antwort herum.«

Er sah sie hilflos an und stotterte.

»Ich meine es doch gut«, fuhr sie fort. »Glauben Sie das nicht?«

Er nickte heftig.

»Also denn! Können Sie denn gar nichts reden als wieso und immerhin und mit Verlaub und dergleichen Zeug?«

»Ja, schon, ich kann schon, obwohl – allerdings.«

»Ja obwohl und allerdings. Sagen Sie, am Abend mit Ihrer Frau Mutter und mit der Tante reden Sie doch auch deutsch, oder nicht? Dann tun Sie's doch auch mit mir und mit andern Leuten. Man könnte dann doch ein vernünftiges Gespräch führen. Wollen Sie nicht?«

»Doch ja, ich will schon – gewiß –«

»Also gut, das ist gescheit von Ihnen. Jetzt kann ich doch mit Ihnen reden. Ich hätte nämlich einiges zu sagen.«

Und nun sprach sie mit ihm, wie er es nicht gewöhnt war. Sie fragte, was er denn im Kirchengesangverein suche, wenn er doch nicht singen könne und wo fast nur Jüngere als er seien. Und ob er nicht merke, daß man sich dort manchmal über ihn lustig mache und mehr von der Art. Aber je mehr der Inhalt

ihrer Rede ihn demütigte, desto eindringlicher empfand er die
gütige und wohlmeinende Art ihres Zuredens. Etwas weinerlich
schwankte er zwischen kühler Ablehnung und gerührter Dankbarkeit. Da waren sie schon vor dem Kircherschen Hause. Paula
gab ihm die Hand und sagte ernsthaft:
»Gute Nacht, Herr Ohngelt, und nichts für ungut. Nächstes Mal
reden wir weiter, gelt?«
Verwirrt ging er heim, und so weh ihm war, wenn er an ihre
Enthüllungen dachte, so neu und tröstlich war es ihm, daß jemand so freundschaftlich und ernst und wohlgesinnt mit ihm
gesprochen hatte.
Auf dem Heimweg von der nächsten Probe gelang es ihm schon,
in ziemlich deutscher Sprache zu reden, etwa wie daheim mit
der Mutter, und mit dem Gelingen stieg sein Mut und sein
Vertrauen. Am folgenden Abend war er schon so weit, daß er
ein Bekenntnis abzulegen versuchte, er war sogar halb entschlossen, die Dierlamm mit Namen zu nennen, denn er versprach sich Unmögliches von Päules Mitwisserschaft und Hilfe.
Aber sie ließ ihn nicht dazu kommen. Sie schnitt seine Geständnisse plötzlich ab und sagte: »Sie wollen heiraten, nicht wahr?
Das ist auch das Gescheiteste, was Sie tun können. Das Alter
haben Sie ja.«
»Das Alter, ja das schon«, sagte er traurig. Aber sie lachte nur,
und er ging ungetröstet heim. Das nächste Mal kam er wieder
auf diese Angelegenheit zu sprechen. Das Päule entgegnete
bloß, er müsse ja wissen, wen er haben wolle; gewiß sei nur,
daß die Rolle, die er im Gesangverein spiele, ihm nicht förder-
lich sein könnte, denn junge Mädchen nähmen schließlich bei
einem Liebhaber alles lieber in den Kauf als Lächerlichkeit.
Die Seelenqualen, in welche ihn diese Worte versetzt hatten,
wichen endlich der Aufregung und den Vorbereitungen zum
Karfreitag, an welchem Ohngelt zum erstenmal im Chor auf
der Orgeltribüne sich zeigen sollte. Er kleidete sich an diesem
Morgen mit besonderer Sorgfalt an und kam mit gewichstem
Zylinder frühzeitig in die Kirche. Nachdem ihm sein Platz angewiesen worden war, wandte er sich nochmals an jenen Kollegen, der ihm bei der Aufstellung behilflich zu sein versprochen
hatte. Wirklich schien dieser die Sache nicht vergessen zu haben, er winkte dem Orgeltreter, und dieser brachte schmunzelnd ein kleines Kistlein, das wurde an Ohngelts Stehplatz

hingesetzt und der kleine Mann daraufgestellt, so daß er nun im Sehen und Gesehenwerden dieselben Vorteile genoß wie die längsten Tenöre. Nur war das Stehen auf diese Art mühevoll und gefährlich, er mußte sich genau im Gleichgewicht halten und vergoß manchen Tropfen Schweiß bei dem Gedanken, er könnte umfallen und mit gebrochenen Beinen unter die an der Brüstung postierten Mädchen hinabstürzen, denn der Orgelvorbau neigte sich in schmalen, stark abfallenden Terrassen niederwärts gegen das Kirchenschiff. Dafür hatte er aber das Vergnügen, der schönen Margret Dierlamm aus beklemmender Nähe in den Nacken schauen zu können. Da der Gesang und der ganze Gottesdienst vorüber war, fühlte er sich erschöpft und atmete tief auf, als die Türen geöffnet und die Glocken gezogen wurden.

Tags darauf warf ihm das Kircherspäule vor, sein künstlich erhobener Standpunkt sehe recht hochmütig aus und mache ihn lächerlich. Er versprach, sich späterhin seines kurzen Leibes nicht mehr zu schämen, doch wollte er morgen am Osterfeste ein letztesmal das Kistlein benutzen, schon um den Herrn, der es ihm angeboten, nicht zu beleidigen. Sie wagte nicht zu sagen, ob er denn nicht sehe, daß jener die Kiste nur hergebracht habe, um sich einen Spaß mit ihm zu machen. Kopfschüttelnd ließ sie ihn gewähren und war über seine Dummheit so ärgerlich wie über seine Arglosigkeit gerührt.

Am Ostersonntage ging es im Kirchenchor noch um einen Grad feierlicher zu als neulich. Es wurde eine schwierige Musik aufgeführt, und Ohngelt balancierte tapfer auf seinem Gerüste. Gegen den Schluß des Chorals hin nahm er jedoch mit Entsetzen wahr, daß sein Standörtlein unter seinen Sohlen zu wanken und unfest zu werden begann. Er konnte nichts tun, als stillhalten und womöglich den Sturz über die Terrasse vermeiden. Dieses gelang ihm auch, und statt eines Skandals und Unglücks ereignete sich nichts, als daß der Tenor Ohngelt unter leisem Krachen sich langsam verkürzte und mit angsterfülltem Gesicht abwärtssinkend aus der Sichtbarkeit verschwand. Der Dirigent, das Kirchenschiff, die Emporen und der schöne Nacken der blonden Margret gingen nacheinander seinem Blick verloren, doch kam er heil zu Boden, und in der Kirche hatte außer den grinsenden Sangesbrüdern nur ein Teil der nahesitzenden männlichen Schuljugend den Vorgang wahrgenommen. Über die Stätte seiner Erniedrigung hinweg jubilierte und frohlockte der kunstreiche Osterchoral.

Als unterm Kehraus des Organisten das Volk die Kirche verließ, blieb der Verein auf seiner Tribüne noch auf ein paar Worte beieinander, denn morgen, am Ostermontag, sollte wie jedes Jahr ein festlicher Vereinsausflug unternommen werden. Auf diesen Ausflug hatte Andreas Ohngelt von Anfang an große Erwartungen gestellt. Er fand jetzt sogar den Mut, Fräulein Dierlamm zu fragen, ob sie auch mitzukommen gedenke, und die Frage kam ohne viel Anstoß über seine Lippen.

»Ja, gewiß gehe ich mit«, sagte das schöne Mädchen mit Ruhe, und dann fügte sie hinzu: »Übrigens, haben Sie sich vorher nicht weh getan?« Dabei stieß sie das verhaltene Lachen so, daß sie auf keine Antwort mehr wartete und davonlief. In demselben Augenblick schaute das Päule herüber, mit einem mitleidigen und ernsthaften Blick, der Ohngelts Verwirrung noch steigerte. Sein flüchtig aufgeloderter Mut war nicht minder eilig wieder umgeschlagen, und wenn er von dem Ausflug nicht schon mit seiner Mama geredet und diese nicht schon zum Mitgehen aufgefordert gehabt hätte, so wäre er jetzt am liebsten vom Ausflug, vom Verein und von allen seinen Hoffnungen zurückgetreten.

Der Ostermontag war blau und sonnig, und um zwei Uhr kamen fast alle Mitglieder des Gesangvereins mit mancherlei Gästen und Verwandten oberhalb der Stadt in der Lärchenallee zusammen. Ohngelt brachte seine Mutter mit. Er hatte ihr am vergangenen Abend gestanden, daß er in Margret verliebt sei und zwar wenig Hoffnungen hege, dem mütterlichen Beistande aber und dem Ausflugsnachmittage doch noch einiges zutraue. So sehr sie ihrem Kleinen das Beste gönnte, so schien ihr doch Margret zu jung und zu hübsch für ihn zu sein. Man konnte es ja versuchen; die Hauptsache war, daß Andreas bald eine Frau bekam, schon des Ladens wegen.

Man rückte ohne Gesang aus, denn der Waldweg ging ziemlich steil und beschwerlich bergauf. Frau Ohngelt fand trotzdem Sammlung und Atem genug, um erstlich ihrem Sohn die letzten Verhaltungsmaßregeln für die kommenden Stunden einzuschärfen und hernach ein aufgeräumtes Gespräch mit Frau Dierlamm anzufangen. Margrets Mutter bekam, während sie Mühe hatte, im Bergansteigen Luft für die notwendigsten Antworten zu erübrigen, eine Reihe angenehmer und interessanter Dinge zu hören. Frau Ohngelt begann mit dem prächtigen Wetter, ging von da zu einer Würdigung der Kirchenmusik, einem Lob für Frau Dierlamms rüstiges Aussehen und einem Entzücken über das Frühlingskleid der Margret über, sie verweilte bei Angelegenheiten der Toilette und gab schließlich eine Darstellung von dem erstaunlichen Aufschwung, den der Weißwarenladen ihrer Schwägerin in den letzten Jahren genommen habe. Frau Dierlamm konnte auf dieses hin nicht anders, als auch des jungen Ohngelt lobend zu erwähnen, der so viel Geschmack und kaufmännische Fähigkeiten zeige, was ihr Mann schon vor manchen Jahren während Andreas' Lehrzeit bemerkt und anerkannt habe. Auf diese Schmeichelei antwortete die entzückte Mutter mit einem halben Seufzer. Freilich, der Andreas sei tüchtig und werde es noch weit bringen, auch sei der prächtige Laden schon so gut wie sein Eigentum, ein Jammer aber sei es mit seiner Schüchternheit gegen die Frauenzimmer. Seinerseits fehle es weder an Lust noch an den wünschenswerten Tugenden für das Heiraten, wohl aber an Zutrauen und Unternehmungsmut.

Frau Dierlamm begann nun die besorgte Mutter zu trösten, und wenn sie dabei auch weit davon entfernt war, an ihre Tochter zu denken, versicherte sie doch, daß eine Verbindung mit Andreas für jede ledige Tochter der Stadt nur willkommen sein könnte. Diese Worte sog die Ohngelt wie Honig ein.

Unterdessen war Margret mit anderen jungen Leuten der Gesellschaft weit vorangeeilt, und diesem kleinen Kreise der Jüngsten und Lustigsten schloß sich auch Ohngelt an, obwohl er alle Not hatte, mit seinen kurzen Beinen nachzukommen.

Wieder waren alle ausnehmend freundlich gegen ihn, denn für diese Spaßvögel war der ängstliche Kleine mit seinen verliebten Augen ein gefundenes Fressen. Auch die hübsche Margret tat mit und zog den Anbeter je und je mit scheinbarem Ernste ins Gespräch, so daß er vor glücklicher Erregung und verschluckten Satzteilen ganz heiß wurde.

Allein das Vergnügen dauerte nicht lange. Allmählich merkte der arme Teufel doch, daß er hinterrücks ausgelacht wurde, und wenn er sich auch darein zu schicken wußte, so ward er doch niedergeschlagen und ließ die Hoffnung wieder sinken. Äußerlich ließ er sich jedoch möglichst wenig anmerken. Die Ausgelassenheit der jungen Leute stieg mit jeder Viertelstunde, und er lachte angestrengt desto lauter mit, je deutlicher er alle Witze und Andeutungen als auf ihn selber gemünzt erkannte. Schließlich endete der Keckste von den Jungen, ein baumlanger Apothekergehilfe, die Neckereien durch einen recht groben Scherz.

Man kam gerade an einer schönen alten Eiche vorüber, und der Apotheker bot sich an, zu versuchen, ob er den untersten Ast des hohen Baumes mit den Händen erreichen könne. Er stellte sich auf und sprang mehrmals in die Höhe, aber es reichte nicht ganz, und die im Halbkreise umherstehenden Zuschauer begannen ihn auszulachen. Da kam er auf den Einfall, sich durch einen Witz wieder in Ehren und einen andern an die Stelle des Ausgelachten zu bringen. Plötzlich griff er den kleinen Ohngelt um den Leib, hob ihn in die Höhe und forderte ihn auf, den Ast zu fassen und sich daran zu halten. Der Überraschte war empört und wäre gewiß nicht darauf eingegangen, hätte er nicht in seiner schwebenden Lage Furcht vor einem Sturze gehabt. So packte er denn zu und klammerte sich an; sobald sein Träger dies aber bemerkte, ließ er ihn los, und Ohngelt hing nun unter dem Gelächter der Jugend hilflos hoch am Aste, mit den Beinen zappelnd und zornige Schreie ausstoßend.

»Herunter!« schrie er heftig. »Nehmen Sie mich sofort wieder herunter, Sie!«

Seine Stimme überschlug sich, er fühlte sich vollkommen vernichtet und ewiger Schande preisgegeben. Der Apotheker aber meinte, nun müsse er sich loskaufen, und alle jubelten Beifall.

»Sie müssen sich loskaufen«, rief auch Margret Dierlamm.

Da konnte er doch nicht widerstehen.

»Ja, ja«, rief er, »aber schnell!«

Sein Peiniger hielt nun eine kleine Rede des Inhalts, daß Herr Ohngelt schon seit drei Wochen Mitglied des Kirchengesangvereins wäre, ohne daß jemand ihn habe singen hören. Nun könne er nicht eher aus seiner hohen und gefährlichen Lage befreit werden, als bis er der Versammlung ein Lied vorgesungen habe.

Kaum hatte er gesprochen, so begann Andreas auch schon zu singen, denn er fühlte sich von seinen Kräften verlassen. Halb schluchzend fing er an: »Gedenkst du noch der Stunde« – und war noch nicht mit der ersten Strophe fertig, so mußte er loslassen und stürzte mit einem Schrei herab. Alle waren nun doch erschrocken, und wenn er ein Bein gebrochen hätte, wäre er gewiß eines reumütigen Mitleids sicher gewesen. Aber er stand zwar blaß, doch unversehrt wieder auf, griff nach seinem Hute, der neben ihm im Moose lag, setzte ihn sorgfältig wieder auf und ging schweigend davon – denselben Weg zurück, den sie gekommen waren. Hinter der nächsten Wegbiegung setzte er sich am Straßenrande nieder und suchte sich zu erholen.

Hier fand ihn der Apotheker, der ihm mit schlechtem Gewissen nachgeschlichen war. Er bat um Verzeihung, ohne eine Antwort zu erhalten.

»Es tut mir wirklich sehr leid«, sagte er nochmals bittend, »ich hatte gewiß nichts Böses im Sinn. Bitte verzeihen Sie mir, und kommen Sie wieder mit!«

»Es ist schon gut«, sagte Ohngelt und winkte ab, und der andere ging unbefriedigt davon.

Wenig später kam der zweite Teil der Gesellschaft mit den älteren Leuten und den beiden Müttern dabei langsam angerückt. Ohngelt ging zu seiner Mutter hin und sagte:

»Ich will heim.«

»Heim? Ja warum denn? Ist was passiert?«

»Nein. Aber es hat doch keinen Wert, ich weiß es jetzt gewiß.«

»So? Hast du einen Korb gekriegt?«

»Nein. Aber ich weiß doch –«

Sie unterbrach ihn und zog ihn mit.

»Jetzt keine Faxen! Du kommst mit, und es wird schon recht werden. Beim Kaffee setz' ich dich neben die Margret, paß auf.«

Er schüttelte bekümmert den Kopf, gehorchte aber und ging mit. Das Kircherspäule versuchte eine Unterhaltung mit ihm anzufangen und mußte es wieder aufgeben, denn er blickte schweigend geradeaus und hatte ein gereiztes und verbittertes Gesicht, wie es niemand an ihm je gesehen hatte.

Nach einer halben Stunde erreichte die Gesellschaft das Ziel des Ausflugs, ein kleines Walddorf, dessen Wirtshaus durch seinen guten Kaffee bekannt war und in dessen Nähe die Ruinen einer Raubritterburg lagen. Im Wirtsgarten war die schon länger angekommene Jugend lebhaften Spielen hingegeben. Jetzt wurden Tische aus dem Hause gebracht und zusammengerückt, die

jungen Leute trugen Stühle und Bänke herbei; frisches Tisch-
zeug wurde aufgelegt und die Tafeln mit Tassen, Kannen, Tel-
lern und Backwerk bestellt. Frau Ohngelt gelang es richtig,
ihren Sohn an Margrets Seite zu bringen. Er aber nahm seines
Vorteils nicht wahr, sondern dämmerte im Gefühl seines Unglücks trostlos vor sich hin, rührte gedankenlos mit dem Löffel
im erkaltenden Kaffee und schwieg hartnäckig trotz allen Blik-
ken, die seine Mutter ihm sandte.

Nach der zweiten Tasse beschlossen die Anführer der Jungen,
einen Gang nach der Burgruine zu tun und dort Spiele zu machen. Lärmend erhob sich die Jungmannschaft samt den Mädchen. Auch Margret Dierlamm stand auf, und im Aufstehen
übergab sie dem mutlos verharrenden Ohngelt ihr hübsches
perlengesticktes Handtäschlein mit den Worten:

»Bitte bewahren Sie mir das gut, Herr Ohngelt, wir gehen zum
Spielen.« Er nickte und nahm das Ding zu sich. Die grausame
Selbstverständlichkeit, mit der sie annahm, er werde bei den
Alten bleiben und sich nicht an den Spielen beteiligen, wunderte ihn nicht mehr. Ihn wunderte nur noch, daß er das alles nicht
von Anfang an bemerkt hatte, die merkwürdige Freundlichkeit
bei den Proben, die Geschichte mit dem Kistlein und alles
andere.

Als die jungen Leute gegangen waren und die Zurückgebliebenen weiter Kaffee tranken und Gespräche spannen, verschwand
Ohngelt unvermerkt von seinem Platz und ging hinterm Garten
übers Feld dem Walde zu. Die hübsche Tasche, die er in der
Hand trug, glitzerte freudig im Sonnenlicht. Vor einem frischen
Baumstrunk machte er halt. Er zog sein Taschentuch heraus,
breitete es über das noch lichte, feuchte Holz und setzte sich
darauf. Dann stützte er den Kopf in die Hände und brütete über
traurigen Gedanken, und als sein Blick wieder auf die bunte
Tasche fiel und als zugleich mit einem Windzug die Schreie und
Freudenrufe der Gesellschaft herüberklangen, neigte er den
schweren Kopf tiefer und begann lautlos und kindlich zu
weinen.

Wohl eine Stunde lang blieb er so sitzen. Seine Augen waren
wieder trocken und seine Erregung verflogen, aber das Traurige
seines Zustandes und die Hoffnungslosigkeit seiner Bestrebun-
gen waren ihm jetzt noch klarer als zuvor. Da hörte er einen
leichten Schritt sich nähern, ein Kleid rauschen, und ehe er von

seinem Sitze aufspringen konnte, stand die Paula Kircher neben ihm.

»Ganz allein?« fragte sie scherzend. Und da er nicht antwortete und sie ihn genauer anschaute, wurde sie plötzlich ernst und fragte mit frauenhafter Güte: »Wo fehlt es denn? Ist Ihnen ein Unglück geschehen?«

»Nein«, sagte Ohngelt leise und ohne nach Phrasen zu suchen. »Nein. Ich habe nur eingesehen, daß ich nicht unter die Leute passe. Und daß ich ihr Hanswurst gewesen bin.«

»Nun, so schlimm wird es nicht sein –«

»Doch, gerade so. Ihr Hanswurst bin ich gewesen, und besonders noch den Mädchen ihrer. Weil ich gutmütig gewesen bin und es redlich gemeint habe. Sie haben recht gehabt, ich hätte nicht in den Verein gehen sollen.«

»Sie können ja wieder austreten, und dann ist alles gut.«

»Austreten kann ich schon, und ich tu' es lieber heut als morgen. Aber damit ist noch lange nicht alles gut.«

»Warum denn nicht?«

»Weil ich zum Spott für sie geworden bin. Und weil jetzt vollends keine mehr –«

Das Schluchzen übernahm ihn beinahe. Sie fragte freundlich: »– und weil jetzt keine mehr –?«

Mit zitternder Stimme fuhr er fort: »Weil jetzt vollends kein Mädchen mehr mich achtet und mich ernst nehmen will.«

»Herr Ohngelt«, sagte das Päule langsam, »sind Sie jetzt nicht ungerecht? Oder meinen Sie, ich achte Sie nicht und nehme Sie nicht ernst?«

»Ja, das wohl. Ich glaube schon, daß Sie mich noch achten. Aber das ist es nicht.«

»Ja, was ist es denn?«

»Ach Gott, ich sollte gar nicht davon reden. Aber ich werde ganz irr, wenn ich denke, daß jeder andere es besser hat als ich, und ich bin doch auch ein Mensch, nicht? Aber mich – mich will – mich will keine heiraten!«

Es entstand eine längere Pause. Dann fing das Päule wieder an:

»Ja, haben Sie denn schon die eine oder andre gefragt, ob sie will oder nicht?«

»Gefragt! Nein, das nicht. Zu was auch? Ich weiß ja vorher, daß keine will.«

»Dann verlangen Sie also, daß die Mädchen zu Ihnen kommen und sagen: Ach Herr Ohngelt, verzeihen Sie, aber ich möchte so schrecklich gern haben, daß Sie mich heiraten! Ja, auf das werden Sie freilich noch lang warten können.«

»Das weiß ich wohl«, seufzte Andreas. »Sie wissen schon, wie ich's meine, Fräulein Päule. Wenn ich wüßte, daß eine es gut mit mir meint und mich ein wenig gut leiden könnte, dann –«

»Dann würden Sie vielleicht so gnädig sein und ihr zublinzeln oder mit dem Zeigefinger winken! Lieber Gott, Sie sind – Sie sind –«

Damit lief sie davon, aber nicht etwa mit einem Gelächter, sondern mit Tränen in den Augen. Ohngelt konnte das nicht sehen, doch hatte er etwas Sonderbares in ihrer Stimme und in ihrem Davonlaufen bemerkt, darum rannte er ihr nach, und als er bei ihr war und beide keine Worte fanden, hielten sie sich plötzlich umarmt und gaben sich einen Kuß. Da war der kleine Ohngelt verlobt.

Als er mit seiner Braut verschämt und doch tapfer Arm in Arm in den Wirtsgarten zurückkehrte, war alles schon zum Aufbruch bereit und hatte nur noch auf die zwei gewartet. In dem allgemeinen Tumult, Erstaunen, Kopfschütteln und Glückwünschen trat die schöne Margret vor Ohngelt und fragte: »Ja, wo haben Sie denn meine Handtasche gelassen?«

Bestürzt gab der Bräutigam Auskunft und eilte in den Wald zurück, und das Päule lief mit. An der Stelle, wo er so lang gesessen und geweint hatte, lag im braunen Laube der schimmernde Beutel, und die Braut sagte: »Es ist gut, daß wir noch einmal herüber sind. Da liegt ja auch noch dein Sacktuch.«

ROBERT MUSIL
Das verzauberte Haus

»Sie hätte mich damals ja beinahe vergiftet«, beteuerte der Oberleutnant Demeter Nagy, sooft er später von seinem Abenteuer in dem verzauberten Hause erzählte. Es ereignete sich, als er während einer winterlichen Truppenkonzentrierung durch mehrere Wochen auf dem alten Stadtbesitz der gräflichen Familie einquartiert war, und begann damit, daß er am Tage vor einer kurzdauernden Abkommandierung – kopfschüttelnd, weil er ihn nicht verstand, – den Schluß eines Gespräches mitanhören mußte, der vom Nebenzimmer mit den fühlbar durch eine Erregung verstärkten Stimmen zweier Menschen zu ihm herübergetragen wurde. Es kam erst ein Nein, ganz leise und trotzdem sich merkwürdig aus dem Vorherigen herauslösend und durch das Haus gehoben, dann sprach ein Mann etwas, das er nicht recht hören konnte, und von da ab vernahm er mit voller Deutlichkeit jedes Wort.

Eine tiefe, von der Leidenschaft in die Höhe getriebene und oben zerfallende Frauenstimme rief: »Lassen Sie mich, ich kann nicht! ich kann nicht!!« und die Worte brachen zackig wie mürbes Mauerwerk von ihr ab. Dann hörte Demeter wieder den Mann sprechen: »Trotzdem, Sie lieben mich! denn Ihr ganzes Wesen ist von dem meinen ergriffen, es hat keinen Gedanken, hinter dem nicht ich wäre, Ihr Leben begann erst mit dem meinen wieder. Täuschen Sie sich nicht... Das ist Liebe; sagen Sie ... Sie lieben mich...?« Und die Stimme der Frau antwortete stiller, aber sie stieg wieder während der Worte an und zerriß: »Ich? oh ... vielleicht, das heißt nein, ... nein ich weiß nicht.« Und Demeter hörte noch einmal den Mann sprechen: »So hören Sie, Viktoria, wenn Sie sich weigern, reise ich heute ab, morgen habe ich mein Leben weggeworfen, wenn Sie sich weigern. Sie wissen, wie dies in dem letzten Jahr nur mehr an Ihnen hing. Ich weiß, daß Sie mich lieben, morgen werden vielleicht auch Sie es wissen: ich frage Sie noch einmal, können Sie?« – Darauf trat eine kleine Stille ein und dann hörte Demeter »nein!« sagen und »nein!!« – zweimal wie mit der Peitsche oder wie ein besinnungsloses Sichfestklammern – und dann noch einmal nein, – leiser, zusammengesunken und wie ein Schmerz über Wehtun.

Demeter Nagy pfiff, als er nichts mehr hörte, halblaut durch die Zähne, wie er dies in schwierigen Situationen seit seiner Knabenzeit zu tun pflegte, in deren Geschichten zwischen Indianern und Pfadfindern ihm dieses Zeichen tapferer Kaltblütigkeit zum erstenmal erstrebenswert erschienen war, dann klappte er mit den Absätzen zusammen, zog seinen Schnurrbart in die Höhe, schüttelte abermals den Kopf und lächelte. Es ging ihm, wie es auch andern geht, wenn sie plötzlich zwei Seelen mit blutigen Eingeweiden ineinander verschlungen sehen. Denn mag es sich

um ein letztes Auseinanderreißen handeln oder um ein erstes
Sichineinanderstürzen, um ein belauschtes Liebespaar oder um
eines sterbenden Menschen schamlos vergessenes sich Stemmen
und Klemmen: keiner weiß warum, aber man liebt nicht, daran
erinnert zu werden, daß die äußersten Heimlichkeiten des Leides und der Lust, die man als die tiefsten Erregungen des eigenen Wesens ahnt, den einen ohne Unterschied gegen den anderen treffen; man fühlt das wie einen Eingriff, wie ein Zunahe-
kommen, man rückt ab, man sucht unwillkürlich das gestörte
Gleichgewicht wiederzugewinnen und statt Mitgefühl zu empfinden wird man von einem ruchlosen Trieb der Notwehr gedrängt, das Gesehene als widerwärtig oder lächerlich zu fühlen.
Auch Demeter war im Augenblick nach der ersten Überraschung
versucht, den belauschten Auftritt unterhaltlich zu finden. Ruhig packte er seine Sachen weiter in die kleine Reisetasche,
allmählich wurde er aber dabei nachdenklicher und nachdenklicher und endlich stand er eine Weile ganz still, voll Erstaunen
und mit der Spannung eines Tiers, das eine Witterung bekommen hat. »Viktoria? Ja wie kam dieses Mädchen dazu?« Und
Demeter überlegte.
Aber immer wieder stieß er auf dieses Unpersönliche, das ihn
nicht verstehen ließ, wie ein solcher Mensch zum Mittelpunkt
eines leidenschaftlichen Ereignisses werden konnte. Es war etwas längst Verflackertes, wie der Duft verlöschter Kerzen um
sie, etwas Umgangenes wie jene Salons, die reglos unter Leinen-
bezügen und hinter geschlossenen Vorhängen schlafen. Er konnte sich eine solche Frau in leidenschaftlicher Bewegung nicht
vorstellen oder es mußte etwas Dahingewehtes sein, eine ruhelose Zärtlichkeit, etwas gespenstisch Erwachtes, das wie ein
demütig haftender Schatten den Füßen des Geliebten folgt. Und
wenn Demeter in einer Liebe auch diesen Geschmack der Über-
reife und schon mit dem Anfang beginnender Vernichtung zu
schätzen wußte, es galt ihm das doch als etwas, das man heimlich wie eine üble Anwandlung befriedigt, und er vermochte
sich nicht vorzustellen, wie man es bis zum Selbstmord ernst
nehmen könne.
Trotzdem ahnte – vielleicht durch den Eindruck des ganzen
Hauses verstärkt – selbst er etwas von der eigenartigen Schönheit Viktorias, das ihm Zurückhaltung aufzwang. Als er gekommen war, wäre er beinahe nicht eingelassen worden. Die

alte Dame, Viktorias Tante, wollte durchaus nicht oder sie hätte wenigstens gern eine Exzellenz gehabt und nur als der Bürgermeister selbst sie zu bitten kam und persönlich seine Gründe anführte, gab sie nach, und Demeter wurde, noch immer ein wenig übel, im Hause aufgenommen. Sein Bursche bekam durch einen alten Diener, was er brauchte, sonst sah er niemanden, und Demeter selbst hatte man in der kleinen nie benützten Bibliothek einquartiert, die neben den Empfangszimmern lag; dort standen seine Reiterstiefel auf dem alten glänzenden Parkett, zwischen den zierlichen Füßen eines Empiretischleins, auf dem über ihrer schweren, ritterlichen Wucht eine goldene Standuhr leise und unaufhörlich pendelte. Und etwas von diesem Polternden, Knarrenden, von einem Gefühl wie ein grob hineingetriebener Keil wurde auch Demeter nicht los, seit er in diesem Hause war. Wenn er noch so vorsichtig ging, dröhnten in dem schweigenden Gebäude die Dielen und Stiegen, und die Türen lärmten in seiner Hand. Er erschrak häufig über sich selbst und verlor zuweilen fast seine Sicherheit. Die alte Dame zwar fürchtete er nicht zu stören, sie lebte abseits in dem Flügel des Hauses, der nach dem Garten zu stand, und er sah sie niemals, aber Viktoria begegnete er öfters. Er hatte dann immer den Eindruck, daß sie wie lautlos vor ihm aus dem Dunkel auftauchte, und daß es sich hinter ihr ganz sonderbar ohne Bewegung wieder zusammenschloß. Und Demeter blieb manchmal stehen und empfand etwas wie Scheu und war nicht mehr sicher, ob sein Urteil, daß es sich hier bloß um das stille, machtlose Welken eines alternden Mädchens handle, auch richtig sei. Ja es ereignete sich, daß er etwas wie eine machtvolle, ungewöhnliche Sinnlichkeit gleich einer fremden Krankheit an sich vorbeistreifen fühlte. Viktoria war hoch gewachsen und hatte eine breite, ein wenig flache Brust, über ihrer niedrigen, wölbungslosen Stirn waren die Haare dicht zusammengeschlossen, ihr Mund war groß und wollüstig und ein leichter Flaum schwarzer Haare bedeckte ihre Arme. Wenn sie ging, hielt sie den Kopf gesenkt, wie wenn der feine Hals ihn nicht tragen könnte, ohne sich zu biegen, und den Leib drückte sie ein wenig hervor. Es war eine eigentümliche, fast schamlos gleichgültige Sanftmut in ihrer Art zu gehen und eben so sanft und leise übersah sie den Offizier und dankte seinem Gruße, wie wenn er etwas sehr Fernes wäre.

»...Ob sie nicht doch eine Heimlichtuerin ist«, schloß Demeter ärgerlich und fast ein wenig eingeschüchtert sein Nachdenken und warf mit einem mißmutigen Ruck seine Reisetasche zu. – – – –

Viktoria hatte indessen den Scheidenden ein Stück seines Weges zurückbegleitet. Etwas Undurchsichtiges, das bisher wie ein dunkler Nebel auf ihrem Leben gelastet hatte, war in Bewegung geraten und Formen unbekannter Glieder drückten sich wie in einem Schleier ab und verschwanden wieder. Dinge, die sie noch nie gesehen hatte, geschahen. Ihr Leben, das bisher wie ein schmaler, trüber Weg gewesen war, hatte sich plötzlich in die weite Pracht eines Gartens verwandelt. Alles, was sie tat, geschah, wie wenn es gleich schweren, kostbaren Gewändern an ihr herabfiele, an ihren Bewegungen hing das Spiel edler goldener Ketten, – oder alles, was sie tat, geschah wie durch einen weiten Ausblick gesehen; es war von jenem leise mitschwingenden Verständnis begleitet, das die Handlungen auf einer Bühne zusammendrängt und wie zu Zeichen eines im flachen Kieselgeflecht des Bodens sonst unsichtbaren Weges auftürmt. Aber alles war noch Ahnung. Nichts noch hob so sein Gesicht hervor, daß die Finger es halten konnten, alles wich noch zwischen den leise tastenden Händen aus. Es war bloß nicht mehr jene schwarze, klebrige Masse, die stumpf und häßlich alle Formen verwischt hatte, es lag nur mehr wie eine ganz dünne, seidene Maske über der Welt, hell und silbergrau und bewegt wie vor dem Zerreißen. Und sie spannte ihre Augen und es flimmerte ihr davor, wie wenn sie von unsichtbaren Stößen gerüttelt würde.

Lange schon war diese Bewegung dahergekommen, Viktoria dachte daran, ob es wohl Liebe sei. Langsam war sie gekommen. Und doch für das Zeitmaß ihres Lebens zu rasch. Das Zeitmaß ihres Lebens war noch langsamer; es war ganz langsam. Es war wie ein langsames Öffnen und wieder Schließen der Augen und dazwischen wie ein Blick, der sich an den Dingen nicht halten kann, abgleitet, langsam, unberührt vorbeigleitet. Mit diesem Blick hatte sie es kommen gesehen. Und sie konnte daher nicht glauben, daß es Liebe sei. Denn sie verabscheute ihn so dunkel wie alles Fremde; ohne Haß, ohne Schärfe, nur wie ein fernes Land, jenseits der Grenze, wo weich und trostlos das eigene mit dem Himmel zusammenfließt. Ihr Leben war freudlos gewor-

len, seit sie so alles Fremde verabscheute, sich still davor zurückzog. Es schien ihr manchmal, daß sie seinen Sinn nicht
wüßte, aber seit dieser Mann darin war, dünkte sie, daß sie
ihn bloß vergessen hatte; es quälte sie manchmal etwas wie die
unter dem Bewußtsein treibende Erinnerung an eine wichtige
vergessene Sache.

Es war irgendeinmal, daß sie dem Leben näher stand, es deutlicher spürte, wie mit den Händen oder wie am eigenen Leibe,
aber sie wußte nicht mehr, wie und wann das war. Denn seither
hatte ein schwaches Alltagsleben sich über diese Eindrücke gelegt und hatte sie verwischt, wie ein matter dauernder Wind
Spuren im Sand; nur mehr seine Eintönigkeit hatte in ihrer
Seele geklungen, wie ein leise auf und ab schwellendes Summen. Sie kannte keine starken Freuden mehr und kein starkes
Leid, nichts, das sich merklich oder bleibend aus dem übrigen
herausgehoben hätte und allmählich war ihr Leben ihr immer
undeutlicher geworden. Die Tage gingen einer wie der andere
dahin und eines gleich dem anderen kamen die Jahre, sie fühlte
wohl noch, daß ein jedes ein wenig hinwegnahm und etwas
hinzutat und daß sie sich langsam in ihnen änderte, aber nirgends setzte sich eines klar von dem anderen ab; sie hatte ein
unklares, fließendes Gefühl von sich selbst und wenn sie sich
innerlich betastete, fand sie nur den Wechsel ungefährer und
verhüllter Formen, unverständlich, wie man unter einer Decke
etwas sich bewegen fühlt ohne den Sinn zu erraten. Es war
wie wenn sie unter einem weichen Tuche lebte oder unter einer
Glocke von dünn geschliffenem Horn, die immer undurch-
sichtiger wurde. Die Dinge traten weiter und weiter zurück und
verloren ihr Gesicht, und auch ihr Gefühl von sich selbst sank
immer tiefer in die Ferne. Es blieb ein leerer ungeheurer Raum
dazwischen und in diesem lebte ihr Körper. Er sah die Dinge
um sich, er lächelte, er lebte, aber alles geschah so beziehungs-
los, und häufig kroch lautlos ein zäher Ekel durch diese Welt, der
alle Gefühle wie mit einer Teermaske verschmierte.

Und dann kam er, der alles besaß, durch die verdämmernde
Einöde ihres Lebens. Er ging, und die Dinge ordneten sich unter
seinen Augen. Es war, wie wenn er die Welt einatmen und im
Leibe halten und von innen spüren könnte und sie dann wieder ganz sacht und vorsichtig vor sich hinstelle, wie ein Künstler, der mit fliegenden Reifen arbeitet; es tat ihr weh, wie schön

er war. Sie war eifersüchtig auf ihn, denn unter ihren Augen
ordnete sich nichts, und sie hatte zu den Dingen die Liebe einer
Mutter für ein Kind, das zu leiten sie zu gering ist. Sie suchte
sich in die Höhe zu richten, aber es schmerzte sie, wie wenn ihr
Körper krank wäre und sie nicht tragen könnte. Und sie sank
langsam wieder in sich zurück und kauerte in ihrer Finsternis
und starrte ihn an und empfand dieses sich in sich Verschließen
fast wie eine sinnliche Berührung, der sie sich lüstern vor Bewußtsein hingab, es ganz nahe seinen Augen und doch ihm
unerreichbar zu tun. Es sträubte sich etwas in ihr wie ein weiches, knisterndes Katzenfell und wie eine kleine glitzernde Kugel ließ sie ihr Nein aus ihrem Versteck heraus und vor seine
Füße rollen.

Und nun war es, wie wenn etwas mit einem leisen Klingen
zersprungen wäre und wie aus einer zerbrochen am Boden
liegenden Hülle war ihr daraus ein Gefühl von ihr selbst her-
vorgestiegen; es war plötzlich so fest, daß sie sich wie ein Messer in dem Leben dieses anderen Menschen fühlte. Es war alles
klar gegliedert; er wird gehen und sich töten, das war etwas so
Wuchtendes, wie ein dunkler schwerer Körper auf der Erde
liegt, es war etwas so Unwiderrufliches wie ein Schnitt durch
die Zeit, vor dem alles Strömende erstarrte, es sprang dieser
Augenblick mit einem plötzlichen Blinken wie ein Schwert aus
allen anderen heraus und sie sah ganz deutlich etwas, das man
gar nicht sehen kann, wie die Beziehung ihrer Seele zu dieser
anderen Seele, in ihrer augenblicklichen Lage, ein Durchgangs-
ding, ein Ausholen und Übergang plötzlich zu etwas Letztem,
Unverrückbarem, Unabänderlichem wurde, das wie ein Ast-
stumpf in die Ewigkeit ragte. Eine Traumhelligkeit stieg in ihr
auf, in der das feinste Geschehen wie zartes Geäder sichtbar
wurde, ein geheimnisvolles, neues Licht lag auf den Dingen
und sie fühlte es auf sich, sie veränderte sich darin für sich
selbst, sie war fast nur mehr eine Gestalt, wie sie durch die Bilder der Schlafenden schreiten... Sie konnte vielleicht schon
glauben, daß jenes Liebe war, sie war schon von Zärtlichkeit
für ihn erfüllt, dem sie alles dankte; ... aber sie schritt durch
eine andere Welt, und eine Lust ihm weh zu tun, trug dort
Viktoria wie eine leichte Luft, die sie mit bebendem Wittern
einatmete, die sie erfüllte und hob, und in der ihre Gebärden
ausfuhren, in die Ferne griffen, in der sich ihre Schritte mit

einem leisen Druck vom Boden lösten und über Wälder hoben. – – – Und Viktoria ging in Sinnen und allein den Weg
zurück. Zu Hause tat sie still, was sie zu tun hatte, und der Tag
verlief ruhig wie alle anderen. Von Zeit zu Zeit tauchte das
Geschehen in ihrem Bewußtsein auf. Sie sah nach der Uhr, jetzt
mußte er wohl schon dem Burschen im Gasthof seinen Koffer
gegeben haben, damit er ihn auf die Bahn trage, jetzt mußte er
bereits den Fahrschein für diese letzte Reise gelöst haben – sie
sah das kleine Stück Karton in der zarten Farbe des Zitronen-
falters vor sich auftauchen –, dann strengte sie sich an, lange
nicht an ihn zu denken, und als sie es das nächste Mal wieder
tat, mußte der Zug schon durch die Nacht der Bergtäler nach
Süden rollen. Sie legte sich zeitig zu Bett und schlief rasch ein.
Aber sie schlief leicht und ungeduldig, wie jemand, dem am
nächsten Tag etwas Besonderes bevorsteht. Es war unter ihren
Augenlidern eine beständige Helligkeit; gegen den Morgen zu
wurde sie noch lichter und schien sich zu dehnen, sie wurde
unsagbar weit; als Viktoria aufwachte, wußte sie: das Meer.
Jetzt mußte er es schon vor sich sehen und hatte nichts Notwendiges auf dieser Welt mehr zu tun als seinen Entschluß auszuführen. Er wird hinausrudern und schießen. Aber Viktoria
wußte nicht wann. Sie begann zu mutmaßen und Gründe
gegeneinanderzustellen. Wird er gleich von der Bahn ins
Boot...? Wird er auf den Abend warten? Wenn das Meer so
ganz ruhig daliegt und wie mit großen Augen einen ansieht...?
Sie ging den ganzen Tag in einer Unruhe dahin, wie wenn
beständig feine Nadeln gegen ihre Haut schlügen. Zuweilen
tauchte irgendwo – aus einem goldenen Rahmen, der an der
Wand aufleuchtete, aus dem Dunkel des Treppenhauses oder
aus dem weißen Leinen, an dem sie stickte, – sein Gesicht auf.
Bleich und mit karmoisinroten Lippen ... verzerrt und aufgedunsen vom Wasser, ... oder bloß wie eine schwarze Locke über
einer eingefallenen Stirn. Sie war noch fern von sich, aber sie
schritt langsam zu sich zurück. Und als es Abend wurde, wußte
sie, daß es geschehen sein mußte.
Eine tiefe Ruhe und ein Gefühl des Geheimnisses senkte sich
auf sie herab. Sie zündete in ihrem Zimmer alle Lichter an und
saß zwischen ihnen, reglos in der Mitte des Raumes; sie holte
sein Bild aus der Lade hervor und stellte es vor sich hin. Das
ganze Gemach schien ein einziges Empfinden zu sein, ein leises

Klingen, wie es zur Weihnachtszeit durch ein Haus geht. Di
Geräte wuchteten unverrückbar auf ihrem Platze, der Tisch un
der Schrank und die Uhr an der Wand, sie waren ganz erfüll
von sich selbst und so fest in sich geschlossen wie eine geballt
Faust, und doch sahen sie wie mit Augen auf und herab, als o
sie die vielen Jahre, die sie schon dastanden, nur auf diese
Abend gewartet hätten, um zueinander zu finden. Es schlo
und wölbte sich etwas in die Höhe, es strömte von allen Seite
herzu und hob sich hinauf. ... Viktoria hatte ein Gefühl, wi
wenn ihr Leben plötzlich wie ein riesiger Raum mit schweigen
flackernden Kerzen um sie stünde. Und dann wurde es wie in
Märchen, Schleier sanken herab, sanft wie Schneetreiben vo
beleuchteten Fensterscheiben, und Bilder ihres Lebens schiene
hineingewoben, an ihr vorüberzutreiben; ein Kindheitsduf
stieg aus Kasten und Laden empor, die Lichter knisterten. – – –
Kinder haben noch keine Seele. Auch die Toten haben kein
Seele. Sie sind noch nichts oder sie sind nichts mehr, sie könne
noch alles werden oder alles gewesen sein. Sie sind wie Gefäße
die Träumen Form geben, sie sind Blut, mit dem sich die Wün
sche der Einsamen lebendig schminken. Sie fühlte ihn gan
nahe bei sich, seit er tot war; sie fühlte ihn so nahe wie sic
selbst. Seit seine Seele gestorben war, gehörte er ihren Träume
und ihre Zärtlichkeit ging ungehindert durch ihn, wie die Wel
len durch jene weichen, purpurnen Glockentiere, die im Meer
schweben. Sie empfand keinen Haß mehr. Sie hatte diese
Haß empfunden, solange er lebte; solange er lebte, war er ih
eigentlich tot. Es gab einen ganz weichen, blassen Wunsch i
ihr, daß er tot sein möge. Still wie ein Herbsttag, der kein
Frucht mehr treibt und nichts mehr für sich erwartet. Es gab ei
wahnsinnig stilles Liebesspiel, wo sie ihre Blicke leise wie Na
deln in ihn hineingleiten ließ, tiefer und tiefer, ob nicht i
einem Zittern seines Lächelns, in einem Verziehen seiner Lip
pen, in irgendeiner Bewegung der Qual etwas so herbstlich
Verschenktes sich der suchenden Liebe entgegenhübe. Sein
Haare wurden dann wie ein Wald und seine Nägel wurden wie
große glimmrige Platten, sie sah feuchtfließende Wolken im
Weißen seiner Augen und kleine spiegelnde Teiche; er lag gan
wehrlos häßlich da, mit geöffneten Grenzen, aber seine Seele
war doch noch in einem letzten Turm verschlossen. Und Vikto
ria beugte sich tiefer über ihn, sie beugte sich ganz nahe übe

ihn, sie beugte sich in ihn hinein bis zu jenem innersten Widerstand, über den kein Fremder hinweg kann, sie versuchte sich
noch über diese Grenze zu beugen. Und sie sah durch seine
Augen, wie jemand, dem es gelingt, sich für einen Blick an ein
hohes Turmfenster zu zwängen; sie wußte, daß dieser Blick nie
wieder in sie zurückkehren werde. Er traf sie von außen; er traf
sie wie etwas Fremdes, sie glänzte von Gold wie ein Spiegel,
von Gold und doch nur ein Spiegel, in dem seine Seele aus dem
Turm herunter sich ansah. Denn die Seele, die lebende Menschen haben, ist das, was sie nicht lieben läßt, was in aller Liebe
einen Rest zurückbehält, was in aller Liebe nur sich ansieht;
sie können sich nicht verschenken; sie bleiben immer sie selbst,
sie kommen mit gefesselten Händen und geschlossenen Augen,
um sich hinzugeben, und doch lieben sie den anderen nur, weil
ihre Einsamkeit leise hinter ihm blutet.

Aber wie in tausend zärtlich vorsichtigen Falten schmiegte sich
jetzt schützend ein unsagbares Glück um Viktoria: »Du bist
tot«, träumte ihre Liebe; sie nannte ihn zum erstenmal Du und
die Lichter spiegelten sich warm in ihren Träumen. Sie saß
zwischen ihnen wie in einem blauen kristallenen Hause und
hörte ihr Herz wie eine kleine gläserne Uhr darinnen, die die
Stunden ihres Lebens zurück- und herbeirief. Sie saß mit der
Kunkel und spann an Fäden zu ziehenden Bildern, denn nun
hatte er keine Seele. Ihre Liebe aber lag groß und sanft über
ihm wie eine Katze, die in zärtlichen Träumen schnurrt. Wie
ein murmelndes Wasser rannen die Stunden, ... sie verlor das
Gefühl für die Zeit.

Als sie aufschrak, empfand sie zum erstenmal Kummer. Es war
kühl um sie, die Kerzen waren herabgebrannt und nur eine
letzte leuchtete noch; auf dem Platz, wo sonst er immer gesessen hatte, war jetzt ein Loch im Raum, das alle ihre Gedanken
nicht füllen konnten. Und plötzlich verlosch lautlos auch dieses
eine Licht, wie ein letzter Weggehender leise die Türe schließt;
Viktoria blieb im Dunkel.

Demütig wandernde Geräusche gingen durch das Haus, die
Stiegen schüttelten mit einem scheuen Dehnen den Druck der
Schreitenden wieder von sich ab, irgendwo nagte eine Maus,
eine Uhr schlug. So messen sie mir wie aus einem großen Sack,
aus dem sie alle nehmen, die Stunden meines Lebens zu, fühlte
Viktoria und sie ängstigte sich wieder mitten in diesem frem-

den umspannenden Dasein. Aber etwas wie eine nadeldünne
Stütze hielt sie und hielt sie hinein. Es redeten, hörbar in de.
Nacht, die unentwirrbar verwobenen Stimmen der Dinge: wa
war dies in ihr, das mit einer fern und unfaßbar dahingehender
leisen Melodie antwortete? Was war diese feine, nagende Selig
keit trotz ihres Kummers, die ihren Körper höhlte, bis er sic
weich und zärtlich wie eine dünne Kapsel trug? Es lockte sie
sich zu entkleiden. Bloß für sich selbst, bloß für das Gefühl, sic
nahe zu sein, mit sich selbst in einem dunklen Raum allein z
sein. Es erregte sie, wie die Kleider leise knisternd zu Boder
sanken; es war eine Zärtlichkeit, die ein paar Schritte in di
Dunkelheit hinaustat, als ob sie jemand suchte, sich besann unc
zurückeilte, um sich an den eigenen Körper zu schmiegen. Und
als Viktoria langsam, mit zögerndem Genießen ihre Kleide:
wieder aufnahm, waren diese Röcke, die in der Finsternis mi
Falten, in denen wie Teiche in dunklen Höhlen träg noch ihre
eigene Wärme säumte, und bauschigen Räumen um sie stiegen
etwas wie Verstecke, in denen sie kauerte, und wenn ihr Körpe
hier und da heimlich an seine Hüllen stieß, zitterte eine Sinn
lichkeit durch ihn, wie ein verborgens Licht hinter geschlosse
nen Läden unruhig durch ein Haus geht.
Es war dieses Zimmer; Viktoria fühlte, wie sonderbar sic
manchmal die Ereignisse gleichen. Ihr Blick suchte den Platz
wo an der Wand der Spiegel hing, und fand ihr Bild nicht; sie
sah nichts, ... vielleicht ein undeutlich gleitendes Leuchten im
Dunkel, vielleicht mochte auch dies Täuschung gewesen sein
Die Finsternis füllte das Haus wie eine schwere Flüssigkeit, sie
schien nirgends darin zu sein, sie begann zu gehen, überall wa
nur die Dunkelheit, nirgends sie und doch fühlte sie nichts als
sich und wo sie ging, war etwas und war nicht, wie unausge-
sprochene Worte manchmal in einem Schweigen. Sie hatte einmal in diesem Zimmer Engel gesehen, als sie krank lag; da
standen sie um ihr Bett und von ihren Flügeln, ohne daß sie
sich rührten, tönte ein dünner, hoher Laut, der die Dinge durch-
schnitt. Die Dinge zerfielen wie taube Steine, die ganze Welt
lag mit scharfen, muscheligen Brüchen da, und nur sie selbst
zog sich zusammen; vom Fieber verzehrt, dünn geschabt wie
ein welkes Rosenblatt, war sie durchsichtig geworden für ihr
Gefühl, sie spürte ihren Körper von überall zugleich und ganz
klein beisammen, als hielte sie ihn mit einer Hand umschlos-

sen. Für die andern schien er nicht mehr da zu sein; wie ein
flimmerndes Gitter, durch das man nur hinaussehen konnte,
lag jenes Tönen davor.

Es war etwas von diesem Kranksein in der Sinnlichkeit, mit der
sie sich selbst empfand; sie wich, vorsichtig sich einziehend, den
Gegenständen aus und fühlte sie schon von ferne; es war jenes
leise Verströmen und Zusammensinken in ihr, vor dem alles
außen hart und fern und hinter dem alles weich wie hinter
stillen Vorhängen von zerfallender Seide ist. Allmählich wurde
es grau und mild von Schneelicht im Hause. Sie stand oben am
Fenster, es wurde Morgen; die Leute kamen zum Markte. Hie
und da schlug ein Wort zu ihr herauf; sie beugte sich dann, als
wollte sie ihm ausweichen, in die Dämmerung zurück. Sie
fühlte diese Bewegung, wie man etwas wieder durch die Hände
gleiten läßt, das man vor Jahren in eine Truhe gelegt hat. Denn
so stand sie als junges Mädchen, und während sie hinabsah,
war ein knisternder Widerstand um sie, als ob feine Glasspitzen
abbrächen, wenn ihr der Blick eines Menschen zu nahe kam.
Und sie stand später hier, damals, als sie ihrem Haar in der
Nacht phantastische Frisuren gab und ihren Fingern – die sie
mit riechenden Wassern wusch, wenn sie die Hände eines andern berührt hatten, – die Namen von märchenhaften Liebhabern, die alle sie selbst waren. Sie stand immer hier, wenn
sie niemanden liebte als sich und wenn sie sich vor den Menschen ängstigte, weil ihre Liebe so wehrlos weich war wie eine
dunkle wunde Schnecke, die mit leisem Zucken nach einer
zweiten sucht, an deren Leib es sie verlangt, aufgebrochen und
sterbend zu kleben.

Und leise legte sich etwas um Viktoria; es war eine Sehnsucht
so ziellos in ihr und so still wie das wehe unbestimmte Ziehen
im Schoß vor den wiederkehrenden Tagen; sonderbare Gedanken fielen ihr ein; sich so lieben, das wäre, wie wenn man vor
einem alles tun könnte ... Und langsam schob sich vor ihr, wie
ein häßliches hartes Gesicht, die Erinnerung herauf, daß sie ihn
getötet hatte. Doch der Gedanke erschreckte sie nicht; sie tat
sich nur weh wie sie sich sah; das war wie wenn sie sich von
innen gesehen hätte, voll von Gedärmen, die wie große Würmer verschlungen waren, aber gleichzeitig sah sie ihr Sehen
mit; sie empfand Abscheu vor sich, aber wie ein Körper sinkt
und in einer letzten Schicht über dem Boden doch noch trübe

schweben bleibt, war noch in diesem Abscheu etwas Unentreiß-
bares von Liebe. Eine erlösende Müdigkeit legte sich um sie, sie
sank zusammen und war in das, was sie getan hatte, wie in
einen kühlen Pelz gehüllt, ganz traurig und zärtlich, ein stilles
Beisichsein, ein sanftes Leuchten, ... wie man noch an seinem
Schmerz etwas liebt und im Kummer lächelt.

Und dann war es, als ob sich auch diese Grenze zwischen ihnen
beiden öffnete. Sie empfand eine wollüstige Weichheit und ein
ungeheures Nahesein. Mehr noch als eines des Körpers eines
der Seele; es war wie wenn sie aus seinen Augen heraus auf
sich selbst schaute und bei jeder Berührung nicht nur ihn emp-
fände, sondern auf eine unbeschreibliche Weise auch sein Gefühl von ihr; es erschien ihr wie eine geheimnisvolle geistige
Vereinigung. Sie dachte, er war ihr Schutzengel; er war gekommen und ging, nachdem sie ihn wahrgenommen hatte; und
wird doch von nun an immer bei ihr sein, er wird ihr zusehen,
wenn sie sich auskleidet, und wenn sie geht, wird sie ihn unter
den Röcken tragen, seine Blicke werden so zart sein wie eine
beständige leise Müdigkeit. Sie dachte es nicht, sie fühlte es; es
war etwas bleichgrau Gespanntes in ihr und wenn die Gedanken gingen, säumten sie sich hell, wie dunkle Gestalten vor
einem Winterhimmel. Bloß so ein Saum war es. Von unsagba-
rer Zärtlichkeit. Es war ein leises herausheben; ... ein stärker
werden und doch nicht da sein, ... ein nichts und doch alles.

Sie saß ganz still und spielte mit ihren Gedanken. Es gibt eine
Welt, etwas Abseitiges, eine andre Welt oder nur eine Traurigkeit ... wie vom Fieber bemalte Wände, zwischen denen die
Worte der Gesunden nicht tönen und sinnlos zu Boden fallen,
wie Teppiche, auf denen zu schreiten ihre Gebärden zu schwer
sind, eine ganz dünne, klingende Welt, durch die sie zu ihm
schritt, und allem, was sie tat, folgte darin eine Stille und alles,
was sie dachte, hallte ohne Ende wie Flüstern in verschlunge-
nen Gängen. – – –

Und als es ganz klar und kalt und Tag geworden war, kam der
Brief. Es pochte am Haus und riß durch die Stille, wie ein Fels-
block eine dünne Schneedecke zerschlägt; durch das geöffnete
Tor bliesen Wind und Helligkeit herein. In dem Brief stand:
»Was sind Sie, ich habe mich nicht erschossen? Vielleicht sind
Sie schön wie eine schlafende Kranke. Aber ich bin wie einer,
der auf die Straße hinausfand. Ich bin heraußen und kann nicht

zurück. Das Butterbrot, das ich esse, das schwarzbraune Boot, das am Strande liegt und mich hinaustragen sollte, alles Lärmende, Lebendige ringsum hält mich fest. Ich bin wie ein Pfahl gefaßt und verrammt und wieder verwurzelt worden, daß ich nicht anders kann...«

Es stand noch anderes darin, aber sie sah nur dieses eine: was sind Sie, ich fand auf die Straße! Es enthielt etwas Höhnisches, kaum angedeutet, aber doch diesen rücksichtslos rettenden Sprung zu sich selbst. Es war nichts, gar nichts, nur wie ein Kühlwerden am Morgen und einer fängt laut zu sprechen an, weil der Tag kommt. Es war alles um solch einen getan, der nun ernüchtert zusah. – Von diesem Augenblick an, durch lange Zeit, dachte Viktoria nichts noch empfand sie etwas; nur eine ungeheure, von keiner Welle durchbrochene Stille glänzte um sie, bleich und leblos wie Teiche, die stumm im Frühlicht liegen.

Als sie dann aufwachte und wieder nachzudenken begann, geschah es wie unter einem schweren Mantel, der sie hinderte, sich zu bewegen, und wie Hände unter einer Hülle, die sie nicht abwerfen können, sinnlos werden, verwirrten sich ihre Gedanken. Sie fand nicht mehr in die Wirklichkeit. Daß er sich nicht erschossen hatte, war nicht die Tatsache, daß er lebte, sondern es war etwas in ihrem Dasein, ein Verstummen, ein wieder Sinken, es verstummte etwas in ihr und sank wieder in jene murmelnde Vielstimmigkeit zurück, aus der es sich kaum herausgehoben hatte. Sie hörte sie mit einemmal wieder von allen Seiten. Es war wie ein enger Gang, in dem sie einst lief und dann kroch und dann kam jenes weiter werden, jenes leise heben und sich aufrichten und nun schloß es sich wieder. Ihr war trotz der Stille, als ob Menschen um sie stünden und beständig leise sprächen. Sie verstand nicht, was sie sich sagten. Ihre Sinne waren in ganz dünne Flächen gespannt und diese Stimmen schlugen raschelnd daran wie die Zweige eines wirren Gestrüpps. Fremde Gesichter tauchten auf. Es waren lauter fremde Gesichter, die Tante, Freundinnen, Bekannte, sie wußte es wohl, aber doch blieben es fremde Gesichter. Sie bekam plötzlich Angst davor, wie jemand, der fürchtet, streng behandelt zu werden. Sie bemühte sich an ihn zu denken, aber sie konnte sich nicht mehr vorstellen, wie er aussah, er verfloß ihr mit den anderen; es fiel ihr ein, daß er von ihr weggegangen war, ganz,

ganz ferne, wie unter eine Menge, es war ihr, als ob irgendwo da heraus seine Augen listig und versteckt auf sie schauen müßten. Sie spannte sich ganz klein davor zusammen, sie wollte sich schließen und versuchte noch einmal jene leise Deutlichkeit wiederzugewinnen, mit der sie sich selbst empfunden hatte. Aber sie fand auch sich nicht mehr und allmählich verlor sie überhaupt das Gefühl, etwas Wirkliches zu sein. Sie konnte sich nicht mehr von den andern unterscheiden und alle diese Gesichter waren kaum mehr voneinander zu unterscheiden, sie tauchten auf und verschwanden ineinander, sie waren ihr eklig wie ungekämmtes Haar und doch verstrickte sie sich in ihnen, sie antwortete ihnen, die sie nicht verstand, sie hatte nur das eine Bedürfnis, etwas zu tun, es war eine Unruhe in ihr, als ob unter ihrer Haut Tausende kleiner Tiere heraus wollten, und immer neue Gesichter tauchten auf und immer die alten, das ganze Haus war voll von dieser Unruhe.

Sie sprang auf und tat ein paar Schritte. Und plötzlich schwieg alles. Sie rief und nichts antwortete, sie rief noch einmal und hörte sich kaum. Sie sah suchend umher, reglos stand alles auf seinem Platz. Es stand alles ganz einfach und fügsam wie in einer großen Ordnung, und doch erschien ihr jedes, wenn sie es für sich ansah, furchtbar zusammengesetzt. Es war alles so verschlossen und alt wie ein kahler Greisenmund und doch verhalten lebendig. Es war, wie wenn diese Menschen, die hier kommen und gehen, immer die gleichen Menschen, in den Schränken und Wandverschalungen versteckt wären, sie treten heraus und treten hinein ... immer wieder ... heraus und hinein, wie von dem schläfernden Atem des Hauses in einer ungeheuren, langsamen, starren Regelmäßigkeit bewegt.

Sie stand vor Demeters Zimmer, oben durch ein Stiegenfenster fiel ein breiter Lichtbalken ins Haus, Stäubchen tanzten darin und kleine Lebewesen; sie legten sich über sie, sie deckten sie zu, und mit jedem Atemzuge drangen sie in sie ein. Träg strich diese Luft durch das Haus; Viktoria dachte daran, daß sie von einem zum andern strich und einen mit dem anderen füllte. Sie wurde von Ekel erfaßt und wollte sich verschließen, sie wollte nicht atmen, sie wollte überhaupt nicht mehr atmen, sie wäre gern tot gewesen. Aber langsam begann es, ihre Brust wieder zu heben und zu senken, ihr Leben ging weiter, unabhängig von ihr, als würde er von dieser fremden, übermächtigen Regelmäßigkeit ergriffen. Und nun packte sie die Angst vor allen denen, die in den Wänden versteckt waren. Sie saßen in diesem Hause wie scheue Vögel in den Haaren eines riesigen Tiers und schaukelten in der Dunkelheit und sahen sie an, und ganz heimlich, wie kleine Läuse auf solchen Vögeln, krochen ihre Gedanken durch das Haus und füllten es mit sich und mit Liebe und Freundschaft wie mit einem weichen, klebrigen Leben, das sich lautlos in unaufhaltsamen Kreisen um Viktoria legte, enger und enger, und schweigend wuchs und stumm sich schloß und langsam sich über sie schob, ... wie ein heißer, grauenhafter Leib, und reglos sie niederdrückte.

Da schoß eine Lust in ihr herauf, mit den Zähnen in dieses Leben zu schlagen, damit es endlich schreiend auseinanderfahre und sie mit seiner Fülle überschütte und in seiner Gier über sie herfalle. Es war ein taumelndes Empfinden, ein letztes Sichpreisgeben und eine ätzend bittere Lüsternheit in ihr, wie wenn sie in einem trägen Wirrsal scheußlich verschlungener Menschen ihren Leib verloren hätte und nicht mehr wüßte, ob es etwas Fremdes ist, das gräßlich über ihn kriecht, oder ob er in der wollüstigen Verwirrung zuckend sich selbst berührte. Es faßte sie und riß sie an den Haaren empor, und in breiten Zügen wie ein trinkendes Tier sog sie die Luft in sich ein; sie hätte sich in sie hineinwühlen, mit offenem Munde durch sie hindurch rasen mögen, sie wollte schmutzige Wäsche an die Lippen pressen und die Finger mit Unrat benetzen. Es war ihr dabei, als rauschten auf den Straßen die Bäume, und dumpf in der Ferne stampften die Berge dazu, kleine Haare wehten flatternd auf ihrem Leibe, kribbelndes Ungeziefer wuchs ihr darauf, und eine in Seligkeit kreischende Stimme schrie in einem wilden, riesigen Atem hinein, der sie in einen Schwarm von Menschen und Tieren hüllte und an sich riß ...

Als Demeter kam, fand er Viktoria in seinem Zimmer, auf seinem Bett liegend und ein Hemd von ihm zwischen den Zähnen haltend. Als sie ihn auf sich zukommen sah, sprang sie auf und stieß ihn zur Seite; auf der Treppe holte er sie ein. Sie standen voreinander. Sie sah seine kurzen, gedrechselten Schenkel in den engen Reithosen, und sie empfand seine Lippen unter dem Schnurrbart wie einen kleinen blutigen Schnitt, sein Gesicht stand wie etwas Brausendes vor ihr im Dunkel; sie erschrak so sonderbar davor, wie wenn sie ein Tier wäre. Es verwirrte sich

wieder etwas in ihr; sie glaubte Ekel zu empfinden, aber es
mußte doch auch eine Gewalt sein, er roch nach Staub und
Schweiß und überhaupt wie ein Mann. Er griff nach ihrer Hand,
aber sie ließ sich nicht ziehen; die Arme sanken wieder herunter, und doch lief sie nicht weg. Es duckte sich etwas in ihr vor
ihm ab, als ob jetzt und jetzt ... wie Vogelschrein und Flügel-
flattern in einer Dornenhecke, bis es still wird und weich im
Laut, wie von Federn, die übereinandergleiten ... Sie standen
jetzt ganz nah nebeneinander, ihre Brust flog auf und nieder,
er berührte mit seinem Fuß den ihren, ihre Arme lagen aneinander, er bog ihren Kopf herab, um sie zu küssen, und langsam
sank sie, als ob etwas in ihr diese Bewegung freiwillig fortsetzte,
zur Erde. Sie saß auf der Treppe, er kauerte neben ihr, und dann
geschah es. Ohne sich zu entkleiden, mit einem Lächeln, das sie
wie eine Wunde im Gesicht fühlte, gab sie sich ihm hin; wie
etwas Riesengroßes sah sie vor der fahlen Fläche des Fensters
seine beiden Schnurrbartspitzen, sie dachte gar nichts. Nur als
plötzlich irgendwo eine Tür ging, preßte sie unwillkürlich die
Beine zusammen und wollte ihn wegstemmen, aber in diesem
Moment bemerkte sie etwas in seinen Augen, ein leises Stöhnen kam aus ihm heraus, und sie fühlte ihn schwerer und sanfter auf sich lasten. Als sie in ihr Zimmer gekommen war, schlief
sie vor Erschöpfung bis zum Abend. Als sie aufwachte, lag
wieder dieses Leben vor ihrer Tür. Sie wollte auch die Nacht
verschlafen, aber der Tag danach schien ihr wie etwas unter
einem weißgespannten Tuche voll unerträglicher gleichmäßiger
Helligkeit. Wenn sie an Demeter dachte, war ihr, als sei etwas
Abscheuliches über sie gekrochen, und trotzdem sah sie noch
fortwährend seine Augen, die sie erregten. Sie wußte nicht, was
sie wollte, sie hatte nur den Wunsch, sich in ihrem Zimmer zu
verschließen, damit sie an all das nicht denken müsse. Da
klopfte Demeter, der in seinen kleinen Pantoffeln, auf denen
ein Herz gestickt war, an ihre Tür geschlichen kam ... Er setzte
sich auf den Rand ihres Bettes, und gerade als sie sich von ihm
weg und zur Wand drehte, hörte man von der Straße unten herauf eine helle Tenorstimme durch das Haus schallen ... »Demeter, Demeter, bácsi, wo bist du?« Und Demeter sagte ärgerlich
»duhmer Kärl, ich kohm ja gleich. Wollen wir zusperren, Mäh-
derl, sonst – der taktlose Mensch ist nämlich imstand und geht
mich suchen.«

LION FEUCHTWANGER

Der Karneval von Ferrara

Durch den Palazzo der Este zu Ferrara brauste die Lust des Maskenfestes gleich einem feurigen Füllen, das seinen Reiter abgeworfen hat und ungezügelt übers Gelände stürmt.

Auf einer Estrada im Hauptsaal des Palastes saß der Kardinal Ippolito, der Bruder des Herzogs, umgeben von einem Kreis geistvoller, gelehrter Männer und schöner, kluger Frauen. Von den Anstrengungen des Festes angenehm ermüdet, ruhte die kleine Gesellschaft vornehm-lässig in den behaglichen Polsterstühlen der Estrade. Mit feinen Sinnen sog man den Duft der Freude ein, der ungreifbar-greifbar über dem Saale lag, und man ergötzte sich an tändelndem Gespräch, das über Hohes und Niederes, über Tiefes und Leichtes anmutvoll hinplätscherte.

Messer Ludovico Ariosto, der Hofdichter des Kardinals, hatte soeben erzählt, wie er drüben in der Orangennische den als Kapuziner verkleideten Baccalaureus Timoteo Scelladini in süßem Geplauder mit Bianca Giovanni, der jungen Hofdame der Herzogin Lucrezia, belauscht habe. »Die Eminenz weiß«, wandte er sich jetzt an den Kardinal, »und ihr wißt alle, wie linkisch sonst unser guter Timoteo sich gibt. Aber da hättet Ihr sehen sollen, wie beredt er mit einem Male wurde. So behend hüpften ihm die Worte vom Mund, daß die triumviri amoris ihre Freude an ihm gehabt hätten. So leiht die Liebe dem Stummen Worte.«

»Ist nicht jede Leidenschaft so gestaltet, mein Ludovico?« erwiderte der Kardinal. »Ich glaube, jede echte Leidenschaft macht auch den, der keine Spur von Humanität in sich hat, auf Augenblicke zum Demosthenes.«

»Die Eminenz verzeihe«, wandte Ariost ein, der eben eine halberschlossene Rose, die eine weiße Damenhand ihm zugeworfen, sich neigend an die Lippen drückte – »die Eminenz verzeihe, wenn ich ihr zu widersprechen wage. Eine echte Leidenschaft lehrt gewiß auch den Ungebildeten anders fühlen und denken als sonst: anders sprechen aber lehrt sie nur unsereinen, die wir durchtränkt sind von Humanität. Beim Mann aus dem Plebs wird nur die Tatsache der Leidenschaft eine künstlerische Wirkung auf andere hervorbringen können: ihr Ausdruck aber, die

Art, wie sie sich Ausdruck schafft, wird häufig lächerlich, immer unschön wirken.«

Doch der Kardinal blieb auf seiner Behauptung stehen und wollte sie eben des weiteren begründen, als sich an der großen Pforte des Festsaales lautes Gelärm erhob.

Ein altes Weib, häßlich, schmutzig, verrunzelt, versuchte dort in den Saal zu dringen. Die Schweizer Hellebardiere des Herzogs hielten sie zurück, während sie irren Auges unter wirrem Gekreisch sich den Eingang zu erzwingen bemüht war. Ein paar Kavaliere des Herzogs hatten die Szene beobachtet, und in der Meinung, es handle sich um einen Maskenscherz, mischten sie sich nun in den Streit und schafften der Alten Eintritt. Nun stand sie im Saal, von lachenden Masken umringt, umströmt von der Lust des Karnevals, die den Palazzo durchbrauste gleich einem feurigen Füllen, das seines Reiters ledig übers Gelände stürmt. Verfallen, alt und häßlich, in dürftiger, geschmackloser Gewandung stand sie da, geblendet von dem Glanz, der sie umsonnte, betäubt von dem Lärm, der sie umtoste, irr, hilflos, mit suchenden, hungrigen Augen, in denen der Haß brannte wie lohes Feuer.

Der Kardinal hatte mit scharfem Blick die Alte erkannt. Er wußte, daß sie die Mutter jener Laura Patanei war, die, von ihm verführt, sich in den Po gestürzt hatte. Auch seine Freunde hatten sie erkannt, und einer von ihnen neigte sich zum Ohr des Kardinals mit der leisen Frage, ob er das Weib nicht entfernen lassen solle.

Ippolito hatte keinen Zug verändert, als er die Alte erspäht hatte. Mit leisem, sattem Lächeln ruhte er in seinem Sessel, lässig, vornehm, sicher; die schlanken Finger der marmorruhigen Rechten hielten den Stil des Weinkelchs umspannt. »Aber, Freunde«, erwiderte er nun laut und ruhig auf die geflüsterte Frage, »warum sollte ich jenes Weib entfernen lassen? Ich bitte euch vielmehr, ruft sie vor mich. Denn sie ist voll Verlegenheit und findet sich nicht zurecht.« Und zu Ariost gewandt, lächelte er: »Ich möchte dieses Weib gerne reden hören. Mir scheint, hier haben wir ein prächtiges Exemplum für meine These.«

So führten sie die Alte vor den Kardinal. Eine Menge von Festgästen sammelte sich um die Gruppe, und man tauchte die Alte in ein Meer von Spott und Gelächter.

»Du bist gekommen«, begann Ippolito mit seiner linden, fast

schmeichelnden Stimme, die nicht laut und nicht leise war und doch jeden andern verstummen ließ – »du bist gekommen, mir zu sagen, daß ich deine Tochter verführt und in die Wellen des Po gejagt. Nicht wahr, dazu stehst du vor mir? So sprich, Maria Patanei: ich will dich hören.«

Als die Greisin die Stimme des Kardinals vernahm und seine müden, kalten Augen auf sich gerichtet sah, da wich ihre Beklommenheit vor der ungewohnten Pracht, und jede andere Empfindung brannte zu Asche vor der Lohe ihres Hasses. Und sie begann zu reden, anfangs mit zittriger, überschlagender Stimme, mählich aber immer fester und sicherer. All ihren endlosen, meertiefen Schmerz ballte sie zusammen und schleuderte ihn dem Kardinal in das blasse, müde Antlitz, dessen unentwegte Ruhe sie mehr aufpeitschte, als der bitterste Hohn hätte tun können. Und zielsichere Vergleiche, kühne, stolze Gedanken strömten ihr zu; Blut und Leben pulste durch ihre Rede und machte sie strotzen von Bildkraft und lebendigen, feurigen Farben.

Die Damen und Kavaliere im Kreise, die zu Beginn mit der Alten ihr Gespött getrieben, verstummten vor der Gewalt dieser Rede. Auf den Gesichtern begann sich peinliches Unbehagen zu malen, das sich allgemach fast in Ergriffenheit wandelte. Nur wenige vermochten wie der Kardinal und seine kleine Gesellschaft aufmerksam und kritisch zu lauschen.

Da winkte Ippolito zwei Gardisten. »Sie beginnt, mich zu langweilen«, sagte er und kehrte sich ab.

Die Schweizer entfernten das Weib. Die Menge zerstreute sich, und Tanz und Lust wogte durch den Saal wie vorher.

Die auf der Estrade schwiegen. Endlich meinte Ariost: »Sie sprach trefflich. Wir schulden der Eminenz Dank, daß sie uns diesen Genuß verschaffte.«

Der Kardinal hatte sich erhoben. Denn er hatte am Eingang des Saales Giulia Farnese erspäht, die jugendliche Geliebte des Papstes, deren schimmernde Schönheit sein Herz erfreute wie ein Pokal würzigen Weins oder wie ein treffliches Kunstwerk der Antike.

Nun festigte er sorgsam den Handschuh an der Rechten und erwiderte leichthin: »Tja, sie sprach trefflich. Wenn sie nur nicht so faule Zähne gehabt hätte!«

Dann nickte er freundlich-flüchtig, stieg die Stufen der Estrade hinab und schritt der jungen, lächelnden Giulia entgegen, ihr die Hand zu küssen.

Durch den Saal aber brauste die Lust des Maskenfestes gleich einem feurigen Füllen, das seines Reiters ledig übers Gelände stürmt.

EMIL STRAUSS

Der Laufen

Seit man damit umgeht, die Stromschnellen von Laufenburg in Kraftanlagen zu verwandeln und so die wilde, fast fremde Schönheit dieses Stromstadtbildes zu zerstören, seitdem treibt es mich oft plötzlich hin, zu sehen, ob die Felsen dem Wasser noch den Weg wehren, ob der Laufen noch tobt um die unbegreiflich feste Rote Fluh. Meinen ersten freien Jugendsommer hab' ich dort mit einem Freunde durchschwärmt und durcharbeitet, und der grüne kämpfende Rhein, die umschäumten rötlichen Felsen, die enggedrängten alten Häuser darauf sind mir eine Heimat geblieben.

Wieder einmal war ich vom Hotzenwald herniedergestiegen und hielt unterhalb der Stromschnelle auf dem hohen Ufer und sah. Als wären sie vor dem grünen Ungetüm, das in der Enge unten schäumt, entsetzt zurückgeschreckt, so standen die altersgrauen Häuser aneinandergedrückt auf den sicheren Felsen der Ufer in der Sonne, durch diese seltsame halbgedeckte Brücke verbunden. Oberhalb aber kam es im Bogen von rechts breit und grün und sonnig dahergeströmt zwischen umbuschten Ufern. An der Brücke plötzlich aufgestaut durch den von der anderen Seite herüberdrängenden Felsenriegel, macht es wie eine aufgescheuchte Schlange noch eine jähe Wendung und drängt sich erregt unter dem bedeckten Drittel der Brücke durch, unheimlich glatt und wölbig wie ein Glasfluß, am Rande schaumtreibend, mit stillen ziehenden Wirbeln. Gedrängt, gezerrt, aus irgendeiner Tiefe angezogen, schießt es im verengten Bette herab, sich klemmend, über riesige Stufen schwellend und zusammenbrechend auf den breiten Pfeiler der Roten Fluh los, zerprasselt in zwei schaumschleudernde Ströme, die jäh in unbekannte Abgründe stürzen. Vereint kocht es wieder empor als runder weißer Wasserberg, den andere Wasserberge erdrücken, aufdampfend, mit unendlichem Tosen, um dann ein unerschöpfliches Spiel einander überschneidender, verdrängender, überholender Schaumkreise vor sich her zu schleudern, nach rechts und links in die ausgewaschenen Felsbuchten hinein und stromabwärts, wo sie immer weiter und dünner und zarter fließen und rieseln und sich endlich in einem frischen Wellengetümmel zwischen umbuschten Ufern verlieren.

Ich sah und überließ mich der Gewalt des Bildes.

Dann kamen Erinnerungen längstvergangener Anblicke. Ich sah die Stämme von Flößen, die oberhalb der Strombiegung aufgebunden worden waren, einzeln und im Gedränge unter der Brücke durchschießen, wie Pfeile durch den Schaum fliegen, wie Uhrzeiger sich auf den Wellen drehen, wie Streichhölzer zerknicken oder auch in den pressenden Wogen aufgerichtet und festgeklemmt wie Mastbäume aufrecht durch die Stromschnelle hinabeilen.

Ich sah Gewitterwolken wie eine ungeheure Decke verfinsternd sich über das Tal legen; die Dächer wurden dunkler, die Häuserwände wurden bleicher, das klare Grün des Stromes wurde stumpf und undurchsichtig und flackerte fern in bleiernen Lichtern auf, der Schaum des Laufen quoll grell und kalt aus dem Wellendunkel, die Blitze peitschten in die Stromschnelle, der Donner aber schien kaum leise zu brummen: nur die härtesten Schläge knatterten bezwingend über das Tosen des Wassers hinweg.

Und ich sah, wenn auf den Bergen der Schnee schmolz, den Strom wachsen, sich dehnen, in unheimlich steter Steigerung mächtiger werden und hinaufverlangen auf die zerklüftete Felsmasse, die unter der Brücke sonst wie ein Damm die Strömung aufhält und auf die rechte Seite herüberdrängt: über Nacht ist dieses Trümmerfeld von unzähligen, hastigen, blitzenden Wasseradern durchronnen, die dunklen Fugen und Risse in dem rötlichen Porphyrgestein leuchten von Wasser und Schaum, füllen sich und werden breiter, die Rinnsale werden Bäche, die Felsinseln werden kleiner, und plötzlich hat die Flut den Damm erstürmt, rollt mit breitem Schwall über die Trümmerterrasse nieder und erfüllt das ganze Felsental mit kämpfenden, gelben Wogen, mit siedendem Schaume, mit allesverschlingendem Brausen und Dröhnen; der Pfeiler der Roten Fluh ist unter einem wechselnden Wasserhügel begraben, und dumpfe Stöße erschüttern die häusertragenden Felsen, als wären auch diese nicht mehr sicher.

Während ich so stand, hatte ich wohl einmal nahende Schritte gehört, aber nicht beachtet und wurde nun dadurch überrascht, daß jemand von hinten neben mich trat. Ich vermutete einen bekannten Lachsfischer, wollte ihm seinen Scherz zurückgeben, blieb also, ohne etwas merken zu lassen, ruhig stehen und prüfte seinen Schatten, der breit vor mir neben dem meinigen lag. Aber es war keiner von der Riesenfamilie der Laufenburger Fischer; Hut und Rock waren auch von städtischem Schnitte. Etwas befremdet wandte ich mich um und begegnete einem herzlichen Blick aus freundlich zuwartendem, weißbärtigem Gesichte. Ich erstaunte. Es war ein schöner, bejahrter Herr, dessen längliches, ernstgeschnittenes Antlitz von noch vollem, weißem Haar und starkem, eckigem Bart umgeben war; als ich ihn zuletzt gesehen hatte – vor fast zwanzig Jahren –, war dieser Bart und dieses Haar braun gewesen, das helle Auge aber hatte ernster und schwerer aus dem sonnverbrannten Gesicht herausgeschaut.

»Grüß Gott, Herr Doktor!« sagte ich; »sind Sie wieder im Land?«

»Grüß Gott!« erwiderte er, mir die Hand reichend; »und Sie gehen an mir vorbei und kennen mich nicht!«

»Ich habe Sie nicht gesehen; erkannt hätte ich Sie gewiß!«

»Dann war's also, wie wir Botaniker manchmal eine Pflanze dicht vor unserer Nase nicht sehen, weil uns feststeht, daß sie in der Gegend nicht vorkomme!« Er lächelte und nickte nochmals zum Gruße.

»Und doch«, entgegnete ich, »würde ich nachher zu Ihrem Hause hinaufgegangen sein und nach Ihnen gefragt haben, – wie jedesmal, wenn ich hier war in diesen zwei Jahrzehnten.«

»Ich weiß es«, sprach er nickend und schaute einen Augenblick beiseit in die Ferne, ehe er fortfuhr: »Und ich habe seinerzeit nach der ersten Meldung Ihres Besuches meinen Diener angewiesen, Ihnen und Ihrem Freunde stets das Gastzimmer zu richten und das Haus zur Verfügung zu stellen. Aber die deutschen Diener taugen entweder gar nichts oder sie sind schatzhütende Drachen, und so wollte es dem Tröndle halt nicht in seinen harten Hotzenschädel hinein, daß Sie, in meiner Abwesenheit, an meinem Tische sitzen und etwa gar in meinen Büchern blättern sollten, und er hat Sie halt nicht hineingelassen. Man nennt das treu wie Gold.«

»Sie waren in jenem Sommer von so großer Freundlichkeit gegen uns unvergorene Springer, daß uns dieser neue Beweis Ihrer Güte nicht überrascht haben würde. Aber es gab doch Zeiten, wo wir recht vereinsamt dasaßen, verbogen und zerschlagen, und wo es uns eine gründliche Erquickung gewesen wäre, zu erfahren, daß hinter irgendeinem Weltmeer ein Mann unser gedächte, nicht aus bekümmerter Verwandtschaft oder Gewohnheit, sondern aus dem guten Glauben eines erfahrenen Herzens heraus.« Ich drückte ihm die Hand, was er ein wenig befangen hinnahm. »Übrigens haben wir immer wieder von Ihnen gesprochen, und manches ruhige Wort, das Sie damals in unser Phantasieren hineinwarfen, ist uns nach Jahren eingefallen oder aufgegangen. Und unsere Nachfrage droben in Ihrem Hause sollte Ihnen ja beweisen, daß wir unser Teil an Ihnen nicht aufzugeben gedächten.«

Er nickte mehrmals mit einem etwas beschämten und hilflosen Lächeln, drum fuhr ich rasch fort:

»Aber – seit wann sind Sie denn wieder hiesig?«

»Schon seit einem Jahr. Und nun halt' ich es hoffentlich auch noch vollends hier aus. Damals – wissen Sie – war die Ruhe verfrüht. Die ersten Jahre mit dem Hausbau, dem Garten hatten mir wohl behagt; dann aber genügten mir die Obst- und Rosenbäume und das Botanisieren doch nicht. Meine Knochen waren noch zu jung und mein Blut zu unruhig. Kein Wind konnte wehen, ohne daß ich an Seefahrt dachte. Das Meer wiegte mich in meinen Träumen, und all die ungerittenen Pferde und Wege störten meinen Schlaf. Da mußt' ich eben noch einmal hinaus und mich weiter verbrauchen. Zum Zuschauen ist wohl jetzt noch Zeit.«

»Zuschauen – wie der Laufen dressiert wird, Blech zu walzen und Gingang zu weben! Können denn auch Sie ihn nicht retten?«

»Sie meinen, – weil er mich einmal gerettet hat –?« erwiderte er und blickte ernster in den rasenden Strom hinab. »Ich halte nichts vom Retten.«

»Der Laufen – hat Sie einmal – gerettet?« fragte ich erstaunt.

»Oder verschont oder – wie man will. Hat man's Ihnen nie erzählt?«

»Nie! Ich glaube allerdings, ich habe auch niemals mit einem
Hiesigen viel über Sie gesprochen –
Wir wußten ja noch gar nichts von Ihnen, als Sie damals im
Walde droben zu uns traten, auf die Mensurmütze deuteten,
die ich schwergefüllt wie einen Sack in der Hand trug, und mich
fragten, ob ich Pilze gesucht hätte. Und wir merkten sofort, daß
Sie weit her seien, weil Sie nicht hinauslachten wie alle andern,
als ich Ihnen die Eier in der Mütze zeigte und erzählte, daß wir
sie in einem Hof auf dem Walde zu holen pflegten.
Und dann gingen wir ja zusammen weiter, und Sie luden uns
schließlich ein. Wir saßen bis in die Nacht hinein bei Ihnen auf
der Veranda und produzierten uns auf unserm hohen Seil. Und
so unreif Ihnen alles vorgekommen sein muß, Sie waren ein so
teilnehmender Zuhörer, daß wir geradezu glücklich heimgin-
gen und zur großen Beunruhigung der Grenzaufseher noch
stundenlang auf der Brücke hin und her zogen und redeten. Es
hatte uns wunderbar wohlgetan und imponiert, daß auch einmal ein erfahrener Odysseus uns nicht gleich auslachte und
Narren hieß, weil wir nicht viel von dem geheiligten Status quo
hielten, nichts von Karrieremachen und nichts von dem
schwungvollen Detailgeschäft in Recht und Ordnung, Religion
und Wissenschaft; – daß Sie uns ruhig gelten ließen und uns
gelegentlich mit Psychologie abführten. Danach hatte ich ja keinen Anlaß mehr, irgendeinen Burger über Sie auszuholen, oder
vielmehr, ich hatte Grund, nicht über Sie zu reden. So wird es
gekommen sein, daß ich von Ihrer Rettung nie gehört habe.«
»Dann – müssen Sie es sich einmal – erzählen lassen.«
»Ich werde warten, bis Sie es mir selbst erzählen.«
Er schüttelte leicht den Kopf und verwandte den ernstgespann-
ten Blick nicht von dem Bilde zu unsern Füßen. Auch meine
Augen kehrten zu der Stromschnelle und den beiden Ufer-
städtchen zurück.
»Hat sich die Gewalt des Elementes«, fing ich nach einer Pause
an, »wohl noch einmal irgendwo ein so wildes und schönes
Sinnbild geschaffen? Der Rheinfall bei Schaffhausen ist ein Na-
turschauspiel; hier aber ist Urgeschichte, die immer wieder Geschichte von heute sein wird. Vom ersten Male an kommt mir
immer wieder, wie die Erinnerung einer Sage, der Eindruck,
vorzeiten, ja, vor Jahren noch sei das eine einzige sonnige Stadt
gewesen. Drüben von der Burg herab dehnte sie sich in sanfter

Senkung über das ganze Tal herüber und stieg diesseits bis zur
Kirche hinauf, und nur der Andelsbach rieselte friedlich zwischen den untersten Häusern hin. Eines Frühlings aber zerrte
der Föhn den Schnee so jählings von den Alpen herab, daß dem
Rhein die alte Rinne nicht mehr genügte und er mit ungeheuren Massen ins bestellte Land durchbrach. Dort oberhalb der
Stadt trieb in weitem Bogen der Wasserschwall heran, gelb und
mit unzähligen Tatzen vorwärtshastend. Wie ein Rachen sich
auftut, so stieg es manchmal mit einer breiten, hohlen Woge
hoch auf, warf sich über die Gärten und Mauern her und drückte sie zu Boden, unterwühlte sie, überrannte sie, riß im Sturm-
lauf die Stadt auseinander und warf sie rechts und links auf die
Uferhöhen zurück. Das Hochwasser verlief, der Rhein blieb da
und kämpft und tobt bis heute, als wäre der Widerstand der
überfallenen Stadt noch nicht gebrochen. Das Stück gedeckter
Brücke aber, das auf diesem Ufer und dem Pfeiler im Strom
aufliegt, dieses Dach war das einzige im Tal unten, das von den
Fluten nicht gestürzt wurde, und so hängt es noch da über dem
Verderben, uralt, hinterlistig-lustig, etwas spöttisch. Und seit
dem Tage sind es zwei Städte, zwei Länder, zwei Völker. Die
Leute hüben und drüben sind vom gleichen Stamme, sind ver-
schwistert und verschwägert; aber sie denken verschieden, sie
schwören auf anderes, sie sterben für anderes: die drüben
schimpfen uns ›deutsche Fürstenknechte‹, und wir schimpfen
sie ›freie Schweizer‹.«

»Sie haben –« sagte der alte Herr nachdenklich, »– die Menschen haben Sie vergessen – bei Ihrer Sündflut.«

»Ja. Aber wenn ich sie auch nicht vergessen hätte, würde ich
nicht viel mehr über sie zu sagen gehabt haben. Dieses Wasser
hier verfährt so blitzschnell mit ihnen, daß sie nicht einmal
Zeit zu einem Hilfeschrei haben, – den man übrigens in dem
Getöse auch nicht hören würde.

Ich hab' es einmal erlebt. Ich wohnte ja da drüben gerade über
dem Laufen in dem vorspringenden Eckhaus in einem Eckzim-
mer. Wenn ich aus dem Seitenfenster steil hinabschaute, so sah
ich in die Felsbucht, die man ›Tote Waag‹ nennt und in der sich
beim Flößen immer einzelne vom Talweg abirrende Stämme
verfingen. Eines Morgens bei der Arbeit hörte oder fühlte ich
wieder einmal öfter den Anprall der herübergeschleuderten
Bäume an den Felsen unter dem Hause, legte mich schließlich

ins Fenster und sah rauchend zu, wie ein Floßknecht in hohen
Stiefeln auf den Felsen und Hölzern hin und her turnte und
mit seiner Stange oder auch mit dem Fuße die einzelnen Stämme in den Strom hinausstieß. Und es gefiel mir sehr, wie er im
Strohhut, hemdsärmelig und in wasserglänzenden Stiefeln sich
waghalsig an den braunen Wänden der schattigen Bucht bewegte. Nun stand er auf zwei nebeneinander liegenden Stämmen und reckte sich, um einem ferneren Balken den Abstoß zu
geben, glitt aus, bekam das Übergewicht, war verschwunden. Es
geschah schneller, als ich es fassen konnte, ich sog noch an meiner Zigarre und suchte mit den Augen umher, wo der Flößer
geblieben sei, und erst als ich ihn nicht fand, und er nicht mehr
auftauchen wollte, überfiel mich der Schrecken. Ich eilte hinunter und rief Leute herbei. Die zuckten aber nur mit den Achseln
und sagten: ›Dem tut kein Zahn mehr weh!‹ standen ein Weilchen und guckten mit in das Wasser, dann gingen sie zurück an
ihre Arbeit. Und der Strom gab ihn nicht wieder heraus.«
»Ja – den einen will er«, sagte der alte Herr mit halber Stimme
und setzte mit Nachdruck hinzu: »den andern will er nicht!«
Er drehte sich rasch um, blieb noch einen Moment mit nachdenklich gesenktem Kopfe stehen, sagte dann: »Kommen Sie!«
und ging mir voran. Wir schlängelten uns ein Pfädchen hinab
zum Strom. Auf einem warmbesonnten Felsen, an dem das
Wasser vorbeischäumte, setzte mein Führer sich und sprach:
»Hier sind wir ungestört.«
Und wirklich, das Brausen in der Luft war so groß, daß ich ihn
nur eben noch verstehen konnte. Manchmal wehte ein Schleier
zarten Wasserstaubes erfrischend über uns her.
»Ich will Ihnen erzählen, wieso der Laufen mich rettete oder
verschonte oder nicht haben wollte. Niemand weiß es außer
mir. Unser Gespräch hat mich wieder einmal so tief in die Erinnerung hineingedrängt, daß ich mich ohnehin nur langsam
und den Verlauf wieder genau durchlebend aus ihr herausarbeiten kann: so will ich es einmal mit lauten Worten tun. Es ist
eine einfache, harte Geschichte, und es mag gesund sein, sie
anzuhören.
Ich bin auf der Schweizer Seite drüben, also in der ›Großstadt‹
geboren, hinten, wo die Gärten ins Freie stießen, und habe hier
meine Kindheit verbracht, so gesund, frei, heiter und reich, wie
es eigentlich nur in kleinen Städten möglich ist, wo die Fami-

lien seit hundert Jahren in denselben Häusern sitzen, in denselben Gärten ihr Obst und Gemüse ziehen, in denselben natürlichen Bedingungen die Lust und Gefahr des Lebens lernen und, da alle einander kennen, alles mit persönlichem Anteil erleben. Dann war ich in Aarau auf der Schule, und nun wollte ich Medizin studieren. Teils um mich über mein Vorhaben genauer zu unterrichten, teils auch nur, um meinen stolzeren Verkehrsansprüchen Genüge zu tun, machte ich eines Tages in Klein-Laufenburg einem Medizinstudenten, der vor dem letzten Examen stand, meinen Besuch. Ich kannte ihn natürlich, wie sich alle kannten; da er aber vier Jahre älter als ich war und von zurückhaltendem Wesen, so hatte ich mich bisher nicht näher an ihn gewagt. Er wohnte in seinem Elternhause etwas oberhalb der Brücke, in einem Zimmer auf den Rhein hinaus, zwei Treppen hoch.

Vor der Türe hörte ich, wie er innen auf und ab schreitend englische Verse las, jedenfalls Byron, der damals immer auf seinem Tische lag. Ich wartete eine Pause ab, ehe ich klopfte und eintrat. In dunklen Hosen und knapper Militärdrillichjacke stand er mitten im Zimmer, drehte den Oberkörper und sah verwundert nach der Türe her. Die einfache Kleidung, die energisch bewegte Haltung seines wohlgebauten Körpers, die niedrige, behagliche Stube, deren Decke er mit seinem dichten braunen Haar fast streifte, all das ließ ihn mir noch größer und vornehmer erscheinen als sonst, ich wurde befangen und fand nicht gleich das Wort. Er legte das Buch weg, begrüßte mich mit einer freundschaftlichen Höflichkeit, – ich saß auf dem Sofa und hatte Zigarettenpapier und -tabak vor mir, ehe ich nur ein paar Worte hatte sagen können. Je liebenswürdiger nun der Empfang war, um so wichtiger erschien es mir, meinen Besuch zu rechtfertigen, ich erhob mich plötzlich wieder und sagte her, was mich zu ihm führte. Ich stand jedenfalls sehr schulbubenhaft und komisch vor ihm, er schaute mich aber mit gänzlich unberührtem Ernst an, hörte aufmerksam zu und antwortete. Er lachte überhaupt selten und über das obenhin Lächerliche wohl nie. Er gab mir nur den Rat, meine ersten Semester nicht, wie üblich, zu verbummeln, sondern sofort richtig zu arbeiten, wenn nicht in den medizinischen Fächern, dann irgendeine Liebhaberei, Geschichte, Geologie – was es sei. Nur gleich die freigewordene Hand auf die Welt legen, nur gleich die Eroberung beginnen!

Hätte mir ein anderer das gesagt, so würde ich ihn ausgelacht und erwidert haben: ›Im Gegenteil! Für eine gute Weile ist genug geochst; jetzt wollen wir trinken und raufen und die Mädchen küssen!‹ Albiez aber verleitete mich durch sein leidenschaftliches Beispiel. Er nahm mich auf Exkursionen mit und machte aus mir den Botaniker, der ich heute noch bin; wir klopften alle Steinbrüche, Sandgruben und Felsschluchten ab; wir suchten alle Sammler heim vom Bodensee bis Basel, ob sie nun Schmetterlinge, Steinbeile oder Bilder sammelten, – ich empfand auf einmal, daß die Wissenschaft nicht eine Last sei, unter der man von Examen zu Examen keucht, sondern eine umworbene, beglückende Macht, der die verschiedensten Menschen der verschiedensten Berufe ihre, wenn auch nicht meisten, so doch innigsten Stunden widmeten. Albiez, dem ich in meiner leichteren Art besonders behagen mochte, nahm sich meiner wie eines jüngeren Bruders an, immer gleich sicher und ruhig, geduldig und – unnachgiebig.

Einmal aber in diesen Ferien überraschte mich sein Wesen doch. In der Sauserzeit machten wir eine Weinreise in die Hallauer Gegend. Schließlich blieben wir gegen Abend im ›Hirschen‹ in Unterhallau hängen und waren nun bei einem Maß von Wein angekommen, das auch dem geeichten Weintrinker fühlbar wird, und da merkte ich auf einmal, daß der gute Albiez einen bösen Wein zu trinken scheine. Während er sonst nur seine eigenen Worte peinlich genau nahm und gegen andere Nachsicht zeigte, selten mit einem Zusatz mitleidiger Geringschätzung, legte er nun plötzlich jegliches Wort, das am Tische fiel, auf die Goldwaage, bald indem er es nur mit scharfer Betonung wiederholte, bald indem er es heftig kritisierte und zurückwies. Da ich selbst entweder als sein Schützling Schonung genoß oder in meiner Verehrung und Rücksicht gegen ihn keinen Anlaß zur Rüge gab, so war sein Verfahren für mich zunächst ein freilich mit Bangen gewürzter Genuß: ich würde geglaubt haben, er leiste sich einen Weinulk, indem er all den Blödsinn, der geredet wurde, gedanklich und sprachlich zerlegte, wenn nicht seine gesenkte, stößige Kopfhaltung, der böse Blick von unten auf und die kurze, heftige Art, wie er seinen Zigarrenrauch von sich paffte, allzu ersichtlich gezeigt hätte, daß es noch anders kommen müßte. Er sprach mit völliger Klarheit, Schärfe und Sicherheit des Wortes; nur an der hitzigen Streitsucht merkte

man den Wein. Also – plötzlich, aber nicht unerwartet, auf eine
grobe Widerrede hin, beugte sich Freund Albiez über den Tisch
hinüber, packte den Sprechenden am Kragen und schlug auf ihn
los. Und da war natürlich keiner unter uns, der sich die schöne
Gelegenheit, draufzuhauen, hätte entgehen lassen, und schließlich fielen die Hiebe und Tritte so dicht, daß es auf Freund und
Feind ging. Indessen wurden wir beide nach und nach zur Tür
gedrängt, zum Hause hinaus und über die Staffel hinabgesto-
ßen. Nun wäre ja alles in schönster Ordnung gewesen, da fiel
es aber dem letzten der Sieger, der wieder zur Tür hineinging,
ein, über die Schulter noch einmal zurückzurufen: ›Ihr verfluchte
Sauschwaben – ihr verfluchte!‹ Und da kam denn noch das Lu-
stigste. Albiez war mit einem Satz wieder im Haus (wohin ich
ihm folgte), stellte jenen Rufer und sagte:

›Halt! Still, ihr Mannen! Da ist ein Unrecht geschehen, das
Sühne verlangt. Hier diesen Jüngling, der unter meinem Schutze steht, habt ihr »Sauschwab« geheißen, und er ist doch ein so
echter »Schwizerkaib« wie ihr. Das ist eine Schmach für euch
wie für ihn! Damit die eidgenössische Ehre wiederhergestellt
wird, schlage ich vor, daß der Verleumder dem Verleumdeten
dreimal »Schwizerkaib« ins Gesicht schreit!‹

Das Komische war, daß er in unverdächtigem Ernste sprach und
es jedenfalls ganz ernst meinte. Die Hallauer starrten uns einen
Moment verblüfft an, dann fielen sie aufs neue über uns her,
ich bekam diesmal mehr Prügel als vordem, nach kurzem flogen
wir wieder zum Tempel hinaus, und unsere Hüte hinterdrein.
Albiez hob den seinigen auf und drehte ihn im Mondlicht hin
und her, fuhr reinigend immer wieder mit dem Ärmel drüber
und setzte ihn mit hochmütig nachlässiger Gebärde auf, blickte
kurz nach den erleuchteten Fenstern zurück und sagte:

›Victrix causa diis placuit; – sed vieta Catoni!‹ und trat den
Weg zum Bahnhof an.

Ich sah nach der Uhr und bemerkte: ›Die haben uns zur rechten
Zeit an die Luft gesetzt, jetzt kommen wir noch bequem auf
den Zug.‹

Er antwortete nicht, und da mich sein Benehmen überhaupt
unsicher gemacht hatte, so schwieg ich auch, und wir gingen
eine ganze Strecke stumm nebeneinander hin, er mitten auf der
Straße, ich ein paar Schritte seitlich am Straßenrand.

Plötzlich blieb er stehen und rief mir mit scharfem Ton zu:

›Mein Herr, wie kommen Sie eigentlich dazu, immer neben mir
herzulaufen!‹

Ich war natürlich etwas überrascht und sagte:

›Ja – was ist denn los, auf einmal?‹

›Fühlen Sie denn nicht, daß mir das lästig werden muß!‹ fuhr
er fort. ›Das ist ja geradezu zudringlich, – verzeihen Sie das
harte Wort! – aber ich kenne Sie ja gar nicht. Wer sind Sie denn
überhaupt?‹ Er blickte mich so fremd an, daß ich merkte, eine
Berufung auf unsere Freundschaft sei zwecklos, und so widerstand es mir ein wenig, meinen Namen zu sagen. Mein Zögern
reizte ihn, er trat einen kleinen Schritt näher, bohrte seinen
Blick in den meinen und fuhr fort: ›Wollen Sie sich nun entschließen, mich allein zu lassen? Oder – muß ich mir Platz machen?‹ Er wiegte seine herabhängenden Fäuste wie versuchend
ein wenig auf und ab. Ehe ich antworten konnte, setzte er hinzu: ›Sind Sie Student?‹ Als ich bejahte, sagte er in leichterem
Tone: ›Dann bitte ich um Ihre Karte!‹ und griff nach seiner
Brusttasche. Ich zog zwar auch mein Notizbuch; aber, als er sich
mit seiner Karte in der Hand wieder zu mir wandte, erwiderte
ich:

›Bedaure, ich habe keine Karte.‹ Darauf richtig einzugehen, auch
nur aus Rücksicht auf seinen Zustand, war gegen mein Gefühl.

›Darf ich aushelfen?‹ fragte er höflich und reichte mir eine der
seinigen. Als ich mein Blei zur Hand nahm, fuhr mir durch den
Sinn, einen falschen Namen anzugeben, und ich kritzelte auf
die Rückseite seiner Karte: ›Melchior Müller, stud. phil., Säckingen.‹ Indem ich ihm meine Karte gab und seine empfing, beobachtete ich ihn erwartungsvoll. Er hielt die Karte gegen das
Mondlicht, las, lupfte leicht, doch förmlich den Hut, – und ich
tat dasselbe.

Dann eilte ich mit großen Schritten voran. Auf dem Bahnhof
ging er noch einmal an mir vorbei, ohne mich zu erkennen.
Und am andern Tag wußte er nicht, wie er aus dem Wirtshause
heraus- und heimgekommen sei. Ich sagte es ihm auch nicht.

Dies war das einzige Mal, daß ich ein gebändigtes und verdeck-
tes Temperament bei ihm ausbrechen sah; denn er trank immer
sehr mäßig. Von seinen Bundesbrüdern erfuhr ich später ähnliche und ernstere Geschichten, doch nur aus seinem ersten
Studienjahr; nachdem er seine Schwäche kennengelernt hatte,

gewöhnte er sich daran, wenig zu trinken. An dem Hallauer Tag aber war ihm, indem wir von Ort zu Ort wanderten, Besuche machten, einkehrten, immer wieder mit andern zusammensaßen und redeten, wohl wie es so geht, nicht bewußt geworden, wieviel er trank.

Bald darauf zog ich mit ihm nach Heidelberg, und es war für mich ausgelassenes Füchslein, dem die studentische Freiheit und die Pfälzer Lustigkeit alle Riegel und Zügel lösten, eine große Wohltat, den älteren Freund zu besitzen, der fest auf sein Ziel hinsah, heiter und gleichmäßig arbeitete und mich, sobald ich zu ihm trat, mit wissenschaftlichen Fragen einnahm. Er baute also sein Staatsexamen und seinen Doktor und verbrachte dann, wie auch ich, das folgende Sommersemester wieder in Heidelberg, und zwar als Assistent in einer Klinik.

Am Ende des Semesters machte ich mit einigen Bundesbrüdern eine Rundreise nach verschiedenen andern Universitäten, so zum Abschied; denn ich gedachte, im Winter eine Schweizer Universität zu besuchen und erst in den klinischen Semestern nach Deutschland zurückzukehren.

Spät im August kam ich nach Hause. Am Bahnhof erwartete mich Freund Albiez und hatte ein zierliches, hellgekleidetes Geschöpf am Arm, das mir bekannt schien; aber es hielt den Kopf gesenkt, und ich konnte aus der Ferne das Gesicht unter dem großrandigen Strohhut nicht sehen. Alle Wetter, dachte ich, hat der sich zu guter Letzt auch noch einen Schatz vom Neckar mitgebracht! Wer kann sie nur sein? Freudig erregt trat ich auf die beiden zu, blieb aber einige Schritte vor ihnen plötzlich stehen, als das Mädchen nach mir aufschaute und mich mit wohlbekannten, dunklen Augen anlachte, während zugleich eine tiefe Röte ihr bräunliches Gesicht durchglühte.

Ich blieb also stehen, blickte bewundernd vom einen zum andern und sagte:

›Herr Gott, sieh dein Volk an! Es sind lauter Zigeuner.‹ Dann schüttelte ich ihnen herzlich die Hände. Das Mädchen aber gab mir noch, scherzhaft schmollend, einige Schläge mit dem Zeigefinger auf meine Hand und sprach:

›Du bist auch nicht mehr wert als die andern! Alle wundern sich darüber, daß ich mich verlobe! Wieso denn? Das ist doch zu arg! Von dir aber hätte ich was anderes erwartet!‹ Im Grunde war sie von der allgemeinen Überraschung sehr erfreut.

›Ich bin wirklich maßlos überrascht‹, erwiderte ich; ›aber nicht, wie du meinst, sondern darüber, daß mir nicht schon längst aufgegangen ist, wie ausgesucht ihr zwei zueinander paßt! Ihr habt es gut gemacht! Ihr könnt mir's glauben; denn ich kenne euch. – Siddy!‹ setzte ich hinzu, ›du bist ja freilich noch ein Mammenkind!‹ – Was ein Strumpf ist, erkennt sie nämlich erst, wenn der Fuß drinsteckt! Und für die Trauung und Unterschrift – da ist nun nicht zu helfen! – Kind, dafür wirst du doch noch lernen müssen, drei Kreuze zu machen!‹

Über meine Anspielung errötend, rief sie:

›Und ich rate dir, laß dir das Haar schneiden, ehe du zu uns ins Haus kommst!‹

Also mein Nachbarskind, meine Spielgefährtin und Jugendfreundin, die in unserm Haus und Garten so daheim war wie im eigenen, und wie übrigens auch ich in dem ihrigen, Siddy Graf war die Braut meines Freundes Ludwig Albiez! Und sie machten ein Paar, das sich sehen lassen konnte. Sie war kleiner als er, biegsam, lebhaft, von natürlicher Anmut. Man konnte sie sich als kleinstädtische Hausfrau und Mutter vieler Kinder denken, die diesem Dasein jede mögliche Schönheit bewahrt hätte, man war aber auch sicher, daß sie als Frau eines Gelehrten oder eines repräsentierenden Beamten an ihrer Stelle sein würde. Sie hatte zwar in der Schule nicht gelernt, doch war sie empfänglich, ja, begierig auf alles, was das Leben brachte, und kam nie seinen Anforderungen gegenüber in Verlegenheit. Ich bewunderte die Liebeswahl meines Freundes, dem alles so wohl geriet, ohne daß er im mindesten ein Schlauer, ein Streber, ein Berechner gewesen wäre, und es schien mir nur seinem Reinlichkeitsbedürfnis zu entsprechen, daß er es klug vermieden hatte, auf diesem Eroberungszuge den Verdacht oder die Ahnung selbst der nächsten Angehörigen zu erregen.

Ich freute mich über diese Verlobung wahrhaftig ohne jede Spur von Neid. Gewiß war ich in den Jahren und auch dazu angetan, Liebesgedanken zu haben, schönen Mädchen nachzulaufen und wo es anging, den Hof zu machen; aber diese liebliche Siddy Graf hatte sich noch nie in meine Träume eingeschlichen. Wenn gesunde Buben mit herzhaften Mädeln aufwachsen, so sind ihnen die Mädel nicht viel anders als Kameraden, die langes Haar und Röcke tragen, schlecht rennen und schlecht werfen können. Nun kommt die Zeit, wo das Mädchen

seine Knabenhaftigkeit verliert, und kriegt man im herkömm-
lichen Spiel und Treiben so ein Wesen zu fassen, so hat man
plötzlich ein unruhiges Gewissen, da man inne wird, daß so
ein Arm etwas anderes geworden ist, voll, elastisch, nicht mehr
jenes dünne Ding aus Knochen und Muskelsträngen. Man hat
mit einemmal das Gefühl, der Arm sei fremdes Eigentum, von
dem man die Hand lassen müsse wie von so vielen lieblichen
Dingen, man wird mißtrauisch, unsicher, etwas scheu. Man
überläßt die Freundin mehr der Schwester und zieht sich in-
stinktiv so weit zurück, daß das gute Einvernehmen keinen
Schaden leidet. Die ersten Schritte auf dem Glatteis der Liebe
tut man überhaupt womöglich nicht unter den Augen der Eltern und Schwestern, man schweift etwas in die Ferne, und
wenn es nur die nächste Straße ist, und verwagt sich lieber vor
fremden Mädchen als vor alten Freundinnen, von denen uns
die Vertrautheit zu dieser Zeit wie eine Kluft trennt. Mir wenigstens war es mit Siddy so ergangen. Unser Verkehr war
längst ein klein wenig förmlich geworden, ich hatte mich bei
einer etwas steifen Aufmerksamkeit für sie wohlbefunden.
Wie sie nun am Arme ihres Verlobten neben mir dahinschritt,
vom Bahnhof der Brücke zu, da ward mir plötzlich bewußt, daß
wir eben bei unserer Begrüßung ganz in der derb herzlichen
Unbefangenheit früherer Jahre miteinander gesprochen hatten,
und während ich den Albiez ausfragte, freute ich mich unsäglich darüber, daß Siddy und ich den alten Ton wiedergefunden
hatten, und nahm mir vor, dabei zu bleiben; am liebsten hätte
ich sie bei der Hand gefaßt, dem Herrn da weggerissen und wäre
mit ihr die Straße hinunter und wie der Blitz an den Zöllern
vorbei über die Brücke nach Hause gerannt! Albiez wandelte
frei und gemessen, als wäre er schon zehn Jahre verheiratet, mit
seiner Braut des Weges und sprach davon, daß er den Winter in
Wien zubringen werde, um die Spitäler und Kliniken kennenzulernen – es war zu Ende der sechziger Jahre, und der süddeutsche Arzt ging noch nach Wien – und daß sich bei diesem
Aufenthalte entscheiden müßte, ob er praktischer Arzt werde
oder die Universitätslaufbahn einschlage; übers Jahr wollten sie
in beiden Fällen heiraten. Siddy, an deren kürzeren Schritt sich
ihr Liebster noch nicht gewöhnt hatte, so daß sie bald trippeln,
bald weitausholen mußte, Siddy war so rührend schön in ihrem
stillen Hineinhören in die Dinge, die ihr noch fremd waren

und doch ihre Zukunft und ihr Glück in sich bargen, und sie
war so köstlich ernst und überlegen, wenn sie zwischenhinein
mir etwas erklärte, – und ich dachte derweil an lauter Buben-
possen und Narretei.

Ich blieb auch zunächst grundvergnügt. Anfangs oft mit dem
Paare zusammen, merkte ich bald, daß ein Dritter überflüssig
sei, und folgte daher ihren Aufforderungen seltener, überließ
das Zusammentreffen dem Zufall und beschränkte mich darauf,
den Freund wie bis dahin zu besuchen, wenn ich ihn allein
wußte, und mit Siddy Graf nach der Gelegenheit zu verkehren
wie in Kinderzeiten. Und dieser Verkehr war wieder ganz der
alte, unbefangen vertraute. Wenn sie meine Schwestern besuchte, was in dieser Zeit der Wichtigkeiten sehr häufig geschah, so
versäumte sie nie mehr, meine Zimmertüre zu öffnen, mich zu
begrüßen und das Neueste zu berichten; wenn ich ausging, so
trat ich meistens noch in das Nebenhaus, um ein paar flinke
Worte mit ihr zu wechseln. Sahen wir einander im Garten, so
hob sie die dafür eingerichtete Latte aus dem Zaun, schlüpfte
wie als Kind schon herüber und hielt mir die Leiter beim Obst-
pflücken, oder ich half ihr drüben beim Bohnenbrechen. Öfter
noch lehnten wir uns von beiden Seiten nebeneinander auf den
Zaun und plauderten. Oder vielmehr wir scherzten, wir neckten einander, trieben Possen.

Das war alles sehr harmlos, aber manchmal doch übertrieben
von einer zutappenden Aufgeregtheit, die uns wohl plötzlich
bewußt wurde, so daß wir in alberner Überraschtheit voreinander stehen blieben und uns ein wenig schämten. Wir fühlten,
daß wir uns nicht so auslassen würden, wenn nicht Siddy eben
eine verlobte Braut wäre. Diese Brautschaft machte uns sicher.
Siddy war ja einige Jahre jünger als ich und noch ein halbes
Kind, und es hatte den Anschein, als müßte sie sich für den
plötzlich über sie gekommenen Ernst durch kindisches Tollen
entschädigen. So überließen wir uns unserer Unbesonnenheit
ohne Arg. Wohl entging mir nicht, daß dieser Verkehr anfing,
mich von der Arbeit abzuhalten, daß ich träumerisch auf meinem Studierzimmer hin und her ging, daß ich droben unzufrieden war und allfort ins Haus hinabhorchte oder in den Nach-
bargarten hinüberspähte; – aber was war denn dabei, wenn ich
nebenher auch ein bißchen für Siddy schwärmte, für die Braut
meines Freundes, dem ich sie doch aufrichtig von Herzen gönn-

te. Und war sie nicht mein Spielkamerädlein von ihren ersten Schühchen an!

Wie es in dieser Zeit mit ihr stand, ob sie sich bloß vergaß oder ob sie vielleicht auch bewußt aus der Sicherheit heraus ein wenig mit dem Feuer spielte, das weiß ich nicht. Ich jedenfalls, keines bösen Willens mir bewußt, ließ mich treiben in dem klaren Gefühle, daß ich in einigen Wochen nach Bern ziehen und das Spiel dann ein Ende haben werde. Übrigens scheuten oder verstellten wir uns vor Albiez nicht im mindesten, und er spottete wohl gutmütig und sagte, wir seien wie zwei junge Hunde, die immer herumtollen und herumtapsen müssen. Und so wenig über das doch lustig anzusehende Spiel junger Hunde zu sagen ist, so wenig kann ich von unsern Albernheiten erzählen.

Eines Tages nun hatte sie vor dem Mittagessen noch Blumen geschnitten und in einem schönen roten Glase auf den weißen Tisch der Laube gestellt, wo auf des Bräutigams Anregung der Kaffee genommen wurde. Dann trat sie zu mir an den Zaun, über den hinweg ich ihr zugeschaut hatte. Sie stützte sich, die Hände zusammenfügend, mit beiden Unterarmen auf die den Zaun oben schließende Querleiste, ich lehnte auf der andern Seite neben ihr. Sie hatte ein kleines blasses Röslein zwischen den weißen Zähnen und bewegte es beim Plaudern hin und her. Die Rosafarbe der Blüte hob sich zart von der kräftigen Röte ihrer zierlichen, vollen Lippen wie von der heißbraunen Gesichtsfarbe ab und gab ihr einen ungemein frischen Reiz. Ich sah eine Weile zu, wie das Röslein von rechts nach links im Gesicht wanderte, sich bald unter das Näschen erhob, das alsdann den Duft einsog, bald auch über das rund herausgewölbte Kinn herabhing, und wie die Zähne auf dem Stiel herumbissen, und sagte dann, indem ich die hohle Hand hinhielt:

›Mir das Röschen!‹

›Wozu!‹ erwiderte sie und wandte den Kopf ausweichend beiseite.

›Zum Andenken!‹ sprach ich, ganz ohne Überlegung.

›Zum Andenken –?‹ wiederholte sie, mich scharf ansehend, und nahm das Röslein aus dem Munde.

›Gewiß!‹ antwortete ich mit etwas bewegter Stimme. ›Wir haben dich ja doch nicht mehr lange.‹

›Aber das Röschen ist nichts!‹ sagte sie. ›Morgen fallen die Blätter ab. Nein, ich werde dir was Rechtes geben, – ich werde dir was machen!‹ Sie ließ nachsinnend die Augen umgehen, und ihr feiner Mund stand halbgeöffnet, kindlich, daß die Zähne schimmerten.

Da erschien mir dieser Mund als das schönste und köstlichste Gut auf der Welt, ich trat vor Siddy, legte die Hände fest auf ihre Schultern und sprach:

›Ich weiß, was! Einen Kuß gibst du mir zum Andenken – zum Abschied – wie du mir früher einen gegeben hast, wenn ich aus den Ferien wieder nach Aarau fuhr!‹ Nicht ganz ehrlich hatte ich dies rasch zur Überrumpelung hinzugesetzt, und ohne weiteres hielt ich die sich Aufrichtende fest und küßte sie. Und sie küßte mich mit Kraft wieder.

Kaum hatte ich sie aber losgelassen und stand etwas beschämt und mir selbst überflüssig vor ihr, da atmete sie plötzlich gewaltsam auf, blickte mir erschrocken in die Augen, ward tiefrot und sagte leise:

›Das war Unrecht.‹

›Unrecht –?!‹ wiederholte ich unwillig, ›Unrecht? Wieso?!‹

›Ja!‹ erwiderte sie bestimmt, ›Unrecht! Denn das darf Ludwig nicht wissen!‹

›Ja, was ist denn –?!‹ fragte ich. ›Hier über den Gartenzaun, wo wir aus euerem Haus, aus unserem Haus, von der ganzen Nachbarschaft gesehen werden können, haben wir alten Freunde, – fast Geschwister! – uns einen Kuß gegeben!‹

Sie ließ, ohne sich zu bewegen, ihren Blick über die ihr sichtbaren Fenster wandern und schüttelte wie verständnislos den Kopf.

›Das will ich dem Albiez gerne sagen!‹ fuhr ich fort, ›da bin ich ganz ruhig. Er ist doch ein vernünftiger Mensch!‹

›Du sagst nichts! Wenn er es erfahren darf, dann bin ich die nächste. Aber ich glaube, – er darf es nicht erfahren. Da kennst du ihn schlecht: das erträgt er nicht! – Und er hat recht!‹ setzte sie plötzlich wieder errötend und mit zornigen Augen hinzu. ›Ich würde es auch nicht ertragen, daß er andere Mädchen küßte.‹ Mir war recht unbehaglich zumute, ein bißchen gedemütigt, fast als hätte ich gestohlen; doch bezwang ich meinen Ärger und sagte beruhigend:

›Aber Kind, so sagen wir eben nichts davon! Dann ist der Katze gestreut. Denke nicht mehr daran!‹

›Nicht daran denken —‹ wiederholte sie langsam, als steckte in den paar Worten ein Problem. Dann blickte sie mich mit rührend schönem, tröstendem Lächeln an und sprach mit bewegter Stimme: ›Also, leb' wohl, Rudi! Du bist ein zu dummer und leichter Gesell für ernsthafte Leute!‹ Sie ließ ihr Auge noch eine Weile auf mir, dann nickte sie und ging, ohne mir die Hand zu reichen, auf das Haus zu. Noch längere Zeit sah ich sie dort nachdenklich hin und her schreiten, ehe sie in das Haus trat.

So übertrieben mir erst ihre Reaktion erschienen war, so ergriffen war ich nun, und trotz aller Neigung, den Vorfall leicht zu nehmen, mußte ich über ihn und Siddys ernste Auffassung nachgrübeln. Ich für meinen Teil wäre am liebsten zu Albiez gegangen und hätte von dem Küßlein in Ehren berichtet; aber freilich: mußte es berichtet werden, so war es Siddys Sache. Und wenn Albiez nun wirklich so empfindlich war, wie Siddy annahm, oder gar mißtrauisch war, – wie auf aller Welt konnte man ihn dann von der Harmlosigkeit überzeugen! Da war Schweigen vielleicht schon das klügste.

Wir hatten nun Abschied genommen; aber so ernst und endgültig er von Siddy gemeint sein mochte, er trennte uns nicht. Ich fiel alsbald in die Trunkenheit des Kusses zurück, ich würde den Abschied trotz allem zehntausendmal wiederholt haben. Meinen Freund empfand ich gar nicht als Hindernis. Der Kuß hatte mir jene Gärung ins Blut geworfen, die unsere Begriffe sprengt, die plötzlich alle scheinbar festgelegten und eingefahrenen Bahnen und Wege unseres Charakters unterwühlt und verschwemmt, in der uns Lug und Trug, Gewalttat und Verbrechen leicht und verführerisch werden, die uns als entscheidende Probe zu Schurken oder Narren oder Männern läutert. Ich mied Siddy nicht. Mehr als je lief ich ihr in den Weg. Und zu meiner Überraschung wich auch sie mir keineswegs aus. Ihren Zustand kann ich natürlich nur vermuten, nur ausdeuten. Vielleicht war er auch ganz anders. Ich sah sie und Albiez immer nur in unzweideutigem Glück, in Ruhe, Heiterkeit, gegenseitigem Verständnis und bin überzeugt davon, daß ich für Siddy nur als ihr alter Gespiel in Betracht kam, gegen den sich ihre Spannung in harmlosem Tummeln lösen konnte. Der Kuß nun war nicht nur von mir erbeutet, sondern auch von ihr gegeben. Obschon überrascht, küßte sie herzhaft und kundig. Im nächsten Moment aber mag es sie durchzuckt haben, daß ich ja

nicht ihr Liebster und daß also ihr Kuß, dieser hingegebene
Kuß, eine Verirrung, ein Verrat, eine Abscheulichkeit sei, deren
sie sich schmerzlich schämte, vor sich selbst, vor mir und gar vor
Albiez. Da sie das strenge Fühlen ihres Verlobten kannte, ja
teilte, so fand sie zunächst nicht die nötige Leichtigkeit, sich
gegen ihn anzusprechen, und ihre Unsicherheit wuchs von Tag
zu Tage. In ihrer Hilflosigkeit drängte es sie wieder zu mir, den
sie hatte meiden wollen, zu dem Gewalttäter, gerade als könnte
sie bei mir Schutz und Hilfe finden. Aber unser Beisammensein
war einsilbig, gedrückt, trostlos.

So ging es einige Tage. Nur einmal sprach sie aus, was sie bewegte, indem sie, den gesenkten Kopf schüttelte, flüsterte:

›Ich kann es ihm nicht sagen!‹

Da fühlte ich mich so schuldig, daß ich rief:

›Ich reise morgen ab! Dann denkst du nicht mehr daran.‹

›O nein!‹ erwiderte sie. ›Das wäre gefehlt; denn ich muß es ihm
sagen.‹

Ich sah ein, daß sie es nicht über sich gewinnen würde. Darum
nahm ich mir vor, bei nächster Gelegenheit den Albiez zu fragen, ob mir seine Braut zum Abschied einen Kuß geben dürfte
wie in früheren Zeiten. So dachte ich, den verübten Schaden
wieder gutzumachen. Aber seltsam, ich fand die Unbefangenheit des Wortes auch nicht und verschob es von einem auf das
andere Mal.

Die geheime Absicht machte mich nun auch dem Freunde gegenüber nachdenklich und einsilbig, und diesem Umstand
schrieb ich es zu, daß er mich einige Male auffallend ernst und
forschend anblickte.

›Du wirst langweilig, mein Sohn‹, warf er einmal hin, ›und
steckst mir die Siddy auch noch an.‹

So vergingen vier, fünf Tage. Da fragte er nachmittags, als ich
zum Kaffee in den Garten gekommen war und unbehaglich
herumstand oder hin und her zappelte, ob ich nicht mit ihm
und seiner Braut eine Kahnfahrt machen wollte. Ich war's zufrieden, ja, ich drängte, früher zu gehen, denn es war mir eine
Erlösung aus dieser Unterbundenheit, wenn nur irgend etwas
geschah oder von mir verlangt wurde. Albiez aber wollte die
Nachmittagshitze vorbeigehen lassen, und so machten wir uns
erst auf den Weg, als die Sonne schon tief stand.

Die Felsbank, die unter der Brücke her dem Rhein den halben

Weg verlegt, staut oberhalb auf der Schweizer Seite eine Bucht ruhigen Wassers an und drängt meistens am Ufer eine Gegenströmung hinauf. Mit dieser kann man ein gutes Stück bequem rheinaufwärts, über den Bereich des Gefälles hinaus in den stilleren Fluß. Auf dem Rückweg handelte es sich dann nur darum, beizeiten aus der rascher werdenden Strömung ab- und in die Bucht einzulenken; sonst gerät man in den Laufen.

Ich ruderte, Albiez und Siddy saßen mir gegenüber, gaben mir gelegentlich einen Wink für die Steuerung, und wir sprachen Zufälliges über die Häuser, an denen wir vorbeifuhren. ›Das sind deine Fenster, Ludwig‹, sagte Siddy, über das Wasser deutend. Sie standen weit offen und zeigten nur dunkle Vierecke.

›Wie trostlos‹, sprach er hinaufschauend, ›kommt einem doch die eigene liebe Bude vor, wenn man so dran vorbeigeht und sie offen und leer sieht!‹

›Deine Mutter ist unten am Fenster, schau!‹ sagte Siddy und winkte mit ihrem roten Sonnenschirm; und nun erhoben wir unsere Stimmen und riefen ›Juhu‹. Die Frau grüßte und drohte dann mit dem Finger, als wollte sie sagen: Gebt acht!

So kamen wir über die Häuser und Gärten hinauf.

Es war ein heißer Vorherbsttag, der Himmel dunstblau mit wenigen verzogenen Wolken der Art, die man nicht mehr findet, wenn man nach fünf Minuten wieder hinschaut. Auch die Luft war etwas dunstig und ließ mir die Stadt und die Brücke und die Höhen, auf die ich zurückblickte, fast unwirklich erscheinen, als sähe ich das Ganze in einem Spiegel. Und die Luft war so still, daß die Blätter, die sich von den Bäumen lösten, zögernd und schwankend und taumelnd niedersanken. Und das Brausen der Stromschnelle war nur noch wie ein leises Sieden in der Luft. Es wurde still zwischen uns.

Da fing Siddy an zu sprechen und sprach mit spürbarer Ruhelosigkeit unaufhörlich, von einem Ding zum andern springend. Ich fühlte, daß sie nur die ängstliche Zeit ausfüllen und ihren Verlobten hindern wollte, zu sagen: Siddy, du hast mich betrogen! Du hast den Rudi geküßt!

Und hier in dieser Abgelöstheit nur mit den beiden Menschen zusammen, die ich gekränkt hatte, unter dem unendlichen Himmel, auf dem klaren Strom zwischen den stillen Ufern, gegenüber dem gequälten Mädchen und dem ahnungslosen

Freund erschien ich mir plötzlich treulos und schamlos und schlecht. Als wären nur wir drei Menschen auf der Welt und als hätte jede Regung Schicksalswucht, empfand und wog ich nun mein und Siddys Treiben mit der schärfsten Empfindlichkeit und erkannte es als unverzeihlich. Ich hörte nicht mehr auf die beiden. Ich ruderte mit Wut, als könnte ich dadurch diesen Gedanken und Verhältnissen entfliehen; ich dachte: ins Wasser springen, ans Land schwimmen, auf Nimmerwiedersehen davon! Ich schrak auf, da Albiez rief:

›Rudi! Hörst du denn nichts?! Laß mich jetzt rudern, du schindest dich ja! – Aber sachte!‹

Ich war so erregt, daß ich kaum die zwei Schritte zur andern Bank leisten konnte und fast über Bord getaumelt wäre. Nun saß ich neben dem Mädchen und sagte, um etwas zu sagen:

›Ein Blödsinn, so zu rudern! Ich bin ganz außer Atem!‹

›Wenn du wieder bei Atem bist, könntet ihr singen!‹ meinte Albiez, indem er gelassen ruderte. Er blickte bald, sich umwendend, in der Fahrtrichtung, bald nach den Ufern, bald nach Siddy und mir. Sie sah meistens zur Seite ins Wasser, und ich glaube, sie vermied seinen Blick, mir wenigstens war nie wohl zumute, wenn sein und mein Auge einander trafen, und ich hielt ihm nicht stand.

›Jetzt werd' ich wenden‹, sagte er nach einer Weile. ›Die Sonne steht gerade auf dem Schwarzwald auf; ihr könnt ihr noch rasch etwas singen, ehe sie dahinter versinkt!‹

Es war in diesen Wochen nämlich auch wieder aufgekommen, daß wir abends im Garten oder auf dem Feld miteinander sangen; manchmal machten noch die Geschwister mit, drei-, vierstimmig; oft auch nur Siddy und ich, und unsere Stimmen klangen gut zusammen.

›Was – sollen wir singen?‹ fragte ich sie, die mich nur kurz anschaute und wiederholte: ›Ja, was?‹

›Nun, irgendeines! Die Lorelei oder Morgen muß ich fort von hier‹, schlug ich vor.

›Ach – nein! Die sind ja so traurig!‹

›Ich habe zwar noch nie ein Lied traurig empfunden, wenn es schön war – aber was denn?‹

›Singt in Gottes Namen den Schwarzen Walfisch!‹ rief Albiez lachend.

›Nein, um Gottes willen nicht! Singt doch das schöne, das ihr

letzthin auf dem Ebenen Berg gesungen habt, das von Haydn,
»An die Freundschaft!«‹
Wir fingen an:

>‹In stiller Wehmut,
> In Sehnsuchtstränen
> Schmilzt meine Seele —‹

aber keines von uns beiden hatte Stimme, es kam zaghaft, gedrückt, schwächlich heraus; keines verführte das andere zum
Singen, und so zog es sich dünn und kläglich hin, bis Siddy mitten im Vers abbrach, ohne etwas zu sagen. Ich verstand ihr Aufhören, fragte also nicht, schwieg auch und schaute in den Rhein,
der uns rasch mitnahm, dem fernen Städtchen entgegen.
Da hörte Albiez mit einem heftigen Ruderschlage zu rudern
auf, sah uns mit bohrenden Blicken an und sagte mit ganz ruhiger Stimme:
›Kinder, jetzt muß ich wissen, was euch ist! Schon seit Tagen
beobachte ich es: Ihr seid auf einmal beide so freudlos, so still,
so – hinterhältig. Was gibt es?‹
Ich erschrak, ich fühlte mich rot werden, ich schielte zu Siddy
hinüber, ob sie nun sprechen würde; sie aber senkte nach einem
flehenden Blick zu Albiez den Kopf und errötete tief. Es werde
ihr schwer, vor mir zu reden, dachte ich.
Wir müssen, wie wir wortlos und schamrot vor ihm saßen, das
Bild eines schuldigen Paares gewesen sein.
Er beugte sich noch etwas vor, seine weitoffenen Augen gingen
zwischen uns hin und her, stöhnend atmete er aus, so daß er
etwas zusammensank, wurde weiß im Gesicht und flüsterte:
›So! – So! – Das ist's!‹
Er stand plötzlich hoch aufgerichtet im Boot und schaute nach
Luft ringend um sich; er blickte mit kaltem Blicke von ihr zu
mir; er saß schon wieder, mit den Armen sich stützend, auf der
Bank, sah gesenkten Kopfes vor sich hin und manchmal unter
den Brauen hervor auf Siddy und auf mich.
Sie neigte sich vor und mit dem demütigsten Flehen in ihrem
lieblichen Gesichte flüsterte sie:
›So ist es nicht! Ludwig! Beruhige dich! Wir wollen —‹
›Beruhigen –!‹ unterbrach er sie mit gedämpfter Stimme und
um so festerem Ausdrucke:
›Nie! Nie! Versteh, das ist meine tiefste Huldigung für dich.‹

›Wir wollen hinüber ans Land!‹ sagte ich. ›Damit wir ruhig reden können!‹ Wir näherten uns schon den ersten Gärten.

›Hier bleiben wir!‹ entgegnete er, nach rechts und links blickend. ›Hier sind wir unter uns und werden nicht Worte machen.‹

Einen Augenblick war es still. Ich wußte, daß er nun unnachgiebig sei, und überlegte, was ich sagen wollte.

›Übrigens —‹ fuhr er fort, ›wozu reden! Das Geringste, das ihr mir sagen könnt, wird – ekelhaft sein, und das Schlimmste nicht schlimmer, als ich jetzt schon fühle!‹ Da fuhr ich rasch heraus:

›Ich habe Siddy geküßt, – im Spiel – im Scherz! Und sie schämt sich, es dir zu sagen. Weiter nichts!‹

›Weiter nichts –!‹ wiederholte er und lachte; es sah aber aus, als weinte er. ›Im Spiel –? Und sie schämt sich! – Du aber schämst dich nicht, mir solchen Unsinn zu sagen!‹

Ich antwortete nicht. Wir kamen in den stärkeren Strom und mußten nach links hinüber halten; darum griff ich nach dem Ruder, das auf meiner Seite neben dem Boote durchs Wasser schleifte. Albiez aber kam mir flink zuvor, packte die Ruder und holte zum Rudern aus, ruderte aber nicht, sondern hob die Ruder aus den Pflöcken, öffnete die Hände, und die Ruder sanken in den Strom.

Einen Moment war ich starr vor Entsetzen; denn ich begriff.

›Mensch!‹ rief ich. ›Komm zu dir! Laß mich allein büßen! Befiehl mir nachher in den Laufen zu springen! Ich tu' es.‹

Er verzog das Gesicht, als röche er etwas Unangenehmes, und erwiderte:

›Und dann – Siddy und ich – heiraten? – Oder – nicht heiraten? – Was du für möglich hältst!‹

Da erhob sich Siddy neben mir, leicht glitt ihre weiße Gestalt hinüber zur andern Bank: Albiez machte ihr Platz, und sie setzte sich neben ihn. Sie ergriff seine Hand und sagte:

›Laß mir deine Hand! Ich habe ein Recht auf sie. Ich habe nie an einen andern gedacht.‹

Er küßte ihre Hand und erwiderte:

›Ich glaub es dir. Aber sieh, – im Leben würde ich es nie glauben können.‹

Wir glitten an seinem Elternhause entlang; er schien nicht darauf zu achten. Ich ergriff eines der Bodenbretter, um notdürftig damit zu steuern. Albiez trat mit dem Fuße darauf.

›Laß!‹ schrie ich. ›Wenn wir durchkommen, wirst du uns glauben!‹ Und ich riß das Brett unter seinem Fuße weg.

Er lächelte.

Nun ging es schon jählings der Brücke zu, und da und dort schrien entsetzte Leute. Ich steuerte mit dem Brette, damit wir womöglich neben der Roten Fluh vorbeikämen und so wenigstens die winzige Möglichkeit hätten, vom Wasser durchgetragen zu werden.

Die beiden saßen Hand in Hand da, rückwärts fahrend. Wir sausten am letzten Hause vorbei, schossen unter der Brücke durch und wie durch ein Riesentor hinein in ein großes Brausen. Das sog, preßte sich durch alle Poren in uns hinein, lähmte uns, schied uns ab.

Bisher war es mir gelungen, das Boot auf der linken Seite des Stromes zu halten, oder es schien mir wenigstens so; nun gehorchte es mir nicht mehr und sprang auf den hart stoßenden Wellen schaukelnd vorwärts. Das Brett wurde mir aus der Hand gerissen. Ich klammerte mich fest und lauerte gespannt auf den Moment, der mich in diesem atemraubenden, betäubenden, weißen Getöse vollends überwältigen wollte. Ludwig und Siddy hatten einander mit je einem Arm umschlungen, hielten sich mit der freien Hand an der Bank und schauten mir mit Blicken entgegen, die nichts Äußeres mehr zu sehen schienen, und sie wurden vor meinen Augen auf und nieder und hin und her geschüttelt in dem staubenden Schaume.

Nun machte das Boot zwei große Sätze und prallte dabei hart ab, als wären die Wellen von Eis. Nun hob sich das Ende des Kahnes mit mir in die Luft, ich sah das andere Ende in den Gischt eindringen, sah Siddy und Albiez auffahren und sich umfassen, sah beide in der brodelnden weißen Masse versinken, – und war vom Sitze abgeglitten, hatte, Halt suchend, mich mit beiden Armen an der Bank festgehakt und wurde so hängend wie in einem aufrechten offenen Sarge weitergetragen, auf dem rasenden Wasser dahin, das über Siddy und Albiez hergefallen war und hinstampfte und meine Füße mit Schaum bespie. Der Nachen bebte und zuckte von der pressenden Arbeit der Wellen, ich stierte hinab, und von jedem Auftrieb und Aufquellen und Aufschäumen erwartete ich die Freunde zurück und erwartete ich den eigenen Untergang. Nun schwankte das Boot, ich war gefaßt, von ihm zugedeckt zu werden; aber es fiel

rückwärts und schnellte mich von sich. Ich wurde weiterge-
rissen – ich traf den Kahn wieder – ich hängte mich an ihn,
und nun war es ja kein Wunder mehr, daß ich unten an Land
kam.
Ich. Allein.«

THOMAS MANN

Das Eisenbahnunglück

Etwas erzählen? Aber ich weiß nichts. Gut, also ich werde etwas
erzählen.
Einmal, es ist schon zwei Jahre her, habe ich ein Eisenbahnunglück mitgemacht, – alle Einzelheiten stehen mir klar vor Augen.
Es war keines vom ersten Range, keine allgemeine Harmonika
mit »unkenntlichen Massen« und so weiter, das nicht. Aber es
war doch ein ganz richtiges Eisenbahnunglück mit Zubehör und
obendrein zu nächtlicher Stunde. Nicht jeder hat das erlebt, und
darum will ich es zum besten geben.
Ich fuhr damals nach Dresden, eingeladen von Förderern der
Literatur. Eine Kunst- und Virtuosenfahrt also, wie ich sie von
Zeit zu Zeit nicht ungern unternehme. Man repräsentiert, man
tritt auf, man zeigt sich der jauchzenden Menge; man ist nicht
umsonst ein Untertan Wilhelms II. Auch ist Dresden ja schön
(besonders der Zwinger), und nachher wollte ich auf zehn, vierzehn Tage zum ›Weißen Hirsch‹ hinauf, um mich ein wenig zu
pflegen und, wenn, vermöge der ›Applikationen‹ der Geist über
mich käme, auch wohl zu arbeiten. Zu diesem Behufe hatte ich
mein Manuskript zuunterst in meinen Koffer gelegt, zusammen
mit dem Notizenmaterial, ein stattliches Konvolut, in braunes
Packpapier geschlagen und mit starkem Spagat in den bayri-
schen Farben umwunden.
Ich reise gern mit Komfort, besonders, wenn man es mir bezahlt. Ich benützte also den Schlafwagen, hatte mir tags zuvor
ein Abteil erster Klasse gesichert und war geborgen. Trotzdem
hatte ich Fieber, wie immer bei solchen Gelegenheiten, denn
eine Abreise bleibt ein Abenteuer, und nie werde ich in Ver-
kehrsdingen die rechte Abgebrühtheit gewinnen. Ich weiß ganz

gut, daß der Nachtzug nach Dresden gewohnheitsmäßig jeden
Abend vom Münchener Hauptbahnhof abfährt und jeden Morgen in Dresden ist. Aber wenn ich selber mitfahre und mein
bedeutsames Schicksal mit dem seinen verbinde, so ist das eben
doch eine große Sache. Ich kann mich dann der Vorstellung
nicht entschlagen, als führe er einzig heute und meinetwegen,
und dieser unvernünftige Irrtum hat natürlich eine stille, tiefe
Erregung zur Folge, die mich nicht eher verläßt, als bis ich alle
Umständlichkeiten der Abreise, das Kofferpacken, die Fahrt mit
der belasteten Droschke zum Bahnhof, die Ankunft dortselbst,
die Aufgabe des Gepäcks hinter mir habe und mich endgültig
untergebracht und in Sicherheit weiß. Dann freilich tritt eine
wohlige Abspannung ein, der Geist wendet sich neuen Dingen
zu, die große Fremde eröffnet sich dort hinter dem Bogen des
Glasgewölbes, und freudige Erwartung beschäftigt das Gemüt.
So war es auch diesmal. Ich hatte den Träger meines Handge-
päcks reich belohnt, so daß er die Mütze gezogen und mir angenehme Reise gewünscht hatte, und stand mit meiner Abendzi-
garre an einem Gangfenster des Schlafwagens, um das Treiben
auf dem Perron zu betrachten. Da war Zischen und Rollen,
Hasten, Abschiednehmen und das singende Ausrufen der Zei-
tungs- und Erfrischungsverkäufer, und über allem glühten die
großen elektrischen Monde im Nebel des Oktoberabends. Zwei
rüstige Männer zogen einen Handkarren mit großem Gepäck
den Zug entlang nach vorn zum Gepäckwagen. Ich erkannte
wohl, an gewissen vertrauten Merkmalen, meinen eigenen
Koffer. Da lag er, ein Stück unter vielen, und auf seinem Grunde ruhte das kostbare Konvolut. Nun, dachte ich, keine Besorg-
nis, es ist in guten Händen! Sieh diesen Schaffner an mit dem
Lederbandelier, dem gewaltigen Wachtmeisterschnauzbart und
dem unwirsch wachsamen Blick. Sieh, wie er die alte Frau in
der fadenscheinigen schwarzen Mantille anherrscht, weil sie um
ein Haar in die zweite Klasse gestiegen wäre. Das ist der Staat,
unser Vater, die Autorität und die Sicherheit. Man verkehrt
nicht gern mit ihm, er ist streng, er ist wohl gar rauh, aber Verlaß, Verlaß ist auf ihn, und dein Koffer ist aufgehoben wie in
Abrahams Schoß.
Ein Herr lustwandelt auf dem Perron, in Gamaschen und gelbem Herbstpaletot einen Hund an der Leine führend. Nie sah
ich ein hübscheres Hündchen. Es ist eine gedrungene Dogge,

blank, muskulös, schwarz gefleckt und so gepflegt und drollig
wie die Hündchen, die man zuweilen im Zirkus sieht und die
das Publikum belustigen, indem sie aus allen Kräften ihres
kleinen Leibes um die Manege rennen. Der Hund trägt ein
silbernes Halsband, und die Schnur, daran er geführt wird, ist
aus farbig geflochtenem Leder. Aber das alles kann nicht wundernehmen angesichts seines Herrn, des Herrn in Gamaschen,
der sicher von edelster Abkunft ist. Er trägt ein Glas im Auge,
was seine Miene verschärft, ohne sie zu verzerren, und sein
Schnurrbart ist trotzig aufgesetzt, wodurch seine Mundwinkel
wie sein Kinn einen verachtungsvollen und willensstarken
Ausdruck gewinnen. Er richtet eine Frage an den martialischen
Schaffner, und der schlichte Mann, der deutlich fühlt, mit wem
er es zu tun hat, antwortet ihm, die Hand an der Mütze. Da
wandelt der Herr weiter, zufrieden mit der Wirkung seiner
Person. Er wandelt sicher in seinen Gamaschen, sein Antlitz ist
kalt, scharf faßt er Menschen und Dinge ins Auge. Er ist weit
entfernt vom Reisefieber, das sieht man klar, für ihn ist etwas
so Gewöhnliches wie eine Abreise kein Abenteuer. Er ist zu
Hause im Leben und ohne Scheu vor seinen Einrichtungen und
Gewalten, er selbst gehört zu diesen Gewalten, mit einem
Worte: ein Herr. Ich kann mich nicht satt an ihm sehen.

Als es ihn an der Zeit dünkt, steigt er ein (der Schaffner wandte
gerade den Rücken). Er geht im Korridor hinter mir vorbei, und
obgleich er mich anstößt, sagt er nicht »Pardon!« Was für ein
Herr! Aber das ist nichts gegen das Weitere, was nun folgt. Der
Herr nimmt, ohne mit der Wimper zu zucken, seinen Hund mit
sich in sein Schlafkabinett hinein! Das ist zweifellos verboten.
Wie würde ich mich vermessen, einen Hund mit in den Schlafwagen zu nehmen. Er aber tut es kraft seines Herrenrechtes im
Leben und zieht die Tür hinter sich zu.

Es pfiff, die Lokomotive antwortete, der Zug setzte sich sanft in
Bewegung. Ich blieb noch ein wenig am Fenster stehen, sah die
zurückbleibenden winkenden Menschen, sah die eiserne Brük-
ke, sah Lichter schweben und wandern... Dann zog ich mich
ins Innere des Wagens zurück.

Der Schlafwagen war nicht übermäßig besetzt; ein Abteil neben
dem meinen war leer, war nicht zum Schlafen eingerichtet, und
ich beschloß, es mir auf eine friedliche Lesestunde darin bequem zu machen. Ich holte also mein Buch und richtete mich

ein. Das Sofa ist mit seidigem lachsfarbenen Stoff überzogen, auf dem Klapptischchen steht der Aschenbecher, das Gas brennt hell. Und rauchend las ich.

Der Schlafwagenkondukteur kommt dienstlich herein, er ersucht mich um mein Fahrscheinheft für die Nacht, und ich übergebe es seinen schwärzlichen Händen. Er redet höflich, aber rein amtlich, er spart sich den »Gute-Nacht!«-Gruß von Mensch zu Mensch und geht, um an das anstoßende Kabinett zu klopfen. Aber das hätte er lassen sollen, denn dort wohnte der Herr mit den Gamaschen, und sei es nun, daß der Herr seinen Hund nicht sehen lassen wollte oder daß er bereits zu Bette gegangen war, kurz, er wurde furchtbar zornig, weil man es unternahm, ihn zu stören, ja, trotz dem Rollen des Zuges vernahm ich durch die dünne Wand den unmittelbaren und elementaren Ausbruch seines Grimmes. »Was ist denn?!« schrie er. »Lassen Sie mich in Ruhe – Affenschwanz!!« Er gebrauchte den Ausdruck »Affenschwanz«, – ein Herrenausdruck, ein Reiter- und Kavaliersausdruck, herzstärkend anzuhören. Aber der Schlafwagenkondukteur legte sich aufs Unterhandeln, denn er mußte den Fahrschein des Herrn wohl wirklich haben, und da ich auf den Gang trat, um alles genau zu verfolgen, so sah ich mit an, wie schließlich die Tür des Herrn mit kurzem Ruck ein wenig geöffnet wurde und das Fahrscheinheft dem Kondukteur ins Gesicht flog, hart und heftig gerade ins Gesicht. Er fing es mit beiden Armen auf, und obgleich er die eine Ecke ins Auge bekommen hatte, so daß es tränte, zog er die Beine zusammen und dankte, die Hand an der Mütze. Erschüttert kehrte ich zu meinem Buch zurück.

Ich erwäge, was etwa dagegen sprechen könnte, noch eine Zigarre zu rauchen, und finde, daß es so gut wie nichts ist. Ich rauche also noch eine im Rollen und Lesen und fühle mich wohl und gedankenreich. Die Zeit vergeht, es wird zehn Uhr, halb elf Uhr oder mehr, die Insassen des Schlafwagens sind alle zur Ruhe gegangen, und schließlich komme ich mit mir überein, ein Gleiches zu tun.

Ich erhebe mich also und gehe in mein Schlafkabinett. Ein richtiges, luxuriöses Schlafzimmerchen, mit gepreßter Ledertapete, mit Kleiderhaken und vernickeltem Waschbecken. Das untere Bett ist schneeig bereitet, die Decke einladend zurückgeschlagen. O große Neuzeit! denke ich. Man legt sich in dieses

Bett wie zu Hause, es bebt ein wenig die Nacht hindurch, und
das hat zur Folge, daß man am Morgen in Dresden ist. Ich nahm
meine Handtasche aus dem Netz, um etwas Toilette zu machen.
Mit ausgestreckten Armen hielt ich sie über meinem Kopfe.
In diesem Augenblick geschieht das Eisenbahnunglück. Ich weiß
es wie heute.

Es gab einen Stoß – aber mit ›Stoß‹ ist wenig gesagt. Es war ein
Stoß, der sich sofort als unbedingt bösartig kennzeichnete, ein
in sich abscheulich krachender Stoß und von solcher Gewalt,
daß mir die Handtasche, ich weiß nicht, wohin, aus den Händen flog und ich selbst mit der Schulter schmerzhaft gegen die
Wand geschleudert wurde. Dabei war keine Zeit zur Besinnung.
Aber was folgte, war ein entsetzliches Schlenkern des Wagens,
und während seiner Dauer hatte man Muße, sich zu ängstigen.
Ein Eisenbahnwagen schlenkert wohl, bei Weichen, bei scharfen Kurven, das kennt man. Aber dies war ein Schlenkern, daß
man nicht stehen konnte, daß man von einer Wand zur andern
geworfen wurde und dem Kentern des Wagens entgegensah.
Ich dachte etwas sehr Einfaches, aber ich dachte es konzentriert
und ausschließlich. Ich dachte: ›Das geht nicht gut, das geht
nicht gut, das geht keinesfalls gut.‹ Wörtlich so. Außerdem
dachte ich: ›Halt! Halt! Halt!‹ Denn ich wußte, daß, wenn der
Zug erst stünde, sehr viel gewonnen sein würde. Und siehe, auf
dieses mein stilles und inbrünstiges Kommando stand der
Zug.

Bisher hatte Totenstille im Schlafwagen geherrscht. Nun kam
der Schrecken zum Ausbruch. Schrille Damenschreie mischen
sich mit den dumpfen Bestürzungsrufen von Männern. Neben
mir höre ich »Hilfe!« rufen, und kein Zweifel, es ist die Stimme, die sich vorhin des Ausdrucks »Affenschwanz« bediente,
die Stimme des Herrn in Gamaschen, seine von Angst entstellte
Stimme. »Hilfe!« ruft er, und in dem Augenblick, wo ich den
Gang betrete, auf dem die Fahrgäste zusammenlaufen, bricht er
in seidenem Schlafanzug aus seinem Abteil hervor und steht
da mit irren Blicken. »Großer Gott!« sagt er, »Allmächtiger
Gott!« Und um sich gänzlich zu demütigen und so vielleicht
seine Vernichtung abzuwenden, sagt er auch noch in bittendem
Tone: »Lieber Gott...« Aber plötzlich besinnt er sich eines
andern und greift zur Selbsthilfe. Er wirft sich auf das Wand-
schränkchen, in welchem für alle Fälle ein Beil und eine Säge

hängen, schlägt mit der Faust die Glasscheibe entzwei, läßt aber, da er nicht gleich dazu gelangen kann, das Werkzeug in Ruh', bahnt sich mit wilden Püffen einen Weg durch die versammelten Fahrgäste, so daß die halbnackten Damen aufs neue kreischen, und springt ins Freie.

Das war das Werk eines Augenblicks. Ich spürte erst jetzt meinen Schrecken: eine gewisse Schwäche im Rücken, eine vorübergehende Unfähigkeit, hinunterzuschlucken. Alles umdrängte den schwarzhändigen Schlafwagenbeamten, der mit roten Augen ebenfalls herbeigekommen war; die Damen, mit bloßen Armen und Schultern, rangen die Hände.

Das sei eine Entgleisung, erklärte der Mann, wir seien entgleist. Was nicht zutraf, wie sich später erwies. Aber siehe, der Mann war gesprächig unter diesen Umständen, er ließ seine amtliche Sachlichkeit dahinfahren, die großen Ereignisse lösten seine Zunge, und er sprach intim von seiner Frau. »Ich hab' noch zu meiner Frau gesagt: Frau, sag' ich, mir ist ganz, als ob heut' was passieren müßt'!« Na, und ob nun vielleicht nichts passiert sei. Ja, darin gaben alle ihm recht. Rauch entwickelte sich im Wagen, dichter Qualm, man wußte nicht woher, und nun zogen wir alle es vor, uns in die Nacht hinauszubegeben.

Das war nur mittelst eines ziemlich hohen Sprunges vom Trittbrett auf den Bahnkörper möglich, denn es war kein Perron vorhanden, und zudem stand unser Schlafwagen bemerkbar schief, auf die andere Seite geneigt. Aber die Damen, die eilig ihre Blößen bedeckt hatten, sprangen verzweifelt, und bald standen wir alle zwischen den Schienensträngen.

Es war fast finster, aber man sah doch, daß bei uns hinten den Wagen eigentlich nichts fehlte, obgleich sie schief standen. Aber vorn – fünfzehn oder zwanzig Schritte weiter vorn! Nicht umsonst hatte der Stoß in sich so abscheulich gekracht. Dort war eine Trümmerwüste, – man sah ihre Ränder, wenn man sich näherte, und die kleinen Laternen der Schaffner irrten darüber hin.

Nachrichten kamen von dort, aufgeregte Leute, die Meldungen über die Lage brachten. Wir befanden uns dicht bei einer kleinen Station, nicht weit hinter Regensburg, und durch Schuld einer defekten Weiche war unser Schnellzug auf ein falsches Geleise geraten und in voller Fahrt einem Güterzug, der dort hielt, in den Rücken gefahren, hatte ihn aus der Station hinaus-

geworfen, seinen hinteren Teil zermalmt und selbst schwer gelitten. Die große Schnellzugsmaschine von Maffei in München
war hin und entzwei. Preis siebzigtausend Mark. Und in den
vorderen Wagen, die beinahe auf der Seite lagen, waren zum
Teil die Bänke ineinandergeschoben. Nein, Menschenverluste
waren, gottlob, wohl nicht zu beklagen. Man sprach von einer
alten Frau, die »herausgezogen« worden sei, aber niemand hatte
sie gesehen. Jedenfalls waren die Leute durcheinandergeworfen
worden, Kinder hatten unter Gepäck vergraben gelegen, und
das Entsetzen war groß. Der Gepäckwagen war zertrümmert.
Wie war das mit dem Gepäckwagen? Er war zertrümmert.
Da stand ich . . .

Ein Beamter läuft ohne Mütze den Zug entlang, es ist der
Stationschef, und wild und weinerlich erteilt er Befehle an die
Passagiere, um sie in Zucht zu halten, und von den Geleisen in
die Wagen zu schicken. Aber niemand achtet sein, da er ohne
Mütze und Haltung ist. Beklagenswerter Mann! Ihn traf wohl
die Verantwortung. Vielleicht war seine Laufbahn zu Ende, sein
Leben zerstört. Es wäre nicht taktvoll gewesen, ihn nach dem
großen Gepäck zu fragen.

Ein anderer Beamter kommt daher, – er *hinkt* daher, und ich
erkenne ihn an seinem Wachtmeisterschnauzbart. Es ist der
Schaffner, der unwirsch wachsame Schaffner von heute abend,
der Staat, unser Vater. Er hinkt gebückt, die eine Hand auf sein
Knie gestützt, und kümmert sich um nichts als um dieses sein
Knie. »Ach, ach!« sagt er. »Ach!« – »Nun, nun, was ist denn?«
– »Ach, mein Herr, ich stecke ja dazwischen, es ging mir ja gegen die Brust, ich bin ja über das Dach entkommen, ach, ach!« –
Dieses »über das Dach entkommen« schmeckte nach Zeitungsbericht, der Mann brauchte bestimmt in der Regel nicht das
Wort »entkommen«, er hatte nicht sowohl sein Unglück, als
vielmehr einen Zeitungsbericht über sein Unglück erlebt, aber
was half mir das? Er war nicht in dem Zustande, mir Auskunft
über mein Manuskript zu geben. Und ich frage einen jungen
Menschen, der frisch, wichtig und angeregt von der Trümmerwüste kam, nach dem großen Gepäck.

»Ja, mein Herr, das weiß niemand nicht, wie es da ausschaut!«
Und sein Ton bedeutete mir, daß ich froh sein solle, mit heilen
Gliedern davongekommen zu sein. »Da liegt alles durcheinan-
der. Damenschuhe . . .«, sagte er mit einer wilden Vernichtungs-

gebärde und zog die Nase kraus. »Die Räumungsarbeiten müssen es zeigen. Damenschuhe...«

Da stand ich. Ganz für mich allein stand ich in der Nacht zwischen den Schienensträngen und prüfte mein Herz. Räumungsarbeiten. Es sollten Räumungsarbeiten mit meinem Manuskript vorgenommen werden. Zerstört also, zerfetzt, zerquetscht wahrscheinlich. Mein Bienenstock, mein Kunstgespinst, mein kluger Fuchsbau, mein Stolz und Mühsal, das Beste von mir. Was würde ich tun, wenn es sich so verhielt? Ich hatte keine Abschrift von dem, was schon dastand, schon fertig gefügt und geschmiedet war, schon lebte und klang, – zu schweigen von meinen Notizen und Studien, meinem ganzen in Jahren zusammengetragenen, erworbenen, erhorchten, erschlichenen, erlittenen Hamsterschatz von Material. Was würde ich also tun? Ich prüfte mich genau, und ich erkannte, daß ich von vorn beginnen würde. Ja, mit tierischer Geduld, mit der Zähigkeit eines tiefstehenden Lebewesens, dem man das wunderliche und komplizierte Werk seines kleinen Scharfsinnes und Fleißes zerstört hat, würde ich nach einem Augenblick der Verwirrung und Ratlosigkeit das Ganze wieder von vorn beginnen, und vielleicht würde es diesmal ein wenig leichter gehen...

Aber unterdessen war Feuerwehr eingetroffen, mit Fackeln, die rotes Licht über die Trümmerwüste warfen, und als ich nach vorn ging, um nach dem Gepäckwagen zu sehen, da zeigte es sich, daß er fast heil war und daß den Koffern nichts fehlte. Die Dinge und Waren, die dort verstreut lagen, stammten aus dem Güterzuge, eine unzählige Menge Spagatknäuel zumal, ein Meer von Spagatknäueln, das weithin den Boden bedeckte.

Da ward mir leicht, und ich mischte mich unter die Leute, die standen und schwatzten und sich anfreundeten gelegentlich ihres Mißgeschickes und aufschnitten und sich wichtig machten. Soviel schien sicher, daß der Zugführer sich brav benommen und großem Unglück vorgebeugt hatte, indem er im letzten Augenblick die Notbremse gezogen. Sonst, sagte man, hätte es unweigerlich eine allgemeine Harmonika gegeben, und der Zug wäre wohl auch die ziemlich hohe Böschung zur Linken hinabgestürzt. Preiswürd'ger Zugführer! Er war nicht sichtbar, niemand hatte ihn gesehen. Aber sein Ruhm verbreitete sich den ganzen Zug entlang, und wir alle lobten ihn in seiner Abwesenheit. »Der Mann«, sagte ein Herr und wies mit der ausgestreck-

ten Hand irgendwohin in die Nacht, »der Mann hat uns alle
gerettet.« Und jeder nickte dazu.

Aber unser Zug stand auf einem Geleise, das ihm nicht zukam,
und darum galt es, ihn nach hinten zu sichern, damit ihm kein
anderer in den Rücken fahre. So stellten sich Feuerwehrleute
mit Pechfackeln am letzten Wagen auf, und auch der angeregte
junge Mann, der mich so sehr mit seinen Damenstiefeln geängstigt, hatte eine Fackel ergriffen und schwenkte sie signali-
sierend, obgleich in aller Weite kein Zug zu sehen war.

Und mehr und mehr kam etwas wie Ordnung in die Sache, und
der Staat, unser Vater, gewann wieder Haltung und Ansehen.
Man hatte telegraphiert und alle Schritte getan, ein Hilfszug
aus Regensburg dampfte behutsam in die Station, und große
Gasleuchtapparate mit Reflektoren wurden an der Trümmer-
stätte aufgestellt. Wir Passagiere wurden nun ausquartiert und
angewiesen, im Stationshäuschen unserer Weiterbeförderung
zu harren. Beladen mit unserem Handgepäck und zum Teil mit
verbundenen Köpfen zogen wir durch ein Spalier von neugierigen Eingeborenen in das Warteräumchen ein, wo wir uns, wie
es gehen wollte, zusammenpferchten. Und abermals nach einer
Stunde war alles aufs Geratewohl in einem Extrazug verstaut.

Ich hatte einen Fahrschein erster Klasse (weil man mir die Reise
bezahlte), aber das half mir gar nichts, denn jedermann gab der
ersten Klasse den Vorzug, und diese Abteile waren noch voller
als die anderen. Jedoch, wie ich eben mein Plätzchen gefunden,
wen gewahre ich mir schräg gegenüber, in eine Ecke gedrängt?
Den Herrn mit den Gamaschen und den Reiterausdrücken, meinen Helden. Er hat sein Hündchen nicht bei sich, man hat es
ihm genommen, es sitzt, allen Herrenrechten zuwider, in einem
finsteren Verlies gleich hinter der Lokomotive und heult. Der
Herr hat auch einen gelben Fahrschein, der ihm nichts nützt,
und er murrt, er macht einen Versuch, sich aufzulehnen gegen
den Kommunismus, gegen den großen Ausgleich vor der Majestät des Unglücks. Aber ein Mann antwortet ihm mit biederer
Stimme: »San S' froh, daß Sie sitzen!« Und sauer lächelnd ergibt sich der Herr in die tolle Lage.

Wer kommt herein, gestützt auf zwei Feuerwehrmänner? Eine
kleine Alte, ein Mütterchen in zerschlissener Mantille, dasselbe, das in München um ein Haar in die zweite Klasse gestiegen wäre. »Ist dies die erste Klasse?« fragt sie immer wieder.

»Ist dies auch wirklich die erste Klasse?« Und als man es ihr versichert und ihr Platz macht, sinkt sie mit einem »Gottlob!« auf das Plüschkissen nieder, als ob sie erst jetzt gerettet sei.

In Hof war es fünf Uhr und hell. Dort gab es Frühstück, und dort nahm ein Schnellzug mich auf, der mich und das Meine mit dreistündiger Verspätung nach Dresden brachte.

Ja, das war das Eisenbahnunglück, das ich erlebte. Einmal mußte es ja wohl sein. Und obgleich die Logiker Einwände machen, glaube ich nun doch gute Chancen zu haben, daß mir sobald nicht wieder dergleichen begegnet.

HEINRICH MANN
Gretchen

I

Am Sonnabend mittag hatte Frau Heßling es immer noch nicht ihrem Manne beigebracht, daß Gretchen sich am Sonntag verloben sollte. Beim Essen war Diederich endlich guter Laune; von dem Aal, den er allein aß, warf er Gretchen ein Stück über den Tisch zu. Aber der Aal war groß und fett gewesen; im Mittagsschlaf ächzte Heßling, und nach dem Erwachen verlangte er massiert zu werden. Seine Gattin wisperte Gretchen zu: »Nu könn' mer' n wieder dein' Hut und Gürtel nich abluxen. Aber Geld muß her.« Und sie gab der Tochter einen nützlichen Wink.

Herr Heßling wartete schon in wollenem Hemd und Unterhosen zwischen den Sofakissen. Er überlieferte seinen blonden Bauch der Gattin zur Bearbeitung mit den Handrücken. Angstbeklemmt blinzelte er, indes sie hackte, den drei Figuren in zweidrittel Lebensgröße und die Bronze zu, die von der Erkerstufe mit erhabener Heiterkeit auf ihn und seine Not herabsahen: Kaiser, Kaiserin und Trompeter von Säckingen. Und während Frau Heßling sich nach allen übrigen Seiten um ihren Mann verbreitete und ihn laut tröstete, kroch Gretchen zur Tür herein, auf den Knien in ihrem weißen Kleid, umsichtig den langen Hals vorgestreckt und mit Furcht und Hohn in ihren bleichsüchtigen Augen: kroch geräuschlos zum Stuhl mit Papas Hose und griff hinein. Es hatte ein bißchen geklimpert; ihre Mutter sagte um so kräftiger:

»Nu haste's gleiche hinter dir, und morgen wollten mer nach Goschelroda machen, daß du's weißt. Der Herr Assessor Klotzsche geht auch mit, und dich kost es nischt, Alter. Ich hab noch so viel vom Haushaltsgeld, daß es langt.«

Heßling brummte; aber die Massage hatte ihn erweicht.

Abends am Stammtisch stand er für Deutschlands Weltmacht so sehr in Flammen, daß er zahlte, ohne den Inhalt seines Geldsacks zu beachten; und was an Gretchen neu war, entging ihm Sonntag, wie immer. Er bekundete nur den festen Willen, nicht durch den Wald zu gehen.

»Da kommt man zwei Stunden zu kei'm Wirtshaus.«

Assessor Klotzsche gab ihm recht, und man beschritt die Landstraße: Gretchen voran mit Klotzsche. Er sah beifällig den Himmel an; sein hinterer Scheitel rutschte dabei in den Kragen.

»T – hadelloser T – hach. Wenn auch mit Hitze verbunden.«

»Papa hat seinen Rock ausgezogen,« sagte Gretchen; und mit Senkblick:

»Wollen Sie es nicht auch?«

Aber Klotzsche lehnte ab. Er als Leutnant der Reserve kannte Schlimmeres; – und er fing vom Manöver an. Er sprach sachlich und lange; das erste Haus von Gäbbelchen sah schon aus den Bäumen; Gretchen seufzte. Frau Heßling hatte alles überwacht; plötzlich gab sie einen Schrei von sich. Ein Tier! Ein Tier war in ihrer Bluse.

»Ä gräßliches Krabbeltier. Nu is es schon hier... Ne, Männe, aus'm Halse kriegste's nich mehr raus, du drückst mir bloß die Luft ab... Nicht anstellen: das sagst du wohl. Wenn es doch aber beißt! Wir haben nun mal andere Nerven als wie ihr. Für so was hat ein Mann aber auch gar kein Verständnis, nicht, Herr Assessor?«

Klotzsche beeilte sich, das seine zu bekunden. Er wollte sogar einen Haken öffnen. Frau Heßling entzog sich ihm.

»Einer nützt nichts; es sitzt zu tief. Da hilft bloß: alles aufmachen. Gehen Sie nur ein Stückchen weiter mit Gretchen, Herr Assessor. Bei so was kann ich doch wohl bloß mein' Mann gebrauchen.«

Und sie blinzelte Diederich mit unzüchtiger Schalkhaftigkeit an. Der Assessor war errötet; Gretchen hielt den Kopf gesenkt. Sie gingen.

Klotzsche machte unsicher eine Bemerkung über fatale Lebewesen. Sonst aber sei er sehr für die frische freie Natur, besonders für Segelsport... Gretchen seufzte schon wieder. Er brach ab und fragte, ob auch sie die Natur liebe. Ja? Und was sie denn vorziehe: die Berge? Die kleinen Lämmer?

»Grünen Salat,« sagte Gretchen, halb im Traum. Sie sah selber grünlich aus und fiel vor Bleichsucht fast in Ohnmacht: wie es ihr immer geschah, wenn sie sich sehr langweilte; beim Strümpfestopfen oder in der Kirche.

»Grünen Salat?«

Ja. Denn Gretchen hatte am Morgen von ihrem Wochengeld sofort ein halbes Pfund Pralinés gekauft und sie alle aufgegessen; und jetzt träumte sie von Salat mit Pfeffer und Senf.

Klotzsche war von ihrer Antwort überrascht, aber nicht unbefriedigt. Er sah sie an und rückte an seinem Kragen. Gretchen, aber, mit tief herabgelassenen Wimpern:

»Was eim die ekelhaften Kiesel die Schuhe ruinieren! So 'ne Sohle is auch heutzutage wie aus Papier.«

Sie klagte nicht über die Schmerzen, die ihr die Steine machten; nur über die Kosten! Da entschloß sich Klotzsche.

»Krätchen...«

»Sophus...«

Als das Brautpaar Hand in Hand vor ihn hintrat, wie erstaunte der Vater! Frau Heßling lächelte sieghaft; denn daß Männe einem Reserveleutnant Krach machen werde, war nicht zu fürchten: dafür ging Männe mit einem zu schlechten Gewissen durchs Leben, weil er nicht wenigstens Unteroffizier war.

2

Wie Klotzsche zur Verlobungsfeier kam, hörte Gretchen ihn vor seinen Freunden ächzen, wie elend ihm noch sei; und dann flüsterten sie: vermutlich Unpassendes. Gretchens Herz klopfte. Bei Tisch spürte sie Anspielungen in jedem Wort. Klotzsche blieb schweigsam. Nur in ein Gespräch des Pastors Zillich griff er ein und erklärte, er glaube an die Auferstehung des Fleisches: mit rauher Katerstimme und so stolz, als hätte er sich gerühmt, er verdaue zwanzig Portionen Wurst mit Sauerkohl. Alle nickten ihm beifällig zu. Gretchen biß sich auf die Lippe und versteckte ihre Augen.

Dann war sie sehr verwundert, als alles so anständig blieb. Klotzsche saß jeden Tag, wenn es dämmerig ward, bei ihr im Zimmer mit dem Jugendstil und sagte von Zeit zu Zeit:

»Krätchen...«

Sie erwiderte jedesmal, in Lauten, die Gefühl in die Länge zog:

»Szaophis...«

Aber meistens dachte sie dabei an anderes. Er fragte sie, was sie in der Schule gelernt habe. Sie wagte sich mit ein paar Streichen hervor, die sie an Lehrerinnen verübt hatte; spürte aber in seinem betretenen Lachen, daß ihr Rütteln an den Autoritäten ihn für seine eigene beunruhigte, und hörte davon auf. Dann erzählte er, was sich am Morgen im Gericht begeben hatte. Und dann schwiegen sie, bis zum nächsten »Krätchen« und »Szaophis.«

Einmal begann er von der Gnade zu sprechen. Gretchen sei wohl innerlich nicht sehr fromm, das könne er sich schon denken. In ihrem Alter sei er auch nur ein lauer Christ gewesen. Gott sei Dank habe er noch den Anschluß erreicht, und zwar mit Hilfe des Herrn von Haffke, des pensionierten Generals. Man müsse heute wieder fromm sein; wenn man etwas auf sich halte, sei es auf die Dauer gar nicht zu vermeiden. Auch Gretchen werde noch die Gnade erleben: auf welche Art und Weise, könne er allerdings nicht wissen. Das sei auch gleich.

»Wenn wir erst vor Gottes Thron stehen, wird er sagen: Ja, mein Sohn, auf welchem Wege du zur Gnade gekommen bist, das is mir ganz wurscht.«

Der Assessor ließ Gott besonders stramm und abgehackt reden. Klotzsches Augen wurden kriegerisch, und er schob den Schnurrbart höher. Draußen hustete Frau Heßling, bevor sie zum Essen rief. Gretchen seufzte für sich: »Das Gehuste kannste dir sparen.«

Sie überlegte:

»Klotzsche ist dreiunddreißig, und Säcke hat er auch untern Augen. Er muß doch was erlebt haben.«

Auch erinnerte sie sich, daß eine Frau jetzt ihres Mannes Freundin sein müsse. Klotzsche durfte das keinesfalls alles für sich behalten. »Warte nur, mei Luderchen,« dachte Gretchen. Und dann fragte sie ihn, lieblich singend, ob er denn vor ihr noch keine geliebt habe? Klotzsche ward rot und verneinte.

»Das gloob ich dir nich!« sagte Gretchen bestimmt.

»Denn läßtes bleim.«

Er runzelte die Stirn, aber Gretchen war nicht zu beirren.

»Heere, Sophus, nu machste mer giedigst nischt vor! Wenn ich deine Frau soll werden, denn muß ich wissen, was is und was nich is.«

Aber es war nichts; Klotzsche wußte von nichts; alles war bei ihm gleich bar bezahlt worden, war erledigt, und es gab nichts darüber zu sagen. Gretchen verzog den Mund und rieb mit den Handflächen die Augen.

»Haste am Ende gar ä Kind?«

Er sah ihren Tränen zu, schnaufte, drehte die Daumen und dachte unbestimmt an die Möglichkeit, etwas zu erfinden, das sich beichten ließe. Aber er brachte sich nicht in Bewegung. Frau Heßling hustete schon; Gretchen murmelte:

»Na nu kriegste deine Wurst und dei' Bier.«

Obwohl sie selbst neun belegte Brote verschlang, nahm sie Klotzsche seine Eßlust übel.

Nachher saßen alle im altdeutschen Zimmer bei der Gaslampe; ihr Licht glitzerte auf dem Kaiser, der Kaiserin und dem Trompeter von Säckingen. Die Mutter nähte, der Vater teilte aus der Zeitung die Hofnachrichten mit, der Bräutigam und die Braut taten nichts. Gretchen mußte, solange Klotzsche da war, keine Handarbeit machen. Aber nur der Gedanke, daß sies nicht mußte, war erhebend; sonst langweilte man sich eher noch mehr, als wenn man stopfte. Klotzsche saß da, verdaute und sah sie an; und Gretchen verglich unter keuschen Lidern, wieviel seinem Bauch noch fehle, damit er so dick werde wie Papas. Ob auch Papa vor der Ehe nichts erlebt hatte? Er sah nach nichts aus. Und Mama kannte es nicht besser, sie war nicht modern, erkannte Gretchen. Drum ließen sie und Papa, der selbst so war, sie so ruhig mit Klotzsche allein. Na, auf Klotsche konnten sie es ankommen lassen ... Was hatte Mama eigentlich vom Leben gehabt? Bloß Papa: das war wenig. Mama hatte sich immer viel zu viel gefallen lassen; und nun saß sie da, beinahe alt, und flickte immer noch Papas Hemden. Wenn sie Papa doch wenigstens einmal betrogen hätte! ... Dabei maß Gretchen, voll dunkler Vorsätze, Klotzsches Bauch. Sie wunderte sich oft selbst, wie scharfsichtig und wie kühn sie jetzt war, und daß ihr die Erkenntnisse so kamen, als sei sie gar nicht Gretchen Heßling aus der Meisestraße und allen von Kind auf bekannt, sondern ein Wesen ganz für sich, von ganz wo anders. Übrigens entstand diese Empfindung und alles, was Gretchen sich dachte, immer nur wie ein schwimmender, ziemlich entfernter Stern in dem Zwielicht ihres blutleeren Gehirns. Unaufhörlich gähnte sie durch die Nase, fühlte sich kalt und überraschte sich manchmal, wie sie schon den drehenden Kreisen in der Luft zusah, die immer kamen, bevor es ihr schwarz vor den Augen ward und sie in Ohnmacht fiel. »Nee, das nu doch nich,« dachte sie und raffte sich zusammen.

Dann gingen Papa und Klotzsche glücklich zum Bier; nun wollte sie mit Mama alles bereden. Ja was denn? Schließlich fand sie:

»Du, Mama, muß ich Klotzsche später auch die Strümpfe ausbessern, wenn er sie schon angehabt hat? Papa gibt mir seine immer; und wenn ich sage, ich mag sie nicht riechen, sagt er, ich bin gemütlos.«

3

Bei Elsa Baumann fiel ihr mehr ein. Sie verhieß, wenn sie Klotzsche heiraten müsse, werde sie jeden Tag dreimal in Ohnmacht fallen, so öde sei er. Elsa belehrte sie darüber, daß er wohl mit gewissen anderen Damen auch anregend sein könne; bei Gretchen aber wolle er sich zur Ruhe setzen. Das sei immer so.

Im Halbkreis der Logen, in denen sie auf den Veilchenfresser warteten, neigten lauter rosa, weiße, himmelblaue Blusen sich zueinander. Gymnasiasten spähten sehnsüchtig nach ihnen durch Operngläser; aber sie waren bei Wichtigerem.

»Wenn sie sich ausgelebt haben,« wußte Elsa, »dann kommen sie zu uns. Für uns bleiben egal die Reste. Wie sollen wir daran genug haben. Ich kann mir ganz gut denken, warum Frau Assessor Bautz verrückt geworden ist. Frau Doktor Harnisch sagt selbst, daß sie es auch noch wird. Denke bloß, in sechs Monaten ist Harnisch einmal zu ihr gekommen! Ist das nicht grauenhaft? Ihre Eltern haben ihr geraten, sie soll sich heimlich einen Geliebten nehmen.«

»Grauenhaft!« bestätigte Gretchen. Sie war völlig aufgewacht. Die beiden Mädchen sahen sich mit haßerfüllten Gesichtern an. Aber sie merkten, daß Rechtsanwalt Buck sie beobachtete, und bekamen, ohne sich darum zu bemühen, ihren blütenhaften Ausdruck wieder, den Ausdruck süßen Dahinblühens. Dann ging der Veilchenfresser an.

Nach dem Aktschluß ließ Gretchen sich kaum Zeit, die erst halb zergangenen Pralinés hinunterzuschlucken.

»Dann wollen wir auch unsere Rechte! Dann wollen wir vor der Ehe auch alles dürfen. Nachher, meinetwegen, dann kann das Mopsen losgehen.«

»Lieber gleich gar nicht heiraten,« sagte Elsa. Aber hier trennten sich die Anschauungen. Gretchen bemerkte für sich: »Nee, meine Gudeste, das sagste bloß, weil du noch kein' hast.« Und laut:

»Sieh mal her, was mir Klotzsche für 'n erstklassigen Ring geschenkt hat. Ein Rubin und sieben Perlen. Rot ist die Liebe, hat er sogar gesagt.«

Elsa prüfte ihn flüchtig.

»Ja, wenn wir für sowas unser Lebensglück wollen verkaufen –«

»Rede doch nicht,« meinte Gretchen, »du tust es auch noch.«

»Ich: ich gehe nach Berlin und fange ein Verhältnis an.«

Trotz Gretchens Lachen blieb sie dabei. Hatte sie nicht das Zeichnen für Modenblätter, das sie in der weiblichen Fortbildungsschule erlernt hatte, wieder aufgegeben, nur weil es gegen ihre Überzeugungen ging? Denn sie war für Reform. Gegen ihre Überzeugungen würde sie niemals handeln.

...»Nu äben,« sagte Gretchen endlich. Weil gezischt ward, hatte sie diese Antwort während des ganzen zweiten Aktes zurückhalten müssen.

»Aber wie wir vorige Sessong an der Theatertür auf Herrn Stolzeneck gelauert haben und ich schmiß ihm ein Bukett nach: wo warste da? Da hattste nischt wie Angst.«

»Wir waren noch Gören. Seitdem bin ich in Berlin gewesen, und du bist verlobt.«

Sie seufzten; und sie riefen die Zeit zurück, als sie gemeinsam Herrn Leon Stolzeneck liebten, ihm aufpaßten, ihm nachschlichen, ihm anonyme Briefe schrieben, worin sie sich über seinen Kritiker entrüsteten. Auch seine Namensunterschrift hatte Gretchen, auf seiner Photographie, die sie kaufte, ihm schickte und postlagernd unter »Sphinx« zurückerbat. Voriges Jahr erst war das gewesen? »Ach Gott, es war doch schön!« Die Photographie hatte sie vor ihrer Verlobung versteckt, sobald ihr etwas ahnte.

»Ich muß sie mal wieder raussuchen. Wenn ich sie nu Klotzsche zeige, was er wohl für 'n Gesicht macht.«

Sie pruschte aus; eine alte Dame sah sich um, und Gretchen wisperte sittsam:

»Soll ich ihm erzählen, ich hätte mit Herrn Stolzeneck ein Verhältnis gehabt? ... Er ist reizend. O mein Leon!« – halb entrückt und mit verschossenen Augen. »Sieht er heute nicht wieder entzückend aus? Der Veilchenfresser ist doch das Ideal. Und so feine Manieren hat er. Denke dir jetzt mal Klotzsche! Nee, wir müßten von Rechts wegen auch alles dürfen.«

»Wir dürfen auch,« behauptete Elsa. »Wenn du dem Manne, den du liebst, dich hingegeben hast, dann mußt du nachher einfach vor deinen Verlobten hintreten und zu ihm sprechen: So bin ich nun mal, da ist nischt zu machen, ich habe mich ausgelebt und bin mir treu geblieben. Nun müssen Sie tun, mein Herr, was Sie nicht lassen können.«

Gretchens Herz klopfte vor dieser wilden Aussicht.

»Glaubste denn wirklich?« fragte sie, und sie lachte, wie über ein Märchen, worin alles gar zu glatt ging. Aber schließlich, mit Klotzsche? Schlimm war er nicht.

Sie traten auf den Gang hinaus. Lauter Jugend segelte reihenweise darin umher; kicherte, tat höhnisch und schämte sich voreinander. Gretchen blieb versonnen.

»Neulich hab ich Mama zu Papa sagen hören, daß Frau Staatsanwalt Fritzsche ein Verhältnis mit Herrn Stolzeneck hat. Glaubst du es?«

»Warum nicht, wenn er doch mit Frau Wendegast was gehabt hat.«

»Ich glaube eher, daß Mama es bloß gesagt hat, weil die Fritzsche einen neuen Hut gekriegt hat und Mama nicht.«

Beim Büffet mußten sie sich durchschlängeln und flüstern. Sie tranken Himbeerlimonade und aßen Baisers.

»Und beim Theater,« sagte Elsa, »soll es keine geben, die er nicht schon – du verstehst.«

»Die gemeenen Luder,« zischte Gretchen, erbittert von Eifer-

sucht. Sollten denn alle durch Herrn Stolzeneck glücklich werden, und nur sie nicht? Sie tat entschiedenere Schritte. Da bog
Klotzsche in den Gang, – und blütenhaft träumte Gretchen
ihm entgegen.

4

Am Morgen mußte Gretchen von Frau Heßling aus dem Bett
geholt werden. Noch im Hemd lief sie an den Briefkasten.
»Was haste denn? Was soll denn drinne sein?«
Gretchen wußte es selbst nicht. Sie rekelte sich lange beim
Kaffee und dem verstohlenen Roman. Vom Lampenputzen weg
flatterte sie mit Petroleumhänden in die Küche und wollte wissen, was es zu essen gäbe. Bloß deutsches Beafsteak mit Blu-
menkohl? Gretchen hatte etwas ganz Merkwürdiges erwartet.
Wie sie endlich ausgehen durfte, fühlte sie plötzlich ihr Herz
im Hals schlagen; sie mußte Luft schöpfen, bevor sie sich durch
die Haustür wagte. Was konnte heute alles passieren.
In den Läden vergaß sie die Hälfte, machte alle Wege doppelt,
– und da war die Uhr eins, und Gretchen fand sich wahrhaftig
beim Theater, wo soeben die Probe aus war – Herr Stolzeneck
kam die Treppe herunter; er hatte schon seinen Pelzkragen um;
und er lachte laut mit der Roché und der Poppy. Der Roché
klopfte ihn auf den Arm. Gretchen aber ging grade auf ihn zu,
lächelte und nickte ein wenig. Wie sie vorüber war, fühlte sie
ihr Gesicht noch immer schmerzhaft verrenkt von dem Lächeln
und war nicht erstaunt, daß die beiden Damen lachten. Sie
lachten bis sie keuchten. Gretchen dachte, auch das sei nun
gleich, und schlich weiter. Da hörte sie hinter sich seinen Schritt.
Ihre wurden auf einmal doppelt so lang. Sie flüchtete in die
Anlagen, erstürmte den Stadtwall, hatte den Mund offen und
entsetzte Leere in den Augen. Herr Wilmar Bautz, Cooksbautz,
spazierte daher; und anstatt seinen schwunghaften Gruß zu
erwidern, starrte sie ihm hilfeflehend ins Gesicht.
Der Schritt des Schauspielers hörte sich näher an, noch näher.
Da zuckte sie mit beiden Schultern, denn er hatte gerufen:
halblaut hatte er »Fräulein« gerufen. Es war grade wie früher,
wenn Gretchen aus haltloser Albernheit und aus Sensationsbe-
dürfnis einem Lehrer eine lange Nase gedreht hatte, und plötz-

lich sah sie sich vor der schaurigen Tatsache, daß ers ernst nahm und daß die Folgen kamen.

Wohin nun? Nur der kleine abschüssige Pfad konnte Gretchen noch retten, und an seinem Ende, über dem Stadtgraben mit den Schwänen, das Bedürfnishäuschen. Ließ sichs ungesehen um die Ecke wischen? ... Nein: auch auf den Pfad ohne Ausweg folgte er ihr. Sie war verloren. Nichts mehr als das Häuschen und die Schwäne dort unten, die es kühl und gut hatten. Zu den Schwänen oder in das Häuschen. Gretchen tat den letzten Schritt zum Häuschen. Aber Herr Stolzeneck sagte:

»Mein Fräulein, das ist doch nicht für Damen.«

Gretchen fuhr herum, machte »Huch«, und vor Verzweiflung lachte sie. Solche grausame Überlegenheit hatte sie noch auf keinem Gesicht gesehen. Seine Lippen arbeiteten, nun er doch gar nicht mehr sprach, mit einer Gelenkigkeit über seinen ruhigen weißen Zähnen, daß ihr schwindlig ward. Er hob ein wenig den Zylinder und kehrte einfach mit ihr um.

»Wahrscheinlich,« – und er wartete verheißungsvoll, beugte sich seitwärts über sie und machte so viele Gesten, daß sie die Augen schließen mußte – »wahrscheinlich fühlten Fräulein sich dorthin gezogen, weil Ihr Herr Vater es angelegt hat? Hab ich recht, Fräulein Heßling?«

Gretchen öffnete die Augen. Daß er sie kannte, machte die Lage etwas gesetzlicher, eine Spur weniger fragwürdig.

»Ja,« sagte sie, nicht ohne Stolz, »Papa hat sie alle angelegt. Er hat es im Magistrat durchgesetzt, wissen Sie, und dann hat er auch selbst den Auftrag gekriegt. Papa versteht es,« – und Gretchen nickte wichtig.

»Und obendrein hat er solch eine reizende Tochter, das ist fast zu viel für einen Menschen.«

»Das sagen Sie wohl sicher nur so,« meinte Gretchen, nahezu übermütig. Sie ward auf einmal fortbewegt wie von Flügeln. Was noch kommen wollte: nichts konnte sie mehr verblüffen.

»Mein heiliger Ernst; da können Sie ruhig Gift drauf nehmen,« sagte Herr Stolzeneck; und Gretchen, den Kopf auf der Schulter, mit Augenaufschlag:

»Wers glaubt.«

»Sie sind mir doch schon längst aufgefallen. Sie sind doch das kleine Fräulein, das mir neulich in der Gäbbelchenstraße aus dem Fenster zunickte und das Wischtuch fallen ließ.«

Gretchen biß sich auf die Lippen.

»Ach nein, ich wohne in der Meisestraße.«

Aber er sagte unbefangen und bestrickend:

»Nun Gäbbelchen- oder Meisestraße, auf jeden Fall meine ich Sie, da können Zweifel überhaupt nicht Platz greifen.«

Und Gretchen lachte ihn, eine Träne in den Wimpern, dankbewegt an. Er wich bald aus. Sein Blick war jede Sekunde wo anders, seine Hand nun am Rand des Zylinders, nun gespreizt in der Luft; und er wendete sich in der engen Taille seines Überziehers umher, der sehr lange Schöße hatte, und er lachte und machte dennoch einen bittern Mund. Sein Gesicht hatte Gretchen sich nicht ganz so schmal gedacht, die Nase weniger eingedrückt. Aber die Locke, die der Zylinder zerquetschte, kannte sie. Der Mund blieb unheimlich, er turnte zwischen den engen Längsfalten des Gesichtes wie ein Seiltänzer. Aber was für Augen hatte Herr Stolzeneck! Ihre schwarzen Ränder und schwarzen Brauen traten ohne Übergang, wie mit einem Ruck, aus der bleichen, etwas fettigen Haut. Das war so schön, daß es weh tat. Wenn er auf Gretchen herniedersah und über seine nachtblauen Augen die schwarzen Wimpern senkte, sah es aus wie Trauerweiden über einer Wiese. »Kleene Zwerche,« dachte Gretchen, »hubben drunter 'rum.« Eine schmerzliche Landschaft waren Herrn Stolzenecks Augen. Gewiß hatte er vieles Schwere erlitten. Der dunkle Drang, ihn zu trösten, erschütterte Gretchen. Da seufzte er, noch bevor sie selbst seufzte.

»Ach ja, Sie haben sich Ihre Eltern vorsichtig ausgesucht, Fräulein. Sie kennen natürlich nichts als bloß die besseren Familien. Wenn so 'ne Leute wie wir die Nase in 'ne Stadt stecken, dann rufen die Frauen über die Straße: Nachbarin, häng die Wäsche weg, die Komödianten kommen.«

»Das ist zu dumm,« behauptete Gretchen mit Nachdruck.

»Ja, das sagen Sie. Aber bitten Sie Ihre Frau Mama mal, sie soll mich einladen. An dem Tage müssen Sie wahrscheinlich doppelt so viele Strümpfe stopfen.«

Gretchen beugte die Stirn, denn es war so.

»Ich verkehre hier bloß bei der Frau Wendegast.«

»Ach ja,« machte Gretchen schnell. »Das ist so eine . . .«

»Sehen Sie! Weil sie mit uns Schauspielern verkehrt.«

Gretchen stammelte und verschluckte sich. Frau Wendegast war also gar keine, vor der man in die nächste Straße einbiegen

mußte? Gretchen, neben der ein Schauspieler über den Wall
ging, rückte unvermutet in Gesichtsweite eines Daseins, das sie
so lange mit allen andern für höchst gewagt und ganz unzu-
gänglich gehalten hatte.

Welch neues Leben! ... Herr Stolzeneck sagte:

»Die Anschauungen sind gottlob nicht überall so rückständig.
In Wien zum Beispiel hatte man einen tadellosen Verkehrs-
kreis.«

»Waren Sie dort auch schon beim Theater?«

»Versteht sich: an der Burg. Ich hätte es natürlich nicht nötig,
mich hier bei den Schmieren herumzutreiben; bloß daß man
als Künstler den Wandertrieb mal in sich hat.«

»Es ist wohl reizend, wenn man Künstler ist?«

»Glänzende Sache, Fräulein. Aber Sie wollen wohl nicht weiter
mit mir gehen? Ja, jetzt kommen die Straßen, und da könnte
ein Bekannter Sie mit dem Komödianten sehen.«

Gretchens Gesicht flammte. Sie verdrehte die Augen, wollte
sich wehren gegen den schrecklichen Verdacht. Aber es war die
Wahrheit, und sie konnte sie nicht ändern.

»Lassen Sie nur,« sagte er inzwischen. »Ich bin nicht empfindlich. Jetzt gehen Sie getrost zu Ihrem Mittagessen und ich will
sehen, wer mir 'n Teller Suppe pumpt.«

»Ach! Haben Sie denn kein Geld?«

»O! Im Gegenteil!« – und er lachte. »Es steckt nur grade in Geschäften. Glänzende Sache, Fräulein. Übrigens, könnten Sie
Ihren Herrn Papa nicht mal fragen, ob er keinen Korresponden-
ten gebraucht? Ich stenographiere prachtvoll.«

»Aber Sie sind doch Künstler!«

»Nun ja. Erschrecken Sie nicht so furchtbar! Ich habe heute
abend im »Fallissement« zu spielen: man ist dann den ganzen
Tag in der Rolle, wissen Sie. Im übrigen würde schon meine
Herkunft mir verbieten ... Denn natürlich bin ich von diskreter
Geburt.«

Sie sah ehrfürchtig aus. Er sagte herablassend:

»Wir sehen uns schon wieder. Schreiben Sie mir gelegentlich,
Fräulein. Sie wissen vielleicht, wo ich wohne?«

Wie oft hatte Gretchen nach seinem Fenster hinaufgelugt! Einmal hatte sie – aber ohne Elsa Baumann würde sie es nie gewagt haben – die Treppen erstiegen und an seiner Tür vor
seiner Visitenkarte eine Andacht verrichtet. Gretchens Knie

wurden ganz schwach; noch weiß bei der Erinnerung, hob sie die Augen zu ihm. Aber sogleich wich er aus, rückte am Zylinder, hoffte Gretchen bald wieder zu begegnen – und war, ehe sie innerlich so weit war, elegant und leicht von dannen.

5

»Warum ich so spät zum Essen komm? Ja, Muttchen, die Anprobe hat bis halb eins gewährt, und dann bin ich der Frau Doktor Harnisch begegnet. Du weißt ja, was die für 'ne alte Klatsche ist.«

Frau Heßling vergaß ihren Zorn.

»Was hat sie denn gesagt?«

Gretchen brauchte gar nicht nachzudenken, bevor sie log. Sie war völlig aufgewacht. Das Leben war auf einmal schrecklich interessant; sie hatte ein Geheimnis, ein Gebiet, das nur ihr gehörte und wohin niemand sich getraute: – als ob sie auf der Seite des Stadtgrabens Schlittschuh liefe, wo immer das große Loch war. Die Damen Roché und Poppy konnten bei Frau Wendegast von ihr erzählen. Mathilde Behnsch konnte aus dem Fenster gesehen haben: dann wußten alle, daß Gretchen mit Herrn Stolzeneck etwas hatte. Natürlich glaubten sie dann, es sei ein Verhältnis; »ich würde es auch glauben,« gestand sich Gretchen; und ihr war fast schon zumut, als sei es eins. Das Herz klopfte bei jeder Erinnerung an ihn. Alles, was er zu ihr gesagt hatte, kehrte abwechselnd wieder.

»Was wirst 'n egal rot?« fragte Frau Heßling. »Papa meint es doch gar nicht so.«

Gretchen hatte nicht einmal gehört, was Papa sagte, und errötete noch tiefer. Aber dann machte sie Mathilde Behnsch mit großer Gewandtheit schlecht: für den Fall, daß Mathilde sie verklatschen wollte. Mittendrin hörte sie Herrn Stolzeneck sagen: »Mein Fräulein, das ist doch nicht für Damen.« Zu ihr hatte er das gesagt, mit eben solch flotter Stimme und perfekter Anmut wie der Veilchenfresser; zu ihr allein. Es war, als hätte Gretchen selbst mitgespielt. »Ob ich nicht Talent hätte? Warum nicht. Weeß mersch denn?« Sie hörte sich im Geiste grade so fein sprechen und sah an sich dasselbe gewandte Benehmen.

Was sollte sie jetzt noch mit Klotzsche! Klotzsche, der über
seinem Bierbauch Daumen drehte, der immer die halben Worte
verschluckte und nicht ins Zimmer konnte, ohne an den Tür-
pfosten zu rempeln.

»Du, Mama, mit Klotzsche tanz ich aber nich auf meiner Hochzeit, er schubst ein' immer mit sei'm Bauche.«

»Sei nicht so gemütlos!« verlangte Herr Heßling aufgebracht,
und Gretchen mußte sich ducken.

Klotzsche aber konnte ihr nicht mehr imponieren.

Sobald sie allein im Zimmer mit dem Jugendstil saßen, fing
Gretchen an.

»Du, Sophus, daß dus weißt, mich wirst nich um den Finger
wickeln, ich bin ä modernes Weib.«

Da er hierauf nicht gefaßt schien:

»Ich will alles kennen lernen. Glaube giedigst bloß nich, ich
will hier immer in der Klappe hocken. Unsere Hochzeitsreise
machen wir ganz gemiedlich mal nach Berlin. Nu sag ämal, ob
du mich auch egal in alle Lokale mitnimmst. Schitze bloß keine
Müdigkeit vor und sperr dei' Mund auf!«

Klotzsche verwirrte sich unter Gretchens unnachsichtigem Blick.
Aber er mußte mit seinen Berliner Kenntnissen heraus. Er tat es
faul und vorsichtig. Gretchen ertappte ihn:

»Die Hauptsache haste weggelassen. Na? Na? Die Amorsäle
doch! Schwörste, daß de mir die zeigen wirst?«

Klotzsche zögerte, er setzte zu Einwänden an. Gretchen schnitt
sie ab.

»Du bist wohl ä Philister?«

Und Klotzsche versprach, Hals über Kopf, die Amorsäle. Ihr
eigener Mut berauschte Gretchen.

»Ä Philister, pfui Spinne, den nähm ich nicht. Überhaupt sollten wir Frauen alles dürfen, was ihr dürft. Ihr amüsiert euch
egalweg, und kommt ihr zu uns, is nischt mehr da. Davon is
dem Herrn Assessor Bautz sei Frau verriggt geworden. Seid ihr
ßoo, da müssen wir uns ähm ä Gliebten nähm, und womöglich
gleiche. Dir, mei Gudester, müßte das überhaupt ganz Sauce
sein.«

»Nee, Krätchen, nee –«

Klotzsche erlangte Haltung.

»Das wär mir nu aber ganz und gar nicht Sauce. Da mußte dir
en andern zum Manne nähm, nicht en Reserveleutnant.«

Gretchen krümmte die Lippe; aber hier, wo Klotzsches Selbstbewußtsein durch das einer Gesamtheit gestützt ward, fand sie ihn unerschütterlich.

Am nächsten Vormittag sagte sie zu Elsa Baumann, die Besuch machte, um zur Hochzeit geladen zu werden:

»Du, Elsa, ob'ch Klotzsche heirat, muß ich mir noch sehre überlegen. Er is doch ä bißchen weit zurückgeblieben: er will nich, daß 'ch mich ausleb.«

Elsa fand Gretchens Bedenken vollberechtigt und riet ihr von Klotzsche ab.

»Ich für mein Teil geh nach Berlin und fang ein Verhältnis an,« wiederholte sie.

Gretchen verschränkte und löste die Finger, löste und verschränkte sie. Endlich, berstend vor Mitteilungsdrang:

»Soll 'ch dir was erzählen?«

Und sie sagte alles. Elsa wollte es zuerst nicht glauben; und dann begann sie zu schreien:

»O jemersch!«

»Was is denn, was lachste denn?« fragte Gretchen betroffen.

»Nichts!« und Elsa unterdrückte ihre Schadenfreude. »Ich denke bloß an Klotzsche. Dem gönne ichs.«

»Es wird ja doch nischt draus;« – mit tiefem Seufzen.

»Wieso nicht? Mach dich fort mit dei'm Leon! . . . Ja, da kuckste. Wenn ihr aber erst durchgegangen seid, müssen sie euch wohl heiraten lassen, und Klotzsche hats Nachsehen und alles brüllt.«

Gretchen lächelte geblendet; sie sagte nichts mehr, sie wagte kaum zu denken. Die Nacht hindurch kämpfte sie. In ihrem stürmischen Halbschlaf schimpfte Papa in Ausdrücken, die Gretchen nie gehört hatte, rang Mama die Hände wie eine Schauspielerin, und stieg Klotzsche, in Uniform und hinter sich die ganze Stadt, drohend vor Gretchen auf. Aber da glänzte langsam Herrn Stolzenecks Gesicht hervor, – und seine Hand, die den Zylinder lüftete, wischte alle andern Visionen weg. Gretchen stand auf und schrieb ihm. Sie fühle das unabweisbare Bedürfnis, ihn schon heute wiederzusehen. Er werde verstehen.

»Wo?« überlegte sie. Es mußte draußen und abseits sein. Nein, etwas Passenderes gab es nicht. Und dann die schöne Erinnerung, die daran hing. Die Stimme ertönte wieder, mit der er gesagt hatte: »Mein Fräulein, das ist doch nicht für Damen.«

Und sie schrieb:
»Wieder bei dem Häuschen.«
Sie sagte; sie brauche Benzin, bezahlte mit dem Geld einen
Dienstmann und kehrte zurück: die Flasche sei ihr zerbrochen.
Schon um halb war sie am Ort des Stelldicheins. Aber auch um
eins kam er noch nicht. Als sie ihn um halb zwei nicht sah,
weinte Gretchen. Vielleicht liebte er sie schon nicht mehr? Um
zwei beschloß sie, trotzdem mit ihm zu entfliehen. »Er wird es
gewiß tun, denn Papa hat Geld, und die Liebe kommt in der Ehe,
sagt Mama.« Um halb drei war sie dafür in völliger Zerrüttung.
Als sie aber um drei ihre Handschuhe ausgezogen hatte und sie
glatt strich, um sie zu schonen: da stand er vor ihr und
lächelte.
»Ich glaubte weiß Gott nicht, daß Sie noch da wären. Pardon,
Pardon. Die Probe hat nämlich heute bis drei gewährt. Unlieb-
same Sache.«
Gretchens Inneres schmolz auf einmal vor Glück, ihre Miene
ward gerührt. Nur die Probe! Alles war gut. Sein Blick aber wich
aus, ging zerstreut umher, und Herr Stolzeneck räusperte sich
oft. Er erklärte wenig Zeit zu haben. Plötzlich wollte er mit
Gretchen im Restaurant essen, besann sich sogleich darauf, daß
es nicht gehe, und lachte übermäßig klangvoll.
»Es ist zwar 'ne komische Frage, aber, Fräulein, können Sie mir
zufällig zwanzig Mark leihen? . . . Gott! wie Sie sich erschrocken
haben. Allerdings soll man 'ne Dame, die man verehrt, nicht
anpumpen. Ärgerliche Sache . . . Na, wir können wohl umkehren: heeme laatschen, würde man hier sagen, nicht?«
Er griff heute noch häufiger nach seinem Zylinder, drehte sich
rascher in der engen Taille seines Überziehers, und sein Mund
turnte, auch wenn er schwieg, unablässig in seinem bleichen
Antlitz mit den dicken Trauerrändern der Augen.
»Haben Sie eine hübsche Hand, Fräulein!« – und er blieb stehen und nahm ihre Hand an sich, als gehörte sie ihm.
»Ein feiner Ring!«
Er zog ihn ab und schob ihn sich an den Finger.
»Finden Sie, daß er mir steht?«
Dabei lachte er; und Gretchen wurde tiefrot. Gewiß erriet er,
daß sie den Ring von Klotzsche hatte, und machte sich lustig.
»Soll ich heute abend damit auftreten? Sie müssen mich sehen
in dem Stück, Fräulein, es ist furchtbar unanständig. Also abge-

macht, ich trete mit dem Ring auf. Adieu. Weiter dürfen Sie nicht mitkommen, sonst werden wir abgefaßt. Adieu.«

6

Gretchen hatte manches einzuwenden gehabt. Überrascht sah sie ihm nach; dann betrachtete sie die Stelle an ihrem Finger, wo der Ring gesessen hatte; und dann seufzte sie beklommen. Da ging er hin und spielte in dem unanständigen Stück. Er hatte gut lachen. So waren die Männer. Daran dachte er nicht, wie Gretchen es zu Hause erklären sollte, daß sie drei Stunden zu spät zum Essen kam und keinen Ring mehr hatte. Mit bedrückter Miene zeigte sie sich und berichtete, sie sei bei Klärchen Harnisch geblieben. Klärchen sei sehr krank, auch den Abend müsse Gretchen an ihrem Bett verbringen. Sie weinte sogar; Mama mochte nur trösten. Herr Stolzeneck war nicht nett gewesen, Gretchen hatte vom Durchgehen kein Wort sagen können. Er war zerstreut und eilig gewesen. »Hat er sich bei mir gelangweilt?« Ihr war sehr bange. »Ich weiß wohl, ich bin ein dummes Ding, und er ist ein berühmter Mann.« Mit leidender Stimme verlangte sie Geld, um für Klärchen Tokaier zu kaufen, und dann ging sie ins Theater. Die Unanständigkeiten hörte sie gar nicht und merkte nicht, daß sie das einzige junge Mädchen war und besprochen ward. Sie saß ganz vorn, und unverwandt starrte sie auf Herrn Stolzeneck. Er mußte sie sehen; aber er wollte nicht. Und an seinen Fingern staken mehrere, mächtig funkelnde Brillantringe, aber keiner mit einem Rubin und sieben Perlen.

Betäubt, verlassen und arm ging Gretchen zu Bett. Sie war zu matt zum Weinen. Er machte sich über sie lustig. Morgen kam nun einfach der Ring zurück, und vielleicht lag ein Zettel dabei, worauf in genialen Schriftzügen hingeworfen stand: »Fräulein, wie haben Sie sich gestern im Theater unterhalten?« Und dann wars aus. Den ganzen Morgen schlich Gretchen zwischen ihrem Zimmer und dem Briefkasten hin und her. Also geschah nichts? Herr Stolzeneck war noch grausamer, als Gretchen ihn sich vorgestellt hätte. Er konnte sich doch denken, welche Not sie damit hatte, bei jedem Handgriff den Finger wegzubiegen. Der tat schon ganz weh. Im Zorn verfaßte sie einen Brief. Schon am Abend fragte sie auf der Post nach Antwort; aber noch tags darauf war keine da. »Nu versteht sich. Muß ich ihn auch beleidigen, ich dummes Luder ich. Ein großer Künstler wie er, soll egal an mein' Ring denken. So was verbummelt er ähm.« Und sie schrieb noch einmal, sehr demütig. Da flog ihr wirklich aus dem Schalter ein Brief zu: vor Erregung griff Gretchen daneben. Die Schriftreihen zogen sich zusammen wie Harmonikafalten; sie mußte warten, bis sie wieder am rechten Fleck standen. Nun las sie:

»Geehrtes Fräulein!

Bezüglich bewußten Ringes handelt es sich keineswegs, wie Sie anzunehmen belieben, um Irrtum oder Vergeßlichkeit meinerseits, sondern haben Sie mir denselben vielmehr ausdrücklich geschenkt. Sie sagten noch: Er steht Ihnen besser als mir, tragen Sie ihn zum ewigen Angedenken.

Ich warne Sie daher, mich wegen des Ringes fernerhin in irgendeiner Weise zu belästigen, sonst müßten Sie allerdings gewärtigen, daß ich mein schonendes Verhalten aufgebe und Ihre unerlaubten Beziehungen zu mir publik mache.

Unsere Zusammenkünfte wären leicht zu beweisen, und außerdem sind Sie nicht die erste.

Mit vollkommenster Hochachtung
Leon Stolzeneck.«

Ja ja: die Buchstaben standen alle schön und schwungvoll da und bedeuteten wirklich dies. Nur Gretchen hatte das Herz nicht mehr am Fleck und zitterte an allen Gliedern. Der Boden war gewichen, und schaurige Abgründe verlangten von Gretchen, daß sie hineinblickte. Die Hand vor den Augen, verließ sie die Post: und draußen schlich sie an den Mauern hin, als sei sie selbst der Dieb. Er war ein Dieb! Herr Stolzeneck war ein Dieb! Das wußte keiner außer Gretchen, und gewiß wäre auch keiner darauf verfallen: ebensowenig wie auf den Gedanken, daß Herr Stolzeneck ein Gespenst sei. Zwischen Lebenden und Toten war kein tieferer Graben als zwischen ehrlichen Leuten und Dieben. Gretchen hatte bis heute von Dieben nicht den Begriff gehabt wie von Menschen, die deutsch sprächen und Bemmchen äßen. Dort eben in der alten Stadtvogtei saßen sie, eine Schildwache ging davor auf und ab, und sie gehörten gar nicht dazu. Gretchen schielte, entsetzt durch ihre neuen Einblicke, hinauf. Derselbe Herr Stolzeneck, mit dem sie über den Wall spazieren gegangen war, der war also eigentlich dort oben zu Hause. Oder vielmehr, man konnte ein Dieb sein und doch nicht dort oben sitzen, sondern über den Wall spazieren gehen. Alles verwirrte sich und machte Kopfsprünge. Die sittliche Welt erlitt ein Erdbeben. Angstvoll rang Gretchen, sich aufrecht zu halten. Dieser Dieb war vielleicht nur aus der Stadtvogtei ausgebrochen und hatte Theater gespielt, um Gretchen ihres Ringes berauben zu können? Das war der Zweck des Ganzen gewesen? ... Nein, so ging es wohl nicht. Verstört setzte Gretchen sich zu Tisch; wie konnten Papa und Mama nur so gemütlich sein. Wußten sie nicht, daß dergleichen vorkam? Sie versteckte ihren Finger nicht mehr, sie fand es, in der Auflösung aller Dinge, nicht der Mühe wert. So, nun hatte Mama es gesehen!

»Wo hast du dein' Rink?«

»Ach!« machte Gretchen unerschrocken. »Ich hab mir die Hände gewaschen, er liegt auf dem Waschtisch.«

»Hol ihn gleiche, daß er nicht wegkommt. Man soll kein' Menschen in Versuchung führen.«

Gretchen stand auf, aber Papa rief:

»Nicht vom Tisch weglaufen!«

»Dann nicht,« dachte Gretchen.

Nach dem Essen ging sie in ihr Zimmer, warf die Tür zu und machte Fäuste. Sie war in Empörung. Das Schicksal war gemein, und die Menschen waren gemein. Klotzsche ein duckmäusiges Trampeltier, und Herr Stolzeneck ein Dieb: das hatte das Schicksal sich für Gretchen ausgedacht. Herr Stolzeneck hätte schließlich ebensogut ehrlich bleiben können, da Gretchen doch für ihn schwärmte! Und er drohte, sie für seine Geliebte auszugeben. »Du Lumich! Aber das woll'n mer dir schon austreim.« Ein Skandal kam freilich immer heraus. O! Herr Stolzeneck war schlau, schrecklich schlau; – und heiß wallte es zu Gretchens Herzen. Er blieb doch der einzige Mann, den sie geliebt hatte! So schön, so fein und so gewandt! Wars denn wirklich so schlimm, daß er gestohlen hatte? Am Ende konnte das vorkommen. Gretchen selbst hatte sich für Spiritus und Tokaier Geld geben lassen und es sozusagen unterschlagen. Ja, sie hatte welches aus Papas Hose stibitzt ... Aber das hatte Mama so gewollt. Und überhaupt war das ganz etwas anderes; das blieb in der Familie, und niemand sah es. Herr Stolzeneck aber strich dort draußen umher und stahl. Gretchen schrak zusammen: sie hatte gemeint, eine schwarze Vagabundengestalt recke sich vor

dem Fenster auf und spähe in ihr geheiztes Zimmerchen ... Als
sie aber sah, daß es nichts war, legte sie die Hände vors Gesicht
und weinte. Sie beweinte Herrn Stolzeneck, und daß er so
allein von einem Ort zum andern zog und Verbrechen beging.
Gewiß war ihm nicht wohl dabei; er hätte sogar lieber in Papas
Geschäft stenographiert.

»Bin ich nicht schuld, weil ich Papa nichts gesagt habe? Herr
Stolzeneck hatte Hunger, ich sah es doch; und wie nervös war
er! Und wenn ich ihm den Ring nun schenke? So, nun gehört
er ihm, und Herr Stolzeneck hat nichts getan, als was er durfte.
Ich hab in Papas Hosentasche hineingelangt, das war reichlich
so schlimm ...«

Aber Gretchen mochte wollen oder nicht, sie zuckte zurück. Ihre
kleine zahme, behütete Sünde lief vor seiner wild schweifenden
winselnd davon, wie ein Mops vor einem Wolf.

»Nee, nu aber, ich wer wohl noch verriggt? Er gehört nu ähm
in die Stadtvogtei; und wenns nich wegen dem Krach wär,
müßt 'ch ihn, weeß Knebbchen, einsperren lassen.«

Gretchen holte ihr Anschreibebuch hervor und notierte ihre
Ausgaben von dem Geld, das sie übrig behalten hatte, als sie
statt des Tokaiers ein Theaterbillet gekauft hatte. Darauf fühlte
sie sich besser. Was vorhin in ihr so unheimlich weich geworden war, hatte wieder feste Umrisse. Das Gute und Tüchtige
war in Gretchen wieder obenauf.

Schon ward es dämmerig, und Klotzsche trat an.

»Seit 'ner Stunde laure ich auf dich, mei' Zuckertierchen,« sagte
Gretchen und fiel ihm, so sehr er auch erschrak, um den Hals.

»Du bist und bleibst doch mei' kleener einzcher Sophus.«

Und verführerisch an seinem Ohr:

»Szaophis? Ich muß dir was gestehen.«

Gretchen schloß die Augen und schluckte hinunter.

»Jetzt hätt ich ihm mehr zu gestehen, als er mir,« dachte sie;
aber sie sagte:

»Dei' Ring is nämlich futsch. Wo er is, das kann ich dir nich
sagen: nee, das kann 'ch nu nich. Ich weeß es nämlich selbst
nich. Aber Mama hat es schon gemerkt, und wenn ich ihn nicht
wiederkriege, wird sie tückisch. Sophus: koof dei'm Krätchen en
andern, ähmßolchen!«

Klotzsche blinzelte, es war ihm nicht recht; aber Gretchen koste
verzweifelt.

»Wir machen auch keene Hochzeitsreise nach Berlin. Nischt is mehr mit Amorsälen, ich will reine garnischt kennen lernen, mei' Klotzschechen kann nur ruhig sein. Und wenn de's mit dei'm Krätchen auche ßo machst wie Assessor Bautz mit seiner Frau: ich werd noch lang nich verriggt. I wo werd ich denn. 's wär doch gemiedlos.«

Darauf entschloß sich Klotzsche, und sie gingen zum Goldschmied. Als Gretchen den Ring wieder am Finger hatte, brach sie aus:

»Dies is erscht der richtche. Er glänzt viel mehr, und der Rubin is auch größer. Da kann der Mann drinne nu sagen, was er will: der kost eichentlich 's Doppelte, und er is egal reingefallen. Na, wir werdens ihm nich unter die Nase reiben. Ach du mei einzcher Klotzsche, ich mecht dir ja auf offner Straße ä Kuß gäm.«

Klotzsche fand Gretchen an seinem Arm ungewöhnlich schwer, aber er war stolz darauf. Ein Stück weiter verlangte sie auf die andere Seite zu gehen.

»Da kommt die ekelhafte Elsa Baumann rangelaatscht. Daß de sie mir nicht grüßt! Das is nämlich ä ganz hinterlistches Luder. Aber ich durchschau sie. Sie is mir bloß neidisch wegen mei'm Sophus.«

Klotzsche ward rot.

»Und zu unserer Hochzeit wird se nich eingeladen«, schloß Gretchen.

Eine Zeitlang blieb sie wortlos angeschmiegt. Dann, gelispelt:

»Szaophis? Jetzt fiehl ich egal so was; ich gloob, 's is die Gnade.«

»Siehste? Das hab ich mir doch gleiche gedacht, daß mei Krätchen zur Gnade kommen würde. Na, nu sag doch ämal, wie biste denn hingekomm'?«

»Nee, Sophus, nee, das kann 'ch dir nu nich sagen, das kann 'ch nu nich. Ich weeß es nämlich selbst nich«, setzte sie aus Vorsicht hinzu. Aber Klotzsche war nicht neugierig.

»Na, nu haste glücklich hingefunden«, sagte er, »das ist die Hauptsache. Wenn wir erst vor Gottes Thron stehen, wird er zu uns sprechen«, – und Klotzsche schnarrte abgehackt:

»Ja, mein Sohn, auf welchem Wege du zur Gnade gekommen bist, das is mir janz Wurscht.«

HUGO VON HOFMANNSTHAL

Lucidor

Frau von Murska bewohnte zu Ende der siebziger Jahre in einem Hotel der inneren Stadt ein kleines Appartement. Sie führte einen nicht sehr bekannten, aber auch nicht ganz obskuren Adelsnamen; aus ihren Angaben war zu entnehmen, daß ein Familiengut im russischen Teile Polens, das von Rechts wegen ihr und ihren Kindern gehörte, im Augenblick sequestriert oder sonst den rechtmäßigen Besitzern vorenthalten war. Ihre Lage schien geniert, aber wirklich nur für den Augenblick. Mit einer erwachsenen Tochter Arabella, einem halb erwachsenen Sohn Lucidor und einer alten Kammerfrau bewohnten sie drei Schlafzimmer und einen Salon, dessen Fenster nach der Kärntnerstraße gingen. Hier hatte sie einige Familienporträts, Kupfer und Miniaturen, an den Wänden befestigt, auf einem Gueridon ein Stück alten Samts mit einem gestickten Wappen ausgebreitet und darauf ein paar silberne Kannen und Körbchen, gute französische Arbeit des achtzehnten Jahrhunderts, aufgestellt, und hier empfing sie. Sie hatte Briefe abgegeben, Besuche gemacht, und da sie eine unwahrscheinliche Menge von »Attachen« nach allen Richtungen hatte, so entstand ziemlich rasch eine Art von Salon. Es war einer jener etwas vagen Salons, die je nach der Strenge des Beurteilenden »möglich« oder »unmöglich« gefunden werden. Immerhin, Frau von Murska war alles, nur nicht vulgär und nicht langweilig, und die Tochter von einer noch viel ausgeprägteren Distinktion in Wesen und Haltung und außerordentlich schön. Wenn man zwischen vier und sechs hinkam, war man sicher, die Mutter zu finden, und fast nie ohne Gesellschaft; die Tochter sah man nicht immer, und den dreizehn- oder vierzehnjährigen Lucidor kannten nur die Intimen.

Frau von Murska war eine wirklich gebildete Frau, und ihre Bildung hatte nichts Banales. In der Wiener großen Welt, zu der sie sich vaguement rechnete, ohne mit ihr in andere als eine sehr peripherische Berührung zu kommen, hätte sie als »Blaustrumpf« einen schweren Stand gehabt. Aber in ihrem Kopf war ein solches Durcheinander von Erlebnissen, Kombinationen, Ahnungen, Irrtümern, Enthusiasmen, Erfahrungen, Apprehensionen, daß es nicht der Mühe wert war, sich bei dem aufzuhalten, was sie aus Büchern hatte. Ihr Gespräch galoppierte von einem Gegenstand zum andern und fand die unwahrscheinlichsten Übergänge; ihre Ruhelosigkeit konnte Mitleid erregen – wenn man sie reden hörte, wußte man, ohne daß sie es zu erwähnen brauchte, daß sie bis zum Wahnsinn an Schlaflosigkeit litt und sich in Sorgen, Kombinationen und fehlgeschlagenen Hoffnungen verzehrte – aber es war durchaus amüsant und wirklich merkwürdig, ihr zuzuhören, und ohne daß sie indiskret sein wollte, war sie es gelegentlich in der fürchterlichsten Weise. Kurz, sie war eine Närrin, aber von der angenehmeren Sorte. Sie war eine seelengute und im Grund eine charmante und gar nicht gewöhnliche Frau. Aber ihr schwieriges Leben, dem sie nicht gewachsen war, hatte sie in einer Weise in Verwirrung gebracht, daß sie in ihrem zweiundvierzigsten Jahre bereits eine phantastische Figur geworden war. Die meisten ihrer Urteile, ihrer Begriffe waren eigenartig und von einer großen seelischen Feinheit; aber sie hatten so ziemlich immer den falschesten Bezug und paßten durchaus nicht auf den Menschen oder auf das Verhältnis, worauf es gerade ankam. Je näher ein Mensch ihr stand, desto weniger übersah sie ihn; und es wäre gegen alle Ordnung gewesen, wenn sie nicht von ihren beiden Kindern das verkehrteste Bild in sich getragen und blindlings danach gehandelt hätte. Arabella war in ihren Augen ein Engel, Lucidor ein hartes kleines Ding ohne viel Herz. Arabella war tausendmal zu gut für diese Welt, und Lucidor paßte ganz vorzüglich in diese Welt hinein. In Wirklichkeit war Arabella das Ebenbild ihres verstorbenen Vaters: eines stolzen, unzufriedenen und ungeduldigen, sehr schönen Menschen, der leicht verachtete, aber seine Verachtung in einer ausgezeichneten Form verhüllte, von Männern respektiert oder beneidet und von vielen Frauen geliebt wurde und eines trockenen Gemütes war. Der kleine Lucidor dagegen hatte nichts als Herz. Aber ich will lieber gleich an dieser Stelle sagen, daß Lucidor kein junger Herr, sondern ein Mädchen war und Lucile hieß. Der Einfall, die jüngere Tochter für die Zeit des Wiener Aufenthaltes als »travesti« auftreten zu lassen, war, wie alle Einfälle der Frau von Murska, blitzartig gekommen und hatte doch zugleich die kompliziertesten Hintergründe und Verkettungen. Hier war vor allem der Gedanke im Spiel, einen ganz

merkwürdigen Schachzug gegen einen alten, mysteriösen, aber
glücklicherweise wirklich vorhandenen Onkel zu führen, der in
Wien lebte und um dessentwillen – alle diese Hoffnungen und
Kombinationen waren äußerst vage – sie vielleicht im Grunde
gerade diese Stadt zum Aufenthalt gewählt hatte. Zugleich hatte
aber die Verkleidung auch noch andere, ganz reale, ganz im
Vordergrund liegende Vorteile. Es lebte sich leichter mit *einer*
Tochter als mit zweien von nicht ganz gleichem Alter; denn die
Mädchen waren immerhin fast vier Jahre auseinander; man
kann so mit einem kleineren Aufwand durch. Dann war es eine
noch bessere, noch richtigere Position für Arabella, die einzige
Tochter zu sein als die ältere; und der recht hübsche kleine
»Bruder«, eine Art von Groom, gab dem schönen Wesen noch
ein Relief.

Ein paar zufällige Umstände kamen zustatten: die Einfälle der
Frau von Murska fußten nie ganz im Unrealen, sie verknüpften
nur in sonderbarer Weise das Wirkliche, Gegebene mit dem,
was ihrer Phantasie möglich oder erreichbar schien. Man hatte
Lucile vor fünf Jahren – sie machte damals, als elfjähriges Kind,
den Typhus durch – ihre schönen Haare kurz schneiden müssen. Ferner war es Luciles Vorliebe, im Herrensitz zu reiten; es
war eine Gewohnheit von der Zeit her, wo sie mit den klein-
russischen Bauernbuben die Gutspferde ungesattelt in die
Schwemme geritten hatte. Lucile nahm die Verkleidung hin,
wie sie manches andere hingenommen hätte. Ihr Gemüt war
geduldig, und auch das Absurdeste wird ganz leicht zur Gewohnheit. Zudem, da sie qualvoll schüchtern war, entzückte sie
der Gedanke, niemals im Salon auftauchen und das heranwach-
sende Mädchen spielen zu müssen. Die alte Kammerfrau war
als einzige im Geheimnis; den fremden Menschen fiel nichts
auf. Niemand findet leicht als erster etwas Auffälliges: denn es
ist den Menschen im allgemeinen nicht gegeben, zu sehen, was
ist. Auch hatte Lucile wirklich knabenhaft schmale Hüften und
auch sonst nichts, was zu sehr das Mädchen verraten hätte. In
der Tat blieb die Sache unenthüllt, ja unverdächtigt, und als
jene Wendung kam, die aus dem kleinen Lucidor eine Braut
oder sogar noch etwas Weiblicheres machte, war alle Welt sehr
erstaunt.

Natürlich blieb eine so schöne und in jedem Sinne gut aussehende junge Person wie Arabella nicht lange ohne einige

mehr oder weniger erklärte Verehrer. Unter diesen war Wladimir weitaus der bedeutendste. Er sah vorzüglich aus, hatte ganz besonders schöne Hände. Er war mehr als wohlhabend und völlig unabhängig, ohne Eltern, ohne Geschwister. Sein Vater war ein bürgerlicher österreichischer Offizier gewesen, seine Mutter eine Gräfin aus einer sehr bekannten baltischen Familie. Er war unter allen, die sich mit Arabella beschäftigten, die einzige wirkliche »Partie«. Dazu kam dann noch ein ganz besonderer Umstand, der Frau von Murska wirklich bezauberte. Gerade er war durch irgendwelche Familienbeziehungen mit dem so schwer zu behandelnden, so unzugänglichen und so äußerst wichtigen Onkel liiert, jenem Onkel, um dessentwillen man eigentlich in Wien lebte und um dessentwillen Lucile Lucidor geworden war. Dieser Onkel, der ein ganzes Stockwerk des Buquoyschen Palais in der Wallnerstraße bewohnte und früher ein sehr vielbesprochener Herr gewesen war, hatte Frau von Murska sehr schlecht aufgenommen. Obwohl sie doch wirklich die Witwe seines Neffen (genauer: seines Vaters-Bruders-Enkels) war, hatte sie ihn doch erst bei ihrem dritten Besuch zu sehen bekommen und war darauf niemals auch nur zum Frühstück oder zu einer Tasse Tee eingeladen worden. Dagegen hatte er, ziemlich de mauvaise grâce, gestattet, daß man ihm Lucidor einmal schicke. Es war die Eigenart des interessanten alten Herrn, daß er Frauen nicht leiden konnte, weder alte noch junge. Dagegen bestand die unsichere Hoffnung, daß er sich für einen jungen Herrn, der immerhin sein Blutsverwandter war, wenn er auch nicht denselben Namen führte, irgendeinmal in ausgiebiger Weise interessieren könnte. Und selbst diese so ganz unsichere Hoffnung war in einer höchst prekären Lage unendlich viel wert. Nun war Lucidor tatsächlich einmal auf Befehl der Mutter allein hingefahren, aber nicht angenommen worden, worüber Lucidor sehr glücklich war, die Mutter aber aus der Fassung kam, besonders als dann auch weiterhin nichts erfolgte und der kostbare Faden abgerissen schien. Diesen wieder anzuknüpfen, war nun Wladimir durch seine doppelte Beziehung wirklich der providentielle Mann. Um die Sache richtig in Gang zu bringen, wurde in unauffälliger Weise Lucidor manchmal zugezogen, wenn Wladimir Mutter und Tochter besuchte, und der Zufall fügte es ausgezeichnet, daß Wladimir an dem Burschen Gefallen fand und ihn schon bei der ersten Be-

gegnung aufforderte, hie und da mit ihm auszureiten, was nach
einem raschen, zwischen Arabella und der Mutter gewechsel-
ten Blick dankend angenommen wurde. Wladimirs Sympathie
für den jüngeren Bruder einer Person, in die er recht sehr verliebt war, war nur selbstverständlich; auch gibt es kaum etwas
Angenehmeres als den Blick unverhohlener Bewunderung aus
den Augen eines netten vierzehnjährigen Burschen.

Frau von Murska war mehr und mehr auf den Knien vor Wladimir. Arabella machte das ungeduldig wie die meisten Haltun-
gen ihrer Mutter, und fast unwillkürlich, obwohl sie Wladimir
gern sah, fing sie an, mit einem seiner Rivalen zu kokettieren,
dem Herrn von Imfanger, einem netten und ganz eleganten Tiroler, halb Bauer, halb Gentilhomme, der als Partie aber nicht
einmal in Frage kam. Als die Mutter einmal schüchterne Vorwürfe wagte, daß Arabella gegen Wladimir sich nicht so betrage,
wie er ein Recht hätte, es zu erwarten, gab Arabella eine ab-
weisende Antwort, worin viel mehr Geringschätzung und Kälte
gegen Wladimir pointiert war, als sie tatsächlich fühlte. Luci-
dor-Lucile war zufällig zugegen. Das Blut schoß ihr zum Herzen
und verließ wieder jäh das Herz. Ein schneidendes Gefühl
durchzuckte sie: sie fühlte Angst, Zorn und Schmerz in einem.
Über die Schwester erstaunte sie dumpf. Arabella war ihr immer fremd. In diesem Augenblick erschien sie ihr fast grausig,
und sie hätte nicht sagen können, ob sie sie bewunderte oder
haßte. Dann löste sich alles in ein schrankenloses Leid. Sie ging
hinaus und sperrte sich in ihr Zimmer. Wenn man ihr gesagt
hätte, daß sie einfach Wladimir liebte, hätte sie es vielleicht
nicht verstanden. Sie handelte, wie sie mußte, automatisch,
indessen ihr Tränen herunterliefen, deren wahren Sinn sie
nicht verstand. Sie setzte sich hin und schrieb einen glühenden
Liebesbrief an Wladimir. Aber nicht für sich, für Arabella. Daß
ihre Handschrift der Arabellas zum Verwechseln ähnlich war,
hatte sie oft verdrossen. Gewaltsam hatte sie sich eine andere,
recht häßliche Handschrift angewöhnt. Aber sie konnte sich der
früheren, die ihrer Hand eigentlich gemäß war, jederzeit bedienen. Ja, im Grunde fiel es ihr leichter, so zu schreiben. Der
Brief war, wie er nur denen gelingt, die an nichts denken und
eigentlich außer sich sind. Er desavouierte Arabellas ganze Natur: aber das war ja, was er wollte, was er sollte. Er war sehr
unwahrscheinlich, aber ebendadurch wieder in gewisser Weise

wahrscheinlich als der Ausdruck eines gewaltsamen inneren Umsturzes. Wenn Arabella tief und hingebend zu lieben vermocht hätte und sich dessen in einem jähen Durchbruch mit einem Schlage bewußt worden wäre, so hätte sie sich allenfalls so ausdrücken und mit dieser Kühnheit und glühenden Verachtung von sich selber, von der Arabella, die jedermann kannte, reden können. Der Brief war sonderbar, aber immerhin auch für einen kalten, gleichgültigen Leser nicht ganz unmöglich als ein Brief eines verborgen leidenschaftlichen, schwer berechenbaren Mädchens. Für den, der verliebt ist, ist zudem die Frau, die er liebt, immer ein unberechenbares Wesen. Und schließlich war es der Brief, den zu empfangen ein Mann in seiner Lage im stillen immer wünschen und für möglich halten kann. Ich nehme hier vorweg, daß der Brief auch wirklich in Wladimirs Hände gelangte: dies erfolgte in der Tat schon am nächsten Nachmittag, auf der Treppe, unter leisem Nachschleichen, vorsichtigem Anrufen, Flüstern von Lucidor als dem aufgeregten, ungeschickten, vermeintlichen postillon d'amour seiner schönen Schwester. Ein Postskriptum war natürlich beigefügt: es enthielt die dringende, ja flehende Bitte, sich nicht zu erzürnen, wenn sich zunächst in Arabellas Betragen weder gegen den Geliebten noch gegen andere auch nur die leiseste Veränderung würde wahrnehmen lassen. Auch er werde hoch und teuer gebeten, sich durch kein Wort, nicht einmal durch einen Blick, merken zu lassen, daß er sich zärtlich geliebt wisse.

Es vergehen ein paar Tage, in denen Wladimir mit Arabella nur kurze Begegnungen hat, und niemals unter vier Augen. Er begegnet ihr, wie sie es verlangt hat; sie begegnet ihm, wie sie es vorausgesagt hat. Er fühlt sich glücklich und unglücklich. Er weiß jetzt erst, wie gern er sie hat. Die Situation ist danach, ihn grenzenlos ungeduldig zu machen. Lucidor, mit dem er jetzt täglich reitet, in dessen Gesellschaft fast noch allein ihm wohl ist, merkt mit Entzücken und Schrecken die Veränderung im Wesen des Freundes, die wachsende heftige Ungeduld. Es folgt ein neuer Brief, fast noch zärtlicher als der erste, eine neue rührende Bitte, das vielfach bedrohte Glück der schwebenden Lage nicht zu stören, sich diese Geständnisse genügen zu lassen und höchstens schriftlich, durch Lucidors Hand, zu erwidern. Jeden zweiten, dritten Tag geht jetzt ein Brief hin und her. Wladimir hat glückliche Tage und Lucidor auch. Der Ton zwischen den

beiden ist verändert, sie haben ein unerschöpfliches Gesprächs-
thema. Wenn sie in irgendeinem Gehölz des Praters vom Pferd
gestiegen sind und Lucidor seinen neuesten Brief übergeben
hat, beobachtet er mit angstvoller Lust die Züge des Lesenden.
Manchmal stellt er Fragen, die fast indiskret sind; aber die Erregung des Knaben, der in diese Liebessache verstrickt ist, und
seine Klugheit, ein Etwas, das ihn täglich hübscher und zarter
aussehen macht, amüsiert Wladimir, und er muß sich eingeste-
hen, daß es ihm, der sonst verschlossen und hochmütig ist, hart
ankäme, nicht mit Lucidor über Arabella zu sprechen. Lucidor
posiert manchmal auch den Mädchenfeind, den kleinen, alt-
klugen und in kindischer Weise zynischen Burschen. Was er da
vorbringt, ist durchaus nicht banal; denn er weiß einiges von
dem darunter zu mischen, was die Ärzte »introspektive Wahr-
heiten« nennen. Aber Wladimir, dem es nicht an Selbstgefühl
mangelt, weiß ihn zu belehren, daß die Liebe, die er einflöße
und die er einem solchen Wesen wie Arabella einflöße, von
ganz eigenartiger, mit nichts zu vergleichender Beschaffenheit
sei. Lucidor findet Wladimir in solchen Augenblicken um so
bewundernswerter und sich selbst klein und erbärmlich. Sie
kommen aufs Heiraten, und dieses Thema ist Lucidor eine
Qual, denn dann beschäftigt sich Wladimir fast ausschließlich
mit der Arabella des Lebens anstatt mit der Arabella der Briefe.
Auch fürchtet Lucidor wie den Tod jede Entscheidung, jede ein-
schneidende Veränderung. Sein einziger Gedanke ist, die Situation so hinzuziehen. Es ist nicht zu sagen, was das arme Geschöpf aufbietet, um die äußerlich und innerlich so prekäre
Lage durch Tage, durch Wochen – weiter zu denken, fehlt ihm
die Kraft – in einem notdürftigen Gleichgewicht zu erhalten.
Da ihm nun einmal die Mission zugefallen ist, bei dem Onkel
etwas für die Familie auszurichten, so tut er sein mögliches.
Manchmal geht Wladimir mit; der Onkel ist ein sonderbarer
alter Herr, den es offenbar amüsiert, sich vor jüngeren Leuten
keinen Zwang anzutun, und seine Konversation ist derart, daß
eine solche Stunde für Lucidor eine wahrhaft qualvolle kleine
Prüfung bedeutet. Dabei scheint dem Alten kein Gedanke ferner zu liegen als der, irgend etwas für seine Anverwandten zu
tun. Lucidor kann nicht lügen und möchte um alles seine Mutter beschwichtigen. Die Mutter, je tiefer ihre Hoffnungen, die
sie auf den Onkel gesetzt hatte, sinken, sieht mit um so größe-

rer Ungeduld, daß sich zwischen Arabella und Wladimir nichts der Entscheidung zu nähern scheint. Die unglückseligen Personen, von denen sie im Geldpunkt abhängig ist, fangen an, ihr die eine wie die andere dieser glänzenden Aussichten als nonvaleur in Rechnung zu stellen. Ihre Angst, ihre mühsam verhohlene Ungeduld teilt sich allen mit, am meisten dem armen Lucidor, in dessen Kopf so unverträgliche Dinge durcheinander hingehen. Aber er soll in der seltsamen Schule des Lebens, in die er sich nun einmal begeben hat, einige noch subtilere und schärfere Lektionen empfangen.

Das Wort von einer Doppelnatur Arabellas war niemals ausdrücklich gefallen. Aber der Begriff ergab sich von selbst: die Arabella des Tages war ablehnend, kokett, präzis, selbstsicher, weltlich und trocken fast bis zum Exzeß, die Arabella der Nacht, die bei einer Kerze an den Geliebten schrieb, war hingebend, sehnsüchtig fast ohne Grenzen. Zufällig oder gemäß dem Schicksal entsprach dies einer ganz geheimen Spaltung auch in Wladimirs Wesen. Auch er hatte, wie jedes beseelte Wesen, mehr oder minder seine Tag- und Nachtseite. Einem etwas trokkenen Hochmut, einem Ehrgeiz ohne Niedrigkeit und Streberei, der aber hochgespannt und ständig war, standen andere Regungen gegenüber, oder eigentlich standen nicht gegenüber, sondern duckten sich ins Dunkel, suchten sich zu verbergen, waren immer bereit, unter die dämmernde Schwelle ins Kaumbewußte hinabzutauchen. Eine phantasievolle Sinnlichkeit, die sich etwa auch in ein Tier hineinträumen konnte, in einen Hund, in einen Schwan, hatte zu Zeiten seine Seele fast ganz in Besitz gehabt. Dieser Zeiten des Überganges vom Knaben zum Jüngling erinnerte er sich nicht gerne. Aber irgend etwas davon war immer in ihm, und diese verlassene, auch von keinem Gedanken überflogene, mit Willen verödete Nachtseite seines Wesens bestrich nun ein dunkles, geheimnisvolles Licht: die Liebe der unsichtbaren, anderen Arabella. Wäre die Arabella des Tages zufällig seine Frau gewesen oder seine Geliebte geworden, er wäre mit ihr immer ziemlich terre à terre geblieben und hätte sich selbst nie konzediert, den Phantasmen einer mit Willen unterdrückten Kinderzeit irgendwelchen Raum in seiner Existenz zu gönnen. An die im Dunklen Lebende dachte er in anderer Weise und schrieb ihr in anderer Weise. Was hätte Lucidor tun sollen, als der Freund begehrte, nur irgendein Mehr, ein

lebendigeres Zeichen zu empfangen als diese Zeilen auf weißem Papier? Lucidor war allein mit seiner Bangigkeit, seiner
Verworrenheit, seiner Liebe. Die Arabella des Tages half ihm
nicht. Ja, es war, als spielte sie, von einem Dämon angetrieben,
gerade gegen ihn. Je kälter, sprunghafter, weltlicher, koketter
sie war, desto mehr erhoffte und erbat Wladimir von der anderen. Er bat so gut, daß Lucidor zu versagen nicht den Mut fand.
Hätte er ihn gefunden, es hätte seiner zärtlichen Feder an der
Wendung gefehlt, die Absage auszudrücken. Es kam eine Nacht,
in der Wladimir denken durfte, von Arabella in Lucidors Zimmer empfangen, und wie empfangen worden zu sein. Es war
Lucidor irgendwie gelungen, das Fenster nach der Kärntnerstraße so völlig zu verdunkeln, daß man nicht die Hand vor den
Augen sah. Daß man die Stimmen zum unhörbarsten Flüstern
abdämpfen mußte, war klar: nur eine einfache Tür trennte von
der Kammerfrau. Wo Lucidor die Nacht verbrachte, blieb unge-
sagt: doch war er offenbar nicht im Geheimnis, sondern man
hatte gegen ihn einen Vorwand gebraucht. Seltsam war, daß
Arabella ihr schönes Haar in ein dichtes Tuch fest eingewunden
trug und der Hand des Freundes sanft, aber bestimmt versagte,
das Tuch zu lösen. Aber dies war fast das einzige, das sie versagte. Es gingen mehrere Nächte hin, die dieser Nacht nicht
glichen, aber es folgte wieder eine, die ihr glich, und Wladimir
war sehr glücklich. Vielleicht waren dies die glücklichsten Tage
seines ganzen Lebens. Gegen Arabella, wenn er unter Tags mit
ihr zusammen ist, gibt ihm die Sicherheit seines nächtlichen
Glückes einen eigenen Ton. Er lernt eine besondere Lust darin
finden, daß sie bei Tag so unbegreiflich anders ist; ihre Kraft
über sich selber, daß sie niemals auch nur in einem Blick, einer
Bewegung sich vergißt, hat etwas Bezauberndes. Er glaubt zu
bemerken, daß sie von Woche zu Woche um so kälter gegen
ihn ist, je zärtlicher sie sich in den Nächten gezeigt hat. Er will
jedenfalls nicht weniger geschickt, nicht weniger beherrscht erscheinen. Indem er diesem geheimnisvoll starken weiblichen
Willen so unbedingt sich fügt, meint er, das Glück seiner Nächte
einigermaßen zu verdienen. Er fängt an, gerade aus ihrem dop-
pelten Wesen den stärksten Genuß zu ziehen. Daß ihm die
gehöre, die ihm so gar nicht zu gehören scheint; daß die gleiche,
welche sich grenzenlos zu verschenken versteht, in einer solchen unberührten, unberührbaren Gegenwart sich zu behaup-

ten weiß, dies wirklich zu erleben, ist schwindelnd, wie der wiederholte Trunk aus einem Zauberbecher. Er sieht ein, daß er dem Schicksal auf den Knien danken müsse, in einer so einzigartigen, dem Geheimnis seiner Natur abgelauschten Weise beglückt zu werden. Er spricht es überströmend aus, gegen sich selber, auch gegen Lucidor. Es gibt nichts, was den armen Lucidor im Innersten tödlicher erschrecken könnte.

Arabella indessen, die wirkliche, hat sich gerade in diesen Wochen von Wladimir so entschieden abgewandt, daß er es von Stunde zu Stunde bemerken müßte, hätte er nicht den seltsamsten Antrieb, alles falsch zu deuten. Ohne daß er sich geradezu verrät, spürt sie zwischen sich und ihm ein Etwas, das früher nicht war. Sie hat sich immer mit ihm verstanden, sie versteht sich auch noch mit ihm; ihre Tagseiten sind einander homogen; sie könnte eine gute Vernunftehe führen. Mit Herrn von Imfanger versteht sie sich nicht, aber er gefällt ihr. Daß Wladimir ihr in diesem Sinne nicht gefällt, spürt sie nun stärker; jenes unerklärliche Etwas, das von ihm zu ihr zu vibrieren scheint, macht sie ungeduldig. Es ist nicht Werbung, auch nicht Schmeichelei; sie kann sich nicht klar werden, was es ist, aber sie goutiert es nicht. Imfanger muß sehr wohl wissen, daß er ihr gefällt. Wladimir glaubt seinerseits noch ganz andere Beweise dafür zu haben. Zwischen den beiden jungen Herren ergibt sich die sonderbarste Situation. Jeder meint, daß der andere doch alle Ursache habe, verstimmt zu sein oder einfach das Feld zu räumen. Jeder findet die Haltung, die ungestörte Laune des andern im Grunde einfach lächerlich. Keiner weiß, was er sich aus dem andern machen soll, und einer hält den andern für einen ausgemachten Geck und Narren.

Die Mutter ist in der qualvollsten Lage. Mehrere Auskunftsmittel versagen. Befreundete Personen lassen sie im Stich. Ein unter der Maske der Freundschaft angebotenes Darlehen wird rücksichtslos eingefordert. Die vehementen Entschlüsse liegen Frau von Murska immer sehr nahe. Sie wird den Haushalt in Wien von einem Tag auf den andern auflösen, sich bei der Bekanntschaft brieflich verabschieden, irgendwo ein Asyl suchen, und wäre es auf dem sequestrierten Gut im Haus der Verwaltersfamilie. Arabella nimmt eine solche Entschließung nicht angenehm auf, aber Verzweiflung liegt ihrer Natur ferne. Lucidor muß eine wahre, unbegrenzte Verzweiflung angstvoll in sich

verschließen. Es waren mehrere Nächte vergangen, ohne daß
sie den Freund gerufen hätte. Sie wollte ihn diese Nacht wieder
rufen. Das Gespräch abends zwischen Arabella und der Mutter,
der Entschluß zur Abreise, die Unmöglichkeit, die Abreise zu
verhindern: dies alles trifft sie wie ein Keulenschlag. Und wollte sie zu einem verzweifelten Mittel greifen, alles hinter sich
werfen, der Mutter alles gestehen, dem Freund vor allem offen-
baren, wer die Arabella seiner Nächte gewesen ist, so durchfährt
sie eisig die Furcht vor seiner Enttäuschung, seinem Zorn. Sie
kommt sich wie eine Verbrecherin vor, aber gegen ihn, an die
anderen denkt sie nicht. Sie kann ihn diese Nacht nicht sehen.
Sie fühlt, daß sie vor Scham, vor Angst und Verwirrung vergehen würde. Statt ihn in den Armen zu halten, schreibt sie an
ihn, zum letztenmal. Es ist der demütigste, rührendste Brief,
und nichts paßt weniger zu ihm als der Name Arabella, womit
sie ihn unterschreibt. Sie hat nie wirklich gehofft, seine Gattin
zu werden. Auch kurze Jahre, ein Jahr als seine Geliebte mit
ihm zu leben, wäre unendliches Glück. Aber auch das darf und
kann nicht sein. Er soll nicht fragen, nicht in sie dringen, be-
schwört sie ihn. Soll morgen noch zu Besuch kommen, aber erst
gegen Abend. Den übernächsten Tag dann – sind sie vielleicht
schon abgereist. Später einmal wird er vielleicht erfahren, begreifen, sie möchte hinzufügen: verzeihen, aber das Wort
scheint ihr in Arabellas Mund zu unbegreiflich, so schreibt sie
es nicht. Sie schläft wenig, steht früh auf, schickt den Brief durch
den Lohndiener des Hotels an Wladimir. Der Vormittag vergeht mit Packen. Nach Tisch, ohne etwas zu erwähnen, fährt sie
zu dem Onkel. Nachts ist ihr der Gedanke gekommen. Sie würde die Worte, die Argumente finden, den sonderbaren Mann
zu erweichen. Das Wunder würde geschehen und dieser fest-
verschnürte Geldbeutel sich öffnen. Sie denkt nicht an die Realität dieser Dinge, nur an die Mutter, an die Situation, an ihre
Liebe. Mit dem Geld oder dem Brief in der Hand würde sie der
Mutter zu Füßen fallen und als einzige Belohnung erbitten
– was? – ihr übermüdeter, gequälter Kopf versagte beinahe – ja!
nur das Selbstverständliche: daß man in Wien bliebe, daß alles
bliebe, wie es ist. Sie findet den Onkel zu Hause. Die Details
dieser Szene, die recht sonderbar verläuft, sollen hier nicht erzählt werden. Nur dies: sie erweicht ihn tatsächlich – er ist nahe
daran, das Entscheidende zu tun, aber eine greisenhafte Grille

wirft den Entschluß wieder um: er wird später etwas tun, wann, das bestimmt er nicht, und damit basta. Sie fährt nach Hause, schleicht die Treppe hinauf, und in ihrem Zimmer, zwischen Schachteln und Koffern, auf dem Boden hockend, gibt sie sich ganz der Verzweiflung hin. Da glaubt sie, im Salon Wladimirs Stimme zu hören. Auf den Zehen schleicht sie hin und horcht. Es ist wirklich Wladimir – mit Arabella, die mit ziemlich erhobenen Stimmen im sonderbarsten Dialog begriffen sind.

Wladimir hat am Vormittag Arabellas geheimnisvollen Abschiedsbrief empfangen. Nie hat etwas sein Herz so getroffen. Er fühlt, daß zwischen ihm und ihr etwas Dunkles stehe, aber nicht zwischen Herz und Herz. Er fühlt die Liebe und die Kraft in sich, es zu erfahren, zu begreifen, zu verzeihen, sei es, was es sei. Er hat die unvergleichliche Geliebte seiner Nächte zu lieb, um ohne sie zu leben. Seltsamerweise denkt er gar nicht an die wirkliche Arabella, fast kommt es ihm sonderbar vor, daß sie es sein wird, der er gegenüberzutreten hat, um sie zu beschwichtigen, aufzurichten, sie ganz und für immer zu gewinnen. Er kommt hin, findet im Salon die Mutter allein. Sie ist aufgeregt, wirr und phantastisch wie nur je. Er ist anders, als sie ihn gesehen hat. Er küßt ihr die Hände, er spricht, alles in einer gerührten, befangenen Weise. Er bittet sie, ihm ein Gespräch unter vier Augen mit Arabella zu gestatten. Frau von Murska ist entzückt und ohne Übergang in allen Himmeln. Das Unwahrscheinliche ist ihr Element. Sie eilt, Arabella zu holen, dringt in sie, dem edlen jungen Mann nun, wo alles sich so herrlich gewendet, ihr Ja nicht zu versagen. Arabella ist maßlos erstaunt. »Ich stehe durchaus nicht so mit ihm«, sagt sie kühl. »Man ahnt nie, wie man mit Männern steht«, entgegnet ihr die Mutter und schickt sie in den Salon. Wladimir ist verlegen, ergriffen und glühend. Arabella findet mehr und mehr, daß Herr von Imfanger recht habe, Wladimir einen sonderbaren Herrn zu finden. Wladimir, durch ihre Kühle aus der Fassung, bittet sie, nun endlich die Maske fallen zu lassen. Arabella weiß durchaus nicht, was sie fallen lassen soll. Wladimir wird zugleich zärtlich und zornig, eine Mischung, die Arabella so wenig goutiert, daß sie schließlich aus dem Zimmer läuft und ihn allein stehen läßt. Wladimir in seiner maßlosen Verblüffung ist um so näher daran, sie für verrückt zu halten, als sie ihm soeben angedeutet hat, sie halte ihn dafür und sei mit einem Dritten über diesen Punkt ganz einer Meinung. Wladimir würde in diesem Augenblick einen sehr ratlosen Monolog halten, wenn nicht die andere Tür aufginge und die sonderbarste Erscheinung auf ihn zustürzte, ihn umschlänge, an ihm herunter zu Boden glitte. Es ist Lucidor, aber wieder nicht Lucidor, sondern Lucile, ein liebliches und in Tränen gebadetes Mädchen, in einem Morgenanzug Arabellas, das bubenhaft kurze Haar unter einem dichten Seidentuch verborgen. Es ist sein Freund und Vertrauter, und zugleich seine geheimnisvolle Freundin, seine Geliebte, seine Frau. Einen Dialog, wie der sich nun entwickelnde, kann das Leben hervorbringen und die Komödie nachzuahmen versuchen, aber niemals die Erzählung.

Ob Lucidor nachher wirklich Wladimirs Frau wurde oder bei Tag und in einem anderen Land das blieb, was sie in dunkler Nacht schon gewesen war, seine glückliche Geliebte, sei gleichfalls hier nicht aufgezeichnet.

Es könnte bezweifelt werden, ob Wladimir ein genug wertvoller Mensch war, um so viel Hingabe zu verdienen. Aber jedenfalls hätte sich die ganze Schönheit einer bedingungslos hingebenden Seele, wie Luciles, unter anderen als so seltsamen Umständen nicht enthüllen können.

ALFRED DÖBLIN

Die Ermordung einer Butterblume

Der schwarzgekleidete Herr hatte erst seine Schritte gezählt, eins, zwei, drei, bis hundert und rückwärts, als er den breiten Fichtenweg nach St. Ottilien hinanstieg, und sich bei jeder Bewegung mit den Hüften stark nach rechts und links gewiegt, so daß er manchmal taumelte; dann vergaß er es.

Die hellbraunen Augen, die freundlich hervorquollen, starrten auf den Erdboden, der unter den Füßen fortzog, und die Arme schlenkerten an den Schultern, daß die weißen Manschetten halb über die Hände fielen. Wenn ein gelbrotes Abendlicht zwischen den Stämmen die Augen zum Zwinkern brachte, zuckte der Kopf, machten die Hände entrüstete hastige Abwehrbewegungen. Das dünne Spazierstöckchen wippte in der Rech-

ten über Gräser und Blumen am Wegrand und vergnügte sich
mit den Blüten.

Es blieb, als der Herr immer ruhig und achtlos seines Weges zog,
an dem spärlichen Unkraut hängen. Da hielt der ernste Herr
nicht inne, sondern ruckte, weiter schlendernd, nur leicht am
Griff, schaute sich dann, am Arm festgehalten, verletzt um, riß
erst vergebens, dann erfolgreich mit beiden Fäusten das Stöckchen los und trat atemlos mit zwei raschen Blicken auf den
Stock und den Rasen zurück, so daß die Goldkette auf der
schwarzen Weste hochsprang.

Außer sich stand der Dicke einen Augenblick da. Der steife Hut
saß ihm im Nacken. Er fixierte die verwachsenen Blumen, um
dann mit erhobenem Stock auf sie zu stürzen und blutroten Gesichts auf das stumme Gewächs loszuschlagen. Die Hiebe sausten rechts und links. Über den Weg flogen Stiele und Blätter.

Die Luft laut von sich blasend, mit blitzenden Augen ging der
Herr weiter. Die Bäume schritten rasch an ihm vorbei; der Herr
achtete auf nichts. Er hatte eine aufgestellte Nase und ein plat-
tes bartloses Gesicht, ein ältliches Kindergesicht mit süßem
Mündchen.

Bei einer scharfen Biegung des Weges nach oben galt es aufzu-
achten. Als er ruhiger marschierte und sich mit der Hand gereizt den Schweiß von der Nase wischte, tastete er, daß sein
Gesicht sich ganz verzerrt hatte, daß seine Brust heftig keuchte.
Er erschrak bei dem Gedanken, daß ihn jemand sehen könnte,
etwa von seinen Geschäftsfreunden oder eine Dame. Er strich
sein Gesicht und überzeugte sich mit einer verstohlenen Handbewegung, daß es glatt war.

Er ging ruhig. Warum keuchte er? Er lächelte verschämt. Vor
die Blumen war er gesprungen und hatte mit dem Spazierstöckchen gemetzelt, ja mit jenen heftigen aber wohlgezielten
Handbewegungen geschlagen, mit denen er seine Lehrlinge zu
ohrfeigen gewohnt war, wenn sie nicht gewandt genug die
Fliegen im Kontor fingen und nach der Größe sortiert ihm vor-
zeigten.

Häufig schüttelte der ernste Mann den Kopf über das sonderbare Vorkommnis. »Man wird nervös in der Stadt. Die Stadt
macht mich nervös«, wiegte sich nachdenklich in den Hüften,
nahm den steifen englischen Hut und fächelte die Tannenluft
auf seinen Schopf.

Nach kurzer Zeit war er wieder dabei, seine Schritte zu zählen, eins, zwei, drei. Fuß trat vor Fuß, die Arme schlenkerten an den Schultern. Plötzlich sah Herr Michael Fischer, während sein Blick leer über den Wegrand strich, wie eine untersetzte Gestalt, er selbst, von dem Rasen zurücktrat, auf die Blumen stürzte und einer Butterblume den Kopf glatt abschlug. Greifbar geschah vor ihm, was sich vorhin begeben hatte an dem dunklen Weg. Diese Blume dort glich den andern auf ein Haar. Diese eine lockte seinen Blick, seine Hand, seinen Stock. Sein Arm hob sich, das Stöckchen sauste, wupp, flog der Kopf ab. Der Kopf überstürzte sich in der Luft, verschwand im Gras. Wild schlug das Herz des Kaufmanns. Plump sank jetzt der gelöste Pflanzenkopf und wühlte sich in das Gras. Tiefer, immer tiefer, durch die Grasdecke hindurch, in den Boden hinein. Jetzt fing er an zu sausen, in das Erdinnere, daß keine Hände ihn mehr halten konnten. Und von oben, aus dem Körperstumpf, tropfte es, quoll aus dem Halse weißes Blut, nach in das Loch, erst wenig, wie einem Gelähmten, dem der Speichel aus dem Mundwinkel läuft, dann in dickem Strom, rann schleimig, mit gelbem Schaum auf Herrn Michael zu, der vergeblich zu entfliehen suchte, nach rechts hüpfte, nach links hüpfte, der drüber wegspringen wollte, gegen dessen Füße es schon anbrandete.

Mechanisch setzte Herr Michael den Hut auf den schweißbedeckten Kopf, preßte die Hände mit dem Stöckchen gegen die Brust. »Was ist geschehen?« fragte er nach einer Weile. »Ich bin nicht berauscht. Der Kopf darf nicht fallen, er muß liegen bleiben, er muß im Gras liegen bleiben. Ich bin überzeugt, daß er jetzt ruhig im Gras liegt. Und das Blut – –. Ich erinnere mich dieser Blume nicht, ich bin mir absolut nichts bewußt.«

Er staunte, verstört, mißtrauisch gegen sich selbst. In ihm starrte alles auf die wilde Erregung, sann entsetzt über die Blume, den gesunkenen Kopf, den blutenden Stiel. Er sprang noch immer über den schleimigen Fluß. Wenn ihn jemand sähe, von seinen Geschäftsfreunden oder eine Dame.

In die Brust warf sich Herr Michael Fischer, umklammerte den Stock mit der Rechten. Er blickte auf seinen Rock und stärkte sich an seiner Haltung. Die eigenwilligen Gedanken wollte er schon unterkriegen: Selbstbeherrschung. Diesem Mangel an Gehorsam würde er, der Chef, energisch steuern. Man muß diesem Volk bestimmt entgegentreten: »Was steht zu Diensten? In

meiner Firma ist solch Benehmen nicht üblich. Hausdiener, raus mit dem Kerl.« Dabei fuchtelte er, stehen bleibend, mit dem Stöckchen in der Luft herum. Eine kühle, ablehnende Miene hatte Herr Fischer aufgesetzt; nun wollte er einmal sehen. Seine Überlegenheit ging sogar soweit, daß er oben auf der breiten Fahrstraße seine Furchtsamkeit bespöttelte. Wie würde es sich komisch machen, wenn an allen Anschlagsäulen Freiburgs am nächsten Morgen ein rotes Plakat hinge: »Mord begangen an einer erwachsenen Butterblume, auf dem Wege von Immental nach St. Ottilien, zwischen sieben und neun Uhr abends. Des Mordes verdächtig« et cetera. So spöttelte der schlaffe Herr in Schwarz und freute sich über die kühle Abendluft. Da unten würden die Kindermädchen, die Pärchen finden, was von seiner Hand geschehen war. Geschrei wird es geben und entsetztes Nachhauselaufen. An ihn würden die Kriminalbeamten denken, an den Mörder, der sich schlau ins Fäustchen lachte. Herr Michael erschauerte wüst über seine eigne Tollkühnheit, er hätte sich nie für so verworfen gehalten. Da unten lag aber sichtbar für die ganze Stadt ein Beweis seiner raschen Energie.
Der Rumpf ragt starr in die Luft, weißes Blut sickert aus dem Hals.
Herr Michael streckte leicht abwehrend die Hände vor.
Es gerinnt oben ganz dick und klebrig, so daß die Ameisen hängen bleiben.
Herr Michael strich sich die Schläfen und blies laut die Luft von sich.
Und daneben im Rasen fault der Kopf. Er wird zerquetscht, aufgelöst vom Regen, verwest. Ein gelber stinkender Matsch wird aus ihm, grünlich, gelblich, schillernd, schleimartig wie Erbrochenes. Das hebt sich lebendig, rinnt auf ihn zu, gerade auf Herrn Michael zu, will ihn ersäufen, strömt klatschend gegen seinen Leib, spritzt an seine Nase. Er springt, hüpft nur noch auf den Zehen.
Der feinfühlige Herr fuhr zusammen. Einen scheußlichen Geschmack fühlte er im Munde. Er konnte nicht schlucken vor Ekel, spie unaufhörlich. Häufig stolperte er, hüpfte unruhig, mit blaubleichen Lippen weiter.
»Ich weigere mich, ich weigere mich auf das entschiedenste, mit Ihrer Firma irgendwelche Beziehung anzuknüpfen.«
Das Taschentuch drückte er an die Nase. Der Kopf mußte fort,

der Stiel zugedeckt werden, eingestampft, verscharrt. Der Wald
roch nach der Pflanzenleiche. Der Geruch ging neben Herrn
Michael einher, wurde immer intensiver. Eine andere Blume
mußte an jene Stelle gepflanzt werden, eine wohlriechende, ein
Nelkengarten. Der Kadaver mitten im Walde mußte fort. Fort.
Im Augenblick, als Herr Fischer stehen bleiben wollte, fuhr es
ihm durch den Kopf, daß es ja lächerlich war, umzukehren,
mehr als lächerlich. Was ging ihn die Butterblume an? Bittere
Wut lohte in ihm bei dem Gedanken, daß er fast überrumpelt
war. Er hatte sich nicht zusammengenommen, biß sich in den
Zeigefinger: »Paß auf, du, ich sag dir's, paß auf, Lump, verfluchter.« Zugleich warf sich hinterrücks Angst riesengroß über ihn.
Der finstere Dicke sah scheu um sich, griff in seine Hosentasche,
zog ein kleines Taschenmesser heraus und klappte es auf.
Inzwischen gingen seine Füße weiter. Die Füße begannen ihn
zu grimmen. Auch sie wollten sich zum Herrn aufwerfen; ihn
empörte ihr eigenwilliges Vorwärtsdrängen. Diese Pferdchen
wollte er bald kirren. Sie sollten es spüren. Ein scharfer Stich
in die Flanken würde sie schon zähmen. Sie trugen ihn immer
weiter fort. Es sah fast aus, als ob er von der Mordstelle fort-
liefe. Das sollte niemand glauben. Ein Rauschen von Vögeln,
ein fernes Wimmern lag in der Luft und kam von unten herauf.
»Halt, halt!« schrie er den Füßen zu. Da stieß er das Messer in
einen Baum.
Mit beiden Armen umschlang er den Stamm und rieb die Wangen an der Borke. Seine Hände fingerten in der Luft, als ob sie
etwas kneteten: »Nach Kanossa gehn wir nicht.« Mit angestrengt gerunzelter Stirn studierte der totblaße Herr die Risse
des Baumes, duckte den Rücken, als ob von hinten etwas über
ihn wegspringen sollte. Die Telegrafenverbindung zwischen
sich und der Stelle hörte er immer wieder klirren, trotzdem er
mit Fußstößen die Drähte verwirren und zudrücken wollte. Er
suchte es sich zu verbergen, daß seine Wut schon gelähmt war,
daß in ihm eine sachte Lüsternheit aufzuckte, eine Lüsternheit
nachzugeben. Ganz hinten lüsterte ihn nach der Blume und der
Mordstelle.
Herr Michael wippte versuchend mit den Knieen, schnupperte
in die Luft, horchte nach allen Seiten, flüsterte ängstlich: »Nur
einscharren will ich den Kopf, weiter nichts. Dann ist alles gut.
Rasch, bitte, bitte.« Er schloß unglücklich die Augen, drehte

sich wie versehentlich auf den Hacken um. Dann schlenderte er, als wäre nichts geschehen, geradeaus abwärts, in gleichgültigem Spaziergängerschritt, mit leisem Pfeifen, in das er einen sorglosen Ton legte, und streichelte, während er befreit aufatmete, die Baumstämme am Wege. Dabei lächelte er, und sein Mäulchen wurde rund wie ein Loch. Laut sang er ein Lied, das ihm plötzlich einfiel: »Häschen in der Grube saß und schlief.« Das frühere Tänzeln, Wiegen der Hüften, Armschlenkern machte er nach. Das Stöckchen hatte er schuldbewußt hoch in den Ärmel hinaufgeschoben. Manchmal schlich er bei der Biegung des Weges rasch zurück, ob ihn jemand beobachte.

Vielleicht lebte sie überhaupt noch; ja woher wußte er denn, daß sie schon tot war? Ihm huschte durch den Kopf, daß er die Verletzte wieder heilen könnte, wenn er sie mit Hölzchen stützte und etwa ringsherum um Kopf und Stiel einen Klebeverband anlegte. Er fing an schneller zu gehen, seine Haltung zu vergessen, zu rennen. Mit einmal zitterte er vor Erwartung. Und stürzte lang an einer Biegung hin gegen einen abgeholzten Stamm, schlug sich Brust und Kinn, so daß er laut ächzte. Als er sich aufraffte, vergaß er den Hut im Gras; das zerbrochene Stöckchen zerriß ihm den Ärmel von innen; er merkte nichts. Hoho, man wollte ihn aufhalten, ihn sollte nichts aufhalten; er würde sie schon finden. Er kletterte wieder zurück. Wo war die Stelle? Er mußte die Stelle finden. Wenn er die Blume nur rufen könnte. Aber wie hieß sie denn? Er wußte nicht einmal, wie sie hieß. Ellen? Sie hieß vielleicht Ellen, gewiß Ellen. Er flüsterte ins Gras, bückte sich, um die Blumen mit der Hand anzustoßen.

»Ist Ellen hier? Wo liegt Ellen? Ihr, nun? Sie ist verwundet, am Kopf, etwas unterhalb des Kopfes. Ihr wißt es vielleicht noch nicht. Ich will ihr helfen; ich bin Arzt, Samariter. Nun, wo liegt sie? Ihr könnt es mir ruhig anvertrauen, sag ich euch.«

Aber wie sollte er, die er zerbrochen hatte, erkennen? Vielleicht faßte er sie gerade mit der Hand, vielleicht seufzte sie dicht neben ihm den letzten Atemzug aus.

Das durfte nicht sein.

Er brüllte: »Gebt sie heraus. Macht mich nicht unglücklich, ihr Hunde. Ich bin Samariter. Versteht ihr kein Deutsch?«

Ganz legte er sich auf die Erde, suchte, wühlte schließlich blind im Gras, zerknäulte und zerkratzte die Blumen, während sein

Mund offen stand und seine Augen gradaus flackerten. Er dumpfte lange vor sich hin.

»Herausgeben. Es müssen Bedingungen gestellt werden. Präliminarien. Der Arzt hat ein Recht auf den Kranken. Gesetze müssen eingebracht werden.«

Die Bäume standen tiefschwarz in der grauen Luft am Wege und überall herum. Es war auch zu spät, der Kopf gewiß schon vertrocknet. Ihn entsetzte der endgültige Todesgedanke und schüttelte ihm die Schultern.

Die schwarze runde Gestalt stand aus dem Grase auf und torkelte am Wegrand entlang abwärts.

Sie war tot. Von seiner Hand.

Er seufzte und rieb sich sinnend die Stirn.

Man würde über ihn herfallen, von allen Seiten. Man sollte nur, ihn kümmerte nichts mehr. Ihm war alles gleichgültig. Sie würden ihm den Kopf abschlagen, die Ohren abreißen, die Hände in glühende Kohlen legen. Er konnte nichts mehr tun. Er wußte, es würde ihnen allen einen Spaß machen, doch er würde keinen Laut von sich geben, um die gemeinen Henkersknechte zu ergötzen. Sie hatten kein Recht, ihn zu strafen, waren selbst verworfen. Ja, er hatte die Blume getötet, und das ging sie gar nichts an, und das war sein gutes Recht, woran er festhielte gegen sie alle. Es war sein Recht, Blumen zu töten, und er fühlte sich nicht verpflichtet, das näher zu begründen. Soviel Blumen, wie er wollte, könnte er umbringen, im Umkreise von tausend Meilen, nach Norden, Süden, Westen, Osten, wenn sie auch darüber grinsten. Und wenn sie weiter so lachten, würde er ihnen an die Kehle springen.

Stehen blieb er; seine Blicke gifteten in das schwere Dunkel der Fichten. Seine Lippen waren prall mit Blut gefüllt. Dann hastete er weiter.

Er mußte wohl hier im Wald kondolieren, den Schwestern der Toten. Er wies darauf hin, daß das Unglück geschehen sei, fast ohne sein Zutun, erinnerte an die traurige Erschöpfung, in der er aufgestiegen war. Und an die Hitze. Im Grunde seien ihm allerdings alle Butterblumen gleichgültig.

Verzweifelt zuckte er wieder mit den Schultern: »Was werden sie noch mit mir machen?« Er strich sich mit den schmutzigen Fingern die Wangen; er fand sich nicht mehr zurecht.

Was sollte das alles; um Gotteswillen, was suchte er hier!

Auf dem kürzesten Wege wollte er davonschleichen, querab-
wärts durch die Bäume, sich einmal ganz klar und ruhig besinnen. Ganz langsam, Punkt für Punkt.

Um nicht auf dem glatten Boden auszugleiten, tastet er sich von
Baum zu Baum. Die Blume, denkt er hinterlistig, kann ja auf
dem Weg stehen bleiben, wo sie steht. Es gibt genug solch toten
Unkrauts in der Welt.

Entsetzen packt ihn aber, als er sieht, wie aus einem Stamm,
den er berührt, ein runder blaßheller Harztropfen tritt; der
Baum weint. Im Dunkeln auf einen Pfad flüchtend, merkt er
bald, daß sich der Weg sonderbar verengt, als ob der Wald ihn
in eine Falle locken wolle. Die Bäume treten zum Gericht zusammen.

Er muß hinaus.

Wieder rennt er hart gegen eine niedrige Tanne; die schlägt mit
aufgehobenen Händen auf ihn nieder. Da bricht er sich mit
Gewalt Bahn, während ihm das Blut stromweise über das Gesicht fließt. Er speit, schlägt um sich, stößt laut schreiend mit
den Füßen gegen die Bäume, rutscht sitzend und kollernd abwärts, läuft schließlich Hals über Kopf den letzten Abhang am
Rand des Waldes herunter, den Dorflichtern zu, den zerfetzten
Gehrock über den Kopf geschlagen, während hinter ihm der
Berg drohsam rauscht, die Fäuste schüttelt und überall ein Ber-
sten und Brechen von Bäumen sich hören läßt, die ihm nachlaufen und schimpfen.

Regungslos stand der dicke Herr an der Gaslaterne vor der kleinen Dorfkirche. Er trug keinen Hut auf dem Kopf, in seinem
zerzausten Haarschopf war schwarze Erde und Tannennadeln,
die er nicht abschüttelte. Er seufzte schwer. Als ihm warmes
Blut den Nasenrücken entlang auf die Stiefel tropfte, nahm er
langsam mit beiden Händen einen Rockschoß hoch und drückte
ihn gegen das Gesicht. Dann hob er die Hände an das Licht und
wunderte sich über die dicken blauen Adern auf dem Handrücken. Er strich an den dicken Knollen und konnte sie nicht
wegstreichen. Beim Ansingen und Aufheulen der Elektrischen
trollte er weiter, auf engen Gäßchen, nach Hause.

Nun saß er ganz blöde in seinem Schlafzimmer, sagte laut vor
sich hin: »Da sitz ich, da sitz ich«, und sah sich verzweifelt im
Zimmer um. Auf und ab ging er, zog seine Sachen aus und versteckte sie in einer Ecke des Kleiderspindes. Er zog einen andern

schwarzen Anzug an und las auf seiner Chaiselongue das Tag-
blatt. Er zerknäulte es im Lesen; es war etwas geschehen, es war
etwas geschehen. Und ganz spürte er es am nächsten Tage, als
er an seinem Pulte saß. Er war versteinert, konnte nicht fluchen,
und mit ihm ging eine sonderbare Stille herum.

Mit krampfhaftem Eifer sprach er sich vor, daß alles wohl geträumt sein müsse; aber die Risse an seiner Stirn waren echt.
Dann muß es Dinge geben, die unglaublich sind. Die Bäume
hatten nach ihm geschlagen, ein Geheul war um die Tote gewesen. Er saß versunken da und kümmerte sich zum Erstaunen
des Personals nicht einmal um die brummenden Fliegen. Dann
schikanierte er die Lehrlinge mit finsterer Miene, vernachlässigte seine Arbeit und ging auf und ab. Man sah ihn oft, wie er mit
der Faust auf den Tisch schlug, die Backen aufblies, schrie, er
würde einmal aufräumen im Geschäft und überall. Man würde
es sehen. Er lasse sich nicht auf der Nase herumtanzen, von
niemandem.

Als er rechnete, stand aber am nächsten Vormittag unerwartet etwas darauf, daß er der Butterblume zehn Mark gutschrieb.
Er erschrak, verfiel in bitteres Sinnen über seine Ohnmacht und
bat den Prokuristen, die Rechnung weiterzuführen. Am Nachmittag legte er selbst das Geld in einen besonderen Kasten mit
stummer Kälte; er wurde sogar veranlaßt, ein eigenes Konto für
sie anzulegen; er war müde geworden, wollte seine Ruhe haben. Bald drängte es ihn, ihr von Speise und Trank zu opfern.
Ein kleines Näpfchen wurde jeden Tag für sie neben Herrn
Michaels Platz gestellt. Die Wirtschafterin hatte die Hände zu-
sammengeschlagen, als er ihr dies Gedeck befahl; aber der Herr
hatte sich mit einem unerhörten Zornesausbruch jede Kritik
verboten.

Er büßte, büßte für seine geheimnisvolle Schuld. Er trieb Gottesdienst mit der Butterblume, und der ruhige Kaufmann behauptete jetzt, jeder Mensch habe seine eigene Religion; man
müsse eine persönliche Stellung zu einem unaussprechlichen
Gott einnehmen. Es gebe Dinge, die nicht jeder begreift. In den
Ernst seines Äffchengesichts war ein leidender Zug gekommen;
auch seine Körperfülle hatte abgenommen, seine Augen lagen
tief. Wie ein Gewissen sah die Blume in seine Handlungen,
streng, von den größten bis zu den kleinsten alltäglichen.

Die Sonne schien in diesen Tagen oft auf die Stadt, das Münster und den Schloßberg, schien mit aller Lebensfülle. Da weinte der Verhärtete eines Morgens am Fenster auf, zum ersten Male seit seiner Kindheit. Urplötzlich, weinte, daß ihm fast das Herz brach. All diese Schönheit raubte ihm Ellen, die verhaßte Blume, mit jeder Schönheit der Welt klagte sie ihn jetzt an. Der Sonnenschein leuchtet, sie sieht ihn nicht; sie darf den Duft des weißen Jasmins nicht atmen. Niemand wird die Stelle ihres schmählichen Todes betrachten, keine Gebete wird man dort sprechen: das durfte sie ihm alles zwischen die Zähne werfen, wie lachhaft es auch war und er die Hände rang. Ihr ist alles versagt: das Mondlicht, das Brautglück des Sommers, das ruhige Zusammenleben mit dem Kuckuck, den Spaziergängern, den Kinderwagen. Er preßte das Mündchen zusammen; er wollte die Menschen zurückhalten, als sie den Berg hinaufzogen. Wenn doch die Welt mit einem Seufzer untergegangen wäre, damit der Blume das Maul gestopft sei. Ja, an Selbstmord dachte er, um diese Not endlich zu stillen.

Zwischendurch behandelte er sie erbittert, wegwerfend, drängte sie mit einem raschen Anlauf an die Wand. Er betrog sie in kleinen Dingen, stieß hastig, wie unabsichtlich, ihren Napf um, verrechnete sich zu ihrem Nachteil, behandelte sie manchmal listig wie einen Geschäftskonkurrenten. An dem Jahrestag ihres Todes stellte er sich, als ob er sich an nichts erinnerte. Erst als sie dringender auf eine stille Feier zu bestehen schien, widmete er ihrem Andenken einen halben Tag.

In einer Gesellschaft ging einmal die Frage nach dem Leibgericht herum. Als man Herrn Michael fragte, was er am liebsten esse, fuhr er mit kalter Überlegung heraus: »Butterblumen; Butterblumen sind mein Leibgericht.« Worauf alles in Gelächter ausbrach, Herr Michael aber sich zusammenduckte auf seinem Stuhl, mit verbissenen Zähnen das Lachen hörte und die Wut der Butterblume genoß. Er fühlte sich als scheusäliger Drache, der geruhsam Lebendiges herunterschluckt, dachte an wirr Japanisches und Harakiri. Wenngleich er heimlich eine schwere Strafe von ihr erwartete.

Einen solchen Guerillakrieg führte er ununterbrochen mit ihr; ununterbrochen schwebte er zwischen Todespein und Entzücken; er labte sich ängstlich an ihrem wütenden Schreien, das er manchmal zu hören glaubte. Täglich sann er auf neue Tücken; oft zog er sich, hoch aufgeregt, aus dem Kontor in sein

Zimmer zurück, um ungestört Pläne zu schmieden. Und so
heimlich verlief dieser Krieg, und niemand wußte darum.
Die Blume gehörte zu ihm, zum Komfort seines Lebens. Er
dachte mit Verwunderung an die Zeit, in der er ohne die Blume
gelebt hatte. Nun ging er oft mit trotziger Miene in den Wald
nach St. Ottilien spazieren. Und während er sich eines sonnigen Abends auf einem gefallenen Baumstamm ausruhte, blitzte
ihm der Gedanke: hier an der Stelle, wo er jetzt saß, hatte seine
Butterblume, Ellen, gestanden. Hier mußte es gewesen sein.
Wehmut und ängstliche Andacht ergriff den dicken Herrn. Wie
hatte sich alles gewendet! Seit jenem Abend bis heute. Er ließ
versunken die freundlichen, leicht verfinsterten Augen über
das Unkraut gehen, die Schwestern, vielleicht Töchter Ellens.
Nach langem Sinnen zuckte es spitzbübisch über sein glattes
Gesicht. Oh, sollte seine liebe Blume jetzt eins bekommen.
Wenn er eine Butterblume ausgrübe, eine Tochter der Toten,
sie zu Hause einpflanzte, hegte und pflegte, so hatte die Alte
eine junge Nebenbuhlerin. Ja, wenn er es recht überlegte, konnte er den Tod der Alten überhaupt sühnen. Denn er rettete
dieser Blume das Leben und kompensierte den Tod der Mutter,
diese Tochter verdarb doch sehr wahrscheinlich hier. Oh, würde
er die Alte ärgern, sie ganz kaltstellen. Der gesetzkundige Kaufmann erinnerte sich eines Paragraphen über Kompensation der
Schuld. Er grub ein nahes Pflänzchen mit dem Taschenmesser
aus, trug es behutsam in der bloßen Hand heim und pflanzte es
in einen goldprunkenden Porzellantopf, den er auf einem Mo-
saiktischchen seines Schlafzimmers postierte. Auf den Boden
des Topfes schrieb er mit Kohle: »§ 2403 Absatz 5.«
Täglich begoß der Glückliche die Pflanze mit boshafter Andacht und opferte der Toten, Ellen. Sie war gesetzlich, eventuell
unter polizeilichen Maßregeln zur Resignation gezwungen, bekam keinen Napf mehr, keine Speise, kein Geld. Oft glaubte er,
auf dem Sofa liegend, ihr Winseln, ihr langgezogenes Stöhnen
zu hören. Das Selbstbewußtsein des Herrn Michael stieg in un-
geahnter Weise. Er hatte manchmal fast Anwandlungen von
Größenwahn. Niemals verfloß sein Leben so heiter.
Als er eines Abends vergnügt aus seinem Kontor in seine Wohnung geschlendert war, erklärte ihm seine Wirtschafterin gleich
an der Tür gelassen, daß das Tischchen beim Reinemachen um-
gestürzt, der Topf zerbrochen sei. Sie hätte die Pflanze, das ge-

meine Mistzeug, mit allen Scherben in den Mülleimer werfen lassen. Der nüchterne, leicht verächtliche Ton, in dem die Person von dem Unfall berichtete, ließ erkennen, daß sie mit dem Ereignis lebhaft sympathisiere.

Der runde Herr Michael warf die Tür ins Schloß, schlug die kurzen Hände zusammen, quiekte laut vor Glück und hob die überraschte Weibsperson an den Hüften in die Höhe, so weit es seine Kräfte und die Deckenlänge der Person erlaubten. Dann schwänzelte er aus dem Korridor in sein Schlafzimmer, mit flackernden Augen, aufs höchste erregt; laut schnaufte er und stampften seine Beine; seine Lippen zitterten.

Es konnte ihm niemand etwas nachsagen; er hatte nicht mit dem geheimsten Gedanken den Tod dieser Blume gewünscht, nicht die Fingerspitze eines Gedankens dazu geboten. Die Alte, die Schwiegermutter, konnte jetzt fluchen und sagen, was sie wollte. Er hatte mit ihr nichts zu schaffen. Sie waren geschiedene Leute. Nun war er die ganze Butterblumensippschaft los. Das Recht und das Glück standen auf seiner Seite. Es war keine Frage. Er hatte den Wald übertölpelt.

Gleich wollte er nach St. Ottilien, in diesen brummigen, dummen Wald hinauf. In Gedanken schwang er schon sein schwarzes Stöckchen. Blumen, Kaulquappen, auch Kröten sollten daran glauben. Er konnte morden, so viel er wollte. Er pfiff auf sämtliche Butterblumen.

Vor Schadenfreude und Lachen wälzte sich der dicke, korrekt gekleidete Kaufmann Herr Michael Fischer auf seiner Chaiselongue.

Dann sprang er auf, stülpte seinen Hut auf den Schädel und stürmte an der verblüfften Haushälterin vorbei aus dem Hause auf die Straße.

Laut lachte und prustete er. Und so verschwand er in dem Dunkel des Bergwaldes.

STEFAN ZWEIG

Sommernovellette

Den Augustmonat des vergangenen Sommers verbrachte ich in Cadenabbia, einem jener kleinen Orte am Comersee, die dort

zwischen weißen Villen und dunklem Wald so reizvoll sich
bergen. Still und friedsam wohl auch in den lebendigeren Tagen des Frühlings, wenn die Reisenden von Bellagio und Me-
naggio den schmalen Strand beschwärmen, war das Städtchen
in diesen warmen Wochen eine duftende, sonnenbeglänzte Einsamkeit. Das Hotel war fast ganz verlassen: ein paar versprengte
Gäste, jeder dem andern durch die Tatsache merkwürdig, sich
so verlorene Stelle zum Sommeraufenthalt erwählt zu haben,
wunderten sich jeden Morgen, den andern noch standhaft zu
finden. Am erstaunlichsten war dies mir bei einem älteren, sehr
vornehmen und kultivierten Herrn, der – dem Aussehen nach
ein Mitteltypus zwischen korrektem englischen Staatsmann
und einem Pariser Coureur – ohne zu irgendwelchem Seesport
Zuflucht zu nehmen, den Tag damit verbrachte, den Rauch von
Zigaretten sinnend vor sich in der Luft zergehen zu sehen oder
ab und zu in einem Buche zu blättern. Die drückende Einsamkeit zweier Regentage und sein offenes Entgegenkommen gaben unserer Bekanntschaft rasch eine Herzlichkeit, die der Jahre
Ungleichheit fast ganz überbrückte. Livländer von Geburt, in
Frankreich und später in England erzogen, berufslos seit je, ohne
ständigen Aufenthalt seit Jahren, war er heimatlos in dem edlen Sinne derer, die, Wikinger und Piraten der Schönheit, aller
Städte Kostbarkeiten im räuberischen Flug in sich versammelt
haben. Dilettantisch war er allen Künsten nahe, aber stärker
als die Liebe war seine vornehme Verachtung, ihnen zu dienen:
er dankte ihnen tausend schöne Stunden, ohne ihnen eine einzige schöpferischer Not gewidmet zu haben. Er lebte eines jener
Leben, die überflüssig scheinen, weil sie sich keiner Gemein-
samkeit einketten, weil all der Reichtum, den tausend einzelne kostbare Erlebnisse in ihnen aufgespeichert haben, mit
ihrem letzten Atemzug unvererbt zerrinnt.

Davon sprach ich eines Abends zu ihm, als wir nach dem Diner
vor dem Hotel saßen und sahen, wie sich der helle See langsam
vor unserem Blick verdunkelte. Er lächelte: »Vielleicht haben
Sie nicht unrecht. Ich glaube zwar nicht an Erinnerungen: das
Erlebte ist erlebt in der Sekunde, da es uns verläßt. Und Dichtung: geht das nicht ebenso zugrunde, zwanzig, fünfzig, hundert Jahre später? Aber ich will Ihnen heute etwas erzählen,
wovon ich glaube, daß es eine hübsche Novelle wäre. Kommen
Sie! Solche Dinge sprechen sich besser im Gehen.«

So gingen wir den wunderbaren Strandweg entlang, überschattet von den ewigen Zypressen und verworrenen Kastanienbäumen, zwischen deren Gezweige der See unruhig spiegelte. Drüben lag die weiße Wolke Bellagio, sanft getönt von den hinrinnenden Farben der schon gesunkenen Sonne, und hoch, hoch oben über dem dunklen Hügel glänzte, von den Strahlen diamanten umfaßt, die funkelnde Mauerkrone der Villa Serbelloni. Die Wärme war leicht schwülend und doch nicht lastend; wie ein sanfter Frauenarm lehnte sie sich zärtlich an die Schatten und füllte den Atem mit dem Dufte unsichtbarer Blüten.

Er begann: »Ein Geständnis soll den Anfang machen. Ich habe Ihnen bislang verschwiegen, daß ich schon im vergangenen Jahre hier war, hier in Cadenabbia, zur gleichen Jahreszeit und im gleichen Hotel. Das mag Sie wundern, um so mehr als ich Ihnen ja erzählte, daß ich es von je vermied, etwas in meinem Leben zu wiederholen. Aber hören Sie! Es war natürlich ebenso einsam wie diesmal. Der gleiche Herr aus Mailand war hier, der den ganzen Tag Fische fängt, um sie abends wieder loszulassen und am nächsten Morgen wieder einzufangen; es waren zwei alte Engländerinnen da, deren leise vegetative Existenz man kaum bemerkte, ferner ein hübscher junger Bursch mit einem lieben, blassen Mädel, von der ich bis heute noch nicht glaube, daß sie seine Frau war, weil sie sich viel zu herzlich gern zu haben schienen. Schließlich eine deutsche Familie, Norddeutsche vom schärfsten Typus. Eine ältere, semmelblonde, hartknochige Dame mit eckigen, häßlichen Bewegungen, stechenden Stahlaugen und einem wie mit dem Messer geschnittenen scharfen, zänkischen Mund. Mit ihr eine Schwester, unverkennbar, denn es waren die gleichen Züge, nur zergangen, zerfaltet, irgendwie weich geworden, beide stets zusammen und nie doch im Gespräch und immer über die Stickerei gebeugt, in der sie ihre ganze Gedankenlosigkeit zu spinnen schienen, unerbittliche Parzen einer Welt der Langeweile und Beschränktheit. Und zwischen ihnen ein junges, etwa sechzehnjähriges Mädchen, die Tochter einer der beiden, ich weiß nicht welcher, denn die harte Unfertigkeit ihrer Züge mischte sich schon mit leichter frauenhafter Rundung. Sie war eigentlich unhübsch, zu schlank, unreif, überdies natürlich ungeschickt gekleidet, aber es war etwas Rührendes in ihrer hilflosen Sehnsucht. Ihre Augen waren groß und wohl auch voll dunklen Lichtes, aber sie flüchteten immer verlegen weg, den Glanz in zwinkernde Lichter verflatternd. Auch sie kam immer mit einer Arbeit, aber ihre Hände wurden oft langsam, die Finger schliefen ein, und dann saß sie still, mit einem träumerischen, unbewegten Blick über den See hin. Ich weiß nicht, was mich so merkwürdig an diesem Anblick ergriff. War es der banale und doch so unvermeidliche Gedanke, der einen befällt, wenn man die verblühte Mutter mit der blühenden Tochter sieht, den Schatten hinter der Gestalt, der Gedanke, daß in jeder Wange die Falte, in jedem Lachen die Müdigkeit, in jedem Traume schon die Enttäuschung versteckt wartet? Oder war es diese wilde, eben ausbrechende, ziellose Sehnsucht, die sich überall in ihr verriet, jene einzige, wunderbare Minute im Leben der Mädchen, wo sie den Blick begehrend ins All richten, weil sie das Eine noch nicht haben, an das sie sich dann klammern und an dem sie dann faulend hängen, wie Algen am schwimmenden Holz? Es war für mich unendlich packend, sie zu beobachten, den träumerischen, feuchten Blick, die wilde, überschwengliche Art, mit der sie jeden Hund und jede Katze liebkoste, die Unruhe, die sie vielerlei beginnen ließ und nichts zu Ende tun. Und dann die glühende Hast, mit der sie abends die paar elenden Bände der Hotelbibliothek durchjagte oder in den zwei zerlesenen Gedichtbänden blätterte, die sie sich mitgebracht hatte, in ihrem Goethe und Baumbach ... Doch warum lächeln Sie?«

Ich mußte mich entschuldigen: »Es ist nur die Zusammenstellung, Goethe und Baumbach.«

»Ach so! Natürlich, es ist ja komisch. Und doch wieder nicht. Glauben Sie mir, daß es jungen Mädchen in diesem Alter ganz gleichgültig ist, ob sie gute oder schlechte, echte oder verlogene Gedichte lesen. Ihnen sind Verse nur Becher für den Durst, und sie achten nicht auf den Wein, denn der Rausch ist ja schon in ihnen, noch ehe sie getrunken. Und so war dieses Mädchen, so kelchvoll von Sehnsucht, daß sie ihr bis in die Augen glänzte, die Spitzen der Finger über den Tisch zittern ließ und ihrem Gang eine eigene ungelenke und doch wieder beschwingte Art zwischen Flug und Furcht gab. Man sah, daß sie hungerte, mit jemandem zu sprechen, etwas von ihrer Fülle wegzugeben, aber da war niemand, nur Einsamkeit, nur das Klappern der Nadeln rechts und links, die kalten, bedächtigen Blicke der beiden Damen. Ein unendliches Mitleid kam mich an. Und doch, ich

konnte mich ihr nicht nähern, denn erstlich, was ist ein bejahrter Mann einem Mädchen in diesem Augenblick, und dann,
mein Abscheu vor Familienbekanntschaften und besonders Bekanntschaft ältlicher Bürgerdamen erdrosselte jede Möglichkeit.
Da versuchte ich eine merkwürdige Sache. Ich dachte: dies ist
ein junges Mädchen, unflügge, unerfahren, das erstemal wohl
in Italien, das ja in Deutschland, dank dem Engländer Shake-
speare, der nie dort gewesen ist, als das Land der romantischen
Liebe gilt, der Romeos, der heimlichen Abenteuer, der fallenden Fächer, blitzenden Dolche, der Masken, Duennas und der
zärtlichen Briefe. Sicherlich träumt sie von Abenteuern, und
wer kennt Mädchenträume, diese weißen, wehenden Wolken,
die ziellos im Blau schweben und so wie die Wolken immer am
Abend in heißeren Farben, in Rosa und dann in brennendem
Rot erglühen? Nichts wird ihr hier Unwahrscheinlichkeit, Unmöglichkeit dünken. So entschloß ich mich, ihr einen geheimnisvollen Liebhaber zu erfinden.
Und noch am selben Abend schrieb ich einen langen Brief demütiger und respektvoller Zärtlichkeit, voll fremdartiger Andeutungen und ohne Unterschrift. Einen Brief, der nichts verlangte, nichts verhieß, überschwenglich und zurückhaltend
zugleich, kurz, einen romantischen Liebesbrief wie aus einem
Versstück. Und da ich wußte, daß sie täglich, von ihrer Unrast
gejagt, als Erste beim Frühstück erschien, faltete ich ihn in die
Serviette ein. Der Morgen kam. Ich beobachtete sie vom Garten
aus, sah ihre ungläubige Überraschung, ihr jähes Erschrecken,
sah die rote Flamme, die über die blassen Wangen schoß und
hastig bis tief in die Kehle lief. Sah ihr hilfloses Umblicken,
das Zucken, die diebische Bewegung, mit der sie den Brief verbarg, und dann, wie sie unruhig, nervös saß, das Frühstück
kaum berührend und schon wegschießend, hinaus, irgendwohin in die schattigen, unbelebten Gänge, das geheimnisvolle
Schreiben zu entziffern ... Sie wollten etwas sagen?«
Ich hatte unwillkürlich eine Bewegung gemacht, die ich jetzt
erklären mußte. »Ich finde das sehr verwegen. Haben Sie nicht
daran gedacht, sie könnte nachforschen, oder das Einfachste,
den Kellner fragen, wie der Brief in die Serviette kam? Oder ihn
ihrer Mutter zeigen?«
»Natürlich dachte ich daran. Aber hätten Sie das Mädchen gesehen, dieses furchtsame, verschreckte liebe Geschöpf, das sich

immer ängstlich umsah, wenn sie einmal etwas lauter gesprochen hatte, dann wäre Ihnen jedes Bedenken verflogen. Es gibt Mädchen, deren Schamhaftigkeit so groß ist, daß Sie mit ihnen das Äußerste wagen können, weil sie so hilflos sind und lieber das Ärgste erdulden, ehe sich mit einem Worte andern anzuvertrauen. Lächelnd sah ich ihr nach und freute mich, wie sehr mein Spiel gelungen war. Da kam sie schon zurück, und ich fühlte mein Blut plötzlich an der Schläfe: das war ein anderes Mädchen, ein anderer Schritt. Sie ging unruhig und verworren heran, eine glühende Welle hatte ihr Gesicht übergossen, und eine süße Verlegenheit machte sie ungelenk. Und so den ganzen Tag. Zu jedem Fenster flog ihr Blick auf, als könnte er dort das Geheimnis fassen, jeden Vorüberschreitenden umkreiste er, und einmal fiel er auch auf mich, der ihm vorsichtig auswich, um sich nicht durch ein Blinken zu verraten; aber in dieser blitzschnellen Sekunde hatte ich ein Feuer der Frage gefühlt, vor dem ich fast erschrak, und wieder nach Jahren empfunden, daß keine Wollust gefährlicher, verlockender und verderbter ist, als jenen ersten Funken in das Auge eines Mädchens zu sprengen. Ich sah sie dann zwischen den beiden sitzen mit schläfrigen Fingern und sah, wie sie manchmal hastig an eine Stelle ihres Kleides griff, von der ich sicher war, daß sie den Brief verbarg. Nun lockte mich das Spiel. Und noch am Abend schrieb ich ihr einen zweiten Brief und so die nächsten folgenden Tage: es wurde mir ein eigener erregender Reiz, die Empfindungen eines verliebten, jungen Menschen in meinen Briefen zu verkörpern, Steigerungen einer Leidenschaft zu erfinden, die nur ersonnen war, es wurde mir ein fesselnder Sport, wie Jäger ihn wohl haben mögen, wenn sie Schlingen legen oder Wild vor ihre Läufe locken. Und so unbeschreiblich, fast schreckhaft war für mich mein eigener Erfolg, daß ich schon dachte abzubrechen, hätte die Versuchung mich nicht so glühend an das begonnene Spiel gefesselt. Eine Leichtigkeit, eine wilde Wirrnis wie von Tanz kam in ihren Gang, eine eigene fiebrige Schönheit brach aus ihren Zügen; ihr Schlaf mußte ein Warten und Wachen auf den Brief des Morgens sein, denn ihr Auge war dunkel in der Frühe verschattet und unstet in seinem Feuer. Sie begann auf sich zu achten, trug Blumen in ihrem Haar, eine wunderbare Zärtlichkeit gegen alle Dinge beschwichtigte ihre Hände, eine stete Frage lag in ihrem Blick, denn sie fühlte aus tausend Kleinigkeiten, die ich in den Briefen verriet, daß der Schreiber ihr nahe sein mußte, ein Ariel, der mit Musik die Lüfte füllt, nahe schwebend, das geheimste Tun belauschend und doch durch seinen Willen unsichtbar. So heiter wurde sie, daß selbst den beiden stumpfen Damen die Wandlung nicht entging, denn manchmal ließen sie gütig-neugierig ihren Blick an der eilenden Gestalt und den aufknospenden Wangen haften, um sich dann mit verstohlenem Lächeln anzusehen. Ihre Stimme bekam Klang, wurde lauter, heller, verwegener, und an ihrer Kehle zitterte oft ein Zucken und Schwellen, als wollte plötzlich Gesang in jubelnden Trillern aufsteigen, als wäre... Aber Sie lächeln schon wieder!«

»Nein, nein, bitte, erzählen Sie nur weiter. Ich meine nur, Sie erzählen sehr gut, Sie haben – verzeihen Sie – Talent und würden sicher das so gut erzählen wie einer unserer Novellisten.«

»Damit wollen Sie mir wohl höflich und vorsichtig andeuten, daß ich erzähle wie Ihre deutschen Novellisten, also lyrisch verstiegen, breit, sentimentalisch, langweilig. Ja, ich will kürzer sein! Die Marionette tanzte, und ich zog die Fäden mit überlegter Hand. Um von mir jeden Verdacht abzulenken – denn manchmal fühlte ich, wie sich ihr Blick prüfend an dem meinen anhalten wollte –, hatte ich ihr die Möglichkeit nahe gestellt, daß der Schreiber nicht hier, sondern in einem der nahen Kurplätze wohne und täglich im Boot oder mit dem Dampfer herüberkäme. Und nun sah ich sie immer, wenn die Glocke des nahenden Schiffes klang, unter einem Vorwand der mütterlichen Wacht entgleiten, wegstürmen und von einem Winkel der Pier die Ankommenden mit angehaltenem Atem mustern.

Und da geschah es einmal, – es war ein trüber Nachmittag, und ich wußte nichts Besseres, als sie zu beobachten –, daß etwas sehr Merkwürdiges sich ereignete. Unter den Passagieren war ein hübscher junger Mann, mit einer extravaganten Eleganz der italienischen jungen Leute gekleidet, und wie er suchend den Ort überflog, fiel ihm voll der verzweifelt suchende, fragende, saugende Blick des jungen Mädchens ins Auge. Und sofort überstürzte, das leise Lächeln wild überflutend, die rote Welle der Scham ihr Gesicht. Der junge Mann stutzte, wurde aufmerksam, – wie ja leicht verständlich ist, wenn man einen so heißen Blick voll tausend ungesagter Dinge zugeworfen empfängt – lächelte und suchte ihr zu folgen. Sie flüchtete, stockte in

der Sicherheit, daß es der lang Gesuchte war, eilte wieder weiter
und sah sich doch wiederum um, es war jenes ewige Spiel zwischen Wollen und Fürchten, Sehnsucht und Scham, in dem doch
immer die süße Schwäche die Stärkere ist. Er, sichtlich ermutigt,
wenn auch überrascht, eilte nach und war ihr schon nahe, und
ich fühlte mit Erschrecken, wie sich alles zu einem beängstigen-
den Chaos verwirren müsse – da kamen die beiden Damen den
Weg entlang. Das Mädchen flog ihnen wie ein scheuer Vogel
entgegen, der junge Mann zog sich vorsichtig zurück, aber noch
trafen sich im Rückwenden einmal ihre Blicke, um sich fieber-
haft ineinanderzusaugen. Dieses Ereignis mahnte mich zuerst,
dem Spiel ein Ende zu machen, aber doch die Verlockung war
zu stark, und ich entschloß mich, diesen Zufall als willigen Ge-
hilfen zu wählen, und schrieb ihr am Abend einen ungewöhnlich langen Brief, der ihre Vermutung bestätigen mußte. Es
reizte mich, nun mit zwei Personen zu agieren.
Am nächsten Morgen erschreckte mich die zitternde Verwirrung in ihren Zügen. Die schöne Unrast war einer mir unver-
ständlichen Nervosität gewichen, ihre Augen waren feucht und
gerötet wie von Tränen, ein Schmerz schien sie im Tiefsten zu
durchdringen. All ihr Schweigen schien nach einem wilden
Schrei zu drängen, Dunkel lag um ihre Stirne, eine düstere herbe Verzweiflung in ihren Blicken, während ich gerade diesmal
klare Freude erwartet hatte. Mir wurde bange. Zum erstenmal
drängte sich etwas Fremdes ein, die Marionette gehorchte nicht
und tanzte anders, als ich wollte. Ich grübelte nach allen Möglichkeiten und fand keine. Mir begann angst zu werden vor
meinem Spiel, und ich kehrte nicht vor Abend heim, um der
Anklage in ihren Blicken zu entweichen. Als ich heimkam, verstand ich alles. Der Tisch war nicht mehr gedeckt, die Familie
abgereist. Sie hatte fort müssen, ohne ihm ein Wort sagen zu
können, und konnte den Ihren nicht verraten, wie sehr ihr
Herz noch an einem einzigen Tage, an einer Stunde hing, sie
war fortgeschleppt worden aus einem süßen Traum in irgendeine klägliche Kleinstadt. Das hatte ich vergessen. Und ich
fühle jetzt noch wie eine Anklage diesen letzten Blick, diese
furchtbare Gewalt von Zorn, Qual, Verzweiflung und bitter-
stem Weh, das ich, wer weiß wie weit, in ihr Leben hineinge-
schleudert habe.«
Er schwieg. Mit uns war die Nacht gegangen, und von dem

durch Gewölk verhangenen Mond ging ein eigentümlich flirrendes Licht aus. Zwischen den Bäumen schienen Funken und Sterne zu hängen und die bleiche Fläche des Sees. Wir gingen wortlos weiter. Endlich brach mein Begleiter das Schweigen. »Das war die Geschichte. Wäre es nicht eine Novelle?«

»Ich weiß nicht. Es ist jedenfalls eine Geschichte, die ich mit den anderen mir bewahren will, für die ich Ihnen schon dankbar sein muß. Aber eine Novelle? Ein schöner Einsatz, der mich verlocken könnte, vielleicht. Denn diese Menschen, sie streifen sich nur, sie beherrschen sich nicht ganz, es sind Ansätze zu Schicksalen, aber kein Schicksal. Man müßte sie zu Ende sichten.«

»Ich verstehe, was Sie meinen. Das Leben des jungen Mädchens, die Heimkehr in die Kleinstadt, die furchtbare Tragik der Alltäglichkeit...«

»Nein, nicht das so sehr. Das junge Mädchen interessiert mich weiter nicht. Junge Mädchen sind immer uninteressant, so merkwürdig sie sich auch selbst dünken, weil ihre ganzen Erlebnisse nur negative und darum zu ähnliche sind. Das Mädchen in diesem Falle heiratet, wenn ihre Zeit gekommen ist, den braven Bürgersmann daheim, und diese Affäre bleibt das blühende Blatt ihrer Erinnerungen. Das Mädchen interessiert mich nicht weiter.«

»Das ist merkwürdig. Ich wieder weiß nicht, was Sie an dem jungen Mann finden können. Solche Blicke, dieses Feuer im Vorübersprühen, fängt jeder in seiner Jugend, die meisten bemerken es gar nicht, die anderen vergessen es rasch. Man muß alt werden, um zu wissen, daß gerade dies vielleicht das Edelste und Tiefste ist, das man empfängt, das heiligste Vorrecht der Jugend.«

»Es ist auch gar nicht der junge Mann, der mich interessiert...«

»Sondern?«

»Ich würde den älteren Herrn, den Briefschreiber, umformen, ihn zu Ende dichten. Ich glaube, in keinem Alter schreibt man ungestraft feurige Briefe und träumt sich in die Gefühle einer Liebe hinein. Ich würde darzustellen versuchen, wie aus dem Spiele Ernst wird, wie er das Spiel zu beherrschen glaubt, da das Spiel schon ihn beherrscht. Die erwachende Schönheit des Mädchens, die er als Beobachter nur zu sehen vermeint, reizt und faßt ihn tiefer. Und der Augenblick, da ihm plötzlich alles ent-

gleitet, gibt ihm eine wilde Sehnsucht nach dem Spiel und –
dem Spielzeug. Mich würde jene Umkehr in der Liebe reizen,
die die Leidenschaft eines alten Mannes der eines Knaben
sehr ähnlich machen muß, weil beide sich nicht ganz voll-
wertig fühlen, ich würde ihm das Bangen und die Erwartung
geben. Ich ließe ihn unstet werden, ihr nachreisen, um sie zu
sehen, und doch im letzten Augenblick sich nicht in ihre Nähe
wagen, ich ließe ihn an denselben Ort wieder zurückkommen
in der Hoffnung, sie wiederzusehen, den Zufall zu beschwören,
der dann immer grausam ist. In dieser Linie würde ich mir die
Novelle denken, und sie wäre dann . . .«
»Verlogen, falsch, unmöglich!«
Ich schrak auf. Die Stimme fuhr hart, heiser zitternd und fast
drohend in meine Worte. Nie hatte ich bei meinem Begleiter
eine solche Erregung gesehen. Blitzschnell ahnte ich, woran ich
unbedacht getastet hatte. Und wie er so hastig stehen blieb,
sah ich, peinlich berührt, sein weißes Haar schimmern.
Ich wollte rasch ablenken, umbiegen. Aber da sprach er schon
wieder, und jetzt ganz herzlich und dunkelweich mit seiner
ruhenden tiefen Stimme, die von leiser Melancholie schön getönt war. »Oder Sie mögen recht haben. Es ist ja viel interessanter. ›L'amour coûte cher aux vieillards‹, so hat, glaube ich, Balzac
eine seiner rührendsten Geschichten genannt, und es ließen
sich noch viele zu dem Titel schreiben. Aber die alten Leute, die
davon das Heimlichste wissen, erzählen nur gern von ihren
Erfolgen und nicht von ihren Schwächen. Sie fürchten lächerlich
zu sein in Dingen, die doch nur irgendwie der Pendelschlag des
Ewigen sind. Glauben Sie wirklich, daß es ein Zufall war, daß
gerade jene Kapitel der Memoiren des Casanova ›verloren gegangen‹ sind, wo er altert, wo aus dem Hahn ein Hahnrei, aus
dem Betrüger der Betrogene wird? Vielleicht wurde ihm nur die
Hand zu schwer und das Herz zu eng.« Er bot mir die Hand.
Nun war seine Stimme wieder ganz kühl, ruhig und unbewegt.
»Gute Nacht! Ich sehe, es ist gefährlich, jungen Leuten in Som-
mernächten Geschichten zu erzählen. Das gibt leicht törichte
Gedanken und allerhand unnötige Träume. Gute Nacht!« Und
er ging mit seinen elastischen, aber doch von den Jahren schon
verlangsamten Schritten ins Dunkel zurück. Es war schon spät.
Aber die Müdigkeit, die sonst von der Wärme der weichen
Nächte mich früh befing, war heute zerstreut durch die Erre-

gung, die im Blute aufklingt, wenn einem Seltsames widerfährt oder wenn man Fremdes für einen Augenblick wie Eigenes erlebt. So ging ich den still-dunklen Weg entlang bis zur Villa Carlotta, die mit marmorner Treppe in den See niedersteigt, und setzte mich auf die kühlen Stufen. Wunderbar war die Nacht. Die Lichter von Bellagio, die früher nahe wie Leuchtkäfer zwischen den Bäumen funkelten, schienen nun unendlich ferne über dem Wasser, und langsam fielen sie, eins nach dem anderen, in das schwere Dunkel zurück. Schweigsam lag der See, blank wie ein schwarzer Edelstein und doch von wirrem Feuer an den Kanten. Und wie weiße Hände zu hellen Tasten, so griffen die plätschernden Wellen mit leisem Schwall die Stufen auf und nieder. Endlos hoch schien die bleiche Himmelsferne, auf der tausender Sterne Funkeln war. Ruhevoll, in blitzendem Schweigen standen sie: nur manchmal löste sich einer aus dem demantenen Reigen jäh los und stürzte in die Sommernacht hinein; hinein in das Dunkel, in Täler, Schluchten, Berge oder ferne Wasser, ahnungslos und von blinder Kraft geschleudert wie ein Leben in die jähe Tiefe unbekannter Geschicke.

ARNOLD ZWEIG

Das Kind

I

Derartiges war also möglich? Das gab's also, auch in ihrer Nähe, so dicht bei ihr, daß ihr Kleidersaum daran streifte!

Die junge Frau Doktor Monk stand unbeweglich inmitten ihres Wohnzimmers, anzuschauen wie ein junges Mädchen, in weißem Leinenkleid, Spitzen an der Brust und gegürtet mit einem pfauenbunt bestickten Bande japanischen Ursprungs. Sie hatte alle Haut ihrer bräunlichen Stirn zwischen den Augenbrauen versammelt, zwischen langgeschwungenen, jetzt gefalteten Augenbrauen von der dunklen Farbe ihres Haares, schwarzbraun wie Erdboden im Frühling; ihr liebenswürdiges Näschen bebte vor eilendem Atem, ein flaches goldenes Medaillon hob und senkte sich an ihrem Halse, und eine kurze Reihe breiter, wohlgeformter Zähne war weiß und hart über die schmale Unterlippe gestellt. Vor Fassungslosigkeit ohne Laut, in den schwarzen Augen den Glanz angreifenden Zornes, las sie zum dritten Male diesen kurzen Brief, den ihr die jüngere Schwester soeben aus Berlin geschrieben hatte und den zu dulden und einzulassen sie sich machtlos sträubte, als bräche wilde Schande mit ihm in ihre bürgerliche Welt: »Liebe kleine Schwester, es tut mir leid, aber Du mußt mich sobald als möglich auf fünf oder vier Monate zu Dir einladen. Diese lange Zeit bestimme nicht ich, sondern die Natur; Du verstehst, Frau Doktor. Kurz und gut, ich habe wenig Lust, von Papa aus dem Hause gejagt zu werden, wenn ›es‹ sich nicht mehr verdrücken läßt; und er tut's, weil er ja Ehrenmann von Beruf ist. Mama würde die Sache zwar mit Grazie behandeln, aber mit ihr kann man sich nicht verständigen, ohne daß er es erfährt – also bist Du meine ›letzte Zuflucht‹, wie es heißt. Diese Reise an den Rhein würde durchaus gebilligt werden, denn ich sehe recht erholungsbedürftig aus, ich habe, seitdem ich es weiß, manches Pfund abgenommen. Intim waren wir beide zwar nie, aber schließlich bist Du eine Frau und meine Schwester. Solltest Du aber glauben, daß ich diese Suppe, die man mir eingebrockt hat und die so überraschend gut anschlägt, auch ausessen werde, so möchte ich Dich vor Enttäuschungen bewahren. Lieber *trinke* ich etwas Unappetitliches aus, den Neuen See wie Else W. oder ein Täßchen Lysol wie Mary Gruenn (you remember) – denn das, was folgt, und Eure ›Verzeihung‹ zu ertragen, dazu bin ich wahrhaftig nicht robust genug. Also, kleine Trude, sei nett und lade mich ein, ich bin ja erst achtzehn, und es wäre schade um mich. Mit bestem Gruß an Deinen famosen Mann (wie geht's ihm?) Deine Erna.«

Es war Ende März und früher Nachmittag. Die Fenster standen mit beiden Flügeln offen, eine sanfte, schon durchwärmte Luft strömte herein, mit heller Sonne und dem Gezwitscher lenztoller Vögel, übermütig anzuhören. Frau Gertrud trat mit schnellen Schritten heran, beugte sich hinaus und atmete mehrmals tief, während sie, wie von einem heimlichen Auge beobachtet, einige Augenblicke lang harmlos auf die Straße schaute, ohne irgend etwas zu sehen. Die Spannung ihres Gesichtes wich, die Lider hoben und senkten sich mit langen Wimpern; dann zerriß sie mit fast ruhigen Händen die Briefdecke in ganz kleine Stücke und ließ sie langsam hinunterrieseln: erledigt. Die kleinen weißen Fetzen tanzten blitzend in der Luft, erreichten kreisend die glänzende Straße und schwanden in dünnem Kot. Pfui, sagte sie insgeheim, Unordnung! und wandte sich ab; ging schnellen Schrittes in das helle Schlafzimmer, über Teppiche und durch zwei Räume, und warf den Brief in eine Lade ihres hellbraunglänzenden Toilettentisches. Die Schlüssel des großen Bundes klirrten aneinander, während sie mit heftiger Umdrehung zweimal zuschloß, dann sah sie ihr Bild im Spiegel und hob hurtig die Schultern. Was hatte dies mit ihr zu tun? Was ging das fremde Mädel sie an? Fertig. Gehen wir lieber in die Küche, nach dem Kaffee zu sehen; auch muß Anna nachher im Wohnzimmer heizen, denn abends würde es doch noch kalt. Und während sie den Korridor überschritt, hörte sie vom Sprechzimmer das jämmerliche Weinen eines Kindes und die tröstende Stimme ihres Mannes. Die Sprechstunde Doktor Bernhard Monks, des Kinderarztes, hatte also begonnen.

2

Was während des ferneren Nachmittags, an dem die Sonne noch unbeschreiblich zärtlich auf die schwarzen Gerippe der Bäume vor den Scheiben blickte, in Frau Gertrud vorging, während sie besonnen ihrem kleinen Haushalt vorstand, besonders aber während der langen, einsamen Dämmerung hernach, als sie still am Fenster sitzend verharrte, das wird man auf gewisse Art ordnen und sammeln müssen: denn unaufhörlich waren Bruchstücke von Gedanken in Bewegung, Namen wurden gerufen. Gruppen von Erinnerungen traten zusammen, sooft man sie auch auseinanderwarf, und mit Bitterkeit merkte sie, daß nicht sie diese Dinge dachte, daß sie sich vielmehr von selbst dachten. Das Ereignis war in sie hineingeworfen worden wie der Stein in den Geysir, die heiße Quelle – und nun wallte und kochte es, warf Blasen auf und schwoll schäumend über ...
Sie hatte dem zornigen und scharfen Haß Raum gegeben, den sie anfangs gefühlt hatte. Dieses Geschöpf, dieses fremde Mädel – was fiel ihm ein? Aussessen, jawohl, aussessen! Man starb nicht so leicht; das tat sich schwerer, als es sich schrieb. Man war doch schließlich von Familie, man hatte doch eine Erziehung ge-

habt – wie durfte man so alle Haltung verlieren! Es war empö-
rend... Und warum brannte sie das so? Wo überhaupt gab's
Grund dazu? Diese Schwester war ihr gründlich fremd gewesen
von je, hatte sich stets gegen die Einmischung der älteren gewehrt – nun gut, jetzt mochte sie allein fertig werden! Und sie,
Frau Trude, saß nun dennoch da, mußte den Kopf in die Hand
legen und sich quälen... Diese blaue Dämmerung draußen begann unheimlich zu werden. War es nicht, als füllte ein dünnes
bläuliches Meer die Straßen, als müßten sogleich Fische ihre
runden Köpfe glotzend an die Scheiben stoßen, als seien sie allesamt versunken, verzaubert? Sie stand auf und ging hastig
durch das Zimmer, das voll von Schatten war. Nur der Ofen
stand noch weiß und tröstlich warm; laß uns dort niedersitzen,
in der Sofaecke, und uns klein machen wie ein kleines Kind.
Nur Zorn, der sie erfüllte? Ach, um ehrlich zu sein, wenn's
welcher war, ähnelte seine Klangfarbe verzweifelt der des Nei-
des... Das Mädel hatte Mut gehabt, trotz allem; und es würde
ihn weiter haben – nicht nötig, sich zu belügen. Das wäre nicht
die erste gewesen, die sie als hübsches Mädchen im Zoo und auf
Bällen gekannt hatte und die dann plötzlich nicht mehr auf-
trat... Else Wende, Mary Gruenn – und nun war die Reihe an
ihrer Schwester, ihrer braunhaarigen, hübscheren Schwester mit
den frischen Farben und dem unangenehm gewandten Munde... Wie konnte sie nur, wie durfte sie! Man wartete doch,
man hielt sich fest, wehrte sich und überwand; man ließ sich
nicht einmal gehen, auch wenn, wie für sie, Frau Gertrud, die
Brautzeit sich lange hindehnte. Zugegeben, daß Bernhard es ihr
erleichtert hatte, daß sie selbst damals kühler empfand – es gab
keine Entschuldigung. Von jeher hatte sie sie verachtet, diese
heißen Kätzchen, dieses neugiergeplagte Geschlecht. Mary
Gruenn war eine davon gewesen, die schlanke, blonde Mary,
die eine Zeitlang so überaus häufig bei ihr im Zimmer saß, als
Robby noch in Berlin lernte. Ja, sie hatte es kommen sehen, ihr
Bruder war einer der ersten bei Mary, der erste vielleicht; und
sie hatte alledem spöttisch zugesehen, ohne warnend oder ver-
hütend einzugreifen, denn ihr lieber Bruder war nur zufällig
der erste bei Mary; war damals ganz einfach reif dafür... Weder er noch sie trugen Schuld an Marys Tode, das war eine
andere Geschichte, eine viel spätere. Und nun kam die Reihe an
ihre kecke Schwester, die so kaltschnäuzig darüber berichtete...

War sie, Gertrud Monk, nun wirklich so unschuldig an jenem
Todesfall? Wirklich? Wirklich?
Und sie schritt zu den Fenstern, hinter denen es tiefer dunkelte,
zog an der metallenen Quaste einer Schnur, und mit schürfen-
dem Geräusch schob sich der Vorhang vor die Scheiben, gelblich,
weitmaschig und mit farblosen Blumen gemustert. Dann saß
sie wieder in der Ecke und fühlte mit der Wange den weichen
Stoff. Bernhard, sprach man plötzlich in ihr; was wohl Bernhard
sagen würde, wenn er hörte, daß seine nette Schwägerin ein
Baby haben sollte ... Er hatte sie gern: »Trude, schnoddrig ist
sie, aber ein tüchtiger Kerl, ohne Frage.« Und nun ein Baby!
Vermutlich ein gesundes, hübsches und ausdauerndes Kind, das
schreien und sich rühren und leben würde ... Was Bernhard
dazu sagen würde? Oh, sie wußte es genau! Er war, wie er zu
sagen pflegte, Arzt, nicht Moralmensch; und außerdem war es
ja ein Kind, nicht seines, aber gleichviel – und wenn seine Frau
jemals eines in ihrem Schoße hätte tragen dürfen, seine Augen
hätten niemals müde blicken müssen ... Auch Ernas Kind kam
nun ans Licht und nahm, wenn eine Unfruchtbare sich nicht
erbarmte, seine kleine Mutter, die Braune, Schwellende, womöglich mit hinab – fruchtbare, taugliche, lebentragende Jugend ... Wie sie im Arm ihrer Tänzer gelegen hatte! Sie mochte
noch hübscher geworden sein – und nun? Ihr Mund war nie
zart gewesen, aber sie hatte eine erfrischende Art, beim Lachen
die Zähne zu zeigen, weiße, breite und schöne Zähne ... Ob
das Kind auch einmal so lachen würde, erfrischend, gesund und
mit breiten Zähnen?
– – – Sie erhob sich mit Langsamkeit, hellen Gesichts, im Dunkel des Zimmers das einzig Lichte. Der elektrisch grelle Schein
schlug schmerzhaft an ihre Augen, als sie, eine nach der anderen, die Birnen der Lampenkrone erhellte, die vielflammig, von
smarter Eisenarbeit, über dem Tische hing; die Gedanken verschränkten sich ihr zu ähnlich sinnvoll verflochtenen Netzen
aus dunkelblitzender Substanz, darin Entschlüsse hingen, plötzlich aufleuchtende, erhellende, vielleicht wärmende – indes sie
sich daran machte, das Abendbrot vorzubereiten, mit Linnen,
Silber und zartem Geschirr. Es war Donnerstag, Rechtsanwalt
Pibroch würde zum Schach kommen ... Dann hörte sie die Herren vor der Tür: »Na, dünnes Frauchen?« fragte der unbeholfene
Rechtsanwalt mit mürrischer Stimme. Er war blond, ein rot-

farbiger Koloß, mit Schmissen reich verziert, und so war seine
Art, guten Abend zu wünschen; doch küßte er behutsam ihre
feine Hand. Sie legte dem Gatten die Hände auf beide Achseln,
während er ihre Stirn mit den Lippen berührte. »Was hast du?«
fragte er, »deine Augen glänzen unbedingt.« – »Oh, Lieber...«
Sie sah einen Augenblick sein angestrengtes, noch junges Gesicht, und den Blick, voll von Zärtlichkeit, und fuhr fort, mit
ihrer hohen, ziemlich klanglosen und dennoch sehr angenehmen Stimme, vielfach modulierend: »Sie schreiben mir aus Berlin, daß Erna viel getanzt habe, Erholung sei ratsam – laden wir
sie ein? Man hofft es anscheinend.« – »Gerne, du«, sagte er sogleich, und sein müder Mund erheiterte sich. »Zu Tische, meine
Herrn, zu Tische!« und Frau Gertrud lächelte, mit schönen,
weißen und breiten Zähnen.

3

»Nun, wie hat man geschlafen?«
Das Gastzimmer war licht und sogleich ganz von Frühlings-
sonne erfüllt, als Frau Gertrud die Vorhänge öffnete. Eine gelbliche Tapete, an der ein Muster wie Schnüre rosiger Kügelchen
von der Decke zu Boden lief, das weißlackierte, messingblit-
zende Metallbett und die ganz weißen, mit rosigen Streifen
gezeichneten Möbel machten es heiter. Sie setzte sich zu der
Schwester auf den Bord des Bettes. Erna blinzelte: »Danke
schön, erlöst natürlich... Von Berlin bis Bingen – ach, wie ich
müde war...« Und sie dehnte das Wort und gähnte herzhaft.
Ihr brünettes Gesicht, noch reichlich verschlafen, lag in die
braune Haarmasse gebettet, und den Nacken umfaßte die linke
Hand. »Danke schön, für allerlei«, wiederholte sie und streckte
der Schwester die rechte Hand hin. Frau Trude bewunderte still
die noble Form dieser sanft in Arme abgleitenden Schultern.
»Ach Gott«, sagte sie ruhig, »wofür sollst du mir danken?«
– »Gott schläft, Trudel, wir wissen Bescheid. Das ist sozusagen
der Hafen, in dem ich – und so weiter. Eigentlich komme ich
mir ja in deinem hübschen Jungfernzimmer ganz unangebracht
vor. Es gehört mindestens schwarzer Flor ums Bett.« Frau Gertrud lachte entsetzt und belustigt: »Aber Erna! Das Mundwerk
ist jedenfalls noch recht imstande, höre ich; schwabbelt ihr immer
noch so schnell? Sonst bist du ein bißchen abgefallen.« – –

»Kunststück! Die letzten drei Wochen haben mich mächtig abgezogen, und die Zeit vorher war auch nicht gerade fettbildend, kannst es glauben.« Die Worte kamen rapid genug heraus, mit dunklem Klang und gewollt berlinischen Lauten; man konnte hören, daß es keine unbeabsichtigte Keckheit war, eine, die etwas verbergen wollte, eine Hülle und Decke vielleicht... Frau Gertrud nickte und betrachtete die Schwester. Das Gesicht war schmal geworden, aber die Augen blickten braun, groß und ganz ungezwungen unter den dichten Wimpern. Sie begann mutig: »Mir ist lieber, wir sprechen sogleich *davon*, einmal muß es ja wohl sein; oder magst du da nichts von hören? – »Wenn dir's wohltut ... und soweit du willst. Es kam wohl...« – »Wie immer. Ich war in den Jungen doch so verliebt, wir steckten immer beisammen – ach, und dann mußte ich endlich wissen, wozu wir da sind. Da macht man Andeutungen, verbietet uns Bücher, damit wir sie lesen, und alle Leute tun so und haben sich, in einem Biegen wird drauf hingeschielt... Ob Ehe oder nicht, das ist doch egal, wie? Ehe ist sogar viel schlimmer.« Sie schwieg; es war augenscheinlich, daß sie nichts weiter sagen wollte; aber plötzlich brach es aus ihr hervor, das Ganze, was sie erlebt hatte: »– – Ich sage dir, Trude, es war ekelhaft, *ekelhaft* – – Diese Männer! Das ist ja brutal, grausig... Du, ich bin nach Hause gekommen, ich weiß nicht wie, und ins Bad, und dann ins Bett für anderthalb Tage... Nein, danke, ich habe genug.« Sie schloß die Augen und schüttelte das Haar. »Beinahe hätte ich Mama alles gesagt, es fehlte nur ganz wenig. Es war ein Glück, daß sie nur ganz flüchtig nach mir sehen kam, sie hatte gerade ein so fesselndes Buch aus dem Kaufhaus geliehen – sage bloß, was hätte die junge Dame mit meiner Sache anfangen sollen? Nein, so ist's besser.«

Frau Gertrud saß auf dem Bettrand und sah teilnehmend auf die Schwester herab. Auch diese, dachte sie, auch diese! Und ich wollte sie noch bestrafen! »Hattest du denn keinen Menschen, dem du es sagen konntest? Hätte dir niemand geraten, geholfen?«

»Ach Gott ... Lucy Kobertz war verreist, und die anderen – du kennst sie ja. Einen hatte ich, Wälti Most, meinen Freund, aber wenn ich zu dem damit gelaufen wäre, hätte er sich bitter gegrämt, und das konnte ich dem guten Jungen doch nicht antun. Es ging auch so.« Wieder schwieg sie, aber diesmal war es das

Bedürfnis der bisher Verschweigenden und der Zwang des gemeinsamen Gedankens an den andern, der sie dazu brachte, fortzusprechen, ein Aufatmen in der Stimme: »Ich hatte *ihn* sehr lieb vorher. Glaubst du, daß ich ihm nachher noch die Hand geben konnte! Ich sah ihn noch ein paarmal, aber mir wurde beinahe übel. Natürlich war ich nie mehr bei ihm. Wenn du wüßtest, wie er mir vorher zugesetzt hat!« ...

»Was für einer ist er denn?«

»Ein kleiner Schauspieler aus unseren Kreisen. Er ist ja sehr talentvoll, sagt man, aber ganz verrückt und ganz grün. Zuerst hat er mir toll imponiert, ich dachte, ich wäre eine ganz blöde Pute, und mächtig hübsch ist er auch und hat ganz grüne Augen – aber dann habe ich über ihn nachgedacht. Er ist sicher ganz grün. Höre mal« – und sie sprach wesentlich leiser und errötete schwach – »du kannst dir wohl denken, daß ich sehr ... still gelegen habe vor Verwirrung oder vor Entsetzen oder vor Ekel – was weiß ich. Aber glaubst du, was er fertigbrachte? Er sagte wirklich: ›Dein wievielter bin ich, Schatz? Denn man ist sonst nicht so unempfindlich!‹ Dieser Idiot!« Und sie sprach dieses Wort mit Inbrunst und Abscheu.

»Heirat ist also ausgeschlossen.« Frau Gertrud sagte es leichthin, selbstverständlich, das Mädchen aber warf sich empor, daß das Metall des Bettes sang: »Heiraten? Den fremden Kerl? Ich denke nicht daran, ich danke schön! Ich heirate überhaupt nicht, wenn alle Männer wie die Hunde sind! Nein, für die Ehe bin ich gründlich verdorben!«

Frau Gertrud nickte ihr zu, sie hatte nichts anderes erwartet. Dieser Furor verlor sich wohl eines Tages. Vorläufig war jedes Wort zuviel, und sie fragte nur: »Und was nun?«

»Ja, weises Wesen, ... nun bin ich ja, Gott sei Dank, bei euch, nun können wir abwarten. Pech habe ich leider gehabt, dagegen ist kein Kraut gewachsen. Man muß Kindern ihren Willen tun, und Baby will ja wohl kommen. Mit deiner und Bernhards Hilfe ... Du lieber Gott, ich hätte mich gerne gedrückt, aber jetzt lerne ich wenigstens auch das noch kennen, das ist auch was wert. Du, übrigens – weiß Bernhard?« ... Und ihre letzten Worte klangen schwach. Tüchtiger Kerl, fühlte Frau Gertrud mit Wärme: »Noch nicht, aber ich denke, ich sage es ihm bald.«

»Natürlich. Auch werde ich ja den Doktor brauchen; obgleich ich mich vor ihm geniere, ich habe ihn gern.«

»Er dich auch. Er hat nebenbei etwas für euch übrig. Er nennt euch Streikbrecher und denkt sich dabei etwas Fortschreitendes, Löbliches.« Und sie lächelte ein unbeschreiblich mütterliches Lächeln.

»Danke schön, da bin ich nicht mehr für zu haben... Hat er noch so gerne Kinder? Im Tiergarten schloß er überall schnelle Freundschaft mit den kleinen Affen, erinnere ich mich.«

»Ich glaube wohl«, antwortete Frau Gertrud langsam. Erna sah neugierig zu ihr empor: »Nun, und du, junge Frau? Du willst wohl noch nicht dran glauben? Gescheit von dir, recht hast. Es kommt noch früh genug. Meinst du, daß ich meine Figur verliere?«

»Bernhard hat mir als Arzt die Kinder verboten, ich darf keine haben«, sagte Frau Gertrud und stand auf. Aber Erna griff mit beiden Händen nach ihren Fingern und rief fast laut und sehr erschreckt: »Kleines!« und indem sie sie streichelte, nochmals bedauernd: »Kleines, armer Schlucker«, Mitgefühl und Verständnis in den Augen; und nach einem kurzen Schweigen: »Du bist ein guter Kerl, Trudel«; so warm wie nie vorher. Aber Frau Gertrud nahm ihre Hand und lächelte: »Ich erwarte dich vorn zum Frühstück, Schatz. Und was du da eben gesagt hast: wir sind ja doch allesamt Alltagsgeschirr. Blaues Zwiebelmuster.« Sie nickte ihr zu und ging rasch zur Tür. Erna richtete sich auf: »Ja, aber du zum mindesten hellgelb gesprenkelt, mit Lichtpunkten, sicher.« Die Schwester öffnete die Tür: »Also guten Morgen, und komm bald, Madam.« – »Gleich, Fräuleinchen!«, und Frau Gertrud sah noch, ehe sie hinausging, daß Erna hell auflachte, mit allen weißen Zähnen, und sich mit beiden Beinen aus dem Bett schwang, hinein in die breite Sonne.

4

Frau Gertrud lag auf dem Rücken ausgestreckt zu Bette, wach, ohne Willen zu schlafen, sie erwartete ihren Gatten, und nicht ohne Unruhe dachte sie an das Gespräch, das sie mit ihm haben würde. Sie lag ohne Licht. Es deuchte sie hell im Zimmer, eine hellgraue Nacht erfüllte den Raum: draußen beschien die Vorhänge der Mond. Als ein weißlicher Fleck stand der Ofen an der Wand, eine harte Form, und der große Spiegel schimmerte wie nächtliches Wasser. Und während der stete Anblick der unveränderlich grauen Zimmerdecke ihr endlich das Gefühl gab, als schwebe ihr Bett wie die Gondel eines Ballons aufwärts, beschäftigte sie sich damit, ihre Absicht unausgesetzt und langsam um die eigene Achse kreisen zu lassen, sie von allen Seiten zu betrachten, zu prüfen und wieder und wieder zu billigen: eine Qual, deren Ende sie schließlich kaum mehr erwarten konnte, denn ihr Entschluß war gefaßt. Auf dem Nachttisch liegend lief ihre winzige Uhr mit atemlosen, metallisch deutlichen Stößen, der Puls der Nacht.

Endlich hörte sie Bernhard: mit leisen und langsamen Schritten kam er durch den Gang, öffnete angestrengt geräuschlos die Tür, schloß sie ebenso sacht und näherte sich. Er wähnte sie schlafend und beugte sich über ihr Lager, ohne Licht. In diesem Augenblick durchdrang sie sehr stark eine körperliche Lust an seiner zärtlichen Sorgfalt, sie sah mit geschlossenen Lidern den liebevollen Glanz seiner dunklen und müden Augen, den ernsthaften Mund, das ganze liebe Gesicht, langgezogen und nobel geformt, sie schwieg noch, im Dunkeln lächelnd – dann entschloß sie sich zu Worten: »Ich schlafe noch nicht, Lieber.«

»Aber das ist Unrecht, mein Kind, und übrigens hübsch für mich.« Und er entzündete das Lämpchen bei seinem Bett, ein sanfter grüner Schimmer färbte die Luft: »Fühlst du dich unwohl, etwa?«

»Ganz wohl, im Gegenteil ... Es ist, glaube ich, noch nicht sehr spät.«

»Gegen elf Uhr immerhin.«

»Ich wollte dich noch etwas lesen lassen, einen Brief. Warte, ich habe ihn hier in der Schublade. Nebenbei – wie gefällt dir Erna jetzt?«

»Ach, ganz gut, recht gut, wie immer. Sie ist trotz ihrer unbändigen Redeweise scheuer geworden. Einen Brief?«

Sie hatte ihn herausgenommen, ohne sich aufzurichten, und reichte ihn zögernd hinüber. Er las, zum Lämpchen gebückt, so daß ein grüner Schein von unten sein Gesicht färbte, legte ihn hin und setzte das Entkleiden fort. – Keines sprach; endlich lag er, löschte das Licht und sagte schließlich mit halblauter Stimme, der sie viel Teilnahme anhörte: »Das arme Ding.«

»Sie hat nichts als Verwirrung und Ekel davongetragen,« antwortete Gertrud, ohne sich zu rühren.

»Und das Kind.«

»Ja freilich, das auch. Und das scheint ihr fast tröstlich zu sein, so sonderbar es klingt.«

»Das kann ich fühlen, das kann ich sehr lebhaft mitfühlen.« Er ruhte auf der Seite, seiner Frau zugewandt. Er hatte seiner Gewohnheit gemäß mit seiner Rechten, der schmalfingrigen Hand eines Arztes, das dünne Gelenk der Linken umfaßt, innerhalb des weiten Ärmels, und hörte aufmerksam; auch seine Augen blickten gespannt, obgleich sie nichts zu sehen hatten.

»Und was nun?«

»Sie will wohl bei uns ihre Stunde erwarten. Sie nimmt es recht ernst.« Da war es also.

»Tüchtiger Kerl,« sagte er zärtlich, »tüchtiges kleines Mädel.«

Beide schwiegen. Es war eine Lautlosigkeit, in der sich tastend ein Einvernehmen herzustellen suchte, bei ihm ein zaghaftes Erraten, was sie wohl meinte, bei ihr die Erwartung, was er dazu sagen konnte. Er suchte ihre Hand, fand sie, hielt sie sanft und sagte leise, ohne Leichtigkeit: »...Und das Kind? Was wird aus dem?«

»Ja«, meinte sie und zögerte, »was kann wohl daraus werden? Ihr Unglück...« Und nach einer Pause, sehr leise: »...oder unser Glück.«

Da verstärkte er ganz allmählich den Druck seiner Hand, die um die ihre geschlossen war, zog sie endlich an die Lippen und küßte sie mehrere Male, verstehend, zärtlich und voll Inbrunst des Dankes.

»Das wolltest du ...? Das könntest du für mich tun?«

»Ich muß dich doch fragen, Bernhard, wenn ich dir ein Kind bringe, das siehst du ein.«

»Mein Glück, meine Liebste!«

»Aber Bernhard, von einem fremden Mann, von einem fremden Mädchen?«

»Wir müssen es versuchen. Es ist ja deine Schwester. Und es ist noch ein kleines Kind!«

»Und daß es wohl ausgehe.«

Er antwortete nichts, zog sie drängend zu sich heran, näherte sich ihr und schloß sie in die Arme, in einem dankerfüllten, fruchtbaren und empfangenden Kusse. Sie fühlte: es ward ihr Kind.

5

»Ich muß auch etwas schreiben, oder Mama ängstigt sich«, sagte
Frau Trude. Sie trat in das Wohnzimmer, lächelnd, gekleidet
in ein festlich weißes, dünnes Leinenkleid. Spitzen auf der
Brust und um den viereckigen Ausschnitt, aus dem der bräun-
liche Hals aufstieg, und hoch oben mit einem goldenen Bande
gegürtet: in der Hand hielt sie eine bauchige Vase aus weißem
Porzellan, in der gelbe Rosen mit köstlich zarten Fleischtönen
enthalten waren. Als Erna angekommen, waren Krokus in ihr
versammelt gewesen, weiße, violette und gelbe Kelche, und
weiß geperlte Maiglöckchen, später die blaßblauen Glocken-
spiele der Hyazinthen und purpurn ausgefranste Tigertulpen,
das duftende Filigran der Fliederdolden war erschienen und verschwunden, und dann hatte sie lange Zeit immer voller Rosen
auf dem Tisch gestanden, voll zartroter, ganz gelber, fast schwarzer oder solcher, die sanftrot gefärbt waren; jetzt aber waren
Rosen eine Ausnahme und ein seltener Schmuck, denn schon
hatten bunte und duftlose Astern die langen dünnen Blumenblät-
ter über den weißen Rand des Gefäßes gehängt, und die gefältel-
ten Köpfe brauner Georginen hatten sich schon darin erhoben.
»Und ich soll nicht schreiben?« fragte Erna und wandte sich
lebhaft der Schwester zu. Sie saß in einem großen, mit Leder
gepolsterten Sessel und hatte, eingehüllt in eine langhaarige
Decke, zum Fenster hinausgesehen: draußen duftete über gold-
roten Baumwipfeln, die mit noch runden Formen sich aufbau-
ten, reich und farbig das Licht und die unendliche Luft eines
Nachmittags des frühen September. Noch sah sie recht zart aus,
schmal und angestrengt, und die Finger spielten mühelos mit
einem dünnen Ring, der sonst einen von ihnen fest umschlos-
sen hatte, aber ihre Wangen atmeten schon feine Röte, und ihre
Augen blickten vertieft, umschattet und unbezwungen. Frau
Gertrud trat zu ihr, strich ihr leicht und zärtlich über das reiche
braune Haar und hielt ihr die Vase hin. Begierig, mit beiden
Händen, griff das Mädchen danach und zog freudig den starken
Duft der späten Blumen ein.
»Ich glaube, das genügt«, rief Doktor Bernhard Monk vom
Schreibtisch her, indem er einen Federhalter in das Schreib-
zeug fallen ließ und ein frisch beschriebenes Briefblatt jungen-
haft hin und her schwenkte. »Ich hoffe, das ist mir gelungen.«

Frau Gertrud lachte über seinen Eifer. »Laß doch hören, was du da geschwindelt hast«, sagte sie, und der Hausherr las mit schwankender, von tiefster Belustigung und Spitzbüberei hoch gemachter Stimme diesen Brief:

»Liebe Schwiegereltern, erst jetzt, da alles wieder in Ordnung und Wohlsein ist, teile ich Euch mit, daß Eure Tochter mir unlängst ein Baby beschert hat, einen prächtigen, gesunden, appetitlichen Jungen: hurra! Verzeiht, daß wir Euch das Ganze verheimlicht haben, aber wenn es nicht ganz recht war, so hatten wir doch die anständigsten Beweggründe. Ihr wißt, daß ich es bei Trude immer für eine ernste Sache erklärt habe, und eine Zeitlang war der Ausgang recht zweifelhaft; aber nun ist ja alles gut, und ich bin glücklicher Papa. Dir, lieber Vater, hätte eine vorzeitige Nachricht Ruhe und Arbeit gleichmäßig zerstört, und die gute Mama hätte sicherlich den Verlust ihrer Reise und Kur auf sich genommen, die für sie doch soviel Wert hat. Darum haben wir geschwiegen, und da Ihr beide gescheite Leute seid, werdet Ihr uns nicht weiter böse sein und das Ergebnis preisen. Ihr seid herzlich eingeladen, es zu betrachten, das heißt, uns mit einem Besuche zu erfreuen, aber ehe noch nicht zwei Wochen vergangen sind, läßt unser Arzt Doktor Monk (wenn Ihr ihn kennt) keine Menschenseele zu. Trude will auch schreiben, und ich ergebe mich, nicht ohne laut zu verkünden, daß Eure Tochter Erna ein Prachtexemplar ist. Sie hat uns unendlich dabei geholfen. Herzlich Euer glücklicher Sohn B.« – Er lachte hell heraus, das übermütige Gelächter eines Jungen bei einem geglückten Streich, und die Schwestern amüsierten sich lange und von Herzen. Endlich fand Erna Worte: »Du bist zu frech, Bernhard; ist er nicht gelungen, dein Doktor? Ich habe unendlich geholfen! Jawohl, das will ich glauben«, und sie fuhr fort zu lachen, dunkel und leicht, mit breiten Zähnen. »Warte, laß mich jetzt schreiben«, und Gertrud beugte sich über die Schulter des Sitzenden, nahm die Feder und schrieb stehend, mit ungefügen Buchstaben: »Er ist schon lange getauft, Fred, nach Papa, Kommt Ihr? Das Scheusal nimmt mir die Feder weg, viel Küsse Trude.«

»Das ist ausgezeichnet: diese Schrift, ein wenig zittrig, ein wenig mühsam ... o du Geriebene!« Er beugte sich rückwärts, zog ihren Kopf herab und küßte die lachend Widerstrebende, ganz ein Junge. Dann entwand er ihr den Halter und setzte unter ihre Zeilen: »Das Scheusal bin ich! B.«, stand auf und ging im Zimmer hin und her, pfeifend und die Hände in den Taschen des hellen Beinkleides.

»Mama will auch schreiben!« rief Erna künstlich klagend vom Fenster her, wurde aber sogleich ernster und fragte schnell: »Trudel, wo ist er? Schläft er?« Gertrud tauchte die Feder ins Tintenfaß und brachte ihr den Brief ans Fenster: »Ja, er liegt so süß und rosig drin wie ... eine Leberwurst.«

»Märkische Mutter!« rief der Doktor von der Tür her und näherte sich.

»Finde ich auch ... Du, Bernhard, darf ich nicht bald aufstehen? Der Stuhl ist zwar sehr geduldig, aber ich langweile mich so...! Morgen, ja?«

»Morgen ist noch ein bißchen zu früh, Kleines.« Er neigte sich über die Rosen, die auf dem Fensterbrett standen. »Du, woher kommen euch die schönen Rosen?« erkundigte er sich, indem er den Duft einatmete und ungemein listig dabei aussah.

»Nicht wahr, wunderschön! Spätrosen; für Erna, von Pibroch. Er kommt zum Abendbrot. Was schreibst du, Kleines?«

Die Angeredete neigte ihr Gesicht recht errötet zu dem Brief auf ihren Knien. »Ach, Unsinn«, sagte sie ohne weitere Erläuterung, und dann las sie laut, was sie gleichzeitig schrieb, wenige Worte mit vornüberfallenden, plötzlich verdickten Buchstaben: »Herzliche Grüße und viele Küsse von Eurer zufriedenen Erna.«

GEORG HEYM

Jonathan

Der kleine Jonathan lag schon den dritten Tag in der entsetzlichen Einsamkeit seiner Krankenstube. Schon den dritten Tag, und die Stunden liefen immer langsamer und langsamer. Wenn er die Augen zumachte, hörte er sie langsam an den Wänden herabsickern wie einen ewigen Fall langsamer Tropfen in einem dunklen Kellerloch.

Da ihm beide Beine in dicken Schienen lagen, so konnte er sich kaum rühren, und wenn die Schmerzen aus seinen gebrochenen Knien langsam an ihm heraufkrochen, hatte er niemand, an dem er sich festhalten konnte, keine Hand, keinen

Trost, kein zärtliches Wort. Wenn er nach der Schwester klingelte, kam sie herein, mürrisch, langsam, verdrossen. Als sie ihn über seine Schmerzen klagen hörte, verbat sie sich diese unnütze Nörgelei. Dann könnte sie jede Stunde tausendmal rennen, sagte sie, und sie schlug die Tür hinter sich zu.

Und er war wieder allein, wieder verlassen, wieder seinen Qualen ausgeliefert, ein verlorener Posten, über den von allen Seiten, von unten, von oben, von den Wänden die Schmerzen ihre langen weißen, zitternden Finger ausstreckten.

Die Dunkelheit des frühen Herbstabends kroch durch die leeren Fenster in das elende Zimmer, es wurde dunkler und dunkler. Der kleine Jonathan lag in seinen großen weißen Kissen, er rührte sich nicht mehr. Und sein Bett schien mit ihm auf einem höllischen Strome herunterzuschwimmen, dessen ewige Kälte in die ewige Starre einer verlorenen Wüste endlos zu laufen schien.

Die Tür ging auf, die Schwester kam mit der Lampe aus dem Nebenzimmer herein. Während die Tür offen war, warf er einen Blick hinüber in das Nachbarzimmer. Bis heute mittag war es leer gewesen. Er hatte das Bett, ebenso eisern und gewaltig wie das seine, noch leer gesehen, weit offen stehend, wie ein Maul, das nach einem neuen Kranken zu schnappen schien. Er sah, daß das Bett nicht mehr leer war. Er hatte im Schatten des großen Kopfkissens einen bleichen Kopf liegen sehen. Es war wohl ein Mädchen, soviel er in der Dämmerung der trüben Lampe erkennen konnte. Eine Kranke wie er, eine Leidensgenossin, eine Freundin, jemand, an dem er sich halten könnte, jemand wie er, herausgeworfen aus dem Garten des Lebens. Ob sie ihm antworten würde, was mochte ihr Leiden sein?

Auch sie hatte ihn gesehen, er sah es. Und die Blicke der Kranken begegneten sich in der Tür, ein kurzer flüchtiger Gruß, ein kurzes Zeichen des Glücks. Und wie der leise Flügel eines kleinen Vogels, so zitterte in diesen Augenblicken sein Herz in einer neuen und geheimnisvollen Hoffnung.

Plötzlich klingelte es dreimal laut im Korridor, in kurzen Absätzen, scharf wie ein Befehl. Die Schwester lief auf das Klingelzeichen hinaus, und sie schloß die Tür nach dem Nebenzimmer hinter sich zu.

Das war das Zeichen, daß irgendwo eine Gefahr war, vielleicht daß jemand nahe am Tode war. Dieses Zeichen hatte Jonathan schon gelernt, und er zitterte vor Schreck bei dem Gedanken, daß jetzt jemand in dieser elenden dumpfen Atmosphäre seinen letzten Seufzer tun könnte. Ach, warum hier sterben, hier, wo man den Tod an jedem Bette stehen sah, hier, wo man dem Tode ausgeliefert war wie eine Nummer, mit sehenden Augen, hier, wo jeder Gedanke vom Tode infiziert war, hier, wo es keine Illusionen mehr gab, wo alles nackt, kalt und grausam war. Wahrhaftig ein zum Tode Verurteilter hatte es besser, denn seine Qual dauerte nur einen Tag, so lange verhüllte man ihm sein Ende; sie aber waren vom Tage des Einganges in diese Zimmer preisgegeben der Einsamkeit, der Dunkelheit, der entsetzlichen Trauer der Herbstabende, dem Winter, dem Tode, einer ewigen Hölle.

Und sie mußten ruhig in ihren Betten liegen, sie mußten sich den körperlichen Schmerzen hingeben, sie wurden bei lebendigem Leibe geschunden. Ach, und um ihre Leiden zu verhöhnen, um ihre Ohnmacht ihnen ewig vor Augen zu halten, hing am Fußende eines jeden Bettes der sterbende Christus an einem großen weißen Kreuze vor einem dunkelnden Himmel. Der arme Christus, der nur schmerzlich seine Schultern gezuckt hatte, als die Juden ihn um das Wunder baten: bist du Christus, so steige herab vom Kreuz. Und aus seinen gebrochenen Augen, die schon auf unzählige Kranke in diesen Bettstätten gesehen hatten, von seinem schmerzlich verzogenen Mund, der schon den Duft einer Unzahl grauenhafter Wunden geatmet hatte, von diesem Schächer am Kreuz ging eine furchtbare Ohnmacht aus, die die Seelen der Kranken verdüsterte und alles erstickte, was noch nicht Tod und Verzweiflung war.

Plötzlich ging die Tür in das Nebenzimmer leise auf. Sie war vielleicht nicht ganz geschlossen gewesen.

Und Jonathan sah wieder hinüber in das bleiche Gesicht seiner neuen Nachbarin, das er über den Gedanken des Todes fast vergessen hatte.

Die Tür blieb offen. Auch die Kranke sah wieder zu ihm herüber, er fühlte es durch das Halbdunkel. Und in dieser flüchtigen Sekunde begrüßten sie sich schweigend über der Schwelle, sie prüften einander, sie erkannten sich, und sie verbanden sich, wie zwei Schiffbrüchige, die in einem uferlosen Ozean nebeneinander dahintreiben.

»Ich habe Sie am Nachmittag soviel stöhnen hören, haben Sie

große Schmerzen? Warum liegen Sie hier?« hörte er ihre leise Stimme, die von ihrer Krankheit fein und leicht geworden schien.

»Ja, es ist furchtbar«, sagte Jonathan.

»Was fehlt Ihnen denn? Warum hat man Sie hierhergebracht?« fragte sie wieder.

Und er erzählte ihr, während seine Stimme vor Schmerzen zitterte, seine Geschichte.

Er war vor fünf Jahren als Maschinist von Hamburg fortgegangen auf ostasiatische Fahrt. Er hatte sich in den Ozeanen des Ostens herumgetrieben, immer unten am Kessel, in der Siedehitze der Tropen. Er war auf einem Korallenschiffe in die Südsee gegangen, dann hatte er auf einem Schmuggler gefahren, der das Opium verborgen in Maissäcken in Kanton einschmuggelte, über zwei Jahre lang. Auf diesem Schiffe hatte er viel Geld gemacht. Er wollte nach Hause fahren, aber er wurde bestohlen. Und er saß nackt und bloß in Shanghai. Durch die Hilfe des Konsuls heuerte er auf einem Schiffe, das mit einer Fracht Reis nach Hamburg bestimmt war. Das Schiff ging um das Kap, um die teure Fahrt durch den Suezkanal zu sparen.

In Monrovia, Liberia, diesem schrecklichen fiebrigen Liberia, hatten sie drei Tage lang Kohlen aufgenommen. Am Mittag des dritten Tages war er unten im Heizraum hingefallen. Wie er aufgewacht war, lag er im Spital von Monrovia mitten unter hundert schmutzigen Negern. Da lag er vier Wochen am Schwarzwasserfieber, mehr tot als lebendig. Ach, was er da zu dulden gehabt hatte in der fürchterlichen Julihitze, die die Adern der Kranken verbrannte, wo das Feuer bis in ihr Hirn wie ein eiserner Hammer schlug.

Aber es war trotz des Schmutzes, des Negergestankes, der Hitze, trotz des Fiebers immer noch besser gewesen als hier. Denn da wären sie nie allein gewesen, da hätten sie immer Unterhaltung gehabt.

»Mitten im Fieber sangen die Neger ihre Lieder, mitten im Fieber tanzten sie über die Betten. Und wenn einer starb, dann sprang er noch einmal hoch auf, als wenn ihn der Krater seines Fiebers noch einmal in den Himmel schleudern wollte, ehe er ihn für ewig verschlang.

Sehen Sie, hier liege ich in der Quarantäne, denn die Ärzte glauben, ich könnte die andern im Saal mit meiner Malaria an-

stecken, die Herren sind in Europa so vorsichtig, da sollten sie
zusehen kommen, wie wenig man sich da unten um die Kranken schert. Aber sie werden dabei viel eher gesund, denn man
sperrt sie nicht ein wie Verbrecher in diese gräßliche Einsamkeit.
Meine Beine würden viel eher heilen, wenn ich nicht immer so
allein wäre. Aber das allein ist schlimmer als der Tod. Letzte
Nacht bin ich um drei Uhr aufgewacht. Und da habe ich hier
gelegen wie ein Hund, auf einem Fleck, ich habe immer in die
Dunkelheit gestarrt, immer geradeaus.«
»Was haben Sie denn mit Ihren Beinen gemacht, darf ich das
wissen?« hörte er sie fragen. »Erzählen Sie doch weiter.«
Und er gehorchte ihr.
Ja, als er wieder gesund war, war er mit einem französischen
Doktor, der durchaus eine Orchidee haben wollte, wie sie oben
am Niger wachsen sollten, in den liberischen Urwald gegangen.
Da waren sie zwei Monate lang durch den Urwald gegangen,
über Creeks voll von Alligatoren, über riesige Sümpfe, auf denen abends die Moskitos so dicht standen, daß man sie mit der
Hand immer gleich zu Hunderten greifen konnte.
Und die Vorstellung dieser großen Moräste, die in den Abend
der Urwälder versanken, das ewige Rauschen der Baumkronen
dieser unendlichen Wälder, der exotische Name fremder Völker, umgeben von Geheimnissen der Ferne, das Rätsel und die
Abenteuer der verlorenen Wälder, alle diese seltsamen Bilder
erfüllten das Herz seiner Zuhörerin mit Bewunderung und ent-
rückten den Kranken da drüben in eine fremdartige Atmosphäre, den kleinen Maschinisten in dem elenden Bette eines
nüchternen hamburgischen Krankenhauses.
Da er schwieg, bat sie ihn, weiter zu sprechen.
Und er erzählte ihr das Ende seines Schicksals, das ihn hierher-
geworfen hatte, in ihre Nähe, und das nun über der puritani-
schen Armseligkeit dieser zwei Zimmer den weiten Himmel
der Liebe dem Kranken aufschloß, der sein Herz erfüllte mit
einer ungewissen Glückseligkeit.
Bei Lagos wären sie wieder aus der Wildnis herausgekommen.
Er hätte nach Hause angemustert, alles wäre gut gegangen bis
nach Cuxhaven. Er wollte gerade die eiserne Treppe nach dem
Kessel heruntersteigen, als das Schiff in einer plötzlichen Bö
stark schlingerte. Er sei aus dem Gleichgewicht gekommen und

die Treppe hinuntergestürzt in das Maschinenwerk hinein. Die
Kolbenstange hätte ihm beide Beine gebrochen.

»Das ist ja furchtbar, das ist ja unmenschlich«, sagte seine Zuhörerin, die sich in den Kissen aufgerichtet hatte. Jetzt konnte
er sie deutlich sehen. Die Lampe beschien ihr Profil. In seiner
etwas starken Blässe schien es aus der Dunkelheit herauszu-
brennen wie das Gesicht eines Heiligenbildes in einer dunklen
Kirche.

»Wenn ich aufstehen kann, werde ich Sie besuchen kommen.
Wollen Sie, darf ich Sie manchmal besuchen?«

»Kommen Sie, kommen Sie«, sagte er, »Sie sind die erste, die
hier ein freundliches Wort zu mir sagt. Wissen Sie, wenn Sie
kommen, hilft mir das mehr als alle Ärzte. Aber werden Sie
schon so bald aufstehen können, warum sind Sie hier?«

Sie erzählte ihm, daß sie eine Blinddarmoperation durchgemacht hätte, nun sollte sie hier noch vierzehn Tage liegen.

»Dann werden wir uns vielleicht öfter einmal sprechen«, sagte
der kleine Jonathan. »Wollen wir uns öfter einmal unterhalten?« »O gewiß. Ich werde es dem Arzt sagen, ich werde die
Schwester bitten, daß sie die Tür morgen wieder auf einige Zeit
offen läßt.« Er hörte ihr zu, er glaubte fast nicht daran. Und das
Zimmer war mit einem Male leer von Schrecken.

»Ich danke Ihnen«, und sie lagen beide eine Weile still. Seine
Augen suchten sie aus ihren Kissen heraus, und sie blieben eine
Weile an ihrem Gesicht hängen. In dem Schweigen dieser Minuten vertiefte sich seine Liebe, sie drang siegreich vor in seinem Blut, sie begann seine Gedanken einzuhüllen in glückliche
Phantasien, sie zeigte ihm eine weite Wiese in einem goldenen
Wald, sie zeigte ihm einen Sommertag, einen langsamen Sommertag, einen seligen Mittag, wo sie beide Hand in Hand durch
das Korn gingen, das ihre Liebesworte mit seinem leisen Rauschen umhüllte.

Die Tür ging auf, zwei Ärzte und zwei Schwestern traten ein.

»Hier ist gesprochen worden«, sagte der eine der beiden Ärzte.
»Das geht nicht, das ist nicht angängig. Sie haben sich der Haus-
ordnung zu fügen. Sie müssen Ruhe haben, verstehen Sie. Und
Sie, Schwester, daß Sie die Tür nicht noch einmal auflassen!
Die Kranken müssen Ruhe haben und Ruhe halten.« Und er
ging selbst hinüber und schloß die Tür zwischen den beiden
Zimmern.

Dann untersuchte er die Beine Jonathans, machte einen neuen
Verband und sagte: »In drei Monaten werden Sie vielleicht wie-
der laufen können, wenn das überhaupt noch einmal gut wird.
Das ist noch sehr fraglich. Sie müssen sich beizeiten an den Gedanken gewöhnen, ein Krüppel zu bleiben. Ich werde Ihnen
eine Schwester hier lassen, die kann auf Sie aufpassen.«
Er zog die Decke wieder über den Kranken, wünschte ihm gute
Nacht und verschwand mit seiner Eskorte.
Jonathan lag in seinen Kissen, als hätte ihm jemand mit einem
einzigen Ruck das Herz aus der Brust gerissen. Die Tür war zu.
Er würde sie nicht mehr sprechen, er würde sie nicht mehr
wiedersehen dürfen. Das waren also nur ein paar Minuten gewesen, die niemals wiederkommen würden. Sie würde eher
herauskommen. In zwei Wochen würde nebenan irgendein
anderer liegen, irgendein Heringshändler oder eine alte Großmutter. Sie würde vielleicht einmal wiederkommen wollen,
aber man würde sie nicht hereinlassen. Was wollte sie auch bei
ihm, dem armen Krüppel, dem Mann ohne Beine. Der Arzt
hatte es ja eben selber gesagt, daß er ein Krüppel bleiben würde.
Und er sank zurück in seine Verzweiflung. Er lag still.
Seine Schmerzen kamen wieder. Er biß die Zähne aufeinander,
um nicht zu schreien. Und die Tränen traten ihm in die Augen,
gewaltsam wie Feuer.
Ein Krampf schüttelte ihn, er fror. Seine Hände wurden eiskalt.
Er fühlte, wie das Fieber wiederkam. Er wollte den Namen des
Mädchens rufen. Da merkte er, daß er ihn nicht kannte. Und
diese plötzliche Erkenntnis stieß ihn noch tiefer in seinen Abgrund. Nicht einmal ihren Namen. Er wollte »gnädiges Fräulein« oder so etwas sagen, aber als er sich aufsetzte, sah er in das
gelbe Gesicht seiner Wärterin, das in unzähligen Nachtwachen
alt, stumpf und gemein geworden war.
Er war ja nicht allein. Er hatte das ganz vergessen. Man hatte
ihm einen Wächter hingesetzt, diesen Satan von einer Kranken-
schwester, diesen alten verwelkten Teufel, von dem er abhängig
war, der ihm befehlen konnte. Und er fiel wieder zurück.
Nun würde ihn niemand mehr erlösen, nun würde ihn niemand mehr retten. Und da hing der Christus, dieser armselige
Schwächling, und lächelte immer noch. Er schien gar nicht
genug leiden zu können, er schien sich zu freuen über seine
Qualen, und Jonathan erschien das Lächeln des Gottes seltsam,

bösartig und gemacht wie das einer erkauften Wollust. Er schloß die Augen, er war besiegt.

Das Fieber übermannte ihn mit seiner ganzen Gewalt. In den beginnenden Paroxysmen tauchte noch einmal, wie der Abendstern an einem leeren Himmel, das Bild seiner unbekannten Nachbarin auf, weiß, fern, wie das Gesicht einer Toten.

Gegen Mitternacht schlief er ein. Er schlief den schrecklichen Schlaf, in dem Krankheit und Verzweiflung einen Menschen erstarren lassen, wenn sie das Arsenal ihrer Qualen erschöpft haben.

Er schlief kaum zwei Stunden. Als er aufwachte, überfielen ihn die Schmerzen in seinen Schenkeln mit solcher Macht, daß er fast besinnungslos wurde. Er klammerte sich mit aller Gewalt an den eisernen Bettpfosten. Er glaubte, die Beine würden ihm von glühenden Zangen herausgerissen, und er stieß einen schrecklichen, langgezogenen Schrei aus, einen jener Schreie, die so oft nachts in den Krankenhäusern plötzlich aufwachen und die Schlafenden aus ihren Betten aufscheuchen und das Herz eines jeden mit Grauen ersticken.

Er hatte sich im Bette halb aufgehoben. Er stützte sich auf die Hände. Er hielt den Atem vor Schmerzen an, er sog ihn in sich hinein. Und dann, dann brüllte er aus voller Kehle ein furchtbares Uuuu Aaaa.

Wie der Tod über dem Haus raste. Jetzt stand er hoch oben auf dem Dache, und unter seinen riesigen knöchernen Füßen saßen in ihren Betten, in ihren großen Sälen, in ihren Kammern, überall saßen die Kranken auf in ihren weißen Hemden, in dem Licht der spärlichen Lampen wie Gespenster, und das Entsetzen flog wie ein riesiger weißer Vogel durch die Treppen und die Säle. Überall drang das entsetzliche Brüllen hin, überall weckte es die Schläfer aus ihrem kraftlosen Schlaf und überall weckte es ein schreckliches Echo, bei den Krebskranken, die kaum entschlafen waren, denen nun der weiße Eiter wieder in ihren Därmen zu rinnen begann, bei den Verdammten, denen die Knochen wegfaulten, langsam, Stück für Stück, und bei denen, denen auf dem Kopf ein furchtbares Sarkom wucherte, das von innen heraus ihre Nase, ihren Oberkiefer, ihre Augen wegfraß, ausfraß, austrank, und riesige stinkende Löcher, große Trichter voll gelber Jauche in ihrem weißen Gesicht aufgerissen hatte.

In schrecklichen Tonleitern ging das Geheul herauf und herunter, wie von einem unsichtbaren Dirigenten gelenkt. Manchmal trat ein kurzes Intervall ein, eine kleine Kunstpause, geschickt eingefügt, bis mit einem Male in einer dunklen Ecke es wieder begann, langsam anschwoll und sich wieder in die allerhöchsten Töne verstieg, in ein schauderhaftes, langes und dünnes Jiii, das über diesem Sabbath des Todes schwebte wie die Stimme eines Meßpriesters über dem Gesange eines Kirchenchors.

Alle Ärzte waren auf den Beinen, alle liefen hin und her zwischen den Betten, in denen die roten geschwollenen Köpfe der Kranken staken wie große Rüben in einem herbstlichen Acker. Alle Krankenschwestern rannten mit ihren flatternden weißen Schürzen in den Sälen herum, große Morphiumspritzen, Opiumdosen schwingend, wie die Ministranten eines seltsamen Gottesdienstes.

Überall wurde getröstet, beruhigt, eingeschläfert, überall machte man Morphium- und Kokaininjektionen; das Chaos zu besänftigen, überall wurde dementiert, an allen Betten wurden beruhigende Bulletins ausgegeben. Die Säle wurden alle erleuchtet, und mit dem wiederkehrenden Lichte schienen die Schmerzen der Kranken langsam nachzulassen. Das Gebrüll starb langsam ab, es ging in ein leises Gewimmer über, und der Aufstand der Schmerzen endete in Tränen, Schlaf und stumpfer Resignation.

Jonathan fiel in eine dumpfe Betäubung. Der Schmerz hatte sich ausgerast, er war zuletzt erstickt in Apathie.

Aber nachdem die Qual ihn verlassen hatte, begannen seine Beine anzuschwellen, wie zwei große Leichname, die in der Sonne aufgehen. Seine Knie schwollen im Verlauf einer halben Stunde zu Kindskopfgröße, seine Füße wurden schwarz und hart wie Stein.

Als bei der Morgenrunde der Arzt vom Dienst bei ihm eintrat und die Decke aufhob, sah er unter dem Verband die gewaltigen Schwellungen. Er ließ die Verbände abwickeln, er warf nur einen Blick auf die verwesenden Beine, dann klingelte er dreimal, und nach ein paar Minuten wurde ein fahrbarer Operationsstuhl hereingeschoben. Ein paar Männer legten den Kranken auf das Gestell. Sie fuhren ihn heraus, und das Zimmer blieb eine halbe Stunde leer.

Danach wurde der Operationsstuhl wieder hereingeschoben. Darauf lag der kleine Jonathan, bleich, mit aufgerissenen Augen, um die Hälfte kürzer gemacht. Wo vorher seine Beine gewesen waren, war jetzt ein dickes blutiges Bündel von weißen Tüchern, aus denen sein Leib aufragte wie der Körper eines exotischen Gottes aus einem Blumenkelch. Die Männer warfen ihn in das Bett und verließen ihn.

Er war eine Weile ganz allein und der Zufall wollte es, daß er in diesen wenigen Minuten noch einmal seine Bekannte vom Zimmer nebenan wiedersehen sollte.

Wieder ging die Tür auf, wieder sah er ein weißes Gesicht. Aber es schien ihm fremd, er konnte sich seiner kaum noch erinnern. Wie lange war das her, daß er mit ihr gesprochen hatte.

Sie fragte ihn, wie es ihm ginge.

Er gab ihr keine Antwort, er hörte nicht, was sie fragte, aber er versuchte krampfhaft, die Decke möglichst weit über seine verbundenen Beinstümpfe heraufzuziehen. Sie sollte nicht sehen, daß unterhalb seiner Knie ein Loch war, daß da alles zu Ende war. Er schämte sich. Die Scham war das einzige Gefühl, das ihm geblieben war.

Das junge Mädchen fragte ihn noch einmal. Als sie wieder keine Antwort bekam, drehte sie ihren Kopf weg.

Eine Schwester kam herein, sie schloß lautlos die Tür, sie setzte sich mit einer Handarbeit an sein Bett. Und Jonathan fiel in einen unruhigen Halbschlummer, von den Nachwehen der Narkose betäubt.

Plötzlich schien es ihm, als wenn sich die Tapeten des Zimmers an einigen Stellen bewegten. Sie schienen leise hin und her zu zittern und sich aufzubauschen, als wenn dahinter jemand stände, der sich gegen sie anstemmte, um sie zu zerreißen. Und siehe da, mit einem Male zerrissen die Tapeten unten am Fußboden. Wie ein Haufe Ratten quollen darunter ganze Heerscharen kleiner winziger Männchen hervor, die bald das ganze Zimmer anfüllten. Jonathan wunderte sich, wie so viele von den Zwergen hinter der Tapete sich hatten verstecken können. Er schimpfte über die Unordnung im Krankenhaus. Er wollte sich bei seiner Wärterin beschweren, aber als er sie an sein Bett winken wollte, sah er, daß sie nicht da war. Auch die Tapeten waren mit einem Male alle fort, da waren auch keine Wände mehr.

Er lag in einem weiten, ungeheuren Saal, dessen Wände sich immer weiter und weiter zu entfernen schienen, bis sie hinten verschwanden in einem bleiernen Horizont. Und dieser ganze entsetzliche öde Raum war voll von den kleinen Zwergen, die auf ihren schmalen Schultern große blaue Köpfe schaukelten, wie ein Meer riesiger Kornblumen auf zerbrechlichen Stengeln. Trotzdem ihm viele sehr nahe standen, konnte Jonathan ihre Gesichter nicht erkennen. Wenn er genau hinsehen wollte, so verschwammen ihre Züge in lauter blaue Flecken, die vor seinen Augen herumtanzten. Er wollte gern wissen, wie alt sie wären, aber er konnte seine eigene Stimme nicht mehr hören. Und plötzlich kam ihm der Gedanke: du bist ja taub, du kannst ja nicht mehr hören.

Vor seinen Augen begannen sich die Zwerge langsam zu drehen, sie hoben ihre Hände taktmäßig auf und nieder, langsam kamen ihre großen Massen in Bewegung. Von rechts nach links, von rechts nach links, summte es in seinem Schädel. Immer schneller drehten sich die Massen um ihn herum. Er glaubte in einer großen stählernen Drehscheibe zu sitzen, die in wachsender Schnelligkeit immer schneller, immer rasender um ihn zu kreisen begann. Ihm wurde schwindlig, er wollte sich festhalten, aber es half alles nichts, er wurde mit fortgerissen. Er mußte sich erbrechen.

Mit einem Male war alles still, alles leer, alles fort. Er lag allein und nackt in einem großen Felde auf einer Art Bahre.

Es war sehr kalt, es begann zu stürmen, und am Himmel zog eine schwarze Wolke herauf, wie ein ungeheures Schiff mit schwarzen geblähten Segeln.

Hinten am Rande des Himmels stand ein Mann, der war in einen grauen Lappen gehüllt, und trotzdem er sehr weit entfernt war, wußte Jonathan genau, wer es war. Er war kahl, seine Augen lagen sehr tief. Oder hatte er überhaupt keine Augen?

Auf der anderen Seite des Himmels sah er eine Frau stehen oder ein junges Mädchen. Sie kam ihm bekannt vor, er hatte sie schon einmal gesehen, das war aber lange her. Plötzlich begannen die beiden Figuren ihm zu winken, sie schüttelten ihre langen faltigen Ärmel, er wußte aber nicht, wem er gehorchen sollte. Als das Mädchen sah, daß er keine Anstalten traf, von seiner Bahre herunterzukommen, drehte sie sich herum, sie

ging fort. Und er sah sie noch lange in einem weiß gestreiften
Himmel dahin gehen.
Endlich, ganz weit, ganz in der Ferne blieb sie noch einmal
stehen. Sie drehte sich noch einmal um, sie winkte ihm noch
einmal. Aber er konnte nicht aufstehen, er wußte es, der da-
hinten mit seinem schrecklichen Totenkopf erlaubte es nicht.
Und das Mädchen verschwand in dem einsamen Himmel. Aber
der Mann hinten winkte ihm immer stärker, er drohte ihm mit
seiner knöchernen Faust. Da kroch er von seiner Bahre herunter
und er schleppte sich über die Felder, über Wüsten, während
das Gespenst ihm voranflog, immer weiter durch Dunkel, durch
schreckliches Dunkel.

LUDWIG THOMA
Onkel Peppi

I

An einem schönen Sommerabend, als die Schwalben ungemein
hoch flogen und sich mutwillig überschlugen und die Stare sich
viel zu erzählen hatten und die Ochsen mit feierabendlicher
Behaglichkeit recht breitbeinig einen mit duftendem Klee be-
ladenen Wagen heimwärts zogen, kam der Kommerzienrat
Schragl aus seinem schönen Landhause hervor, um im Garten
zu lustwandeln.
Er legte die Hände auf den Rücken und wollte eben seines angenehmen Daseins froh werden, als er plötzlich zu straucheln anfing, umfiel und tot war.
Der schnell hinzuspringende Gärtner sah ihn schon als Leiche
und stürzte mit der traurigen Meldung in das Haus.
Frau Lizzie Schragl, eine geborne Smith aus Hamburg, behielt
immerhin noch so viel Fassung, um von dem Schreien der
Dienerschaft unangenehm berührt zu werden und zu bemerken, daß taktlose Leute sich vor dem Gartenzaune ansammel-
ten und neugierig auf den Ort des Schreckens hinstarrten. Sie
befahl, daß der Verstorbene in das Parterrezimmer rechts vom
Eingange getragen werde, und fand sich dann, als das gesche-

hen war, dort ein und blieb die gebührende Weile mit einem
vor die Augen gepreßten Taschentuche im Zimmer stehen,
wankte hinaus und überließ es der treuen Köchin, alle in solchen Fällen nötigen Anordnungen zu treffen.

Die Seelnonne kam mit Fragen und Anträgen und Ratschlägen,
deren geschäftliche Nüchternheit die Witwe auf das peinlichste
berührt hätte, und es war in der Tat schicklicher, daß sich das
ungebildete Frauenzimmer mit einer Angestellten über alle
diese Dinge beriet.

Der Schreiner kam mit der Bitte, für den hochgeschätzten Ehren-
bürger einen Sarg aus Eichenholz anfertigen zu dürfen, der
Schneider erbot sich, in kürzester Bälde einen schwarzen Anzug
herzustellen; der Totengräber teilte mit, was ihm an Essen und
Trinken während der Nachtwache zukomme, der Krämer hatte
passende Kerzen anzubieten, und alle diese Angelegenheiten
wurden von den Dörflern in einem sachlichen Tone vorge-
bracht, den die gnädige Frau nicht ertragen hätte.

Sie lag in ihrem Zimmer auf dem Diwan und vergrub das
Haupt in die Kissen.

Sie war noch viel zu überrascht, zu betäubt, um sich einer sanf-
ten Traurigkeit hingeben zu können.

Ihr erstes Gefühl, und es hielt noch immer nach, war das
der Empörung über die Roheit dieser plötzlichen Schicksals-
fügung.

Man weiß, daß der Tod, das Ende aller Dinge, einmal kommen
muß, jedoch eine, wenn auch nur kurze Vorbereitung auf
solche Vorkommnisse sollte man beanspruchen dürfen. Dieses
zwecklose Hereinbrechen war das Verletzendste daran. Aber
Schragl war auch im Leben nie eine zartfühlende Natur gewesen .. ja so ... was konnte der Ärmste dafür?

Es war ein törichter Zufall, es war das Klima, die Hitze, es war
der Aufenthalt in diesem öden Dorfe, den sie nie, nie gebilligt
hatte, auf dem nur Schragl mit seinem in gewissen Fällen ein-
setzenden Starrsinn bestanden hatte.

Wie oft hatte sie den Besuch eines englischen oder dänischen
Seebades vorgeschlagen!

Aber nein! Man mußte sich in Oberbayern ankaufen, man
mußte diese sentimentale Anhänglichkeit an die sogenannte
Heimat über alle andern Rücksichten stellen, und nachdem
man einmal dieses gräßliche Landgut gekauft hatte, mußte man

Sommer für Sommer mitten unter den Bauern zubringen, alle höheren Genüsse entbehren, sich von der Gesellschaft zurückziehen...

Ach!

Und das war nun die Folge davon. An der See wäre das doch nie passiert, jedenfalls nicht so bald, nicht jetzt!

Aber Schragl...

Gott, der Ärmste kam doch Zeit seines Lebens nie los von der Erinnerung, daß er als Sohn eines kleinen Gutsverwalters auf dem Lande aufgewachsen war. Es war sein Schicksal, unter dem sie oft – wie oft! – zu leiden gehabt hatte ... und das nun dieses Letzte, Bitterste herbeigeführt hatte. Und wie schrecklich es war, das, und alles, was noch kommen mußte, gerade hier zu erleben!

In der Stadt hätte man doch sogleich eine würdige Aussprache mit den Freunden und Verwandten haben können, hätte Verständnis und Beihilfe gefunden, hier lebte man auf einer Insel zusammen mit Wilden, die einem fremd blieben, fremd bleiben mußten, mit denen das Zusammensein in schweren Stunden nicht weniger gräßlich war als sonst.

Aber Schragl hatte dafür, hatte für zarteres Empfinden nie, nie Verständnis gezeigt, hatte ihre Klagen sogar mit einer gewissen Ironie abgewiesen und hatte sich immer der fixen Idee hingegeben, daß er zu diesen Leuten gehöre und das rechte Behagen nur in ihrer Mitte finden könne...

Ja so! Den Kindern mußte man telegraphieren, dem großen Verwandten- und Freundeskreise mußte man Mitteilung machen, und vor allem der Exzellenz mußte man es melden.

Es ging nicht an, den Kopf in die Kissen zu drücken und sich dieser drückenden, bleischweren Stimmung hinzugeben.

Sie lehnte sich ein wenig auf, drückte auf die Klingel und ließ sich wieder fallen.

Es klopfte, und da sie nicht fähig war, laut »Herein« zu sagen, schwieg sie und wartete, bis die Zofe unaufgefordert die Türe leise öffnete und auf den Zehenspitzen in ihre Nähe kam.

Dann erst flüsterte sie: »Fanny...!«

»Ja ... gnä ... Frau...« antwortete das Mädchen mit verschleierter Stimme und richtete es so ein, daß es wie verhaltenes Schluchzen klang. Unendlich müde und gebrochen, fragte Frau Lizzie: »Hat – man ... weiß man – – schon – wann...«

Sie verstummte und ließ eine lange, dumpfe Pause eintreten.

»Weiß – – man – – – schon – – wann – – das – Begräbnis – statt – finden – wird –?«

»Ja – – gnä Frau –« Fanny paßte sich im Tone mit kaum glaublichem Takte der Stimmung an – – »Ja – gnä – Frau –« sagte sie so milde und weich und so von Schmerz durchzittert – »am Donnerstag – in der Früh um neun Uhr –«

Frau Lizzie erhob fast ungestüm ihren Kopf und fragte schärfer, als es ihre Rolle zuließ:

»Neun – Uhr!? – Was ist denn das wieder für eine – –?«

»Taktlosigkeit« wollte sie sagen, oder »Dummheit« oder »Bauernmanier« oder »tölpelhafte Rücksichtslosigkeit«. Sie sagte es nicht, sondern blickte nur ihre Zofe mit hilflosem Staunen an. Und Fanny nickte beistimmend und schmerzlich, wie von einer neuen Härte getroffen.

»Ich habe es auch gesagt, gnä Frau, es ist doch keine Zeit für solche Trauergäste, wie wir sie haben werden, aber der Herr Pfarrer hat gesagt, es sei ohnehin spät genug für die Leute in der Erntezeit ...«

»Für welche Leute?«

»Für die Leute im Dorfe,« erwiderte Fanny und zog verächtlich die Schultern in die Höhe. »Es sollen ja alle Vereine kommen und überhaupt alle Leute, und der Pfarrer sagt, mit dem Traueramt dauerte es bis nach zehn Uhr, und das sei schon eine große Ausnahme und ginge eigentlich gar nicht, denn die Leute müßten zu ihrer Arbeit ...«

»Man könnte die Arbeit nicht verschieben! Man könnte das nicht tun einem Manne zuliebe, der so viel ... der viel zuviel für diese Leute getan hat! Ach!«

Frau Lizzie sagte es sehr bitter und setzte sich nun auf, und es schien fast, als hätte ihr die Empörung über diese Rücksichtslosigkeit mehr Kraft verliehen.

»Bleiben Sie da, Fanny,« fügte sie hinzu, »ich muß einige Telegramme schreiben, und die tragen Sie gleich auf die Post.«

Sie wollte aufstehen, hielt es aber dann doch für richtiger, sich mühsam zu erheben und sich, auf Fanny gestützt, mit müden Schritten zum Schreibtisch hinzuschleppen.

Hinfällig und wie zerschlagen, nahm sie einen Briefbogen und blickte ins Leere; sie empfand es doch als eine Last, so beobachtet zu werden, und sie entließ die Zofe.

»Gehen Sie einstweilen, Fanny. Ich werde Sie rufen.«

Als sie allein war, überlegte Frau Lizzie, wie sie in der wirkungsvollsten Weise dem Herrn Staatsrat Ritter von Hilling, Exzellenz, dem Manne ihrer verstorbenen Schwester Jane, die Trauerkunde mitteilen sollte.

Sie begann zu schreiben.

»Simon...« Nein! Sie strich den Namen durch. Sogar in dieser Situation wirkte er unvorteilhaft, und sie fühlte, wie so oft schon, daß man als Kommerzienrat und reicher Fabrikbesitzer nicht wohl hätte Simon Schragl heißen sollen. Sie strich also den Namen durch und schrieb:

»Mein heißgeliebter Mann...« – das war schon besser – »ganz plötzlich ... durch einen Schlaganfall –« nein! – sie strich auch den Schlaganfall durch ... »ganz plötzlich ... hinweggerafft...« ja, so war es recht... »Beerdigung Donnerstag früh neun Uhr hier ... fassungslos ... Lizzie...« Sie schrieb das Telegramm ab und fügte die Adresse mit dem ganzen Titel bei.

Nun an die Kinder. Ach Gott! Der arme Johnny ... die ärmste Beß! Hier seufzte sie tief auf und schrieb mit fliegender Feder.

»Unser liebster Papa ganz plötzlich und unerwartet gestorben. Kommt sofort!« Für Beß noch die Anweisung, sogleich ein Trauerkostüm zu bestellen.

Dann ein Telegramm an die Konfektioneuse, um ein Kostüm für sie selbst.

Das alles hatte Anspannung verlangt, und sie übergab der wieder eintretenden Zofe die Depeschen mit einer Geste, die deutlich ausdrückte, daß sie am Ende ihrer Kräfte angelangt war.

Sie blickte nicht um, sie reichte die Papiere nach rückwärts und ließ den rechten Arm sinken, indes sie ihren Kopf auf den linken legte.

Fanny blieb stehen. Sie hatte noch etwas vorzubringen.

»Was ist?« fragte Lizzie flüsternd.

»Gnädige Frau, Minna sagt, die Todesanzeige müßte gleich an die Zeitung geschickt werden, damit sie morgen drin steht, wegen der Herrschaften, die von weiter her kommen sollen...«

»Ich kann nicht,« stöhnte die Witwe, »ich kann jetzt nicht... kommen Sie in einer halben Stunde ... vielleicht bin ich dann imstande ... gehen Sie, Fanny! Ich kann jetzt nicht...«

Das Mädchen verließ behutsam das Zimmer, und Frau Lizzie warf sich wieder auf den Diwan und klagte das törichte, brutale

Schicksal an, das eine Dame von zarten Nerven so unvermittelt
in eine solche entsetzliche Lage brachte.

Wären nur die Kinder dagewesen! Aber wer hatte an so etwas
auch nur denken können? Johnny mußte bei der Regatta sein,
und Beß hatte sich schon wochenlang auf »Rheingold« gefreut.
Immer waren sie hier, und gerade jetzt, wo sie einmal fröhlich
und sorglos weggeeilt waren, mußte dieses Grausamste sich er-
eignen! – Ach! –

2

Die Kinder waren angekommen, die ersten Blumenspenden
trafen ein, und zahlreiche Telegramme langten an, in denen
das Unbegreifliche schmerzlichst bedauert wurde. Die Exzellenz
schickte eine von Bestürzung überströmende Kondolation mit
der Nachricht, daß sie am Mittwoch abend bestimmt erwartet
werden dürfe. Die Zeitung brachte die ganzseitige Todesanzeige, und nur der anstößige Name »Simon Schragl« störte in
etwas die Vornehmheit dieser Bekanntmachung. Die Unterschrift der trostlosen Witwe Lizzie und der Kinder Johnny und
Beß verwischte doch einigermaßen den Eindruck der Boden-
ständigkeit. Eine Brauereiaktiengesellschaft zeigte dazu noch
das Ableben des bewährten Aufsichtsrates in größerem Formate
an, und dicht darunter folgten die Beamten der Schraglschen
Maschinenfabrik.

Unter »Hof- und Personalnachrichten« brachte die Zeitung
einen warm empfundenen Nachruf und gedachte der Verdien-
ste des tüchtigen Industriellen, der als Sohn eines kleinen Gutsverwalters in ein Eisengeschäft in Nabburg eingetreten war und
sich durch eiserne Willenskraft zum Besitzer und Leiter eines
großen Unternehmens emporgeschwungen hatte. Es war auch
erwähnt, daß er sich mit einer Tochter des Generalkonsuls
Smith aus Hamburg vermählt hatte und der Schwager des bekannten Staatsrates von Hilling geworden war.

Da auch in der Todesanzeige Hamburg, Antwerpen und Liver-
pool als von dem Trauerfall betroffene Orte angegeben waren,
und da man die vielleicht noch stärker in Mitleidenschaft ge-
zogenen Gemeinwesen Viechtach, Plattling, Straubing und
Ebersberg sorgfältigst mit Schweigen übergangen hatte, war
wirklich alles geschehen, was geschehen konnte, um das Distin-
guierte der verblichenen Persönlichkeit hervorzuheben.

Und noch etwas trat ein. Am Mittwoch, vormittags gegen zehn Uhr, langte ein Kondolenztelegramm aus dem Kabinette des Landesherrn an, und es wurde vom Expeditor in Uniform persönlich überbracht.

Dieses Geschehnis rührte und stärkte zugleich die Witwe, die sich erst jetzt dazu brachte, ihr Zimmer zu verlassen und längere Zeit an dem Paradebette zu verweilen, auf dem mit dikkem, gutmütigem und wachsgelbem Antlitz der arme Herr Kommerzienrat lag.

Später zog sie sich wieder zurück und überließ es Johnny, die Deputationen der Vereine zu empfangen, die sich erkundigten, wo sie mit ihren Fahnen Aufstellung nehmen sollten, ob der Veteranenverein oder die Schützengesellschaft den Zug eröffnen dürfe, und solche Dinge mehr.

Johnny zeigte sich darin tüchtig, und er hatte eine viel bestimmtere Art, zu antworten und seinen Willen durchzusetzen als der Vater, dem zeitlebens die kleinbürgerliche Gemütlichkeit angehangen hatte.

Johnny war kurz angebunden und reserviert; er ließ sich nicht in lange Gespräche mit den Dorfleuten ein und schnitt ihre weitschweifigen Erklärungen einfach ab.

Dem einen und andern mochte der Unterschied zwischen Vater und Sohn vielleicht unangenehm auffallen, aber die Mama sah mit Befriedigung, daß Johnny sehr viel von ihr und der Smithschen Familie hatte.

Im Laufe des Nachmittags kamen einige Verwandte des Verstorbenen an, mit denen nun freilich nicht viel Staat zu machen war. Die Schwester des Kommerzienrats, die in ziemlich reifen Jahren geheiratet hatte, mit ihrem Manne, dem Apotheker Gerner von Straubing; dann ein Cousin des Verstorbenen, Amtsrichter Holderied aus Ebersberg mit seiner Frau, dann noch dessen Schwester, ein älteres Fräulein, das in München eine Pension leitete.

Frau Lizzie begrüßte sie und mußte sich bald mit einer Migräne entschuldigen. So traf Beß die Verpflichtung, bei den Verwandten zu bleiben.

Tante Marie, eben die Frau des Apothekers, hatte die Manier, gegen die hamburgische Engländerei, wie sie es nannte, zu opponieren und auffällig oft »Elis« statt »Beß« zu sagen.

»Elis«, sagte sie, »mir san amal Altbayern, und dei guter Papa,

Gott hab' ihn selig, war ganz g'wiß einer mit Leib und Seel,
und i hab mi oft g'wundert, daß er de ... i mag jetzt net zanken ... daß er de Engländerei da erlaubt hat und seine Kinder,
du lieber Gott, die Enkel vom alten Schragl in Viechtach, mit
solche Nama rumlauf'n hat lass'n. Als ob dös auch noch was
wär! Johnny! Ma meinet scho, ös kommet's aus dem hinterst'n
Amerika her, wo d' Roßdieb daheim sin und d' Schwindler und
d' Petroleumwucherer. Und wenn ma scho, Gott sei Dank, im
ehrlich'n Deutschland auf d' Welt komma is, na soll ma sein
ehrlich'n deutschen Nama führ'n. Und Beß! Is denn dös aa no
a richtiga Nama! So hoaß'n de Frauenzimma, de im Kil's Kolos-
seum ihre Negertänz aufführ'n. Na! Schau mi no o, und du
brauchst ma's net übl nehma! I hab meiner Lebtag mei Meinung g'sagt, und g'rad, weil dei lieber, guter Papa da drin liegt,
muß i dös sag'n. Denn ich weiß g'wiß, und er hat mir's selber
g'sagt, de Engländerei hat'n oft g'ärgert, und leider is er so
schwach g'wes'n und hat nachgeb'n an Fried'n z' lieb. Freili,
wer A sagt, muß B sag'n, und wenn ma einmal schwach is und
nachgibt, na is 's Umkehr'n schwer, und auf de Weis' is nach'm
Johnny die Beß komma. Aba weißt, mi bringst d' net dazu, daß
i de ... Engländerei, de hamburgische, mitmach, und i sag einfach Elis, und wenn dei Mama mi drum anredt, nacha sag i
Liesl. Und i will dir bloß sag'n, wenn i so a saubers Madl wär,
als wie du, nacha möcht i überhaupts net anderst heiß'n. A Liesl
is do scho was anders als wie Beß ... Was sagst d'? Du hoaßt
amal so? No ja, leider, daß dei lieber, guter Papa, Gott hab' ihn
selig, nachgeb'n hat, aba weißt, a klein's bissel g'hör ich auch
zur Familie, als Schwesta vom Papa und als dei rechtmäßige
Tant, und da bin i halt so frei und sag mei Meinung, und dös
is auch die Meinung von *unserer* Familie, zu der dein lieber
Papa g'hört hat, und de er seiner Lebtag g'schätzt hat, wenn er
auch der reiche Herr Kommerzienrat wor'n is. Denn dös kann
i dir sag'n, Liesl, i weiß, dein' Papa is in *seiner* Familie, in seiner
alt'n Familie am wohlsten g'wes'n, und wenn mir aa net in da
Todesanzeig' drin g'stand'n sin, weil Lieferpohl viel vornehmer
is, als wie Straubing, desweg'n hamm mir doch z'samm'g'hört,
und der Herr Schragl von Viechtach hat so viel 'golt'n, daß ma
kein' Mister Schragl drauß z' mach'n braucht ... Was sagst d'?«
»Ich meine«, sagte der Amtsrichter Holderied, »Du sollst dich
und ... und d' Beß net aufreg'n ...«

»Jetzt sagt er aa ›Beß‹! No, von mir aus könnt's ihr ja tun, was
ihr wollt's, aba ich tu net mit. Und aufreg'n tu i mi gar net, i
sag mei Meinung und i sag' Elis . . .«

Beß war zu gut erzogen, um den Streit durch eine Erwiderung
in die Länge zu ziehen, und dann war am Ende das Herz des
jungen Mädchens zu sehr bedrückt, und dann wußte es auch,
daß man mit Tante Marie über viele Dinge nicht reden konnte.

Mama hatte oft genug zu Papa gesagt, daß Tante Marie ganz
gewiß in ihrer Art eine tüchtige Frau sei, daß sie es aber ableh-
nen müsse, mit ihr über Lebensauffassungen zu streiten.

Schließlich war die brave Frau Apotheker auch von einer viel
zu weichen Gemütsart, als daß sie Verstimmungen zu starke
Wurzeln hätte fassen lassen.

Und wie sie nun mit Beß oder in Gottes Namen mit Elis vom
Garten herein wieder ins Haus trat und wieder in das Zimmer
ging, in dem Herr Schragl mit dem unverändert gutmütigen Gesichte lag, zerfloß sie in Tränen und umarmte und küßte ihre
Nichte, und sagte ihr, daß sie in ihr eine zweite Mutter habe.

»Ihr armen Kinder«, schluchzte sie, »ihr wißt's ja heut noch net,
was ihr am Papa verloren habt's. So was merkt ma ja erst später
im Leb'n, wenn ma Heimweh kriegt nach'm Elternhaus . . . O
mei Simon! Wer hätt's denkt, daß i amal so vor dir steh'n muß?
Jetzt kann i dirs nimmer sag'n, wie viel Dank ich dir schuldig
bin, und so lang eins lebt, spart ma die gut'n Wort' und schamt
si förmli, daß ma's ei'm sagt, und so viel Sach'n sagt ma, an de
's Herz net denkt . . .«

Ja, wie hätte man der Tante Marie bös sein können, die sich so
natürlich gab in ihrem Schmerz, und die wieder so klug und so
gefaßt war und an alles dachte, was in einem solchen Falle und
in einem solchen Haushalt nötig war?

»Schau, Elis«, sagte sie, »wir müssen jetzt mit der Köchin reden,
daß sie für morgen alles richt', denn ihr müßt morg'n doch für
viele Gäst sorg'n, und dei Mama, ich will ihr ja g'wiß nix Bös's
nachsag'n, aber des weiß i g'wiß, daß de net an so was denkt,
und auf d' Dienstbot'n darf ma si net verlass'n. Und schau,
Kind, wenn's auch a Trauerfall is, im Haus muß ma doch an
Ehr' ei'leg'n, denn d' Leut' kritisier'n und frag'n net lang, ob
ma gut oder schlecht aufg'legt war, und mit der Nachred sin de
glei bei da Hand, und was a richtige Hausfrau is, Elis, und du
hast g'wiß des Zeug dazu, siehgst, de muß ihr Sach in Ordnung

hamm, und ob der Anlaß traurig is oder lustig, wenn amal
Gäst' da sin, müssen s' merk'n, daß s' in an richtig'n Haus sin
... und jetzt geh'n wir zu der Köchin, und danach schau'n wir
nach, ob die Zimmer in Ordnung sin, denn dei Mama ... du
weißt scho, und i will nix g'sagt hamm ...«

Und als tüchtige Frauenzimmer gingen Beß und Tante Marie
in die Küche hinunter und schafften für den nächsten Tag an
und gingen herauf und musterten Betten und Wäsche und vergaßen ihren Schmerz über diesen Dingen, die törichte Menschen Kleinigkeiten heißen.

Frau Lizzie aber saß an ihrem Schreibtische und legte in einem
Briefe an Frau Schultze-Henkeberg in Hamburg, ihre treueste
Freundin, die ganze Trostlosigkeit nieder, von der sie ange-
weht war. Und die stärksten Worte, die ein Bild von ihrem gebrochenen Dasein gaben, unterstrich sie zweimal und dreimal.

Mit dem Abendzuge traf Seine Exzellenz, der Staatsrat a. D.
von Hilling, ein. Mit ihm kamen sein Bruder, Oberstleutnant
z. D. von Hilling, und dessen Gemahlin, eine geborene von Sel-
denberg. Der gleiche Zug brachte den technischen Betriebsleiter
der Schraglschen Fabrik, Direktor Kunze, den kaufmännischen
Leiter, Direktor Haldenschwong, den Präsidenten des Aufsichtsrates der Aktienbrauerei, Kommerzienrat Gäble, ferner zwei
Korpsbrüder von Johnny und den Präsidenten des Ruderklubs.

Der kleine Bahnhof von Sünzhausen nahm sich bei dieser Fülle
von eleganten Erscheinungen sonderbar aus, und die Beamten
fühlten sich in ihrer Bedeutung gehoben, als sie mit diesen
Herrschaften in dienstliche Berührung traten.

Der Bahnvorstand salutierte mit wirklicher Hochachtung, und
der Stationsdiener nahm an der Schranke jedes Billett mit einer
Verbeugung ab.

Und beide, Vorstand und Diener, sahen sich, als der Vorgang
vorüber war, bedeutungsvoll an. Es ist schon etwas daran, an
der Noblesse.

Den kurzen Weg bis zur Villa Schragl legten die Trauergäste,
die von Johnny empfangen worden waren, zu Fuß zurück. Die
Dorfkinder standen an der Straße und schauten sie mit großen
Augen an, und an den Fenstern, unter den Türen standen neu-
gierige Frauenzimmer und verfolgten sie mit ihren Blicken.

Die Mannsbilder hielten sich mehr versteckt und schauten hinter Wägen oder Holzhäufen oder hinter halb geöffneten Scheu-

nentoren auf die Fremdlinge, und mancher, den die Jovialität
des guten Simon Schragl irregeführt hatte, verstand erst jetzt,
daß der Verstorbene doch ein vornehmer Herr gewesen war.

Frau Lizzie stand am Gartentore und kam der Exzellenz einige
Schritte entgegen. Zu erschüttert, um sprechen zu können, faßte
sie mit beiden Händen die Rechte des Staatsrates, fiel dann der
Frau Oberstleutnant schluchzend um den Hals, tauschte Hände-
drucke mit deren Gemahl aus und nahm Handküsse und Bei-
leidsworte der anderen mit Hoheit entgegen.

Dann wandte sie sich wieder an die Exzellenz und schritt an
ihrer Seite durch den Garten.

Der Staatsrat, ein hochgewachsener schlanker Mann, dessen
von einem gepflegten grauen Stutzbarte eingefaßtes Gesicht
durch die leicht geöffneten Lippen und kreisrunde, wasserblaue
Augen den Ausdruck eines fortwährenden Staunens erhielt,
blieb nun mittewegs stehen und schickte einen Blick herum, der
die ganze Gegend und die Blumen und die Rasenbeete und den
Himmel und die rosaroten Wolken ernstlich zu fragen und ver-
antwortlich zu machen schien, und sagte mit nachdrücklicher
Betonung:

»Wie konnte das nur so plötzlich kommen?«

Er schüttelte langsam, in wohlabgemessenem Takte das Haupt,
und da nur einige Frösche im Dorfweiher quakten, sonst aber
von nirgendher eine Antwort kam, setzte er sich mit Würde in
Gang und blieb erst wieder an der Türe des Hauses stehen.

Da warf er noch einmal einen vorwurfsvollen Blick rund um
die Natur und wiederholte mit Betonung:

»Nun sage mir nur, arme Lizzie, wie konnte das so plötzlich
kommen?«

Frau Lizzie seufzte tief auf und deutete mit schwerem Nicken
des Hauptes an, daß auch ihr das Schicksal noch immer keine
entschuldigende Erklärung gegeben habe. Nach mild-schmerz-
licher Begrüßung der armen Beß betrat man das Zimmer, worin
der gutmütige Schragl lag. Die Seelnonne und Tante Marie, die
frische Blumen gebracht hatte, zogen sich in den Hintergrund
zurück, und nun stand der Staatsrat dem Toten gegenüber.

Seine kreisrunden, wasserblauen Augen richteten sich auf das
wachsgelbe Gesicht, und sie schienen zu fragen: »Wozu das
alles?« Er nahm den Rosmarinzweig, der in Weihwasser lag,
und besprengte dreimal den verstorbenen Schwager.

Dann entfernte er sich und sagte vor der Türe, wieder kopfschüttelnd: »Ich verstehe das einfach nicht.«

Frau Lizzie geleitete den von so viel Unfaßlichem Erschöpften
nach den oberen Räumen und setzte eine halbe Stunde später
dem Staatsrate und dem Ehepaare von Hilling Tee und kalte
Küche im oberen Salon vor.

Die Direktoren und die jungen Herren wurden von Johnny in
den Gasthof zur Post geführt, wo sich später auch die Verwandten von der Schraglschen Linie einfanden; die praktische Tante
Marie hatte das angeordnet, weil sie die Köchin in den Zuberei-
tungen für den wichtigen Tag nicht stören lassen wollte. Sie
selbst zeigte übrigens eine immer stärker werdende Unruhe,
fragte, ob abends noch ein Zug käme, und als man es verneinte,
nahm sie Beß auf die Seite.

»Sag amal, Elis, habt ihr denn an Onkel Peppi kein Telegramm
g'schickt?«

»Dem Onkel . . .?«

»No ja, mein' Bruder, an Bruder vom Papa?«

Beß wurde rot und verlegen und sagte zögernd, sie wisse es
wohl nicht, aber vielleicht habe Mama . . .

»D' Mama? De hat do an niemand andern denkt, wie an den
faden Staatsrat. Jessas, Jessas na! Daß aber i heut vormittag net
g'fragt hab! I hätt mir's do wirkli denk'n könna, daß von euch
niemand . . . ihr wißt's ja womögli d' Adreß gar net . . . Jessas,
was tut ma denn jetzt?«

»Ich weiß seine Adresse wirklich nicht«, sagte Beß.

»No freili net. Um den arma Peppi hat si ja nie wer kümmert,
nit amal dei Papa. Sogar dem is recht g'wes'n – Gott verzeih mir
die Sünd, wenn ich ihm unrecht tu – aber ich glaub wirklich,
es is ihm recht g'wes'n, daß sie der arme Peppi z'rückzog'n hat
in seiner Bescheidenheit. Jetzt sag mir amal aufrichtig, Mädl,
weißt du überhaupt, daß d' an Onkel hast?«

»Ich habe schon von ihm gehört«, antwortete Beß.

»Gehört . . . ja . . . so ganz von da Weit'n. Und was hast denn
g'hört?« examinierte Tante Marie.

Beß, die wirklich in Verlegenheit gekommen war, wurde nun
doch etwas ungeduldig.

»Gott, Tante, wenn er sich schon nie nach Papa umgesehen hat,
dann ist es doch begreiflich, daß wir Kinder wenig von ihm
wissen. Papa hätte ihn doch sicher herzlich aufgenommen . . .«

»Hm!« machte die Frau Apotheker, »ich will dir was sag'n. Wenn sich die zwei Brüder allein troffen hab'n, anderstwo, weißt, und net daheim, nachher hamm sie sich alle zwei g'freut, aber in de Welt da rei is der gute Peppi net kommen, und dös kann ihm kein Mensch verübeln, denn dös Hamburgische hat net zu ihm paßt, und er net dazu, und dös wird er scho g'merkt hamm s' allererste Mal bei der Hochzeit. Aber daß ma 'n jetzt übergeht, daß ma ihm kei Sterbenswörtel wiss'n laßt, dös überwind't er net ... dös is ... ja, i sag bloß, daß i heut vormittag net dran denkt hab!«

Tante Marie zeigte sich so unglücklich und aufgeregt, daß Beß alle möglichen Vorschläge machte: ein dringendes Telegramm aufzugeben, ihn aufzufordern, mit Auto herzufahren ...

»Ja mei, Mädl«, jammerte die Tante, »wo soll er denn in Plattling an Auto herkriegen? Und wenn er wirklich eins kriegen könnt', mit was soll er's denn zahlen, als bescheidner Sparkassenverwalter? Und wie soll er denn da herfahr'n, mitten bei da Nacht?«

»Tante, das Zahlen besorge ich schon, und du kannst ja im Telegramm andeuten, daß du die Kosten übernimmst. Und das mit der Nachtfahrt ist auch nicht so schlimm; in ein paar Stunden kommt man weit, und bis morgen früh ist er mit Leichtigkeit hier ...«

»Madl!« rief die Frau Apotheker und halste ihre Nichte und küßte sie ab, »Liesel! Du bist ganz dei Papa, Gott hab ihn selig, herzensgut und resch und gleich bei da Hand mit an Entschluß. Und recht hast. Mir telegraphier'n ihm dringend, und die Kost'n halbier'n ma, mein Mann is gern damit einverstand'n. Aba glei geh i auf d' Post. Sie wird um Gott's will'n net scho g'schloss'n sei?«

Beß sah auf die Uhr.

»Wir haben noch eine Viertelstunde Zeit«, sagte sie. »Und ich komme mit dir, wenn es dir recht ist.«

Tante Marie zeigte sich herzlich damit einverstanden, und so gingen die beiden Arm in Arm zusammen durch die Dorfgasse zur Post.

Und die brave Frau Apotheker bat ihrer Nichte innerlich alle erregten Vorwürfe ab und hatte mit einem Male das hübsche Mädchen mit mütterlicher Zärtlichkeit ins Herz geschlossen.

»Und weißt, Elis«, sagte sie, »du mußt mir nix übelnehmen.

I bin halt für deine Begriff an altmodische Frau und a bissel
schnell bei da Hand mit 'n Red'n. Und schau, dös mit 'n Automobil, dös wär mir überhaupt net ei'g'fall'n. Unsereins is no
an die alt'n Postkutsch'n g'wöhnt und denkt net dran, daß 's
an andere Zeit is. Und wenn dös Telegramm wirkli z' spät
kommt, na siecht der arme Peppi do, daß ma an ihn denkt hat,
und i schreib's ihm scho, wie lieb du g'wes'n bist und wie resolut. Dös tröst 'n wieder. Und siehgst ... Elis ...« sagte sie
zögernd, »wenn's di vielleicht scheniert, daß i dir an andern
Nama gib, nacha ... no ja ... nacha sag i aa ›Beß‹ zu dir ...«
»Nein, nein, Tantchen ... sag du nur Liesel!«
»Is 's wahr, Mädl?« rief die Frau Apotheker in starker Rührung
und küßte die Nichte wieder ab, mitten auf der Dorfstraße.
Und dann schritt sie still neben ihr her und drückte ihren Arm
fest an sich, und eine rechte Ruhe kam über sie.

3

Tante Marie hatte sich umsonst geängstigt. Herr Josef Schragl,
Sparkassenverwalter in Plattling, hatte die Trauernachricht in
der Zeitung gelesen und sogleich die Reise angetreten. So traf
er mit einem Zuge, der für viele Leute nicht in Betracht gekommen wäre, am Begräbnistage morgens um halb sechs Uhr
in Sünzhausen ein.
Und in gewisser Beziehung war das ein günstiger Umstand,
denn so, wie er sich ansah, hätte der Herr Verwalter nicht zu
der vornehmen Schar gepaßt, die am Abend vorher die Bewunderung der Sünzhausener erregt hatte.
Der dicke, kleine, vor Aufregung schwitzende Mann trug an
diesem Sommertage einen schwarzen Überzieher, der wirklich
ein verächtliches Stück von Garderobe war, und noch dazu trug
er ihn höchst unschön, den unteren Knopf geschlossen, über der
Brust sich bauchend und am Rücken breite Falten werfend.
Unter dem Mantel schob sich ein schwarzes Beinkleid vor, das
zu kurz war, und also nicht schonend über die mit einer Spange
geschlossenen Schuhe fiel, ja sogar bei heftigem Ausschreiten
einen Teil der wollenen Socken bemerken ließ.
Sein Haupt war bedeckt mit einem Zylinderhute, den er seit
Jahrzehnten bei Leichenbegängnissen trug, und der von vielen
ungünstigen Witterungsverhältnissen arg mitgenommen war.

In der rechten Hand, die wie die linke in einem baumwollenen schwarzen Handschuh steckte, trug er einen Kranz, der die seltsamen Schönheitsbegriffe eines Plattlinger Landschaftsgärtners verriet, und obwohl an seinem Äußeren nichts zu schonen war, hatte er einen großen Regenschirm bei sich, dem keine Kunstfertigkeit eine annehmbare Form hätte geben können.

Der Herr Verwalter war aber gewiß darauf nicht bedacht gewesen. Er trug den Schirm, so wie er war und sich zusammenlegte, einfach als nützlichen Gegenstand.

Er ließ sich den Weg zum Trauerhause zeigen und zog vor sechs Uhr erst leise, dann stärker an der Türglocke, bis endlich die Köchin herbei eilte, der er sich zu erkennen gab als Bruder des Herrn Kommerzienrates.

Er wollte gleich zu seiner armen, beklagenswerten Schwägerin geführt werden, und als die Köchin bestürzt antwortete, daß ja die gnädige Frau noch im Bette liege, versicherte er treuherzig, das störe ihn nicht, und sie solle ihm nur das Zimmer zeigen.

Die Köchin sagte, sie wolle es versuchen und bei der gnädigen Frau anklopfen und sagen, daß der Herr ... der Herr Bruder vom gnädigen Herrn da sei, und er möchte nur einen Augenblick warten.

Aber der Herr Verwalter hatte kein Verständnis dafür, daß es auch in solchen Momenten noch solche Bedenken gäbe, und er stieg hinter der eilenden Köchin die Treppe hinauf und stolperte redlich über die Stufen, weil er nicht acht gab, sondern sich in Gedanken das Zusammentreffen mit der gebeugten Witwe überaus schmerzlich ausmalte.

Zum Glück hatte Tante Marie, die längst nicht mehr schlief, die Glocke und dann Gemurmel und Geräusch vernommen und öffnete die Türe und sah ihren Bruder die Treppe heraufkommen. Sie winkte der Köchin ab und eilte dem guten Onkel Peppi entgegen, umarmte ihn und vergoß zunächst reichliche Tränen.

»So, Peppi«, sagte sie, »und jetzt wartst an Aug'nblick drunt'n im Gang. Ich komme gleich nunter...«

»Aber d' Schwägerin...«

»Die siechst nacha scho. Jetz geh abi, gel ... i mach mi g'schwind ferti... O mei, Peppi ... wer hätt dös denkt?...«

Der Herr Verwalter, der in der einen Hand den Kranz, in der andern den Zylinder hielt, ließ sich noch einmal umarmen und

ging dann gehorsam die Treppe wieder hinunter, stellte sich
unter die offene Haustüre und schaute trübselig in den wunder-
schönen Morgen hinaus und bemerkte es kaum, wie fröhlich
die Stare pfiffen und die Schwalben zwitscherten.

Nach einer kurzen Weile kam Tante Marie und sagte: »Jetzt
laß dir nochmal Grüß Gott sag'n, Peppi! Gelt, das hätt'n mir
alle zwei net denkt, daß mir aus an solchen Anlaß z'samm-
komma müßt'n, und wenn mir einer g'sagt hätt', daß der arme
Simon vor mir weg müßt, hätt' i 's net glaubt...«

»I wohl aa net«, sagte Peppi.

»Willst...?«

»Was meinst?«

»Willst d' jetzt nei' dazu?«

Er nickte, und sie faßte ihn unter und ging mit ihm in das Zimmer, darin jetzt der Tote aufgebahrt im Sarge lag.

Der Anblick erschütterte den Verwalter so, daß er Kranz und
Zylinder weglegte und ein großes, buntkariertes Taschentuch
hervorzog, um die Tränen, die ihm über die Wangen liefen,
abzutrocknen.

»Gel«, sagte Tante Marie, »so still und friedlich liegt er da, als
wenn er schlafet?«

Peppi konnte nur nicken, und er gab sich Mühe, seinem Schluchzen Herr zu werden.

»Mußt net so weinen«, tröstete ihn die Schwester. »Schau,
wenn's scho sei' hat müss'n, na war's so wenigstens am best'n.
Er hat net leid'n müssen, hat nix g'wußt und war auf einmal
weg. An schönern Tod hätte er sich selber net wünschen
könna...«

Aber was helfen die Worte? Dem alten Manne fiel es mit einemmal schwer aufs Herz, daß er im Leben so wenig mit dem lieben
Gefährten seiner Jugend zusammen gewesen war.

Neidlos hatte er ihm allen Erfolg gegönnt, aufrichtig hatte er
sich darüber gefreut, und nur aus Bescheidenheit hatte er sich
ferngehalten, nur in dem Gefühle, daß er zu dem Glanze nicht
passe. Und so war er immer scheuer geworden und hatte wohl
nicht bedacht, daß ihrer beider Tage gezählt sein könnten. Jetzt
kam es über ihn, daß sie zu wenig warme Freundlichkeit ausgetauscht hatten, daß jeder sein herzliches Gefühl zu selten gezeigt hatte. Ja, hätte er daran gedacht! Den weitesten Weg wäre
er gegangen, um noch einmal den Bruder zu sehen und ihm zu

sagen, daß er allezeit sein Stolz gewesen war, daß er so viele Male seine Gedanken zu ihm geschickt hatte, lauter gute, freundliche Gedanken.

Er strich mit einer zärtlichen Bewegung dem Toten über das Haupt, und die Tränen rannen ihm über die runzeligen Wangen herunter und fielen auf den unmodernen Mantel und rollten in seinen Falten weiter.

Das griff die alte Schwester heftig an, und mit unterdrücktem Weinen bat sie: »Geh, lieber, armer Peppi, laß's jetzt gut sei! Sag ihm Bhüt Gott, gar z' lang wer'n mir alle zwei ihm net nachtrauern müss'n . . . Komm jetzt!«

Da legte der Verwalter seinen Kranz zu Füßen des Sarges, und netzte seine Finger mit Weihwasser und machte auf Stirne, Mund und Brust des Toten das Zeichen des Kreuzes. An der Türe wandte er sich noch einmal um und schaute nach dem Bruder hin, und mit einem tiefen Seufzer sagte er: »Ja . . . ja . . . der Simmerl!«

Tante Marie faßte seine Hand und führte ihn durch den Gang hinaus ins Freie. Vor dem Hause setzten sie sich auf eine Bank, und lange schwiegen sie beide und sahen vor sich hin.

»Ja so . . . d' Schwägerin . . .« sagte Peppi und wollte aufstehen.

Seine Schwester hielt ihn sanft zurück.

»Laß nur! Sie kommt nacha scho runter, und d' Kinder auch . . .«

Und da fiel ihr der letzte Abend ein, und sie erzählte dem Bruder, daß sie ihm telegraphiert hätten, und wie gescheit und kurz entschlossen sich das Mädel gezeigt habe.

»Die is ganz unser Simon und g'fallt mir schon recht gut. Weißt, grad so resolut, wie er allaweil war, net viel Wort', aber was s' sagt, hat Hand und Fuß. I hab ja a bissel Angst g'habt, du verstehst mi scho, daß die Kinder am End . . . no ja . . . a bissel hoch drob'n sei' könnt'n, a bissel . . . wie *sie* halt . . . oder wie *sie* wenigstens war, aber i muß sag'n, beim Mädel wenigstens is kei' Spur davo. Vom Bubn hab i net viel g'seh'n und g'hört, da weiß i noch z' wenig. Aber 's Mädel, i muß scho sag'n, da is mir 's Herz aufgangen. Ganz der Vater, wie er war als a junger. Resch und gutmütig, aa weich, aber net gern kenna lass'n, sondern Kopf hoch, wenn's wer siecht, gar kein Theater, verstehst, wie . . . no ja . . . wie *sie* wenigstens früher war . . .«

Peppi nickte, ohne recht hinzuhören. Er war mit seinen Gedanken weit weg, in Nabburg, in der alten Zeit. Wie er den Bruder

damals besucht hatte und der einen Sonntagnachmittag aus
dem Geschäfte gehen durfte, mit ihm, und wie er ihm damals
von seinen Plänen erzählte und so zuversichtlich war, und alles
erfüllte sich dann später, noch viel schöner, wie er's gehofft
hatte ...

»Da is s' scho«, sagte Tante Marie und stand auf, um ein junges,
schlankes Mädchen zu begrüßen, das aus dem Hause kam, und
das also die Tochter war und Elise hieß oder Beß und dem alten
Onkel die Hand ganz merkwürdig kräftig drückte.

Der Herr Verwalter machte ein paar linkische Verbeugungen
und kam in Verlegenheit, denn Damen hatten auf ihn stets
diese Wirkung, selbst die Plattlinger, und was er hier vor sich
sah, war doch im Aussehen und im sicheren Benehmen etwas
Vornehmeres, und so stammelte er wirklich etwas von Fräulein
und Ehre, bis Tante Marie ihn auf den rechten Weg wies.

»Jetzt du bist gut, Peppi; sagt er zu seiner leiblichen Nichte
Fräulein, und womögli sagt er ›Sie‹. Nimm's no fest beim Kopf,
sie is scho 's Madl von unserm Simon ...«

Das traute sich nun der Herr Verwalter nicht, aber er tätschelte
einmal und noch einmal das Mädchen auf die linke Wange und
murmelte so etwas wie »arm's Kind«.

Beß aber gewann aufs neue die Bewunderung der Frau Apotheker, indem sie die Befangenheit ihres Onkels auf die einfachste
Weise behob.

»Lieber Onkel«, sagte sie so selbstverständlich, als hätte sie ihn
seit Jahr und Tag gekannt, »lieber Onkel, du hast gewiß noch
kein Frühstück bekommen und hast die lange Fahrt machen
müssen ...«

Der Herr Verwalter murmelte, daß er eigentlich nicht gefrühstückt habe und eigentlich nichts wolle, aber noch vor er aus-
geredet hatte, war das Mädel ins Haus gesprungen und in die
Küche geeilt.

»Was sagst jetzt?« fragte Tante Marie ihren Bruder. »Is dös net
a liabs Ding, a wundernetts?«

»Sie hat viel vom Simmerl, b'sonders die Aug'n ...« sagte der
Onkel.

»Und um an Mund und überhaupts und b'sonders im Benehmen. Du bist ganz verdattert g'wes'n und sagst Fräulein zu ihr,
no ja ... halt a bissel leutscheu, wie's d' allaweil g'wes'n bist,
aber sie! Lieber Onkel, sagt s', und glei fallt ihr wieder des

Richtige ei, und g'sagt und toa is bei ihr oans. Na! I muaß scho
sag'n, dös Madl kunnt gar net liaba sei, und i kunnt's net liaba
hamm, wenn's mei eigens Kind waar, und gar nix G'schupft's
und nix Verkünstelt's is dro, net dös G'ringste von *ihr* . . .«
Beß kam wieder und deckte wahrhaftig selber den Tisch mit
einer blühweißen Leinwanddecke und sorgte dafür, daß heißer
Kaffee kam und Eier und Butter, und sie nötigte den Onkel
zuzugreifen und tat alles so reizend, daß Tante Marie mit strahlenden Augen dabei saß und ihr freundlich zulächelte.
Über den Herrn Verwalter kam ein wohliges Gefühl von Da-
heimsein und Zugehörigkeit, so daß er beinahe gesprächig wurde und von seinem letzten Zusammentreffen mit dem lieben,
armen Simon erzählte, und daß er Johnny, der dazu kam, schon
viel herzlicher und freier begrüßte.
Das Gespräch blieb in Fluß, und mit Fragen und Antworten
kam man sich immer näher.
Als eine halbe Stunde später der Herr Staatsrat aus der Türe
trat, um einen verwunderten Blick auf die morgenfrische Natur zu werfen, sah er mit Staunen diesen Teil der Familie einträchtig beisammensitzen und sah, wie links Beß und rechts die
Frau Apotheker jede eine Hand des schlechtgekleideten Indi-
viduums gefaßt hielten.
Er wollte nach einem leichten Kopfnicken in den Garten hin-
austreten, aber Beß sprang auf und teilte ihm mit, daß Onkel
Peppi angekommen sei.
Die kreisrunden Augen Seiner Exzellenz erweiterten sich noch
etwas. »On . . . kel . . . so . . . so . . .?«
»Der Bruder von Papa«, ergänzte Beß.
»Der Bru . . . so . . . so?«
Und da waren auch schon die anderen zu ihm getreten, und der
Herr Verwalter, im vollen Besitze seiner Sicherheit, streckte dem
Staatsrate die Hand entgegen und sagte: »Grüß dich Gott, es
freut mich sehr . . .« Wahrhaftig, er sagte: »Grüß *dich* Gott, es
freut mich sehr . . .« und fügte hinzu »oder eigentli, es is ja sehr
trauri, daß mir uns bei dem Anlaß kennen lernen . . .«
»Mir uns kennen lernen«, sagte er.
Wenn Staatsräte überhaupt mit Sparkassenverwaltern zusammentreffen, und es ist wohl anzunehmen, daß dies selten geschieht, aber wenn es durch merkwürdige Zufälle ermöglicht
wird, dann müßten eigentlich die Sparkassenverwalter in Ver-

wirrung geraten. Hier aber ereignete sich das Unvorhergesehene; der Staatsrat war noch mehr als verwirrt, er war bestürzt, und das kam sicherlich von dem Umstande her, daß er von einem wildfremden Menschen, der mit Spangen geschlossene Schuhe und zu kurz gewordene Hosen trug, schlankweg geduzt wurde.

Der Herr Staatsrat blickte über die Verwandtschaft hinweg ins Leere, und das Erstaunen in seinen kreisrunden Augen steigerte sich bis zur Hilflosigkeit, und als er zu sprechen begann, stotterte er.

»Tja ... ja ...« sagte er, »so ... so ... so ... Bru ... Bruder des Verstor – be – nen ... tja ... ja ... ja. Ich ... ich ver ... stehe das alles nicht.«

Er zog sich zurück und erholte sich langsam und allmählich, als er oben, im ersten Stock, mit Frau Lizzie und den Oberstleutnants das Frühstück einnahm.

Die Behaglichkeit, die sich auch in gedämpften Stimmungen am reinlich gedeckten und gut besetzten Tische einfindet, kam über ihn, aber völlig konnte er sein Befremden über die Begegnung nicht überwinden.

»... Sag mal, arme Lizzie ...« begann er, nachdem die allgemeinen Bemerkungen und Seufzer ausgetauscht waren, »... sag mal, wie ist das nun eigentlich? Ich wollte vorhin, so vor einer halben Stunde, in den Garten gehen, und unter der Türe tritt mir ein Mann entgegen, der alles andere als soigniert aussah, und begrüßt mich mit auffallender Herzlichkeit und sagt, er sei der Bruder von unserm teuren Verblichenen ... sag mal ...«

Frau Lizzie stellte die Tasse, die sie eben zum Munde führen wollte, nieder. Sie war sichtlich überrascht, und sichtlich nicht angenehm. Und sie erzählte diesem Teile der Verwandtschaft, daß sie, wenn sie nun schon davon sprechen müsse, während ihrer Ehe immer und immer wieder bei dem anderen Teile der Verwandtschaft auf sonderbare Personen und Dinge gestoßen sei, die sie gerne taktvoll übersehen hätte, die sich aber nicht übersehen ließen. Und es war eine Schwäche von ihrem guten Manne, daß er manchmal prononcierte Neigungen für seine früheste Vergangenheit zeigte, sie vielleicht aus einer gewissen Opposition stärker betonte. Gott! Natürlich hatte niemand mehr als Frau Lizzie anerkannt, daß er als Selfmademan von seinem Entwicklungsgange mit Stolz reden durfte, und sie wäre sicher die letzte gewesen, die etwa einen Bruch mit seiner Familie gewünscht hätte, – aber seine Verwandten hatten es ihr wirklich nicht immer leicht gemacht. Wenn ihr Mann gewisse Ansichten und Gewohnheiten über die Forderungen der Gesellschaft stellte, das war immer noch eher erträglich, als wenn es seine Verwandten taten.

»Und was du sagtest ... Albert ...« Frau Lizzie schloß den Satz nicht, denn Fanny trat in das Zimmer, und unmittelbar hinter ihr ein kleiner, dicker Mann in schwarzem Überzieher, der auf sie zukam und sie sogleich weinend, in überquellendem Schmerze umarmte und tatsächlich den Versuch machte, sie zu küssen.

»Arme, arme Elis!« schluchzte er, »hamm ma unsern Simon verlor'n!«

Dann zog er ein sehr großes, buntkariertes Taschentuch hervor, schnaubte sich hinein und faßte nun auch die anderen vom gleichen Schmerze betroffenen Personen ins Auge. Er schüttelte allen die Hände und betrachtete sich als mit ihnen in Trauer innig vereint, und nichts hätte in ihm den Argwohn erwecken können, daß er beobachtet und abgeschätzt werde. Er war arglos und schrieb jedes verlegene Hüsteln und Abbrechen der Unterhaltung und nichtssagende Worte und vielsagende Blicke einer tiefen Traurigkeit zu, was ihn wiederum so rührte, daß er sein buntkariertes Sacktuch nicht mehr aus der Hand brachte.

Als das Gespräch übermäßig lange stockte, kam in Onkel Peppi das Gefühl auf, nicht daß seine Trostworte hier überflüssig, sondern daß sie auch anderswo notwendig seien, und er riß sich gewaltsam von dem Anblicke seiner gebrochenen Schwägerin und des betrübten Staatsrates und der beiden andern lieben Verwandten los, und er ging und sagte zu seiner Schwester, daß es ein Jammer sei, anzusehen, wie der traurige Fall die arme Schwägerin angegriffen habe.

Und doch war es seine Schuld, wenn sie immer noch stärker angegriffen wurde.

Denn als nun die Dorfleute und die Vereine und die Geistlichkeit angekommen waren, als man den Sarg geschlossen hatte und die Hammerschläge durch das stille Haus geklungen waren, als Frau Lizzie mit wirklichem Schmerze inne ward, daß der Gefährte ihres Lebens sie für immer verließ, da sah sie doch noch mit tränenumflorten Augen, wie unmittelbar hinter dem

Sarge neben Johnny und wirklich vor dem Staatsrate und dem
Oberstleutnant der so überaus unvorteilhaft aussehende Schwager einherschritt.

Wie aber ein stattlicher Leichenzug die Gefühle der Hinterbliebenen zu erheben vermag, so kann die Störung des würdigen
Eindrucks die Herzen beschweren.

Und Frau Lizzie war sehr niedergedrückt, denn sie hatte die
bestimmte Empfindung, daß dem teuren Verblichenen, wie ihr,
Abbruch geschehen war, und sie sagte sich im stillen, wie ganz
anders die Bedeutung des Toten und der Familie hervorgeho-
ben worden wäre, wenn die gerade für Leichenbegängnisse so
geeignete Gestalt des Staatsrates allein oder flankiert von Johnny und dem Oberstleutnant hinter dem Sarge einhergeschritten
wäre.

Für die Dorfleute aber – und das hätte ihn trösten müssen,
wenn er die Gedanken seiner Schwägerin erraten hätte – für
die Dorfleute war Onkel Peppi der durchaus richtige, in Tränen
zerfließende und die Traurigkeit des Vorganges bezeugende
Verwandte. Er ging mit gebeugtem Haupte durch die Dorfgasse,
er weinte am Grabe, und er wurde ordentlich vom Schmerze
gerüttelt, als die ersten Schollen auf den Sarg niederpolterten.

Darum trat jeder zu ihm und schüttelte ihm die Hand, während
der Staatsrat abseits stand und nur flüchtiges Aufsehen erregte.

Nach dem Traueramte eilten die Sünzhausener heim, um möglichst rasch an ihre Arbeit zu gehen, die Verwandten aber kehrten in kleinen Gruppen in das Haus der Witwe zurück.

Man sprach ihr wiederum das innigste Beileid aus, richtete
tröstende Worte an sie, drückte ihr die Hand, küßte ihr die
Hand, und Onkel Peppi ließ es sich nicht nehmen, die arme
Elis – so hieß nun einmal für ihn die Schwägerin – zu umarmen
und sie auf die linke und rechte Wange zu küssen.

Dabei rührte sich aber in allen das der Trauer gänzlich abge-
wandte Gefühl eines tüchtigen Appetites, und sie setzten sich
mit guten Erwartungen zu Tische. Das Mahl wurde gemeinsam
eingenommen, und weil der Schmerz nicht weniger gesprächig
macht als die Freude, so war bald eine lebhafte Unterhaltung
im Gange.

Es war nicht verwunderlich, daß Onkel Peppi recht sehr auf-
taute und nach kurzer Zeit das Wort führte. Gerade, weil er
sich am ungestümsten der Trauer hingegeben hatte, mußte er

stärker als die anderen sein Herz erleichtern, und zudem hatte er als Jugendgespiele des Verstorbenen das Recht und den Anlaß, sehr viel zu erzählen.

»D' Marie weiß«, sagte er, »was unser Simmerl für ein ausg'lass'ner, lebhafter Bub war. I war ja allaweil der Stillere, und wenn i aa zwoa Jahr älter war, hab i ihm do nachgeb'n müss'n, d' Marie weiß, weil er g'walttätiger war, und wenn er si was in Kopf g'setzt hat, nacha hat's oafach sei müss'n, und nachgeb'n oder so, dös hat er überhaupts net kennt. No ja, bei unsern Vata selig hat aa der Simmerl dös meiste golt'n, und wenn amal was vorkemma is, d' Marie weiß, nacha war'n allaweil de andern schuld, aba der Simmerl gar nia, und i hab öfta für eahm Schläg kriegt. Aba dös hat nix g'macht, und i muß sag'n, wenn i dro denk, freut's mi no heut. Der Anführer war er allaweil, und wenn i amal net mittoa hätt mög'n, nacha is er scho so fuchsteufelswild worn, daß i gern nachgeb'n hab'.«

Tante Marie nickte bestätigend mit dem Kopfe, und die Nächstsitzenden hörten ihm freundlich zu, und so wurde der Herr Verwalter nach jedem Gange und nach jedem Glase Wein mitteilsamer, und er erzählte die Geschichte von der grünen Waschschüssel, in die Simon ein Loch geschossen hatte, und die Geschichte vom Apfelbaum, an dem neunundzwanzig wunderschöne Weinäpfel hingen, die eines Morgens weg waren, und immer war er als der Schuldige in Verdacht gekommen, und immer war es Simon gewesen. Und alleweil und überall hatte der Simon Glück gehabt, daheim, in der Schule, und später als Erwachsener im Leben. Und er, der Onkel Peppi, war immer und überall zu kurz gekommen.

Nicht, als ob ihn das geärgert oder neidisch gemacht hätte, im Gegenteil, er hatte es seinem Bruder von Herzen gegönnt, aber man sagt bloß. Der eine hat das Glück und der andere hat einfach keines ... d' Marie weiß.

Nach dem Essen reichte Johnny Zigarren herum, die aus dem Vorrate des Herrn Kommerzienrates stammten; edle Zigarren, die herrlich dufteten, und deren eine den schmauchenden Onkel Peppi nachdenklich stimmte, so daß er sich auf eine Pflicht der Höflichkeit besann und sich neben den Staatsrat setzte.

Da er schon den zweiten Tag von seiner Schreibstube entfernt war, paßte es ihm vortrefflich, daß er in diesem hohen Staatsdiener einen sicherlich verständnisreichen und interessierten

Zuhörer fand, und er setzte der Exzellenz, die sich nicht retten konnte, und die auch von Frau Lizzie nicht mehr aus der Lage befreit werden konnte, haarklein auseinander, mit welchen Mühen die Verwaltung einer Sparkasse verbunden sei.

Die kleinste Einlage erfordere die gleiche sorgfältige Arbeit wie eine große, und das Schlimmste sei, natürlich, daß man es mit Leuten zu tun habe, natürlich, die von Geldgeschäften und verzinslichen Anlagen und von all dergleichen Dingen natürlich keine blasse Ahnung hätten, woher es dann auch komme, daß die Einleger häufig das sonderbarste Mißtrauen zeigten. Da wären zum Beispiel die Bauern, die auf die Schranne kämen. Einen Samstag legten sie das Geld hinein, den andern wollten sie es wieder herauskriegen, weil irgendwo in einer Sparkasse irgend etwas vorgekommen wäre. Und dann die Dienstboten, wenn heute Dienstboten überhaupt noch etwas sparen...

Frau Lizzie wollte ihn ablenken, ja, in Gottes Namen sogar seine Gesprächigkeit auf sich ziehen, allein Onkel Peppi wußte besser, was Staatsräten zugehört und was Staatsräte interessiert, und er gab dem Verblüfften, der allmählich in den Zustand einer stillen Verzweiflung geriet, ein lückenloses Bild von der umfassenden Tätigkeit eines Plattlinger Sparkassenverwalters.

Und der Erfolg spornte ihn an, so daß er immer munterer wurde und seine Aufmerksamkeit allen anwesenden lieben Verwandten schenkte.

Und den Staatsrat hieß er Vetter Albert und den Oberstleutnant Vetter Kuno, und durch irgendeinen schlimmen Zufall hatte er herausgebracht, daß die Frau Oberstleutnant Wilhelmine hieß, und so nannte er sie Mina, und nach einigen Viertelstunden Minerl.

Es war ein Glück für viele, daß Onkel Peppi ein übergroßes Pflichtgefühl und eine heftige Sehnsucht nach seiner Sparkasse hatte und unbedingt mit dem Fünfuhrzuge abreisen mußte, um am andern Morgen wieder in Plattling einzutreffen.

Tante Marie machte den Versuch, ihn zurückzuhalten, aber er blieb fest und sah noch häufiger auf die Uhr als Frau Lizzie, und kurz nach vier brach er auf.

Er sagte zu Vetter Albert und zu Vetter Kuno und zum Minerl und überhaupt zu allen, daß er ungerne scheide, und daß er gerne bliebe, aber es warteten unendlich viele Arbeiten auf ihn.

Und wieder und noch einmal schüttelte er allen die Hände, und Frau Lizzie umarmte er, und wenn er mit ihr fertig war, fing er bei Vetter Albert wieder mit dem Abschiednehmen an.

Endlich ging er, und nur Tante Marie begleitete ihn. Die andern hatten sich von ihm zum Zurückbleiben bewegen lassen.

Am Gartentore wandte sich Onkel Peppi noch einmal um und grüßte zärtlich zurück.

Dann ging er fürbaß mit weit ausholenden Schritten, bei denen sich das Beinkleid höher schob und die wollenen Socken sichtbarer wurden.

Die zwei Alten besuchten noch einmal den guten Simmerl und standen schweigend vor dem frisch aufgeworfenen Grabhügel.

Onkel Peppi konnte sich nicht mehr in eine recht tiefe Traurigkeit versenken; er hatte sie ausgegeben und war jetzt innerlich so zufrieden, daß er wohl anstandshalber einen Seufzer ausstieß, aber doch mit seinen Gedanken bei den angenehmen und liebreichen Stunden verweilte, die er soeben durchlebt hatte.

»Weißt, Marie«, sagte er auf dem Bahnhofe, »i bin doch recht froh, daß i herkommen bin. Es tut ei'm wohl, wenn ma so mitt'n in da Verwandtschaft und bei Leut is, de ein' gern hamm. Da siecht ma, daß ma z'sammg'hört, und dös tröst' ein' scho wirkli. Und siehgst, i denk jetzt ganz anderst von der Elis, und daß i unsern Vetter Albert kenna g'lernt hab, dös freut mi b'sonders, und hoffentli gibt's amal a schönere G'legenheit, daß i 'n wieder sich ... weißt, eigentli war i scho ung'schickt, daß i net öfter zu Lebzeit'n vom Simmerl herkomma bin. Ma bild' si halt was ei', und wenn ma bei de Leut is, siecht ma erst, wie gern daß s' ein' hamm ... no ja ... wenn's a bissel geht, such i d' Elis wieder auf ...«

Tante Marie pflichtete ihm bei, und so stieg der Herr Sparkassenverwalter recht eigentlich glücklich und zufrieden in den Zug und winkte noch lange mit seinem verwitterten Zylinderhute zum Fenster hinaus.

Carl Sternheim

Busekow

Bei Anbruch des Tages Epiphanias hielt der Schutzmann im sechsten Revier, Christoph Busekow, Posten am Schnittpunkt der Hauptstraßen seit vier Stunden. Anfangs hatte ihn das Bewußtsein, Ordnung und Sicherheit hingen von seiner einzigen Person ab, zu höchster Dienstbereitwilligkeit gestählt; allmählich, da alles sich schickte, verlor seine Aufmerksamkeit das Gespannte, schwang mit der Masse der Bewegenden und Bewegten.

Je näher Ablösung rückte, überwogen in ihm zwei Empfindungen. Es schien regnen zu wollen, er fühlte vor, wie er mit eingezogenen Schultern auf dem Heimweg sacht auftretend, Pfützen auf den Steinen vermeiden würde; mehr als diese Vorstellung beglückte ihn des Kaffees Duft, der beim Eintritt in die Wohnung auf dem Tisch hergerichtet sein mußte. Nur von Zeit zu Zeit flog sein Wille in die Brille zurück, riß in flüchtiger Empörung Löcher in Gegenüberstehendes.

Dieser bewaffnete Blick packte nicht nur Passanten in Zivil; wie er aufflammend vorwärtsschoß, zwang er auch Busekows Kameraden zur Bewunderung, sie empfanden: der schaut durch Tuch und Haube; ist geborener Polizist.

Von einem tüchtigen Menschen war die Schlappe der Geburt, Kurzsichtigkeit, zu einem Vorteil für sich umgebogen worden, hatte er, seiner Nichteignung für eine Aufsichtsstellung im Urteil zuständiger Instanzen gewiß, alle gesunden Kräfte von andern Organen ins Auge hochziehend, diesem hinter Gläsern so schneidigen Ausdruck verliehen, daß die befugten Personen erklärten, sie erwarteten Besonderes von seinem scharfen Hinsehen. Er wiederum besorgt, er möchte diese Hoffnung enttäuschen, wandelte, den Körper immer mehr vergewaltigend, im Lauf der Zeiten die gesamte Barschaft an praller Muskelkraft in Späh- und Spürvermögen um, bis seine Schenkel, die unter dem Sergeanten des fünfzigsten Infanterieregimentes gewaltige Tagmärsche zurückgelegt hatten, ihn saftlos und schlapp auf Posten kaum mehr hielten, die einst vom Gewehrstrecken geschwellten Arme Lust leidenschaftlichen Zugreifens verloren. Da er aber für gewöhnlich unbewegt auf einer Steininsel zwischen zwei Fahrdämmen stand, an dieser vom Verkehr belebten Stelle außer dem Auge selten der Arm des Gesetzes gefordert wurde, blieb dieser leibliche Mißstand ihm verborgen.

Andererseits hatte er in letzter Zeit begonnen, Kapital der Sehkraft, das er ursprünglich im Bewußtsein reicher Mittel an umgebende Welt vergeudet hatte, sachgemäß anzulegen, lieh Vorübergehenden nur noch dann Kredit auf seine Aufmerksamkeit, wenn er den einzelnen nicht kannte. Denn da der Platz in nächster Nähe einiger Großkaufhäuser und Banken lag, war des Publikums größerer Teil tagaus tagein der gleiche, und nachdem Busekow in jahrelanger unwillkürlicher Anteilnahme an jedem einzelnen dessen Erscheinung in sich aufgenommen erwogen und beurteilt hatte, prägte er sich wissentlich von ihm nur noch einen neuen Hut, Wechsel von Sommer- und Wintermode ein.

Er stand dabei zu seiner Kundschaft in umgekehrtem Verhältnis wie der Bankier schlechthin, als er dem Kunden, je länger er ihn kannte, je mehr Beweise unbedingter Zuverlässigkeit ihm der gegeben hatte, um so weniger vorschoß, während er an einen, der zum erstenmal in sein Gesichtsfeld trat, des Blickes ganze Barschaft wandte und, je zuverlässiger der Neuling sich darstellte, ihn um so bereitwilliger bediente.

Dank dieser Maßnahmen war es ihm einige Male gelungen, an Leuten, die andere Schutzmannsposten als harmlose Schlendriane passiert hatten, Merkmale versteckter Aufregung zu erkennen, sie patrouillierenden Kameraden zu bezeichnen und zu erleben, die Betroffenen stellten sich bei Prüfung als gesuchte Übeltäter heraus. Und so geschah es an diesem Morgen vor seiner Ablösung um sechs Uhr noch zweimal, daß scharf er zusehn mußte, erst als ein Omnibus gegen einen Milchwagen stieß – glücklicherweise konnte Busekows bloßer Wink die Lage entwirren – und dann, da in der Schar jener Frauen, die nächtlicherweise Brot auf demselben Straßenstrich suchen, deren jede ihm bis in den Saum des Unterrocks bekannt war, eine neue auftauchte: hochblond aufgedonnert, mit einem Blutmal auf der linken Backe am Mundwinkel.

Wie sie zu unwahrscheinlicher Zeit mit der Morgenröte zum erstenmal vor ihn getreten war, beschäftigt sie den Heimkehrenden, der, das innere Auge auf sie gerichtet, nicht spürte, wie es zu regnen begonnen hatte, er stapfend Pfütze auf Pfütze trat. War es möglich, er hätte Zeichen, die das Eindringen einer Konkurrentin in den Ring der auf jener Straße Privilegierten ankündigten, übersehen, oder waren sie nicht gegeben worden? Und warum nicht? Galt sie ihren Schwestern wenig, schien zum Wettkampf nicht gerüstet, und durfte man sie mit Verachtung übersehen? Rief er sich ihre Erscheinung zurück, verneinte er die Annahme. Dem flüchtigen Blick – ein anderer würde ihr in ihrem Gewerbe kaum gegönnt werden – dünkte sie gefällig wohlbereitet. Busekow, der sich über den Grund ihres lautlosen Auftretens auf seiner Weltbühne keine Rechenschaft geben konnte, ward befangen und kleinlaut vor sich selbst, betrat seine Wohnung mit dem peinlichen Gefühl, in dieser Nacht habe er dem Staat unzureichend gedient, den Platz, der ihm anvertraut war, nicht in völliger Ordnung verlassen. Irgend etwas treibe dort ein ungerechtfertigtes, den beschlossenen Gang der Dinge störendes Wesen.

Er schlürfte verdrießlich Kaffee, legte sich zu seiner Frau ins Bett. Zaghaft lüpfte er die Decke und nahm, sich hinstreckend, eine Rückenlage ein; denn da er, auf den Seiten liegend, zu röcheln und schnarchen begann, war ihm die anbefohlen worden. Wie in allen Dingen, die das Weib anordnete, suchte er den Befehl genau zu befolgen, und aus Furcht, er möchte im Schlaf Stellung wechseln, hatte er sich, beide Hände in die seitlichen Ritzen zwischen Bettlade und Matratze zu krallen, gewöhnt, durch welches Manöver tatsächlich erreicht wurde, daß er in gleicher Lage, wie er eingeschlafen war, aufwachte. Auf welche Weise die Frau bald nach Beginn ihrer zwölfjährigen Ehe seine Unterwerfung unter ihren Willen durchgesetzt hatte, darüber hatte er nie nachgedacht, wußte nur, die Abhängigkeit war bodenlos, ohne Trieb zum Widerstand. Selbst bei den ihm unliebsamsten Geheißen schien sie ihm eine milde Gebieterin, da er die Neigung in sich ahnte, auch ihrem zügellosen Verlangen nachzugeben.

Doch nur sein bedingungsloser Gehorsam war es, der die Schüchterne fähig gemacht hatte, Wünsche ihm gegenüber zu äußern, später zu fordern. Und so entfernt blieb sie der Überzeugung wirklicher Macht, daß sie stündlich bei jedem Anlaß erwartete, er möchte es satt haben, kurzen Prozeß mit ihr machen. Denn sie war sich bewußt, das einzige wirkliche Gutha-

ben, das sie bei ihm besaß – jene kleine Summe, die die Sechs-
undzwanzigjährige dem Vermögenslosen in die Ehe gebracht
hatte –, mußte längst verzehrt sein, und weder geistig noch kör-
perlich fühlte sie sich vor ihm begnadet.

Was den Leib anging, verbarg sie seit Jahren schwere Schäden.
Ohne daß sie Mutter geworden war, hatte die Zeit ihr mitgespielt. Das einst volle Haar war zu winziger Schnecke auf dem
Hinterkopf zusammengeschrumpft, ihr Gesicht, das straffe Haut
wohltuend gegliedert, hatte durch deren Nachlassen Löcher und
Vorsprünge bekommen; heftiger bewegten sich ihre Brüste, die,
flache Teller, mit kaum noch gefärbten Warzen beim Ausklei-
den von bergenden Händen nicht mehr bedeckt werden konnten. Die zarte Scham, mit der abends und morgens Busekow
über diesen Umstand hinwegsah, vergrößerte ihren Kummer,
bewirkte, daß sie ihm harten Anruf zum Bett schickte: setz
Wasser auf den Herd! scher dich zum Kohlenholen!

Bei solchen Aufforderungen hatte der Mann oft verlangt, sie
möchte ihre Empörung über die Unbill der Natur durch furchtbare Forderungen an ihn ausgleichen. Wie sie zur ärmsten
Magd Gottes herabgesunken war, dichtete er königliche Befehle
in ihren Mund, sah sich in hündischer Demut in Ecken stehen,
Pfoten aufwartend gekrümmt. Fürchtete, er habe sie um Großes
betrogen, meinte das Kind, das sie von ihm nicht hatte, seufzte
und fand sich schuldig. Oft lagen sie mit nach oben gedrehten
Gesichtern sprachlos beieinander, geschlossenen Lides, daß keiner dem anderen das Wachen anmerkte. Ihre Herzen klopften:
Warum konnte ich sie nicht erfüllen? Was tönten meine Rip-
pen nicht von ihm? Wehmütig griff sie ihre Brüste; er fuhr die
mageren Lenden herab; beide fühlten sich dürftig.

Den Betten hing in Öldruck Martin Luther gegenüber. Hand
auf ein Buch geballt, machte er eine ausladende Gebärde. Beide
Gatten hatten anfangs großen Mut aus dieser Geste zu holen
gesucht, wollten sich anreden, die Kluft überspringen. Doch es
gab zwischen jenem und ihnen keine Zusammenhänge. Schon
begann alles in hoffnungslose Gewohnheit beschlossen zu werden. Man sparte an Blick und Ton füreinander, rief sich, antwortete in Hauptworten, denen Verben und Partikel fehlten,
um bei Begriffen, die man als bekannt und erwartet vorausset-
zen konnte, an den Endsilben zu sparen. Augen wichen sich
aus, man sah an Wände; Berührung wurde gefürchtet. Streiften

sich bei einer Begegnung die Kleider, schoß beiden panischer Schreck, als hätten sie Allerheiligstes betastet, ins Gebein. Die weibliche Seele war voll Vorwürfen für ihn, er so voll Angst vor ihr, daß sie wußten, ein wohlgebildeter Satz, Gleichnis freundlichen Lebens, hätte sie bis ins Mark erschüttert und vernichtet.

So scheuten sie Güte, erzogen Hartes Kantiges in sich, schlossen auf Grund rauher Regeln einen letzten Frieden, er, der Hingeschmissene Unwürdige Besiegte; sie, die Beleidigte *mulier virgo*.

Als er lag und ruhen wollte, schien Sonne ins Fenster, verwirrte seine Augen. Da er sich nicht wenden durfte, bedeckte er das Gesicht mit der Hand; doch schien Licht durchs Blut der Finger. Diese Wahrnehmung verwirrte ihn, als hätte er des Umstandes seines lebendigen Blutes vergessen. In einer Aufwallung streckte er das eine Bein zur Decke, daß über seinem Leib Wölbung entstand, und lächelte. Es schien ihm aber gleich darauf, als neben ihm im Schlaf sie stöhnte, Gebärde und Lachen infam, und er begann, in Strahlen blinzelnd, alle Züge stetiger zunehmender Niedrigkeit aus seinem Leben zum Bild eines verworfenen vergeblichen Geschöpfes zu dichten. Wie er in der Schule seines Dorfes schlecht gelernt hatte, zum Hofdienst untauglich gewesen war und einst am Reformationstag in der Kirche, als die Gemeinde im Lied »Ein' feste Burg ist unser Gott« himmlische Andacht einte, den Zopf des vor ihm singenden Mädchens ergriffen, an seine Lippen geführt hatte. Die Kleine hatte aufgeschrieen, Nachbarn den Frevel bemerkt, er war dem Pastor zur Bestrafung angezeigt. Der hatte ihn mit Wortschwall überwältigt, Mut der Jugend Selbstbewußtsein für lange Zeit in Grund und Boden geschlagen. Eine Spur davon war erst nach langen Jahren wiedererstanden, als ihm dem Unteroffizier eine Dekade junger Burschen auf Gnade und Ungnade überantwortet wurde. Da hatte er den Schnurrbart gezwirbelt, sich einiger Flüche, die ihn vor sich selbst martialisch machten, bemächtigt. Doch gelang es über geringes Maß nicht, da Wichtigkeit vom Kasernenhof bei Instruktion und Unterricht verblich, merkte er, er blieb im Auffassen des Vorgetragenen hinter Kameraden zurück. Im Verlauf von zehn Jahren hatte der Hauptmann einige Male zu ihm gesagt: Sie sind in Herz und Nieren königstreu, Busekow. Das ist Sache! Doch haben kein Verstehste. So wurde Königs-

treue, die man ihm öffentlich zugestanden, seines Lebens Richt-
schnur. Und als er einsah, eine Feldwebelstelle war ihm nicht
erreichbar, er nur im Staatsdienst Verwendung für seine posi-
tive Eigenschaft hatte, gab er sich als Schutzmann ein. Bedenken
gegen seine zunehmende Kurzsichtigkeit zerstreute er auf die
geschilderte Art.

Da seine Tugend ihm einfiel, wurde die Seele einen Augenblick
freier; schnell erleuchtete ihn aber Erkenntnis, wie wenig offi-
ziell sie in seinem heutigen Dasein sei. Im Gegensatz zu jenem
Hauptmann hatte seine Frau sie nie erkannt, in ihren Reden
war sie nicht erwähnt worden.

Ein elendes nutzloses Schwein bin ich, dachte Busekow. Diese
Frau weiht mir ihr junges Leben, ihren einst blühenden Leib,
schöne Gaben. Alles vernichtete ich, unfähig, das mir Anvertraute zu pflegen. Was aber meine Königstreue anlangt (mit
letztem Versuch, sich zu erheben, flüchtete er in diesen Gedanken), meine Hingabe an den Dienst – vor seinem Geist stand
ein blondes aufgedonnertes Frauenzimmer, ein Blutmal im be-
fremdenden Gesicht. Da ergriff namenlose Trauer unseren Helden, einschlafend verstand er seines Weibes Größe, die es bei
ihm auszuhalten vermocht, nicht mehr.

Er träumte, in leerem Raum ständen sie sich nackt gegenüber.
Wie ihre Augen sich ihm sengend ins Gesicht bohrten, war er,
sie anzusehen gezwungen. Einen schauerlichen Leib erblickte
er, Stöcke die Beine, von Hautrunzeln bedeckt. Erbärmlich das
übrige. Nirgends war noch der leiseste hüllende Flaum, der
Kopf glich einer polierten Kugel. Mit ausgestreckter Hand, die
wie eine Kastagnette knackte, klopfte sie an sein gepolstertes
Bäuchchen, den Schädel, krächzte Heuwanst Heukopf! dazu.
Und alsbald begann er, Stroh aus seinem Mund zu speien, bün-
delweis, ohne Aufhören meterweis. Sie lächelte giftig dazu,
klopfte und knatterte: Heukopf Heuwanst Heukopf. In Schweiß
gebadet erwachte er, war mit Ruck aus den Federn, und im
Hemd ins Nebenzimmer stürzend, rief er ihr dröhnender über-
natürlicher Stimme zu: Ja, ja, Elisa, ich bin ein Elender; wirklich
ein Unfruchtbarer! Sie war nicht im Raum. Bei Butterbroten
einer Flasche Bier lag ein Zettel auf dem Tisch mit den Worten:
Ich bin zum Kientopp. Wundre dich nicht. Geburtstag!
Und nun stellte er sich, da er zu kauen begann, ihre Freude im
Lichtspieltheater vor, spürte, tröstliche Stärkung, die er mit dem

Zugeständnis seiner Wertlosigkeit hatte gewähren wollen, mußte ihr draußen durch Bilder aus der Menschenkomödie stärker zuteil werden, die sie mit Lachen und Weinen ergreifen würden.

Gegen sieben, seine Frau war nicht zurück, ging er zur Polizeiwache in den Dienst. Um Mitternacht bezog er Posten am Schnittpunkt der Hauptstraßen. Doch da es in Strömen regnete, gelang es ihm von Anfang nicht, die heroische Haltung, die er während erster Minuten seiner Wache vor einem vierarmigen Gaskandelaber sonst einnahm, zu markieren. Im Gummiumhang, Schultern eingezogen, Haupt gesenkt, sah er, da Wasser an ihm niedertroff, kläglich aus. Zudem verwirrten ihn hinter nassen Scheiben seiner Brille rote grüne weiße Lichter der Fahrzeuge. Sich bemerkbar zu machen, hob er von Zeit zu Zeit einen Arm, ließ ihn, ohne des Eindruckes innezuwerden, wieder sinken. Nur mit Mühe unterschied er den Aufmarsch bekannter Gestalten; Frauen der Kaffeekellner, die ihre Männer holten, Stammgäste der in der Nähe befindlichen Wirtschaften, den Mann mit dem fliegenden Streichholzhandel und, eine nach der anderen, die Nymphen der Straße. Dicht an die Häuser gedrängt, hüpften sie Schutz suchend an ihm vorbei, mit eingezogenen Flügeln Vögeln gleich, die, Land gewöhnt, ins Wasser gefallen sind und sich retten möchten. Sie schritten auf ihren bis zu den Knien freien Ständern über den Fahrdamm, teilten Aufmerksamkeit zwischen Wassertiefen, die sie durchqueren, und dem Wild, das, diesen Abend spärlich genug, sie jagen mußten.

Beim Anblick ihres namenlosen Elends hob Busekow zum erstenmal am heutigen Tag den Kopf. Diesen war er, wie er den Maßstab anlegte, tausendmal überlegen. Er dachte an seinen Traum und meinte, produzierte er als letzte Formel von sich Heu und Stroh, sei das saubere Sache. Wie aber würde sich diesen das Gleichnis ihrer ausgespieenen Eingeweide in Träumen darstellen? Und anderen, weniger verächtlichen, doch tief unter ihm stehenden Klassen, dem männlichen Gelichter, das an ihm vorüberstrich. Stand er hier nicht – Donner und Doria – für Kaiser und Reich, sah alle Welt nicht einen tüchtigen Beamten in ihm? Als es aber heftiger vom Himmel goß, er tiefer in sich hineinkroch, erschien der Leib seiner Frau, wie er ihn heute im Schlaf gesehen, wieder: Erde ward abermals wüst und leer.

Mit gedunsenem Auge stierte er in die Luft, einmal rechts, links einmal, geradeaus, als sich aus dem Gewissen die Frage nach dem Verbleib jenes Weibes hob, das er am Morgen zum erstenmal erblickt hatte. Gehörte sie von nun an zu den Figuren, die vor ihm spielen würden, oder war sie zu einem Gastspiel auf dieser Straße erschienen? Dafür sprach das Verhalten der Kolleginnen, die ein einmaliges Kommen und Gehen dulden durften, dauernde Etablierung aber, wie er es in anderen Fällen erlebt hatte, mit Hohn und Gewalttat zurückgewiesen hätten.

Es schlug zwei Uhr morgens, als sie hinter einem jungen Menschen in aufgeweichten Lackstiefeln auftauchte. Zugleich sah Busekow eine lange Schwarzhaarige sie bei den Schultern fassen, hörte, wie sie ihr zuzischte: Nicht an meinen Kleinen heran! und der Neuen Antwort: Nur sacht!

Schon sammelte ein Kreis erregter Frauenzimmer sich um die beiden, fiel mit schnatterndem Schwall im Chor ein. Man sah drohend gehobene Arme und Schirme. Da schleuderte Busekow Regen von sich, war mit zwei Schritten bei den Streitenden, und, Gewitter aus empörten Augen blitzend, herrschte er die Auseinanderstiebenden erzener Stimme an: »Keinen Streit, meine Damen. Weitergehen!«

Nur sie blieb ihm gegenüber. Sekundenlang sah er in ein erschrockenes Gesicht, trat an seinen Platz zurück. Eine Sehne straffte sich an ihm. Der Blick, den sie ihm von jetzt ab bei ihrem nächtlichen Erscheinen zuwarf, strahlte Dankbarkeit. Er entzog sich ihm nicht, empfing ihn als seines öden Lebens Zuckerbrot. Und als er Nacht- mit Tagdienst tauschte, war das Gefühl des Bedauerns, diesen Blick in Zukunft entbehren zu sollen, groß. Doch kam sie schon am zweiten Tag Straße herauf an ihm vorüber, und da geschah es, daß er, ihren Gruß erwidernd, das Haupt neigte.

Schnell spannen sich Fäden schlichter Vertraulichkeit zwischen ihnen. »Mir geht es immer so, bin immer die gleiche«, sagte ihr Blick. »Stehe für Kaiser und Reich«, rief er zurück. Monatelang. Bis er eines Tages, vom Dienst heimkehrend, sie streifte, die in einem Haustor stand.

»Keinen Auflauf bilden, Fräulein«, sagte er witzig, lächelte sie an. Sie senkte Blick vor ihm. Meinte er, Samtenes schlage Flügel und verwirrte sich bedeutend.

Ein andermal, da er an einem Urlaubstag gegen Abend spazierte, traf er sie, ging ihr nach. Sie trat in einen Flur, sah nicht um.
Er folgte, stieg Treppen hinter ihr hoch, schlüpfte in einen Flur,
den sie aufschloß, und im Dunkeln standen sie sich, ohne daß
ein Wort fiel, gegenüber. Nur Atem blies, Auge glühte sich an.
Berührung wurde nicht gewagt. Schließlich lehnte sie, Halt suchend, gegen die Wand; er, schräg an sie gebeugt, schlang in alle
Öffnungen ihres Leibes Hauch. Beide wankten. Sie fiel zuerst.
In schmerzlich süßer Lähmung blieb ein Knie erhoben, reckte
den Schoß auf. Stürzender Felsblock senkte er sich ein.
Auch später war kein Wort gefallen; da er losgebunden von ihr
schwand, blieb sie am Boden hingenagelt. Geschlossenen Auges
lächelte sie; ihr Atem ging feine Musik aus ihr, in rhythmi-
schen Abständen zitterte der Leib.
Acht Tage später wieder frei, begab er sich im Schutz der Dämmerung zu ihr. Da er an die Tür klopfte, öffnete sie, zog ihn in
ein erleuchtetes Zimmer, in dessen Mitte, dem Klavier gegenüber, ein gedeckter Tisch stand. Busekow hörte des Wasserkes-
sels Summen, roch eines Kuchens Duft, sah in weißen und gelben Farben Blumen gebunden.
Sie blieb aufrecht vor ihm, legte einen Arm um seinen Hals,
strich ihm mit der anderen Hand Haar aus der Stirn. Dabei hing
ihr Blick in seinem. Ein Wort wollte er sagen, vermochte nichts;
lächelte sie und bewegte verneinend den Kopf. Plötzlich lief der
Kessel über. Sie ließ den Mann, war mit zwei Schritten am
Tisch, hob das kupferne Gefäß, schwang es gegen die Kanne,
ließ heißes Wasser in sie stürzen. Verharrend folgte er der Bewegung. Wie sie groß zuteilte zurechtstrich winkte. Da setzte
er sich zu ihr ins Sofa.
Überstürzte Frage und Antwort schwirrte. Alles Wie und Was
ihres heutigen Lebens saugten sie in sich hinein, verständigten
sich stürmisch über Gelände und Grenzen ihres Glücks. Und
als nirgends der Abgrund auftauchte, der augenblickliches
Halt rief, war mit ihnen ein einziges Glück. Sie hatte beide
Arme erhoben, saß mit aufgerissenen Augen stumm wie eine
Schreiende. Er hieb die geballte Faust in den Tisch.
Da später Dunkelheit, des Bettes Decke auf ihnen ruhte, nahm
sie seine Hände, faltete sie ihm auf der Brust, hauchte an sein
Ohr: »Vater unser, der Du bist im Himmel« und murmelte
weiter. Er aber erschrak und schämte sich, weil heute und sonst

Gebet ihm fremd war. Doch bewegte er Lippen, stellte sich, als folgte er in jeder Silbe. Trotz seiner Lüge wurde des Gebetes Sinn in ihm erfüllt, denn Ruhe war an die Stelle brennenden Verlangens getreten, als er seinen Arm sacht um sie legte, Glied an Glied fügte, reiner Atem aus seinem Mund auf sie wehte. Sie hielten sich schwebend aus Erz gegossen. Noch spürte jeder den eigenen Umriß, die verhaltene fremde Person.

Da rief sie »Christof«, und zugleich sah er ihres Auges Blau sich verschleiern und schwinden; rund quoll Weißes über den ganzen Ball. Und zum andernmal erschrak er vor ihr, wußte nicht, wie sich in Einklang mit ihr bringen. Bebend stieg er in sein Innerstes, brachte Konfirmationstag seiner Mutter Sterbestunde herauf. Doch auch so versehen, holte der die Seele der vor ihm Ausgebreiteten nicht ein, seine Anker griffen nicht in Mutterland der Hingegebenen.

Doch schmolz viel harte Schale an ihm. Schon wurde mancher Zelle Kern erweckt, goß sich in den Kreislauf der Säfte. Und jede Welle Leben, die er in sie schickte, kam als brausende Sturmflut, die Schutt und Asche fortriß, in sein Blut zurück, bis sie, an des Lebens Nerve donnernd, den Mund zu hellem Ruf aufspreizte. Da, während er an des Bettes andere Wand zurückwich, verklärte himmlischer Schein des Weibes Gesicht.

Er erfuhr von Gesine, Vater und Mutter habe sie früh verloren, Ernährerin jüngerer Geschwister sein müssen. Emsig verglichen sie ihr Kinderleben, freuten sich, dieselben Spiele gespielt zu haben, und als beide ihre Vorliebe für gleiche Speisen in jener Zeit entdeckten, waren sie noch glücklicher. An diesem Tag blieben sie närrisch ihrer Jugend hingegeben. Eltern Brüder Schwestern lernten sie kennen, Haus Hof Knecht und Vieh. Vom Getreide sprachen sie, von Saat und Frucht; wie Dung am besten in die Scholle gebracht würde, und was es der Freuden und Verlegenheiten bäurischen Volkes mehr gibt. Erst als sie auf ihren Glauben zu sprechen kamen, Gesine ihre katholische Religion bekannte, ergriff beide Scheu voreinander, Fremdes stieg zwischen ihnen auf. Der märkische Protestant brachte aus der Kindheit so feindseligen Begriff für diese Lehre, die er nicht kannte, mit, sie war ihm als ein so Götzendienerisches, deutschem Wesen Fremdes hingestellt worden, daß er die junge Frau mit der Neugier, die man an ein wildes Tier wendet, besah. In diesen Augenblicken war von dem fanatischen Haß seiner Mutter gegen andersgläubige Christen in ihm, seiner Mutter, die vor des Nachbarn katholischer Magd ausgespuckt, behauptet hatte, die verhexte dem Armen Familie und Gesinde.

Als Gesine nach ihm griff, wich er beiseite, trat ins Zimmer, schickte sich eilig zum Gehen. Und da ihr Antlitz mit weißen Augäpfeln wieder vor ihm erschien, manches Seltsame, das er nicht hatte deuten können, brachte er's mit ihrem verdächtigten Bekenntnis in Zusammenhang, entfloh mehr, als daß er ging.

Doch war ihres Leibes Eindruck schon zu bedeutend gewesen; von Stund an, wo er stand und ging, verließ ihn ihrer Liebkosung Glück nicht mehr.

Den nächsten Urlaubtag verlebte er mit seiner Frau. Schuldbewußtsein hielt ihn an ihrer Seite. Doch vergrößerte er es, kam ihm bei keiner ihrer Bewegungen die entsprechende seiner Geliebten aus dem Sinn. Da er sich abends legte, sie, sich entkleidend, ein Päckchen Wolle unter dem Haarknoten hervorzog und auf den Tisch legte, war Mitleid, das ihn um sie bewegt hatte, hin; er lächelte spöttisch. Ihr Körper, den er beim Schein der Lampe durchs Hemdtuch umrissen sah, erregte Lachlust in ihm. Wie sie mit mageren, nach innen gekrümmten Beinen von einer Tür zur anderen trat, er keine gefällige Linie an ihrem Leib sah, schlug stürmische Scham über sie ihm in die Stirn. Zum erstenmal stand Trotz in ihm auf, aus ihrer Dürftigkeit gewann er große Rechtfertigung für sich. So blieb ihr heute schon wiederholter Vorwurf, die Kameraden im Revier sprächen von einer Zunahme seiner Kurzsichtigkeit, sie aber glaube nur an gesteigerte Teilnahmslosigkeit und Faulheit, so gut wie ungehört. Im Gegenteil trat er am anderen Morgen wuchtiger als sonst beim Barbier ein, hatte unter der Serviette das Gefühl gesteigerter Bedeutung, empfand sein Bild, wie es im Sonnenglanz im Rock von Blau und Silber prangen würde, als körperliche Wohltat. Und wer ihn an dem Tag auf Posten sah, nahm das Gefühl mit, in dem Mann geht Veränderung vor sich. Unablässig trat er auf seiner Insel hin und her, ließ es nicht beim Insaugefassen Vorübergehender, doch bewegte sich hilfebringend auf eine geängstigte Frau ein verwirrtes Kind zu. Hob auch Stimme zum Kommandoton, schob die eingesunkene Brust in die Luft, rührte unablässig weisend richtend beide Arme. Kurz, war ein froh zugreifender Schutzmann, gab dem Leben an dieser Stelle der Erde ein munter Bewegtes. Wäre es angegangen, hätte er für einen Bettler, der vorbeischlich, in die Tasche gegriffen. So mußte er sich begnügen, für den Hinkenden den gesamten Fahrverkehr zum Stehen zu bringen, ihm einen Übergang über den Straßendamm zu schaffen, wie ihn sonst nur höchste Personen genossen. Der Bettler grinste, winkte mit der Hand einen Gruß, Busekow lachte fröhlich auf. Als Gesine erschien, erhielt seine Haltung Heldisches. Er flog wippte auf Draht, schlug mit der Linken mächtigen Bogen gegen nahendes Gefährt, der Platz hallte von seiner Stimme. Vor einem passierenden General riß er Hände stramm an die Hosennaht, rührte den Kopf so jugendlich auf, daß die Exzellenz wohlwollend nickte. Von ihr fort sandte er Gesine einen strahlenden Blick, der ihr kündete: Du mein geliebtes angebetetes Leben!

Er kam wieder zu ihr, und von Mal zu Mal wurden sie mehr eins. Mit gelassenem Behagen gaben sich die Körper dem Gefallen aneinander hin, als sei ihnen gegenseitiges Begehren für alle Zukunft gewiß. Mit immer frischem Appetit setzten sie sich an den Tisch ihrer Sehnsucht, aßen, standen erst leicht gesättigt, das Herz von Dank für den Schöpfer gefüllt, auf. Auch in Gesprächen vermieden sie Grenzen des ihnen Faßbaren, gaben sich nur über tägliches Leben Rechenschaft. Insbesondere drang Gesine in das Wesen seines Dienstes ein. Bald war ihr Reglement und Praxis vertraut, sie erörterten manche Möglichkeit an Hand eines älteren Rapportbuches, in das er Vorfälle und Schuldige aufgezeichnet, das er ihr zum Geschenk gemacht hatte. Mit scharfem Instinkt griff sie menschlich packende Dinge aus ihm heraus, führte sie, Herz und Überlegung an sie gegeben, aus dem Bereich des Zufälligen zum symbolisch Gültigen auf; füllte ihn mit der Überzeugung, er stehe an seinem Platz mit tausend Fäden ins innerste Menschentum verflochten, gab ihm von seines Amtes Wichtigkeit bedeutendes Bewußtsein. Darüber hinaus suchte sie ihn auf jede Weise von seiner besonderen Eignung für seine Stellung zu überzeugen. Wie ihre Schwestern auf der Straße niemandem Achtung wie ihm zollten, die Kameraden seiner Laufbahn gewiß seien. So daß er, erhoben süß geschwellt, Säbel und Revolver mitzubringen, sämtliche Griffe und Manöver an ihnen zu zeigen, gelobte.

Er hielt das Versprechen. Unter dem Mantel brachte er beides, und da sie vom Sofa aus zusah, übte er mit so machtvollen Tritten und Ausfällen vor ihr, daß des Zimmers Boden dröhnte, Gläser klirrten, die Gardine flatterte. Ihr aber war der Blick verklärt, und als er mit glänzender Säbelparade zwei Angreifer in die Schrankecke geschlagen hatte, flog sie ihm hingegeben an den Hals. Da hatte Busekow zum erstenmal im Leben das Gefühl seiner Notwendigkeit zur Evidenz.

Das Bewußtsein äußerte sich im Dienst. Mit Sicherheit der Ereignisse Gang voraussehend, griff er auf der Straße in des Geschehens Speichen. Im Revierdienst begann er sachkundig Vorschläge zu machen. Zu wichtiger Frage gab er so einleuchtenden Rat, daß der Polizeileutnant: Dieser Busekow – fabelhaft! rief.

Und man begann, ihn mit wichtigen Posten zu betrauen. Bei Fürstenbesuchen gehörte er zur Bahnhofsmannschaft. So sah er manch außerordentliche Szene, sein Leben wurde durch Anschauung reicher, er überlegen. Sie hörte, das von ihm Mitgeteilte sinngemäß in sein Dasein zu ordnen, nicht auf.

An Kaisers Geburtstag hatte einer für den anderen wichtige Mitteilung. Er war zum Wachtmeister ernannt. An sein Ohr sinkend, gestand sie Mutterschaft.

Von Erspartem lebend, war sie seit Wochen ihrem Beruf fremd. Da die Überraschungen an den Tag waren, faßten sie sich bei Händen, ließen Glück des Einverständnisses in Blicken sprechen. Dann, über gemeinsam Erlebtes hinausgehend, griff er in ihr Persönliches, forschte nach ihrer Innerlichkeit. Welche Hoffnungen Entwürfe sie für das Zukünftige bewegten, ob sie es nur mit ihm oder Höherem verknüpft glaubte, wie das Göttliche ihr vorschwebte; kurz Fragen stellte er, die sie, die Frau, einst angerührt, und das sie seiner Seele Zustand erkannte, schnell verlassen hatte.

Sie aber fröstelnd, leicht erhitzt, bebte in Gliedern über seine Fieber und schwieg. Tiefer drückten sich seine Finger in ihr Fleisch, dringender wurde seine Rede, leichter Schaum erschien auf Lippen. Doch während rote Sonnen in ihrer Stirnhöhle drehten, kam kein Laut Antwort von ihr. Sie ließ ihn sich erschöpfen, diesen Abend ohne Aufschluß gehen.

Nun klopfte ihm auf dem Heimweg stürmisch das Herz vor dem Wiedersehn mit seiner Frau. Da seine Manneskraft durch

Gesines Eröffnung bewiesen stand, wurde dieses Weibes Haupt-
buchseite ihm gegenüber zu einem Blatt der Schuld. Gelogen
ihres Daseins Überlegenheit, ins Gegenteil verkehrt. Eine Handvoll Sand war sie; kein Gott machte sie trächtig; er aber, wohin
er seinen Finger legte, mußte schaffend sich beweisen.

Prachtvoll großer Haß blies in dem Mann, ließ ihn ein schrei-
tendes Denkmal sein. Wäre sie ihm gegenüber gewesen, wie
Föhn hätte Hauch von ihm ihre Eingeweide bloßgefegt, seine
zarteste Handlung sie zertrümmert.

Doch starb Erbitterung an ihrer eigenen Kraft und Überzeugung. Da nicht der geringste Einwand gegenüberstand, von seiten des Weibes kein Aber zu denken blieb, war Elisa aus Wirklichkeit, in der sie bis heute durch Kraft eines zu Unrecht vor-
getäuschten Zornes gelebt hatte, gelöscht, nur noch Erinnerung
von ihr begann zu leben. Je näher Busekow seinem Haus kam,
wurden Gefühle der in ihm Hingeschiedenen gegenüber, wie
für Tote überhaupt, weicher, und als er das Amen über ihr Leben sprach, erschien ihr Bild, wie sie im Hochzeitskleid, eine
Rose auf der Brust, einmal jung in seinen Arm gekommen war,
freundliche Erinnerung heischend vor ihm.

Er hob die Hand, winkte einen Abschiedsgruß. Trat bei sich
ein, entkleidete sich halbgeschlossenen Auges, legte sich zu ihr,
nahm ihrem in ihm vollendeten Abscheiden zu Ehren im Bett
die gewohnte Rückenlage ein.

Sie aber empfand, in diesem Mann habe höhere Einsicht gegen
sie entschieden, zog unter der Decke das Knie an die Brust und
fürchtete sich sehr.

Und ob sie ihrer Schuld klares Bewußtsein verabscheute, mußte
sie ihm in dieser Nacht schon in die Augen sehen, wie es kündete, was sie oft aus sich selbst empfunden hatte: In allem
Wesentlichen, von Gott Gegebenen und Hinzuerrungenen ihm
hintangestellt, wagtest du frecher Stirn eure Ansprüche aneinander derart zu fälschen, daß du betrügerischer Untreue aus
seinen Mitteln zu deinen Gunsten schöpftest und es darzustellen wußtest, als bliebe er dir schuldig. Und in Zukunft ward ihr
bewußt, wie ihr Verbrechen an ihm größer war, als daß es auf
dieser Erde auch getilgt werden konnte.

Immerhin kann dies zu ihrer Entlastung berichtet werden, entschlossen zog sie jede Folge aus der Erkenntnis. Demütigte, un-
terwarf sich, hörte auf seinen Atemzug als einzigen Laut in der

Welt; lag seinem Antlitz in bewundernder gerührter Unterwürfigkeit nächtens zugewandt. Seine gekrallten Hände aus
Bettritzen hochzuziehen, wagte sie ehrfürchtig nicht. Seufzer
Geständnisse Versprechen scheue Küsse hauchte sie gegen ihn,
doch blieb ihm alles, Leid und Geste, verborgen.

Für ihn – und es kam die Nacht, in der es Elisa begriff – war sie
nur Kunde von sich selbst. Andenken Leichenstein.

Gesine empfand alsbald, nun sei ihr mit Christof das letzte Heil
gekommen. Da er wieder zu ihr trat, war menschlich Befan-
genes aus seiner Gebärde geschwunden, Gegenstände und sie
griff er mit großer Machtvollkommenheit, wußte aus befreiter
Natur Allerselbständigstes. Die Stimme fand aus Ecken größeren Widerhall, ihr schlug jedes Wort von ihm durchs Trommel-
fell an die Herzwand. Da zögerte sie nicht länger, legte sich frei.
Entschleierte ihr Gewissen, ließ seinen Blick in innere Kanäle.
Er las berauschte Frömmigkeit. Vom Schöpfungstag angefangen
lag Gott mit allen Wundern in dieses Weibes Leib. Zu Bildern,
die aus ihr strahlten, begannen die Lippen, herrliche Gleich-
nisse zu stammeln. Alle Texte der Schrift hatte sie aufgefangen, mit Blut genährt, lebendig gehalten. Es stiegen Adam und
Abraham aus ihr zu ergreifendem Licht. Als sie von Saul und
David zu sprechen begann, begriff sie, von Gnade beweht, die
männlichste Tragik, und da ihre Stimme pathetisch heulte,
trieb es sie beide von der Matratze hoch. Auf Knien zum Fenster gewandt, parallel beieinander hochgerichtet, tranken sie
jedes schallende Wort. Ihr waren die Brüste aufgestanden, auf
seinen Schenkeln spreizte sich jedes Haar. Brille fiel ihm vom
Ohr, hing quer über das lefzende Maul.

Nasse Wärme quoll aus den Körpern, eng hämmerten Atome
aneinander, Glieder waren geballt. Gesines Scheitel schien
feucht und hell beleuchtet.

Schon hub Christof mit Rede in ihre hinein. Glühende Stahl-
tropfen fielen Silben auf ihre Satzenden. Gebell blieb es mehr,
als daß Verständnis zustand kam; doch half es ihr zu voller
Ekstase. Rasend schrie das Weib die biblischen Namen, be-
feuerte so des Geliebten Hingabe, daß ihre Glaubensmacht die
Wände der Beschränkung brach, den letzten Sinn alles Geschrie-
bene bloßlegte.

Wie in starker Musik, im Spiel vermischter Themen der musi-

kalische Leitgedanke nicht verloren geht, übertönte Davids
Name in ihrer Darstellung alle Harmonien des Alten Testa-
ments. Und es gelang Gesine, das Vermächtnis hingegangener
Judengenerationen in aufstehender Gestalt als Jesus in Marias
Schoß zu pflanzen, daß Christof, von Davids heldischem Reiz
befangen, ihr willig in den Kult folgte, den sie um den fleisch-
lichen Leib der Mutter als Erhalterin und Wiedergebärerin erlauchten messianischen Samens exekutierte.
Ihre aufgesperrten Finger hatten sich verflochten. Schädel,
Knochen an Knochen sanken gleiches Gebein in die Kissen-
grube.
In jenen Augenblicken, da sie Marias Begegnung mit Elisabeth
erzählte, bei dem Satz: Und es begab sich, als Elisabeth Marias
Gruß hörte, hüpfte das Kind in ihrem Leib! – als unter ihnen
das Lager rollte, Sausen in Lüften war – brach sie die geflüsterte
Rede ab, zog des Mannes Finger auf ihren Bauch, und beide
fühlten, siehe – es hüpfte das Kind in ihrem Leib!
Und Blicke flogen auf über das rhythmische Spiel der Glieder,
von Himmeln mit Stolz sich anstrahlend, beteuerte jedes und
stellte fest das hocheigene Teil, sich selbst zu diesem Wunder.
Dann warf es sie Rippe zu Rippe.
Moses David Jesus und alle Helden des Buches war Christof in
dieser Nacht. Es strömte heroische Männlichkeit von Jahrtau-
senden aus ihm. Sie nahm hin und schmeichelte ihm hold, daß
keine Kraft aus seinen Lenden wich, er hochgemut bis zum
Morgen blieb, als sie in leichten Schlummer verzaubert sank.
Da riß er sich von ihr, reckte die Brust in den Tag, fand sich ans
Klavier. Hingezogen von Gefühlen, suchend hochreißend aus
Erinnerung, drückte er mit seinem Finger in die Tasten: Heil
dir im Siegerkranz! Und mit Stimme folgend, mächtiger an-
schwellend, variierte er über beiden Pedalen vom Baß bis in
höchsten Diskant – da klang es ihm selig:

> Heil dir im Siegerkranz
> Fühl in des Thrones Glanz
> die hohe Wonne ganz
> Heil Kaiser dir.

Gesine spürte im Schlaf: So ist's recht, Christof. Wohl, recht –
wohl.

Am Abend dieses Tages, man schrieb den fünfzehnten Februar, leitete Busekow vor dem königlichen Theater der Wagen Auffahrt. Aus seinem Glück war er nicht erwacht. Durch Netz von Klang- und Taktreizen, das aus letzter Nacht noch um ihn hing, drang Gegenwart nicht in sein Bewußtsein. Es schüttelte ihn eine liebliche Erinnerung um die andere; auf Fersen hob er sich, seines Körpers Ausmaß zu längern, stammelte vor sich hin. Dann, als Rufen in der Menge scholl, hob Begeisterung ihn zu Wolken. Er weitete füllte sich schwebte auf; wollte rechts und links mit sich nehmen, mußte aus einem Jauchzen heraus, das ihn mit Entzücken aufspannte, stürmisch vorwärtsschießen. Man sah, wie er die Arme mit herrlicher Gebärde gen Osten reckte, hörte aus seinem Mund einen siegreichen Schrei – und hob ihn unter dem Automobil herauf, das anfahrend ihn schnell getötet hatte.

Franz Kafka

Das Urteil

Es war an einem Sonntagvormittag im schönsten Frühjahr. Georg Bendemann, ein junger Kaufmann, saß in seinem Privatzimmer im ersten Stock eines der niedrigen, leichtgebauten Häuser, die entlang des Flusses in einer langen Reihe, fast nur in der Höhe und Färbung unterschieden, sich hinzogen. Er hatte gerade einen Brief an einen sich im Ausland befindenden Jugendfreund beendet, verschloß ihn in spielerischer Langsamkeit und sah dann, den Ellbogen auf den Schreibtisch gestützt, aus dem Fenster auf den Fluß, die Brücke und die Anhöhen am anderen Ufer mit ihrem schwachen Grün.

Er dachte darüber nach, wie dieser Freund, mit seinem Fortkommen zu Hause unzufrieden, vor Jahren schon nach Rußland sich förmlich geflüchtet hatte. Nun betrieb er ein Geschäft in Petersburg, das anfangs sich sehr gut angelassen hatte, seit langem aber schon zu stocken schien, wie der Freund bei seinen immer seltener werdenden Besuchen klagte. So arbeitete er sich in der Fremde nutzlos ab, der fremdartige Vollbart verdeckte nur schlecht das seit den Kinderjahren wohlbekannte Gesicht, dessen gelbe Hautfarbe auf eine sich entwickelnde Krankheit hinzudeuten schien. Wie er erzählte, hatte er keine rechte Verbindung mit der dortigen Kolonie seiner Landsleute, aber auch fast keinen gesellschaftlichen Verkehr mit einheimischen Familien und richtete sich so für ein endgültiges Junggesellentum ein.

Was wollte man einem solchen Manne schreiben, der sich offenbar verrannt hatte, den man bedauern, dem man aber nicht helfen konnte. Sollte man ihm vielleicht raten, wieder nach Hause zu kommen, seine Existenz hierher zu verlegen, alle die alten freundschaftlichen Beziehungen wieder aufzunehmen wofür ja kein Hindernis bestand – und im übrigen auf die Hilfe der Freunde zu vertrauen? Das bedeutete aber nichts anderes, als daß man ihm gleichzeitig, je schonender, desto kränkender, sagte, daß seine bisherigen Versuche mißlungen seien, daß er endlich von ihnen ablassen solle, daß er zurückkehren und sich als ein für immer Zurückgekehrter von allen mit großen Augen anstaunen lassen müsse, daß nur seine Freunde etwas verstünden und daß er ein altes Kind sei, das den erfolgreichen, zu Hause gebliebenen Freunden einfach zu folgen habe. Und war es dann noch sicher, daß alle die Plage, die man ihm antun müßte, einen Zweck hätte? Vielleicht gelang es nicht einmal ihn überhaupt nach Hause zu bringen – er sagte ja selbst, das er die Verhältnisse in der Heimat nicht mehr verstünde –, und so bliebe er dann trotz allem in seiner Fremde, verbittert durch die Ratschläge und den Freunden noch ein Stück mehr entfremdet. Folgte er aber wirklich dem Rat und würde hier – natürlich nicht mit der Absicht, aber durch die Tatsachen – niedergedrückt, fände sich nicht in seinen Freunden und nicht ohne sie zurecht, litte an Beschämung, hätte jetzt wirklich keine Heimat und keine Freunde mehr, war es da nicht viel besser für ihn, er blieb in der Fremde, so wie er war? Konnte man denn bei solchen Umständen daran denken, daß er es hier tatsächlich vorwärts bringen würde?

Aus diesen Gründen konnte man ihm, wenn man noch überhaupt die briefliche Verbindung aufrecht erhalten wollte, keine eigentlichen Mitteilungen machen, wie man sie ohne Scheu auch den entferntesten Bekannten machen würde. Der Freund war nun schon über drei Jahre nicht in der Heimat gewesen und erklärte dies sehr notdürftig mit der Unsicherheit der politischen Verhältnisse in Rußland, die demnach also auch die kür-

zeste Abwesenheit eines kleinen Geschäftsmannes nicht zu-
ließen, während hunderttausende Russen ruhig in der Welt
herumfuhren. Im Laufe dieser drei Jahre hatte sich aber gerade
für Georg vieles verändert. Von dem Todesfall von Georgs
Mutter, der vor etwa zwei Jahren erfolgt war und seit welchem
Georg mit seinem alten Vater in gemeinsamer Wirtschaft lebte,
hatte der Freund wohl noch erfahren und sein Beileid in einem
Brief mit einer Trockenheit ausgedrückt, die ihren Grund nur
darin haben konnte, daß die Trauer über ein solches Ereignis
in der Fremde ganz unvorstellbar wird. Nun hatte aber Georg
seit jener Zeit, so wie alles andere, auch sein Geschäft mit
größerer Entschlossenheit angepackt. Vielleicht hatte ihn der
Vater bei Lebzeiten der Mutter dadurch, daß er im Geschäft nur
seine Ansicht gelten lassen wollte, an einer wirklichen eigenen
Tätigkeit gehindert, vielleicht war der Vater seit dem Tode der
Mutter, trotzdem er noch immer im Geschäft arbeitete, zurück-
haltender geworden, vielleicht spielten – was sogar sehr wahrscheinlich war – glückliche Zufälle eine weit wichtigere Rolle,
jedenfalls aber hatte sich das Geschäft in diesen zwei Jahren
ganz unerwartet entwickelt, das Personal hatte man verdoppeln
müssen, der Umsatz hatte sich verfünffacht, ein weiterer Fort-
schritt stand zweifellos bevor.

Der Freund aber hatte keine Ahnung von dieser Veränderung.
Früher, zum letztenmal vielleicht in jenem Beileidsbrief, hatte
er Georg zur Auswanderung nach Rußland überreden wollen
und sich über die Aussichten verbreitet, die gerade für Georgs
Geschäftszweig in Petersburg bestanden. Die Ziffern waren ver-
schwindend gegenüber dem Umfang, den Georgs Geschäft jetzt
angenommen hatte. Georg aber hatte keine Lust gehabt, dem
Freund von seinen geschäftlichen Erfolgen zu schreiben, und
hätte er es jetzt nachträglich getan, es hätte wirklich einen
merkwürdigen Anschein gehabt.

So beschränkte sich Georg darauf, dem Freund immer nur über
bedeutungslose Vorfälle zu schreiben, wie sie sich, wenn man
an einem ruhigen Sonntag nachdenkt, in der Erinnerung unge-
ordnet aufhäufen. Er wollte nichts anderes, als die Vorstellung
ungestört lassen, die sich der Freund von der Heimatstadt in der
langen Zwischenzeit wohl gemacht und mit welcher er sich abgefunden hatte. So geschah es Georg, daß er dem Freund die
Verlobung eines gleichgültigen Menschen mit einem ebenso

gleichgültigen Mädchen dreimal in ziemlich weit auseinander-
liegenden Briefen anzeigte, bis sich dann allerdings der Freund,
ganz gegen Georgs Absicht, für diese Merkwürdigkeit zu interessieren begann.

Georg schrieb ihm aber solche Dinge viel lieber, als daß er zugestanden hätte, daß er selbst vor einem Monat mit einem Fräulein Frieda Brandenfeld, einem Mädchen aus wohlhabender
Familie, sich verlobt hatte. Oft sprach er mit seiner Braut über
diesen Freund und das besondere Korrespondenzverhältnis, in
welchem er zu ihm stand. »Er wird also gar nicht zu unserer
Hochzeit kommen,« sagte sie, »und ich habe doch das Recht,
alle deine Freunde kennen zu lernen.« »Ich will ihn nicht stören,« antwortete Georg, »verstehe mich recht, er würde wahrscheinlich kommen, wenigstens glaube ich es, aber er würde
sich gezwungen und geschädigt fühlen, vielleicht mich beneiden und sicher unzufrieden und unfähig, diese Unzufriedenheit jemals zu beseitigen, allein wieder zurückfahren. Allein –
weißt du, was das ist?« »Ja, kann er denn von unserer Heirat
nicht auch auf andere Weise erfahren?« »Das kann ich allerdings nicht verhindern, aber es ist bei seiner Lebensweise
unwahrscheinlich.« »Wenn du solche Freunde hast, Georg, hättest du dich überhaupt nicht verloben sollen.« »Ja, das ist unser
beider Schuld; aber ich wollte es auch jetzt nicht anders haben.«
Und wenn sie dann, rasch atmend unter seinen Küssen, noch
vorbrachte: »Eigentlich kränkt es mich doch,« hielt er es wirklich für unverfänglich, dem Freund alles zu schreiben. »So bin
ich und so hat er mich hinzunehmen«, sagte er sich, »ich kann
nicht aus mir einen Menschen herausschneiden, der vielleicht
für die Freundschaft mit ihm geeigneter wäre, als ich es bin.«

Und tatsächlich berichtete er seinem Freunde in dem langen
Brief, den er an diesem Sonntagvormittag schrieb, die erfolgte
Verlobung mit folgenden Worten: »Die beste Neuigkeit habe ich
mir bis zum Schluß aufgespart. Ich habe mich mit einem Fräulein Frieda Brandenfeld verlobt, einem Mädchen aus einer wohlhabenden Familie, die sich hier erst lange nach Deiner Abreise
angesiedelt hat, die Du also kaum kennen dürftest. Es wird sich
noch Gelegenheit finden, Dir Näheres über meine Braut mitzuteilen, heute genüge Dir, daß ich recht glücklich bin und daß
sich in unserem gegenseitigen Verhältnis nur insofern etwas geändert hat, als Du jetzt in mir statt eines ganz gewöhnlichen

Freundes einen glücklichen Freund haben wirst. Außerdem be-
kommst Du in meiner Braut, die Dich herzlich grüßen läßt, und
die Dir nächstens selbst schreiben wird, eine aufrichtige Freundin, was für einen Junggesellen nicht ganz ohne Bedeutung ist.
Ich weiß, es hält Dich vielerlei von einem Besuche bei uns zurück, wäre aber nicht gerade meine Hochzeit die richtige Gelegenheit, einmal alle Hindernisse über den Haufen zu werfen?
Aber wie dies auch sein mag, handle ohne alle Rücksicht und
nur nach Deiner Wohlmeinung.«
Mit diesem Brief in der Hand war Georg lange, das Gesicht dem
Fenster zugekehrt, an seinem Schreibtisch gesessen. Einem Bekannten, der ihn im Vorübergehen von der Gasse aus gegrüßt
hatte, hatte er kaum mit einem abwesenden Lächeln geantwortet.
Endlich steckte er den Brief in die Tasche und ging aus seinem
Zimmer quer durch einen kleinen Gang in das Zimmer seines
Vaters, in dem er schon seit Monaten nicht gewesen war. Es bestand auch sonst keine Nötigung dazu, denn er verkehrte mit
seinem Vater ständig im Geschäft, das Mittagessen nahmen sie
gleichzeitig in einem Speisehaus ein, abends versorgte sich zwar
jeder nach Belieben, doch saßen sie dann meistens, wenn nicht
Georg, wie es am häufigsten geschah, mit Freunden beisammen
war oder jetzt seine Braut besuchte, noch ein Weilchen, jeder
mit seiner Zeitung, im gemeinsamen Wohnzimmer.
Georg staunte darüber, wie dunkel das Zimmer des Vaters
selbst an diesem sonnigen Vormittag war. Einen solchen Schatten warf also die hohe Mauer, die sich jenseits des schmalen
Hofes erhob. Der Vater saß beim Fenster in einer Ecke, die mit
verschiedenen Andenken an die selige Mutter ausgeschmückt
war, und las die Zeitung, die er seitlich vor die Augen hielt,
wodurch er irgendeine Augenschwäche auszugleichen suchte.
Auf dem Tisch standen die Reste des Frühstücks, von dem nicht
viel verzehrt zu sein schien.
»Ah, Georg!« sagte der Vater und ging ihm gleich entgegen. Sein
schwerer Schlafrock öffnete sich im Gehen, die Enden umflat-
terten ihn – »mein Vater ist noch immer ein Riese«, sagte sich
Georg.
»Hier ist es ja unerträglich dunkel«, sagte er dann.
»Ja, dunkel ist es schon«, antwortete der Vater.
»Das Fenster hast du auch geschlossen?«

»Ich habe es lieber so.«

»Es ist ja ganz warm draußen«, sagte Georg, wie im Nachhang zu dem Früheren, und setzte sich.

Der Vater räumte das Frühstücksgeschirr ab und stellte es auf einen Kasten.

»Ich wollte dir eigentlich nur sagen,« fuhr Georg fort, der den Bewegungen des alten Mannes ganz verloren folgte, »daß ich nun doch nach Petersburg meine Verlobung angezeigt habe.« Er zog den Brief ein wenig aus der Tasche und ließ ihn wieder zurückfallen.

»Nach Petersburg?« fragte der Vater.

»Meinem Freunde doch«, sagte Georg und suchte des Vaters Augen. – »Im Geschäft ist er doch ganz anders,« dachte er, »wie er hier breit sitzt und die Arme über der Brust kreuzt.«

»Ja. Deinem Freunde«, sagte der Vater mit Betonung.

»Du weißt doch, Vater, daß ich ihm meine Verlobung zuerst verschweigen wollte. Aus Rücksichtnahme, aus keinem anderen Grunde sonst. Du weißt selbst, er ist ein schwieriger Mensch. Ich sagte mir, von anderer Seite kann er von meiner Verlobung wohl erfahren, wenn das auch bei seiner einsamen Lebensweise kaum wahrscheinlich ist – das kann ich nicht hindern –, aber von mir selbst soll er es nun einmal nicht erfahren.«

»Und jetzt hast du es dir wieder anders überlegt?« fragte der Vater, legte die große Zeitung auf den Fensterbord und auf die Zeitung die Brille, die er mit der Hand bedeckte.

»Ja, jetzt habe ich es mir wieder überlegt. Wenn er mein guter Freund ist, sagte ich mir, dann ist meine glückliche Verlobung auch für ihn ein Glück. Und deshalb habe ich nicht mehr gezögert, es ihm anzuzeigen. Ehe ich jedoch den Brief einwarf, wollte ich es dir sagen.«

»Georg,« sagte der Vater und zog den zahnlosen Mund in die Breite, »hör' einmal! Du bist wegen dieser Sache zu mir gekommen, um dich mit mir zu beraten. Das ehrt dich ohne Zweifel. Aber es ist nichts, es ist ärger als nichts, wenn du mir jetzt nicht die volle Wahrheit sagst. Ich will nicht Dinge aufrühren, die nicht hierher gehören. Seit dem Tode unserer teueren Mutter sind gewisse unschöne Dinge vorgegangen. Vielleicht kommt auch für sie die Zeit und vielleicht kommt sie früher, als wir denken. Im Geschäft entgeht mir manches, es wird mir vielleicht nicht verborgen – ich will jetzt gar nicht die Annahme

machen, daß es mir verborgen wird –, ich bin nicht mehr kräftig
genug, mein Gedächtnis läßt nach, ich habe nicht mehr den
Blick für alle die vielen Sachen. Das ist erstens der Ablauf der
Natur, und zweitens hat mich der Tod unseres Mütterchens viel
mehr niedergeschlagen als dich. – Aber weil wir gerade bei dieser Sache halten, bei diesem Brief, so bitte ich dich, Georg, täusche mich nicht. Es ist eine Kleinigkeit, es ist nicht des Atems
wert, also täusche mich nicht. Hast du wirklich diesen Freund
in Petersburg?«
Georg stand verlegen auf. »Lassen wir meine Freunde sein. Tausend Freunde ersetzen mir nicht meinen Vater. Weißt du, was
ich glaube? Du schonst dich nicht genug. Aber das Alter verlangt seine Rechte. Du bist mir im Geschäft unentbehrlich, das
weißt du ja sehr genau, aber wenn das Geschäft deine Gesundheit bedrohen sollte, sperre ich es noch morgen für immer. Das
geht nicht. Wir müssen da eine andere Lebensweise für dich
einführen. Aber von Grund aus. Du sitzt hier im Dunkel, und
im Wohnzimmer hättest du schönes Licht. Du nippst vom Frühstück, statt dich ordentlich zu stärken. Du sitzt bei geschlosse-
nem Fenster, und die Luft würde dir so gut tun. Nein, mein
Vater! Ich werde den Arzt holen und seinen Vorschriften werden wir folgen. Die Zimmer werden wir wechseln, du wirst ins
Vorderzimmer ziehen, ich hierher. Es wird keine Veränderung
für dich sein, alles wird mit übertragen werden. Aber das alles
hat Zeit, jetzt lege dich noch ein wenig ins Bett, du brauchst
unbedingt Ruhe. Komm, ich werde dir beim Ausziehen helfen,
du wirst sehn, ich kann es. Oder willst du gleich ins Vorderzimmer gehn, dann legst du dich vorläufig in mein Bett. Das wäre
übrigens sehr vernünftig.«
Georg stand knapp neben seinem Vater, der den Kopf mit dem
struppigen weißen Haar auf die Brust hatte sinken lassen.
»Georg«, sagte der Vater leise, ohne Bewegung.
Georg kniete sofort neben dem Vater nieder, er sah die Pupillen
in dem müden Gesicht des Vaters übergroß in den Winkeln der
Augen auf sich gerichtet.
»Du hast keinen Freund in Petersburg. Du bist immer ein Spaß-
macher gewesen und hast dich auch mir gegenüber nicht zurückgehalten. Wie solltest du denn gerade dort einen Freund
haben! Das kann ich gar nicht glauben.«
»Denk doch einmal nach, Vater,« sagte Georg, hob den Vater

vom Sessel und zog ihm, wie er nun doch recht schwach dastand, den Schlafrock aus, »jetzt wird es bald drei Jahre her sein, da war ja mein Freund bei uns zu Besuch. Ich erinnere mich noch, daß du ihn nicht besonders gern hattest. Wenigstens zweimal habe ich ihn vor dir verleugnet, trotzdem er gerade bei mir im Zimmer saß. Ich konnte ja deine Abneigung gegen ihn ganz gut verstehen, mein Freund hat seine Eigentümlichkeiten. Aber dann hast du dich doch auch wieder ganz gut mit ihm unterhalten. Ich war damals noch so stolz darauf, daß du ihm zuhörtest, nicktest und fragtest. Wenn du nachdenkst, mußt du dich erinnern. Er erzählte damals unglaubliche Geschichten von der russischen Revolution. Wie er z. B. auf einer Geschäftsreise in Kiew bei einem Tumult einen Geistlichen auf einem Balkon gesehen hatte, der sich ein breites Blutkreuz in die flache Hand schnitt, diese Hand erhob und die Menge anrief. Du hast ja selbst diese Geschichte hie und da wiedererzählt.«

Währenddessen war es Georg gelungen, den Vater wieder niederzusetzen und ihm die Trikothose, die er über den Leinenunterhosen trug, sowie die Socken vorsichtig auszuziehn. Beim Anblick der nicht besonders reinen Wäsche machte er sich Vorwürfe, den Vater vernachlässigt zu haben. Es wäre sicherlich auch seine Pflicht gewesen, über den Wäschewechsel seines Vaters zu wachen. Er hatte mit seiner Braut darüber, wie sie die Zukunft des Vaters einrichten wollten, noch nicht ausdrücklich gesprochen, denn sie hatten stillschweigend vorausgesetzt, daß der Vater allein in der alten Wohnung bleiben würde. Doch jetzt entschloß er sich kurz mit aller Bestimmtheit, den Vater in seinen künftigen Haushalt mitzunehmen. Es schien ja fast, wenn man genauer zusah, daß die Pflege, die dort dem Vater bereitet werden sollte, zu spät kommen könnte.

Auf seinen Armen trug er den Vater ins Bett. Ein schreckliches Gefühl hatte er, als er während der paar Schritte zum Bett hin merkte, daß an seiner Brust der Vater mit seiner Uhrkette spielte. Er konnte ihn nicht gleich ins Bett legen, so fest hielt er sich an dieser Uhrkette.

Kaum war er aber im Bett, schien alles gut. Er deckte sich selbst zu und zog dann die Bettdecke noch besonders weit über die Schulter. Er sah nicht unfreundlich zu Georg hinauf.

»Nicht wahr, du erinnerst dich schon an ihn?« fragte Georg und nickte ihm aufmunternd zu.

»Bin ich jetzt gut zugedeckt?« fragte der Vater, als könne er nicht nachschauen, ob die Füße genug bedeckt seien.

»Es gefällt dir also schon im Bett«, sagte Georg und legte das Deckzeug besser um ihn.

»Bin ich gut zugedeckt?« fragte der Vater noch einmal und schien auf die Antwort besonders aufzupassen.

»Sei nur ruhig, du bist gut zugedeckt.«

»Nein!« rief der Vater, daß die Antwort an die Frage stieß, warf die Decke zurück mit einer Kraft, daß sie einen Augenblick im Fluge sich ganz entfaltete, und stand aufrecht im Bett. Nur eine Hand hielt er leicht an den Plafond. »Du wolltest mich zudecken, das weiß ich, mein Früchtchen, aber zugedeckt bin ich noch nicht. Und ist es auch die letzte Kraft, genug für dich, zuviel für dich. Wohl kenne ich deinen Freund. Er wäre ein Sohn nach meinem Herzen. Darum hast du ihn auch betrogen die ganzen Jahre lang. Warum sonst? Glaubst du, ich habe nicht um ihn geweint? Darum doch sperrst du dich in dein Bureau, niemand soll stören, der Chef ist beschäftigt – nur damit du deine falschen Briefchen nach Rußland schreiben kannst. Aber den Vater muß glücklicherweise niemand lehren, den Sohn zu durchschauen. Wie du jetzt geglaubt hast, du hättest ihn untergekriegt, so untergekriegt, daß du dich mit deinem Hintern auf ihn setzen kannst und er rührt sich nicht, da hat sich mein Herr Sohn zum Heiraten entschlossen!«

Georg sah zum Schreckbild seines Vaters auf. Der Petersburger Freund, den der Vater plötzlich so gut kannte, ergriff ihn, wie noch nie. Verloren im weiten Rußland sah er ihn. An der Türe des leeren, ausgeraubten Geschäftes sah er ihn. Zwischen den Trümmern der Regale, den zerfetzten Waren, den fallenden Gasarmen stand er gerade noch. Warum hatte er so weit wegfahren müssen!

»Aber schau mich an!« rief der Vater, und Georg lief, fast zerstreut, zum Bett, um alles zu fassen, stockte aber in der Mitte des Weges.

»Weil sie die Röcke gehoben hat,« fing der Vater zu flöten an, »weil sie die Röcke so gehoben hat, die widerliche Gans,« und er hob, um das darzustellen, sein Hemd so hoch, daß man an seinem Oberschenkel die Narbe aus seinen Kriegsjahren sah, »weil sie die Röcke so und so und so gehoben hat, hast du dich an sie herangemacht, und damit du an ihr ohne Störung dich befriedigen kannst, hast du unserer Mutter Andenken geschändet, den Freund verraten und deinen Vater ins Bett gesteckt, damit er sich nicht rühren kann. Aber kann er sich rühren oder nicht?«

Und er stand vollkommen frei und warf die Beine. Er strahlte vor Einsicht.

Georg stand in einem Winkel, möglichst weit vom Vater. Vor einer langen Weile hatte er sich fest entschlossen, alles vollkommen genau zu beobachten, damit er nicht irgendwie auf Umwegen, von hinten her, von oben herab überrascht werden könne. Jetzt erinnerte er sich wieder an den längst vergessenen Entschluß und vergaß ihn, wie man einen kurzen Faden durch ein Nadelöhr zieht.

»Aber der Freund ist nun doch nicht verraten!« rief der Vater und sein hin- und herbewegter Zeigefinger bekräftigte es. »Ich war sein Vertreter hier am Ort.«

»Komödiant!« konnte sich Georg zu rufen nicht enthalten, er kannte sofort den Schaden und biß, nur zu spät, – die Augen erstarrt – in seine Zunge, daß er vor Schmerz einknickte.

»Ja, freilich habe ich Komödie gespielt! Komödie! Gutes Wort. Welcher andere Trost blieb dem alten verwitweten Vater? Sag – und für den Augenblick der Antwort sei du noch mein lebender Sohn –, was blieb mir übrig, in meinem Hinterzimmer, verfolgt vom ungetreuen Personal, alt bis in die Knochen? Und mein Sohn ging im Jubel durch die Welt, schloß Geschäfte ab, die ich vorbereitet hatte, überpurzelte sich vor Vergnügen und ging vor seinem Vater mit dem verschlossenen Gesicht eines Ehrenmannes davon! Glaubst du, ich hätte dich nicht geliebt, ich, von dem du ausgingst?«

»Jetzt wird er sich vorbeugen,« dachte Georg, »wenn er fiel und zerschmetterte!« Dieses Wort durchzischte seinen Kopf.

Der Vater beugte sich vor, fiel aber nicht. Da Georg sich nicht näherte, wie er erwartet hatte, erhob er sich wieder.

»Bleib, wo du bist, ich brauche dich nicht! Du denkst, du hast noch die Kraft, hierher zu kommen und hältst dich bloß zurück, weil du so willst. Daß du dich nicht irrst! Ich bin noch immer der viel Stärkere. Allein hätte ich vielleicht zurückweichen müssen, aber so hat mir die Mutter ihre Kraft abgegeben, mit deinem Freund habe ich mich herrlich verbunden, deine Kundschaft habe ich hier in der Tasche!«

»Sogar im Hemd hat er Taschen!« sagte sich Georg und glaubte, er könne ihn mit dieser Bemerkung in der ganzen Welt unmöglich machen. Nur einen Augenblick dachte er das, denn immerfort vergaß er alles.

»Häng dich nur in deine Braut ein und komm mir entgegen! Ich fege sie dir von der Seite weg, du weißt nicht wie!«

Georg machte Grimassen, als glaube er das nicht. Der Vater nickte bloß, die Wahrheit dessen, was er sagte, beteuernd, in Georgs Ecke hin.

»Wie hast du mich doch heute unterhalten, als du kamst und fragtest, ob du deinem Freund von der Verlobung schreiben sollst. Er weiß doch alles, dummer Junge, er weiß doch alles! Ich schrieb ihm doch, weil du vergessen hast, mir das Schreibzeug wegzunehmen. Darum kommt er schon seit Jahren nicht, er weiß ja alles hundertmal besser als du selbst, deine Briefe zerknüllt er ungelesen in der linken Hand, während er in der Rechten meine Briefe zum Lesen sich vorhält!«

Seinen Arm schwang er vor Begeisterung über dem Kopf. »Er weiß alles tausendmal besser!« rief er.

»Zehntausendmal!« sagte Georg, um den Vater zu verlachen, aber noch in seinem Munde bekam das Wort einen toternsten Klang.

»Seit Jahren passe ich schon auf, daß du mit dieser Frage kämest! Glaubst du, mich kümmert etwas anderes? Glaubst du, ich lese Zeitungen? Da!« und er warf Georg ein Zeitungsblatt, das irgendwie mit ins Bett getragen worden war, zu. Eine alte Zeitung, mit einem Georg schon ganz unbekannten Namen.

»Wie lange hast du gezögert, ehe du reif geworden bist! Die Mutter mußte sterben, sie konnte den Freudentag nicht erleben, der Freund geht zugrunde in seinem Rußland, schon vor drei Jahren war er gelb zum Wegwerfen, und ich, du siehst ja, wie es mit mir steht. Dafür hast du doch Augen!«

»Du hast mir also aufgelauert!« rief Georg.

Mitleidig sagte der Vater nebenbei: »Das wolltest du wahrscheinlich früher sagen. Jetzt paßt es ja gar nicht mehr.«

Und lauter: »Jetzt weißt du also, was es noch außer dir gab, bisher wußtest du nur von dir! Ein unschuldiges Kind warst du ja eigentlich, aber noch eigentlicher warst du ein teuflischer Mensch! – Und darum wisse: Ich verurteile dich jetzt zum Tode des Ertrinkens!«

Georg fühlte sich aus dem Zimmer gejagt, den Schlag, mit dem der Vater hinter ihm aufs Bett stürzte, trug er noch in den Ohren davon. Auf der Treppe, über deren Stufen er wie über eine schiefe Fläche eilte, überrumpelte er seine Bedienerin, die im Begriffe war, heraufzugehen, um die Wohnung nach der Nacht aufzuräumen. »Jesus!« rief sie und verdeckte mit der Schürze das Gesicht, aber er war schon davon. Aus dem Tor sprang er, über die Fahrbahn zum Wasser trieb es ihn. Schon hielt er das Geländer fest, wie ein Hungriger die Nahrung. Er schwang sich über, als der ausgezeichnete Turner, der er in seinen Jugendjahren zum Stolz seiner Eltern gewesen war. Noch hielt er sich mit schwächer werdenden Händen fest, erspähte zwischen den Geländerstangen einen Autoomnibus, der mit Leichtigkeit seinen Fall übertönen würde, rief leise: »Liebe Eltern, ich habe euch doch immer geliebt«, und ließ sich hinabfallen.

In diesem Augenblick ging über die Brücke ein geradezu unendlicher Verkehr.

MAX BROD

Notwehr

Das kleine tschechische Örtchen Wlaschim hat in seiner Mitte ein gutsherrliches Schloß mit einem schönen Park, und obwohl alle Rechte der Herrschaft seit Jahrzehnten abgelöst sind, ist doch ein guter Teil des alten Respekts in der Landbevölkerung noch zurückgeblieben, der sich in wunderlichen Sitten ausdrückt, beispielsweise in dem hartnäckig fortgeerbten Gerücht, der Schloßherr habe es streng verboten, den in der Mitte des Parkes stehenden chinesischen Pavillon jemals zu betreten. Der Schloßherr lebte jahraus jahrein in Wien und kümmerte sich wenig um seine Besitzungen in Böhmen, die ihn höchstwahrscheinlich nur der Einkünfte wegen interessierten. Aber das volkstümliche Märchen, das aus ihm etwas wie den lieben Gott und aus seinem Park einen zweiten Garten Eden machte, wurde in Wlaschim schon den kleinen Kindern eingeschärft. Alle sollten den strengen gnädigen Herrn fürchten, den sie nie gesehen hatten. Erschien einmal eine weltmännisch gekleidete

Person aus dem nahegelegenen Städtchen Beneschau oder sonstwoher – denn Beneschau liegt an der Bahnstrecke Wien–Prag, somit steht von dieser Seite her die Welt offen –, so traf sie überall im Dorf auf gebückte Rücken und andächtige »Küß-die-Hand«-Grüße, was man leicht für das Zeichen besonders unmännlicher, schmeichlerischer Gesinnung nehmen konnte, indes es nur eine Huldigung an den unbekannten Fürsten war. Denn die Bauern hatten die Scheu vor ihm aus ihren Kinderjahren weitergehegt, auch als Erwachsene machten sie einen Bogen um den geheimnisvollen Pavillon und betraten überhaupt den Park nur dann, wenn sie Geschäfte mit dem Verwalter oder den Gärtnern hatten; es war allgemeine Übereinkunft, daß man sich dort unbehaglich fühlte.

An den Chinesenturm knüpft sich die erste starke Erinnerung Viktor Kantureks, der seine glückliche Kindheit in Wlaschim verlebte. Dem wilden Jungen, schrankenlos und gesund, der die höchsten Bäume nicht anders als Leitern erkletterte, stach das Verbot gewaltig in den Sinn. Das Innere des Turmes nicht sehen, dessen Spitze man so harmlos verlockend über die Bäume hinausragen fand, wenn man an gewissen Beeten und Gebüschen vorbeikam – warum? Zudem war es gar nicht sicher, daß irgend jemand den Zutritt verboten hatte; denn auf derartige Befragung erwiderte meist nur ein mürrisches Kopfschütteln und Achselzucken. Über diesen Punkt wenigstens, ob ein solcher Bann überhaupt bestand, wollte Viktor durch kühnen Versuch sich Gewißheit verschaffen. Oder war etwa schon die Neugierde unerlaubt und bös? ... Von Phantasien geplagt, schlich er oft durch die umgebenden Baumgruppen nahe heran, wenn auch nicht ganz dicht ans Geländer des Pavillons, der übrigens nichts als eine offene Halle mit einer Wendeltreppe hindurch bis ans goldverschnörkelte Dach war. Gerade dieses Scheinbar-Offenstehn erhöhte den Schauer des Geheimnisses. Gott weiß, welche Dinge man zu sehen bekam, etwa oben am Plafond, wenn man den durch zwei Stufen erhöhten Estrich betrat; denn nur das Betreten war ja verboten, nicht die Betrachtung von außen. Spähend verdrehte das Kind seinen Kopf, legte sich auf die Erde nieder, guckte empor und in alle Winkel, ohne etwas Erhebliches zu bemerken ... Da kam es einmal auf den Einfall, sich in den Sträuchern zu verstecken und erst spät abends die Stufen zu besserer Kundschaftung hinauf- und so-

gleich wieder wegzurennen, dann sollte diese Sache abgetan
sein. So geschah es denn auch; nur empfing den Kehrtmachen-
den der Herr Obergärtner, der eben von seinem letzten Rundgang hier vorbeispazierte, das Kerlchen bei den Ohren schüttelte, nach dem Namen fragte und sofort vor seinen Vater als den
obersten Richter schleppte. Noch in späteren Jahren wußte
Viktor, daß er bei diesem Gang durch das Dorf an der Hand des
Aufsehers keine Angst verspürt hatte: denn was war denn
Böses geschehen, nichts! Als aber der Obergärtner dem strengen
Vater zu berichten anfing und mit fürchterlich drohenden Augen erwähnte, er habe in der Nähe des Pavillons überall Fuß-
angeln gegen Wilddiebe gelegt, denn wer anders als solche
Schufte, die nichts heilig achten, konnte die seit alter Zeit der
Pagode gewidmete Scheu verletzen, – als Viktor bei diesen Wor-
ten das Gesicht des Vaters sich ängstlich verfinstern und die
Mutter gar weinen sah, – da erst begann er sein Unrecht zu
fühlen und ahnte zum erstenmal, daß dem übereinstimmenden
Willen einer Gemeinschaft, auch wenn man ihn unverständlich
findet, irgendeine heilige, unverletzliche Bekräftigung anhafte,
welcher man sich nicht erwehren dürfe . . . Er mußte die ganze
Nacht über auf Erbsen knien, eine Woche lang an einem niedrigen Nebentischchen seine Mahlzeiten, mit schimpflichen Tränen vermischt, einnehmen. Aber alle Strafen nahm er geduldig
hin. Es geschieht mir ganz recht, dachte er, so muß es sein.
Der einzige Schatten dieser wenigen Tage verschwand übrigens
schnell aus seiner Jugend und wurde hundertfach überstrahlt
auf offener Landstraße, im Wald von den lärmenden Spielen
der Bauernjungen, von ihrem wortlosen Dastehen und Gaffen,
wenn es heiß war, von ihrem Waten im strudelnden Bach nach
schnell überstandenen Schulstunden, – Viktor immer mitten
unter ihnen. Das waren Jagden, Überfälle, manchmal auch nur
ein schreiendes Marschlied, wenn man abends den Vätern in
die Ziegelei entgegenzog und nur um Gottes willen hinter dem
Hauptmann mit dem Papierhelm im Schritt bleiben mußte. In
diesem Soldatenspiel lag eine selbstaufgelegte, freudig ertrage-
ne Disziplin, gleichsam ein notwendiges Gegengewicht zur Freiheit des Tages. Nur aus dem Schritt kommen durfte man nicht,
sonst alles, alles. Aber wieviel das war, wie weit von jedem
noch so niedrigen Hügel der Ausblick über das flache Land, das
wußte Viktor ebensowenig wie seine Freunde, denn etwas

anderes kannten sie gar nicht. Abgewendet von der Unendlichkeit des Himmels, vergnügte er sich vielmehr damit, aus grünen
Weidenzweigen den passendsten zu wählen, durch kunstge-
rechtes Beklopfen mit dem Taschenmesser die Rinde abzulösen
und mittels eines eingeschobenen Teiles des weißen, glatten
Holzes eine gute Pfeife herzustellen. Oft schüttelte der Vater
den Kopf über den heranwachsenden Burschen, den er leicht-
sinnig und verspielt schalt; aber Viktor verstand ihn nicht, was
anderes hätte er denn machen sollen? Trat man einmal mit
ernsten Anforderungen an ihn heran, so wußte er stets auch
diesen mit derselben Lust zu entsprechen, ohne daß sich ihm
ein eigentlicher Unterschied zwischen Arbeit und Vergnügen
aufdrängte. Schickte ihn die Mutter in den Garten, Raupen vom
Kohl abzusammeln, so lag es ohne besondere Absicht in seinem
Sinn, dies möglichst schnell und gründlich zu tun, und er hatte
Freude, wenn der Kübel gefüllter war als neulich. Manchmal
weckte ihn der Vater mitten in der Nacht, er hatte Lärm unten
im Stall gehört: »Eine Kuh hat sich losgerissen, schau nach.«
Dann setzte Viktor seinen Stolz darein, möglichst plötzlich sich
vom Schlafe aufzurütteln, ohne das geringste Zeichen seiner
Mühe dabei zu geben, jeden Schmerz zu verbeißen. Die Schuhe
mußten geschont werden, also eilte er barfuß, wenig bekleidet,
die Stiegen hinunter, über den Hof, oft durch hohen Schnee,
drang in den Stall, und in der ihn dort anhauchenden feucht-
warmen Luft verrichtete er ohne jede Erinnerung an sein Bett
die aufgetragene Arbeit, indem er das Tier sorgsam wieder an
die Kette legte. Er liebte solche Kraftproben, ja seine Gesundheit
reizte ihn förmlich zu Gewaltstücken, Nachtmärschen, Raufereien, die aber unschädlich blieben, denn sie waren nichts als
Ausbrüche der großen, unbeirrbaren Natur, welche ihn wie
alles ringsum in gleichem Maße aufregte und richtig wieder
milderte. In jedem Winter mehrmals lief er nachts zum Dorf-
teich, hackte eine Stelle mit der Holzaxt auf, stieg in das eis-
kalte Wasser, und nach fünf Minuten langem Prusten und
Untertauchen warf er wieder Vaters Pelz um, lief nach Hause
und legte sich, ohne sich abzutrocknen, ins Bett, wo er ruhig bis
zum Morgen schlief. Im Sommer trieb er schon um drei Uhr
früh die Kühe auf die Weide. Vom grauen, unbewölkten Himmel sauste ein Frostwind in die weißen Nebeldämpfe, die über
die Wiese hinliefen, wie angespornt von den zitternden Gras-

halmen unter ihnen. Dann drängte sich Viktor manchmal einer Kuh an die Seite wie an einen Ofen, vergrub seine Hände an ihren Hals und, wenn er seine Lektion für die Schule noch nicht zu Ende gelernt hatte, legte er wohl dem Vieh eines der Bücher auf den Rücken. Der langsame Schritt und das Grasrupfen störten ihn nicht, er blieb an den mächtigen Leib angepreßt, wandelte langsam als Anhängsel mit, und sein Blick war ebenso fest auf die Buchstaben gerichtet wie die großen, glänzenden Augen der Kuh ihrem Futter zu. Im Dorfe aber scherzte man: Kantureks Kühe seien alle studiert, ob das denn der Milch sonderlich nütze...

Sechzehn Jahre alt, war Viktor ein mächtiger Junge mit abstehenden Ohren, dichten, schwarzen Kraushaaren und riesigen, schwärzlichroten Händen. Er sprach wenig und schon recht tief, die Oberlippe war vom ersten Schnurrbart wie schmutzig. Grob wie sein Auftreten war seine Kost, am liebsten hatte er Knödel, die zum Ersticken dick sein mußten. Und stets hungrig, träumte er von der sauren Milch, die in großen Krügen im Keller stand, so fest, daß man ganze Stücke von ihr in die Hand nehmen und ausschlürfen konnte.

Alles änderte sich, als Vater Kanturek den Sohn nach beendeter Wlaschimer Bürgerschule nach Beneschau zu Verwandten brachte und dort in einen Handelskurs einschreiben ließ, denn er wollte, daß Viktor der harten Landarbeit überhoben und etwas Besseres werden sollte. Ein Jahr der Mißerfolge, der Unzufriedenheit, des Zweifels und der festen Hoffnung, daß nun alles bald wieder besser kommen müsse, verging, nach dessen Ablauf Viktor zur Freude seiner Eltern eine Anstellung bei der »Tschechischen Gewerbebank« in Prag erhielt.

Viktor war von der riesigen Stadt nicht überrascht, er kannte sie schon von Eintagsbesuchen, sie regte ihn nicht auf und sie interessierte ihn nicht. Freilich war es etwas anderes, sie als Fremder hochnäsig zu durchwandern, als jetzt in ihr festen Fuß zu fassen; als ihm daher die Mutter eine Wohnung gefunden hatte und abgereist war, versuchte Viktor guten Mutes sich zurechtzufinden, es mußte ja sein. Manches gefiel ihm, zum Beispiel: knapp vor einer heransausenden Elektrischen über die Schienen zu schlüpfen, das erinnerte ihn an die Gefahren zu Hause beim Kirschenstehlen.

Am nächsten Morgen aber, als er sich vor dem mächtigen Institut einfand, dem er jetzt angehörte, und zuerst vom Portier,
dann von vielen Dienern über Korridore und Treppen in das
ihm bestimmte Bureau gewiesen wurde, fühlte er sich verloren
in dem kleinen, wie mit Dämmerung von vielen Menschen
erfüllten Raum, welche vor hohen Pulten teils standen, teils ihre
Beine von beinahe ebenso hohen Bocksesseln herunterbaumeln
ließen. Ratlos sah er von einem zum andern, niemand kümmerte sich um ihn, denn alle waren schon in ihre Schreibarbeit
vertieft. Endlich bewegte er sich vorwärts. – Ein junger Mann,
der, wie sich nachher herausstellte, den Titel »Adlatus« führte,
hatte ihn angesprochen, brachte ihn nun zu einem älter Aussehenden dem Saldokontisten, und stellte ihn als den neuen
Beamten vor. Jetzt wurde ihm bedeutet, er sei »Hauptbuchführer«, das seien nämlich alle Anfänger trotz der pompös
klingenden Benennung, deren Bestandteil »Haupt« eben zu
»Buch« als unerläßliche Zusammensetzung gehöre und, wie
man scherzte, nicht etwa einen Haupt- und Obermacher bezeichnen sollte. Er wurde vor sein Stehpult, ziemlich ins Dunkel, gebracht, davor mochte er nun sitzen oder stehen nach
Herzenslust wie alle anderen. Der Adlatus, der ihn in den Gang
der Geschäfte einzuführen hatte, reichte ihm das Materialien-
buch: »Da, tragen Sie ein, was Sie brauchen!« Viktor wußte
nicht, was man von ihm wollte, am liebsten hätte er hinein-
geschrieben: »Frische Luft, Licht!« Dann fragte er lieber und
erfuhr, daß er seinen voraussichtlichen Bedarf an Federn, Blei-
stiften, Löschblättern und ähnlichem verzeichnen solle, sonst
nichts. Das Buch ging hierauf an einen Diener. Inzwischen
reichte ihm schon der Adlatus ein zweites Buch, einen »Springer«, so genannt nach der Feder, welche die Mappendeckel um
den kostbaren Inhalt, die Kopien der am Vortage ausgegange-
nen Briefe, zusammenhielt. Nun war es Viktors Pflicht, für das
vor ihm schräg hingebreitete riesige Hauptbuch die erforder-
lichen Daten herauszuziehen. Er sah sofort, daß ihm hierzu alle
in der Schule wie im bisherigen Leben erworbenen Kenntnisse
unnütz seien, willenlos überließ er sich somit den Weisungen
des Adlatus, ließ sich jedesmal Punkt für Punkt die richtige Ru-
brik in der roten und blauen Rastrierung von seinem Helfer
herausfinden, schrieb wie gelähmt bis Mittag, um nach kurzer
Pause nachmittags dasselbe Spiel fortzusetzen.

Ein scharfer Strich, das fühlte er, war unter seine Jugend gezogen, etwas Neues, nie Geahntes hatte er begonnen. Aber nachdem er im Bureau seine Kollegen, den Diener, jeden Schrank kennen gelernt hatte, überfiel ihn schon eine unmäßige Langeweile. Zu Hause auf dem Lande war er gewohnt gewesen, daß jede Tätigkeit, mit der er sich befaßte, in sich rund und abgeschlossen, mit dem deutlichen Siegel ihres Nutzens versehen war. Hier reichten ihm unsichtbare Hände aus unsichtbaren Etagen des großen Gebäudes herauf Schriftstücke, deren Bedeutung er nicht faßte, und die er, nachdem er einen gleichgültigen, und, wie ihn dünkte, unwesentlichen Handgriff mit ihnen vorgenommen hatte, wieder weitergab, an andere, die sie in wiederum unsichtbare Zimmer entgleiten ließen. Konnte es einen Menschen unterhalten, durch ein Hantieren, das man nicht verstand, Geld zu verdienen, noch dazu für fremde Leute, die man nicht kannte? Dazu kam, daß er eigentlich wenig zu tun hatte, denn er machte seine Arbeit rasch ab; dieses rasche Erledigen war das einzige, worin er noch seine persönliche Wirkung spürte und das ihn deshalb interessierte. Um sich über die vielen leeren Stunden wegzutrösten (denn an den Gesprächen über Theater und ähnliches, was ihn nichts anging, beteiligte er sich nicht), kaufte er sich, durch die Reklame in einem Spielwarengeschäft angezogen, das Geduldspiel, »Pythagoras«, welches die Aufgabe stellte, aus acht einfachen Steinen die komplizierten Figuren eines beigegebenen Büchleins zusammenzusetzen. Die Steine konnte er natürlich nicht ins Bureau mitnehmen, aber das Aufgabebuch verbarg er zwischen zwei Seiten des Hauptbuchfolianten, und indem er sich mit in die Hände gestütztem Schädel den Anschein gab, als denke er über ein kaufmännisches Problem der vor ihm ausgebreiteten Korrespondenz nach, wetzte er seinen Scharfsinn an den Rätseln. Hatte er eine Lösung gefunden, so zeichnete er sie in das Büchlein ein... Der Bleistift in seiner Hand brachte ihn auf die Idee, auch anderes zu zeichnen, etwa die Fassade der Sparkasse gegenüber mit ihren geschwärzten allegorischen Figuren und Ornamenten, die so leer aussahen, wenn die grauen Tauben einmal aufflogen, welche sonst immer wie ebenfalls dazugehörige Ornamente zwischen ihnen saßen. Sein scharfer Blick, von Jugend an unbewußt auf das Beobachten natürlicher Dinge eingestellt, erleichterte ihm diese Arbeit und, durfte er so in

angelegentlicher Bemühung zum Fenster hinausstarren, dann
erschien ihm sein Los nicht mehr ganz trostlos, dann kehrte
ihm eine glückliche Kinderstimmung wieder, ein Liegen im
Wald, den Rücken im Moos, mit den Augen einem Eichhörn-
chen von Baum zu Baum folgend, die beim Sprung des Tieres
in ein zartes, kurzes Schütteln gerieten... Es wurde Winter,
einmal schneite es. Mit aufrichtiger Verwunderung sah Viktor
die großen, reinen Flocken hier zwischen dunkle Mauern her-
einfallen, es war ihm, als solle es in der Stadt, wo alles so
widernatürlich und abgesperrt zuging, nicht schneien, als sei es
schade um den schönen Schnee. Dann aber erblickte er oben
das graue Fleckchen Himmel und, indem er es in Gedanken
erweiterte, fand er es bis über seine Heimat hin ausgespannt,
machte diesen Himmel gleichsam zu einer Verbindung zwischen Wlaschim und Prag, zeichnete, dieses Einfalls froh, den
Schneefall in eines der Aussichtsbilder.

Mit seinem bescheidenen, kindlichen Tupfvergnügen war er
so innig beschäftigt, daß ihn der Adlatus anstoßen mußte: »Sie,
der Chef sieht Ihnen zu.« Wirklich war in diesem Moment der
Buchhalter Bjelousch vorbeigegangen. Viktor erwartete, in das
Zimmer des Mächtigen vorgerufen zu werden. Doch es geschah
nichts. Am nächsten Tage aber sagte ihm der Saldokontist als
sein unmittelbarer Vorgesetzter, der Buchhalter habe sich zu
ihm geäußert, er habe schon wiederholt mit Mißvergnügen
Viktors geringen Eifer konstatiert, und wenn es so fortgehe,
werde er ihn der Direktion zur Verfügung stellen müssen ... Das
war Bjelouschs Art, er tadelte nie direkt, sondern ließ seinen
Unwillen stets nur auf Umwegen an den Schuldigen gelangen,
so daß dieser außer der Kritik noch das Geheimnisvolle, Entfernte, hoch über ihn Erhabene zu spüren bekam. Am nächsten
Tage aber, bei einem geringfügigen Fehleranlaß, pflegte er den
Sünder so heftig anzufahren, daß dieser auch ohne besonderen
Scharfsinn den Zusammenhang des diesmal nicht gerechtfertig-
ten, mindestens übertriebenen Zornes mit jener Verschuldung
wohl fühlte, ohne sich jedoch verteidigen zu können. Durch
diesen Kunstgriff erreichte er, was er wollte, und ersparte sich
überdies die Aufregung persönlicher Auseinandersetzungen.
Die Kollegen nannten die unmotivierten Wutausbrüche des
Chefs »Solferino«, nach der bekannten Unglückswalstatt der
österreichischen Armee. Auch Viktor erlebte also sein Solferino,

beschloß jedoch, da er sich keines Unrechts bewußt war, seine Spielereien nicht aufzugeben. Er hatte nie Rückstand, hatte stets noch die letzteingetragenen Posten mit Bleistift aufaddiert, so daß ihm nicht einmal bei Monatsabschluß die Arbeit über den Kopf wuchs. Immerhin versteckte er jetzt seine Kritzeleien, auch die Zeitung, die er sich manchmal kommen ließ, indem er stets ein Löschblatt bereit hielt oder die Bureauarbeit wie einen Wall ringsum aufschichtete. Oder er legte das Papier in die Schublade, die er, sobald sich Schritte näherten, mit harmloser Miene zuschob. Im Ernstfall war er darauf vorbereitet, dem Chef die vollständig beendete Arbeit zu zeigen und zu erklären, daß es doch in niemandes Interesse läge, wenn er seine freien Minuten in die Luft verstiere. So wohlüberlegt dieser Plan war, mit etwas hatte Viktor nicht gerechnet: mit diesen Angstanfällen, die ihn jetzt bei jeder Bewegung im Nebenzimmer befielen und seinen Herzschlag sekundenweis absetzen machten. Sei es, daß der Buchhalter das Versteckenspiel merkte, sei es, daß er einen Spion angeworben hatte: von nun an sah er nur mit wütenden Blicken auf Viktor, seine Befehle waren Flüche, seine Auskünfte klangen wie Drohungen. »Er sitzt Ihnen halt auf«, das war die allgemeine Ansicht des Bureaus. Von nun an war zu der Sinnlosigkeit des Banklebens für Viktor noch die Pein des Hasses hinzugetreten, denn er fühlte sich gehaßt und begann mit aller Kraft seinen Plagegeist wiederzuhassen, wie in eine schwarze Wolke von Stickluft trat er jeden Morgen in das unleidliche Arbeitszimmer, und nachts folgte ihm der Buchhalter noch in seine Träume, der alte Mann mit dem schwarzen, in lange Enden ausgezogenen Schnurrbart, verzerrten Gesichts brüllend, ein Hussit.

Es hielt ihn nicht länger, er wandte sich offen an ihn mit der Anfrage, ob er etwas gegen ihn habe. Mit unvermutetem Schmeicheln lächelte ihm der Chef entgegen: O nein, nur treibe er so Nebengeschäfte, das gehe nicht, das wirke demoralisierend auf die anderen. »Aber bitte, was soll ich machen, wenn ich mit meiner Arbeit à jour bin?« »Ein tüchtiger Beamter hat immer zu tun, lesen Sie die Korrespondenz genauer, da können Sie etwas lernen, lassen Sie sich alte Faszikel bringen. Hören Sie zu, was um Sie herum gesprochen wird. Man soll von allem wissen. Ich rate Ihnen nur zu Ihrem Besten. Ich war ja auch einmal jung. Später werden Sie einsehen, daß das Bank-

wesen viel wichtiger und interessanter ist als alles, was Sie sonst
anfangen können. Man muß eben rechtzeitig seine Nebeninter-
essen einem Hauptzweck unterordnen lernen. Übrigens werde
ich Ihnen von jetzt an etwas mehr zuerteilen.« Viktor stammelte etwas von Dank, im Herzen aber sah er unverhohlene Bosheit in den Worten des ausgemergelten Glatzkopfes, der so offenbar Unnützes ihm anriet und anbefahl, nur um ihn um seine
ohnedies so anspruchslose Muße zu bringen. Den Heuchler hätte er in diesem Augenblick kaltblütig ermorden können.
Überdies änderte diese Unterredung nichts an Viktors Leben.
Er erwartete, daß man sein Ressort, das bisher die Firmen von
O bis Z umfaßte, zur Entlastung der anderen Hauptbuchführer
vergrößern würde. Aber nicht einmal das geschah, da Bjelousch
seinerseits schon die Mehrarbeit einer neuen Einteilung scheute. Er selbst verbrachte nämlich an seinem enormen Schreibtisch die Zeit mit Faulenzen, Romanlesen und Rauchen, und
nur wenn etwas wie von ungefähr seiner Bequemlichkeit in
die Quere kam, benützte er seine Solferino-Methode, um sich
durch eine Zone von kaltem Grauen alles vom Leibe zu halten.
So schoß er auch weiterhin, wie dem Trägheitsgesetze zufolge,
giftige Blicke auf Viktor, tadelte ihn hinterrücks, machte ihm
bei der geringsten dienstlichen Sache Auftritte, wurde aber
sofort süß und feige, wenn man ihm mit einer persönlicheren
Miene auf den Leib rückte. Viktor fühlte seinen Druck, dem
man keinen Gegendruck entgegensetzen konnte, schwer auf
sich lasten, er flüchtete auf die Korridore, die er, verzweifelt vor
Untätigkeit, durchirrte, oder gar hinaus an einen stillen Ort, in
dem er übermäßig lange verweilte und sich in der ganzen Kläg-
lichkeit seiner Existenz fühlte, wenn er sich so vorstellte, Gottes
Auge könne einmal dieses Gebäude zerspalten und ihn, den
Unschuldigen, hier im innersten Winkel würdelos und einsam
mit seinem Elend entdecken.
So war er von acht Uhr früh bis zwölf Uhr mittags und von
zwei bis sieben Uhr, oft länger, in die Bank wie in ein Gefängnis eingesperrt. Was hätte er in dieser Zeit alles zu seiner
Freude machen können, wieviel gab es täglich zu schauen! Er
aber hatte seit Monaten die Straßen an einem Wochentage nicht
anders gesehen als in Morgen- oder Mittagseile und finster im
Abendverkehr. Die freie Zeit war offenbar nur so bemessen,
daß man sich abends ein wenig erholen konnte, um am näch-

sten Tage wieder frisch zu sein. Und dazu lebte man? Auf diesen Zweck also hatte sich die sorgsame und oft so überschwängliche Vorbereitung der Jugendjahre bezogen? Ging er einmal abends ins Kaffeehaus oder in einen Garten, so rächte sich das morgen gewiß schon durch Müdigkeit, Unausgeschlafenheit im Bureau. Die Sonntage verbrachte er trotzig zu Hause, allein und eingesperrt, vor der kommenden Woche sich ängstigend oder in wirren Träumen auf dem Kanapee. Unversehens trat ihm eine Biegung der heimischen Landstraße vor Augen, Schotterhaufen, Wagenspuren im Kot, umhergestreute Strohhalme, wie sie von den Wagen gefallen waren, ein bestimmter, niedriger Pflaumenbaum, – ach, warum war er nicht dort, wodurch hatte er es verschuldet? Er wollte an seine Eltern schreiben, er sehnte sich nach Hause, nach den jüngeren Geschwistern. Aber wie das in Worte fassen, da ihm doch nichts Außergewöhnliches zugestoßen war, da alle Menschen doch arbeiten mußten und auch wirklich rings um ihn mit Eifer und Selbstvertrauen arbeiteten. Wollte er etwa unserem lieben Herrgott den Tag abstehlen? Was denn eigentlich? ... So wie es ist, so muß es sein, sagte er sich dann oft mit Resignation, die Welt tut mir zwar Weh' und Leid an, aber es geschieht mir nur ganz recht, anders geht es ja gar nicht. Mit einem alten Wlaschimer Respekt vor einem unbekannten Fürsten sah er sich bindenden Regeln gegenübergestellt und ergab sich. Die dunklen Gefühle aber in ihm, zurückgedrängt, schwollen nur desto mächtiger, klagten ihn an, daß er geschändet sei, sündhaft, wenn er nichts tat, sündhafter bei Fleiß, und so nahm er das Gehalt von sechzig Kronen monatlich stets mit bösem Gewissen, fast wie eine Bestechung, nicht wie verdientes Geld entgegen, und wenn er die stets neuen Banknoten vierfach faltete, so daß die rote 10 an den Rand kam, schien ihm das Häufchen, von der Seite angeblickt, wie gerötet von seinem Herzblut. Sündengeld war es, Blutgeld.

Ein Halbjahr des Schmachtens verfloß: da ging überraschenderweise Bjelousch in Pension. Das ganze Bureau atmete erleichtert auf, denn bei jedem hatte der Heimtückische sich unbeliebt gemacht. Als der neue Buchhalter Dubsky erschien, ein noch ganz junger Mann, von schlanker, hoher, eleganter Gestalt, blond, mit nachlässig-feinen Gesichtszügen, dem man Humanität und Tüchtigkeit nachsagte, erwartete besonders Viktor eine neue Zeit und Rettung mit jener schönen Zuversicht, die man gleichaltrigen Menschen von Natur aus entgegenbringt. Viktor fühlte sich zu dem hübschen Herrn hingezogen, förmlich geborgen bei ihm ... Sein Irrtum war vollkommen. Der neue Chef zeigte sich zwar allgemein freundlich, bat in einer humoristischen Antrittsrede alle, ihn nur als älteren Kollegen, nicht als »Wauwau« anzusehen, bei ihm gebe es keine blinde Autorität, nur offene Aussprache und Zusammenarbeiten: »Denn ich bin geradesogut auf Sie alle angewiesen wie Sie auf mich«, er hielt auch in der Folge sein Wort und sagte jedem, was er von ihm wollte, offen ins Gesicht, so daß das unheimliche Spitzel- und Anschwärzesystem schnell in Verfall geriet; aber es war bald klar, daß mit dem neuen Geist auch neue Anforderungen gekommen waren. Dubsky bezeichnete es selbst als seine Hauptfreude, »alte Zöpfe abzuschneiden«, so gab es immerfort Neueinführungen und Verbesserungen, die im wesentlichen auf eine bessere Ausnützung des Personals und in der Folge auf eine Reduktion desselben hinausliefen, wodurch sich Dubsky bei der Direktion ins beste Licht setzte. Aber auch bei den Beamten mochte er nicht unbeliebt sein, er war nie launenhaft, nie schrie er, vielmehr bevorzugte er, trotz seiner noblen, nasalen Stimme, populäre Redensarten, wie »Das ist günstig« oder »So was können Sie Ihrer Schwiegermutter einreden«. Er übte eine scharfe Kontrolle über die Leistungen des einzelnen, aber er verbarg nichts, er zeigte allen mit ehrlichem Lachen, wie er das anstellte. Er schimpfte nicht wie der frühere Chef über Mißstände, die er zufällig im Vorbeigehen antraf, sondern nahm die Sache systematisch, blieb nächtelang im Bureau. Da er selbst fleißig war, konnte man es ihm nicht übelnehmen, daß er auch die Untergebenen nicht schonte. Übrigens schaffte er nutzlose Arbeiten ab, mit denen Bjelousch, nur um sich selbst einen Federzug oder ein kleines Nachdenken zu ersparen, das ganze Bureau nach alter Sitte wochenlang in Atem gehalten hatte. Natürlich sorgte er für neue Arbeit, blieb aber immer gerecht, ein Musterchef, der sich auch in privaten Gesprächen nicht verblüffen ließ, sondern immer allen überlegen blieb, alle durchschaute, auch diejenigen, die sich durch Gschaftlhuberei das Ansehen von Eifer geben wollten. Wie es vorauszusehen war, ließ er sich gar bald auch die geringe Mühe nicht verdrießen, Viktors Bereich um die Firmen J bis O zu erweitern, wobei er an

seine Intelligenz und an seinen Ehrgeiz appellierte. Nun brach
für Viktor eine Zeit des Robotens an, er mußte oft bis zehn Uhr
nachts dableiben (worin der Buchhalter nichts Besonderes sah),
sekiert fühlte er sich nicht mehr, alles ging vernünftig zu, aber
blutlos war er, ausgesaugt und krank, zum erstenmal in seinem
Leben bekam er Kopfschmerzen ... Einmal ließ ihn der Chef
rufen: »Nun, wie sind Sie mit Ihrer Arbeit zufrieden?« fragte er
mit seinem wohlwollend-ironischen, gescheiten Lächeln. Viktor
war zufrieden. »So? Ich nicht. Das ist nicht genug, daß ein junger Mann seine Pflicht tut. Das kann mir jeder Bureaukrat. Wir
sind ein junges Institut, wir verlangen Initiative« ... Viktor
ging heim, dieses neue Wort wie einen Peitschenschlag um den
Kopf. Was wollte man von ihm? In Verwirrung fiel ihm ein,
daß Dubsky neulich auch die päpstliche Enzyklika so gelobt
hatte, welche die Feiertage abschaffen wollte! ... Aber während
er sich von ihm zurückgestoßen und beleidigt fühlte, in demselben Moment sagte er sich, daß das alles eben der Lauf unserer Zeit sei, für die Dubsky nichts könne, so müsse es jetzt kommen, und immer noch ärger. Die eigene Auflehnung schalt er
kurzsichtig und blöde, verbiß den Haß, den er, stärker als je
gegen den wilden Chef, nun gegen den »braven« in sich trug.
An einem Aprilnachmittag wurde er nach Sterbohol zum In-
kasso eines größeren Wechsels an die dortige Gutspacht abge-
schickt. Mißmutig machte er sich auf den Weg, die unappetitlichen Stöße angehäufter Arbeit bedenkend, die er bei seiner
Rückkehr antreffen würde ... Als er jedoch unterhalb des Fried-
hofes von der Endstation der Elektrischen aus ins offene Land
schritt, hatte er plötzlich die Augen voll Tränen. Seit dem Herbst
des vorigen Jahres war er nicht im Freien gewesen, jetzt jagte
ihm der Frühling Stöße urgesunder Luft und alle Nässe des
aufkeimenden Erdreichs entgegen mit schrägen Streifen eines
Aprilschneegestöbers, das an den hellergrünenden Büschen ganz
anders lustig als zwischen öde Mauern einsauste. O, da war es
ja wieder, die Jugend, alle guten Geister, diese Weite von Hügeln und über ihnen, bis an die Tiefe seiner Augen niederrei-
chend – wie lange hatte er's nicht gesehen –, der Himmel mit
seinen Wolken, die einen eisenfarbig, dünn-hingestrichen über
das Blau, irgendwo ohne Kontur aufhörend, andere als weiß-
lich-braune Lockenköpfe erhoben, schwebende massige Kugeln
oder helle Fetzen; da war auch der halbe Mond, selbst ein sol-

cher Fetzen, eher wie das Skelett eines Mondes, blaß und löcherig, während die Sonne aus einer finsteren Zusammenballung wie aus einem Krater hervor ihre Strahlen weithin schräg und schräger zur Erde sandte, Strahlen, die man, wie etwas Körperloses und doch wie Metall, hell an Wolken, regnerisch-dunkel am freien Blau vorbeigleiten sah. »Aha, die Sonne zieht Wasser«, sagte sich Viktor, nichts mehr als diese Redensart, wie man sie ihm auf dem Dorfe zu Hause oft vorgesagt hatte; in seinem Herzen aber war ihm zumute, als ginge all der Wolkenschwall noch tiefer, in das Erdreich und unter seinen Füßen vorbei, ja als sei er völlig in ein großes, majestätisches Tuch aus Wolken eingeschlagen und in die Luft gehoben. – Hätte er in diesem Augenblick klare Gedanken und gar Worte gefunden, so hätte er seine Rührung wahrscheinlich auf zweierlei zurückgeführt: auf dieses Lichte, Luftige, das er in seiner Phantasie nicht mehr hätte wiederherstellen können, und welches nicht nur den grünen Feldern eigen war: auch den braunen, die ebenso viele Schattierungen hatten wie die grünen und überhaupt in einer geheimen, gleichen Abstimmung mit ihnen standen, indes nur ferne, blaue Waldsäume als das einzige Dunkle und Fremde in das Bild hereinsahen – ferner auf diesen Wechsel in der Beleuchtung, die bald grell, doch ohne Gewitterhitze, junge Pappeln wie einen gelblichen, durchsichtigen Flor durchstrahlte, bald die Hügel verfinsterte und mit kurzen Wolkenschatten falsch modellierte. Viktor aber war solchen Überlegungen fremd; dumpf ergriffen nur blieb er vor einem jungen Felde stehen, dessen grüne, noch ganz kurze Halme wie Gras aussahen, eine schüttere Wiese, aber in sorgfältigen, langen Reihen angepflanzt, – o, wie die freien Halme wohlig kribbelten, wie das alles im Wind spielte! Der hellviolette Schatten eines Obstbaumes war deutlich über das Feld hin gezeichnet, nun fauchte der Wind stärker, eine Wolke machte das Grün dunkel und verwischte den Schatten; Viktor aber hatte Augen, Ohren und Mund so voll von Wind, daß es ihm vorkam, als habe er selbst den Schatten weggeblasen. Durch ihn hindurch schien die Sonne, wehte Luft, wuchs Korn. Da wurde ihm übermütig zu Sinne, er übersprang den Straßengraben und war mit zwei Schritten auf die Landstraße, dann wieder die Böschung zum Feldweg emporgeklettert. Bei allem Jubel aber war auch sein Kopf tätiger als je in der Stadt. Nichts entging ihm, er prüfte den Stand der Saat und überschlug die voraussichtliche Ernte jedes Feldes, an seiner ruhevollen Beobachtung hatten noch die fern zusammengedrängten Kalkmauern eines Dorfes, ja ein Häuschen Anteil, das mit dem halben rosa Dach irgendwo hinter einem Hügel hervorguckte. Und die blühenden Bäume an der Straße, andere noch nackt wie Stangen, an andere Stangen gebunden, oder wie Fäden gar, die alten dagegen mit schlanken, silbernen Ästen an knorrigen Stämmen, viele schon mit kleinen hellgrünen Blättchen, all dies Versprengte, Punktierte, Nicht-Zusammengeschlossene, Unentwickelte, fast Unkörperliche, Durchlässige führte seinen Geist wieder zu den weißen Wolken zurück, die da oben selig im Sturmwind prangten und unter dem Kriegsruf aufsteigender Lerchen in Stücke zerstäubt wurden.

Lustig, unter heimlichen Grimassen, machte er sein Geschäft ab. Auf dem Heimwege blies er in seine geballte Faust wie in eine Trompete. – Da sperrte ihm, als er den Hügel zum Friedhof emporstieg, ein Mann ohne Überrock den Weg, ein rotes Tuch um den Hals, legte die Hand an die Mütze wie zum Gruße, aber mit bösem Grinsen. Viktor, alle Sinne erwacht in der frischen Frühlingsluft, erkannte in ihm sofort den gefährlichen Burschen, der ihn beim Aussteigen aus der Elektrischen, als er den Wechsel aus dem Portefeuille nahm, um sich seiner Adresse zu versichern, scharf beobachtet hatte. Nun war es Abend; hatte der Kerl an dieser menschenleeren Stelle auf seine Rückkehr gelauert?... Und schon riß er einen Revolver aus der Tasche, aber Viktor war ihm zuvorgekommen und hatte ihm, ohne den Oberkörper zu bewegen, mit vorgestrecktem Fuß einen tüchtigen Stoß in den Bauch versetzt, so daß er wie tot hinstürzte. Viktor beugte sich über den Gefallenen, suchte ihm den Revolver aus den Fingern zu winden, sie blieben krampfhaft zugekrallt. Aber die Brust atmete, und schon begannen die geschlossenen Augen wieder emporzublinzeln. Da fuhr es Viktor blitzschnell durch den Kopf, daß der Betäubte binnen weniger Sekunden wieder zur Besinnung kommen und seinen Revolver gebrauchen würde, ohne daß die Chance, ihn mit einem Hieb niederzustrecken, sich wiederholen mußte. Ein furchtbarer Ringkampf mit ungewissem Ausgang stand bevor. Was tun? Fliehen? Damit böte er seinen Rücken ohne weiteres als Zielscheibe. Er war wehrlos, trotzdem spürte er keine Angst – im

Gegenteil, die Sicherheit, daß er diesen Menschen, auf dessen Brust er kniete, jetzt ermorden müsse, um sich selbst zu retten, daß ihn also die Umstände zu einer grauenvollen Handlung zwangen, diese immer deutlicher werdende Sicherheit erfüllte ihn mit wachsender Freude. Jetzt schlug der Überwältigte die Augen auf, hob schon den Kopf, immer noch wie im Halbschlaf, jetzt aber rückte sein ganzer Körper, da war keine Zeit mehr zu verlieren. Viktor legte ihm beide Hände fest um den Hals und begann zunächst mit den aneinanderliegenden Daumen hart ins Fleisch zuzudrücken. Der Kopf des Gegners fiel ohnmächtig zurück. Wie der nun mit erbarmungswürdigem Laut plump an einen Stein schmetterte, schoß Viktor gleichsam in unvermuteter Erkenntnis alles Blut zu Kopf, wie Frage und Antwort. Was tue ich da? – ich erwürge einen. Aber zornige Vernünftigkeit überwog sofort und flüsterte ihm zu, daß er ja (glücklicherweise) würgen *müsse*, daß es sich nicht um sein Leben allein handle, auch um zehntausend Kronen der Bank, die er jetzt in seinem Portefeuille trug und verteidigte, und in seiner Brust regte sich nun alle Qual und Ironie: »Ich arbeite ja für die Bank, ich muß ja arbeiten« ... Aber während er nun mit aller Kraft seine Finger unter dem Kinn des Gegners zusammenschloß, mit wechselnden Griffen, so daß er bald die Knorpel der Luftröhre, bald die Nackenhaare an ihnen vorbeigleiten fühlte, stiegen andere Bilder in ihm auf, begleitet von einer vagen Neugier, die ihm aus seiner ersten Jugend bekannt war, ja, jetzt wußte er es, von der Neugier, wie es da innen aussehen müsse, in diesem geplagten, verengten Hals, nein, in etwas anderem Engen, Schlanken – ha, in der Pagode, das war es: ehemalige Lüsternheit mit der Mordlust von heute seltsam gemischt, – und da tauchte auch alsbald aus dem Antlitz des Gewürgten, das schon im Todeskampfe sich zu verzerren begann, ein anderes, fernes Antlitz verwaschen hervor, er erkannte es, das Gesicht des Obergärtners, der ihn damals im herrschaftlichen Park gefaßt und der Strafe ausgeliefert hatte, des ersten Feindes in seinem Leben. O, aber jetzt konnte er sich rächen, jetzt griff er zu und erwürgte den Herrn Obergärtner, den bösen. Mehr als das: er mußte ihn erwürgen. Und in einem ungeheuren Umschwung all seiner Gedanken (da drückte er noch fester, mit aller Energie) fand er plötzlich, wie den Schlüssel zu seinem ganzen Dasein, daß ihn in diesem Augenblick das Schicksal eingesetzt hatte, um nun auch seinerseits jemandem wehe zu tun nach ebendem Gesetz, das er solange erlitten hatte, um die Gerechtigkeit der Welt so bitter auszuüben, wie sie ihm zuteil geworden war. Ja, wie er bis heute nur Leiden von der Gemeinschaft empfangen hatte und sich doch nicht beklagen und auflehnen durfte, weil er wußte, daß das alles der natürliche Lauf der Dinge war, so war ihm wie zum Lohn für alles heute einer in seine Hand gegeben, dem er das Äußerste, was Menschen einander antun können, den Tod, mit Fug und Recht antun durfte und mußte ... Viktor hatte jetzt den richtigen Griff gefunden, seine Umschnürung war eisern, seine Hände zerrten, als wollten sie den Kopf vom Rumpf reißen, diesen durch Krämpfe und hervorbrechendes Blut schon unkenntlichen Kopf. O, Viktor ließ nicht nach, er kannte ihn wohl, den Unbekannten, Namenlosen, mit dem er Brust an Brust rang; dieser vom Augenblick Zugeführte, vom Augenblick Niedergeworfene war ihm urplötzlich nicht fremd, nein, näher als alles, und wohlvertrauter als alles dünkte er ihn, als habe er alle die Jahre mit ihm, dicht neben ihm gelebt, als sei er nur im Schatten gestanden und habe auf den Moment gewartet, um hervorzutreten und heute sich zu melden. Und wie der Strolch nun in Todesangst noch einmal aufbrüllte, zog sich sein Gesicht wieder zusammen und entfaltete sich neu als das des Buchhalters Bjelousch, dessen Zanken aus dem atemlosen Schnarchen Viktor herauszuhören glaubte, und wie es nun schon erschlaffte, waren es die weichen, friedlichen Züge seines jetzigen Chefs, und wie die Augen nun halb gebrochen, verglast, blaugrün herausquollen, erkannte Viktor auch sie, es waren die Augen eines Mädchens, das er täglich morgens auf dem Wege ins Bureau sah und dessen Anblick (aber so mußte es ja sein) ihn tief beunruhigte. Nun ging es schneller, kaum mehr deutlich, zahllose, kleine, schattenhafte Gesichter gebar das eine furchtbare, künftige Gegner und halb vergessene, und alle erwürgte Viktor, einen nach dem andern, mit allen wurde er fertig – und diese flammende Henkerslust, nur die eigene, nackte Hand zu gebrauchen als einziges Werkzeug! Ihm war, als morde er die ganze Welt, als wachse aus Nebeln neue Feindschaft hervor, und auch diese rottete er aus, als klängen Seufzer von den Sternen gar und der Mondsichel herab. Es war ganz dunkel geworden. Er wußte nicht, wie lange das gedauert hatte, vielleicht eine Minute, vielleicht zwei Stunden. Der Hals in seinen Händen, die nicht mehr geschlossen waren, hing faltig und schlapp, kein Puls schlug, er war kalt, das Leben hatte ihn verlassen.

Nun erhob sich Viktor aus der beinahe liegenden Stellung, in der er dem letzten Röcheln des Sterbenden nachgelauscht hatte wie einer sich entfernenden Musik. Er war froh gestimmt, ja, in einem Anflug von Hohn führte er die Hand an seine Kehle, o, er atmete, er konnte tief und schön atmen, nichts war versperrt, er lebte. Alles, was ihn in diesem Jahre der Schmerzen belastet hatte, fühlte er von sich abfallen, er war erfüllt von Befreiungswohlbehagen, das nur einen Augenblick lang, da er auf dem Hügel über sich die weiße Friedhofsmauer erblickte, unvermittelt von dem wie aus anderen Gegenden auftauchenden, doch ruhigen Gedanken abgelöst wurde, ob es nicht besser wäre, sofort da oben zur Ruhe zu gehen, als dieses Ziel erst nach einer langen Jahresreihe von Kränkungen und Qualen mühbeladen zu erreichen. Dieser Anflug verging, und nun trieb es ihn, die Arme auszubreiten, den Kopf ins Genick zu werfen, und nun zu laufen, was ihn die Beine trugen, in der brausenden, hellen Nacht, die dem stürmischen Tage ohne Beruhigung gefolgt war, mit großen Schritten – nach Hause, nach Wlaschim. Ja, dorthin gehörte er, und plötzlich war es ihm, als dürfe er nun auch dorthin zurückkehren, als habe man ihn gegen seinen Willen, wenn auch mit einer gewissen Berechtigung, in der Fremde zurückgehalten, nun aber habe er gewisse Hindernisse besiegt, die Erlaubnis zur Rückkehr mutig erkämpft, alle würden sein Kommen billigen, alle ihn gut aufnehmen. O, wie er sich freute, wieder zu Hause zu sein, bald, sofort, nur eine gewisse Zeit lag noch dazwischen, ein tüchtiges Laufen, sonst aber widerstand nichts, nichts mehr, o, das unfaßbare, große Glück! Jetzt ist alles wieder gut, sagte er leise, alles wieder gut. Nur heimkehren, an der Schwelle knien, irgend etwas schnell erzählen, damit es abgetan sei, ein für allemal, dann aber beginnt die gute Arbeit und das gute Leben wie ehemals ... Er merkte kaum, daß er lief, so regelmäßig fielen seine Schritte, so bequem hatte er jetzt die Arme an die Brust gezogen, die Fäuste vorn an die Rockränder geklemmt. Und ohne Überlegung folgte er der Straße längs der Bahnstrecke, sah die Fabriken nicht, deren immer noch rauchende Schlöte die Nacht verfinsterten, wußte nicht, daß er jetzt aus den freien Feldern wieder durch ein Dorf kam, dessen

Wirtshausschilder über seinem Kopf knarrten und dessen Pfla-
sterung an seinen Schuhen riß, daß er nun wieder ins Offene,
einen Berg hinan entlassen war und jetzt in Straßenkrümmun-
gen verloren, die mit ihren weißen Steinen wie Drachenkiefer
übereinander lagen. Da schwoll ein Lärm und brach als Lokomotive mit vielen, scheinbar sehr leichten Wagen daran, aus
dem Dunkel hervor. Viktor starrte einen Augenblick lang dem
Zuge nach, dann erklomm er den Fahrdamm und lief nun den
Schienen entlang, ohne sich über einen dumpfen Instinkt, daß
das wohl der nächste Weg nach Hause sei, mehr als unklare Rechenschaft zu geben. Bis ins Unendliche geradeaus waren die
vier erhöhten Eisenlinien seiner Strecke gezogen, er glaubte
wenigstens, sie bis an den Horizont hin verfolgen zu können,
wie er auch rechts und links das ganze flache Land, über das er
auf seinem Damm erhaben war, sich vorbeidrehen und in seinem Rücken langsam verschwinden fühlte. Zuerst rannte er
innerhalb eines Geleises, wobei er über jede Holzschwelle stolperte; dann aber fand er zwischen den beiden Strecken einen
festgetretenen Boden, geradezu einen Weg, wie ihn wohl auch
die Wächter bei ihren Begehungen benützen, auf dem lief es
sich nun ohne jede Hemmung, Kopf voran, den sausenden
Wind im Nacken, dieser leichte, gerade Pfad war förmlich für
ihn vorbereitet. So kam er an den beiden Dörfern Mecholup
vorbei, an Ourinoves mit seiner Zuckerfabrik, an Kolowrat und
Rican. Niemand sah ihn; nur einem Kind vielleicht, das hinter
dem Fensterchen eines Wärterhauses, von Träumen geschreckt,
aufgewacht war, spukte er im fahlen Mond wie der leibhaftige
Raraschek mit seinen im Sturm geblähten Kleidern vorbei. Und
so hielten ihn auch die Signallichter und die Stationen nicht
auf, nein, er rannte, bis die Schienen, die gespannten Telegra-
phendrähte und die Stangen, die mit fürchterlichem Gebrumm
immer wieder auftauchten, bis all dies Gleichmäßige, eben weil
er so schnell lief, gar nicht mehr von der Stelle zu rücken schien,
so daß er sich wie in einem Käfig hinter langen Gittern zu jeder
Seite gefangen sah und kaum mehr den Himmel über sich frei.
Da fühlte er erst, daß er müde war, zum Sterben müde, in der
offenen Halle des Bahnhofs Stranschic brach er zusammen. Es
war drei Uhr nachts, er hatte etwa die Hälfte des Heimwegs
zurückgelegt.
Allmählich kam er aus seinem ekstatischen Zustand in gewöhn-

lichere Denkart. Man mußte die Leiche gefunden haben, fiel
ihm ein. Was nun? Sah seine Handlungsweise nicht wie Flucht
aus? Jetzt erst erinnerte er sich auch, daß er das Geld der Bank
noch bei sich trug. Am Ende würde man ihn nun zu Hause in
Wlaschim verhaften, bei den Eltern, unter Mordverdacht...
Nein, das durfte nicht sein.

Er wartete daher den ersten Wiener Frühzug ab, fuhr in die
Stadt zurück und meldete den Vorfall gleich im nächsten Kom-
missariat. Dann begab er sich mit freudiger Ruhe ins Bureau,
nachdem er in einem Kaffeehaus sich gewaschen und gefrühstückt hatte. Er lieferte das Geld ab und ging an seine Arbeit,
ohne ein unnützes Wort zu verlieren, bis der Chef und die Kollegen im Nachmittagsblatt die erstaunliche Begebenheit gelesen
hatten und nun, alle zugleich, mit Fragen und Rufen sich auf
ihn warfen.

Sein Zustand von nie zuvor verspürter Elastizität und Selbst-
zufriedenheit hielt auch bei der Einleitung des Prozesses an,
während dessen er übrigens auf freiem Fuße blieb, so deutlich
sprachen die Tatsachen für seine Unschuld. Die einsame Gegend, in der der Kampf stattgefunden hatte, der geladene Revolver in der Hand des Erwürgten, der überdies als entsprunge-
ner und seit langem gesuchter Zuchthäusler agnosziert wurde,
der Zehntausendkronenwechsel: alles lag offen zutage. Zudem
fand sich ganz unverhofft noch ein Zeuge für Viktor, der Kondukteur, in dessen Wagen er bis an die Endstation gefahren war
und der das verdächtige Spionieren eines mitfahrenden Vagabunden, welchen er im Toten wiedererkannte, bemerkt haben
wollte. Überhaupt schien im Leben Viktors, der sich bisher mit
einigem Recht für einen Pechvogel gehalten hatte, vom Moment des Überfalls an eine gänzliche Wandlung zum Besseren
einzutreten. Der Buchhalter fand in der Tat ein nicht zu über-
sehendes Zeichen der von ihm so sehnlich gewünschten »Tat-
kraft und Initiative« seiner Beamtenschaft, er stellte ihm Avan-
cement in Aussicht. Die Kollegen, die bisher den ungeschlach-
ten Bauernjungen sich vom Leibe gehalten hatten, suchten
seine Gesellschaft und bewunderten ihn. Alle Zeitungen lobten seinen Mannesmut, brachten sein Bild und eine Lebens-
beschreibung. Auf der Gasse grüßte man, fremde Leute sprachen ihn an. Eine hohe Remuneration der Bank sowie der
Polizeibehörde war ihm sicher, man redete von einer allerhöch-

sten Auszeichnung. Die Eltern, erschreckt und gerührt durch die Lebensgefahr, der er so knapp entronnen war, kamen sofort nach Prag und überhäuften ihn mit Beweisen ihrer Zärtlichkeit, die ihn ganz überraschten, denn er hatte die beiden stets nur als zurückhaltende, harte schweigsame Menschen gekannt.

Vor all diesen Gunstbezeigungen des Schicksals empfand Viktor jedoch ein heimliches, von Tag zu Tag sich steigerndes Grauen. Anfangs zwar hatte er bei seiner Prozeßverteidigung dieselbe Rauflust und Wahrhaftigkeit wie beim Kampfe selbst bewiesen: der Feind sollte auch im Tode nicht triumphieren. In demselben Maße jedoch, in dem die Protokolle und die Reden seines für ihn sich erhitzenden Anwalts alle Einzelheiten des Auftritts ihm wieder vor Augen stellten – er hatte bisher nur eine unklare, freudige Erinnerung daran gehabt –, in demselben Maße sah er seine Seele enthüllt, vor der er wie vor einem Haufen Gestank sich abkehren mußte. »Gerechte und erlaubte Notwehr«, schrie der Anwalt, »Notwehr« hieß es im einstimmigen Verdikt der Geschworenen – sein Gewissen aber sprach anders. Die Richter konnten freilich nicht ahnen, was während des Erwürgens in seinem Kopf und Herzen vorgegangen war; er aber erinnerte sich nun daran, Zug um Zug, daß er zwar zum Morde gezwungen gewesen war, daß er aber an diesem Zwange nebenbei – eine ungeheure *Lust* gefunden hatte, daß er mit Vorbedacht, mit kaltem Genießen gemordet hatte, o, nicht nur den einen ... viele, viele, ohne eine Spur von Erbarmen, einzig der maßlosen Rachgier seiner Seele hingegeben. Und alle die Gemordeten, obwohl sie in Ruhe lebten, ihm traten sie als Gemordete entgegen, mit feurigen Gesichtern, reueheischenden, er sah nun in jeder Falte eines fremden Gesichtes diese verzerrten auf ihn lauern ... Mit schlotternden Beinen, gebrochen, verließ er den Gerichtssaal, in dem kaum eben zum Applaus der Zuhörer sein Freispruch verhallt war.

Wer das Böse im eigenen Herzen mit solcher Deutlichkeit sich hat entgegengrinsen sehen, für den ist jede Hoffnung verloren. So war denn das einzige, worauf von nun an alle Gedanken Viktors sich richteten, der Tod. Nur besorgte er, daß ein dem Prozeß zu schnell nachfolgender Selbstmord als Schuldbekenntnis und Selbstjustiz gedeutet werden und einen Makel auf seinem und seiner Eltern Namen zurücklassen würde. Peinlich war er daher darauf bedacht, obwohl sein tiefstes Ich nach Erlösung

vom Dasein drängte, diesem Trieb nicht zur Unzeit nachzugeben, eine angemessene Frist verstreichen zu lassen. Bis zu dem
erwählten Tage verbot er sich jede Freude, ja jeden Gedanken
an eine Freude, mit selbstquälerischer Aufmerksamkeit gab er
sich von nun an ganz seiner eintönigen Arbeit hin, in deren
Langeweile und reizloser Trockenheit er eine Art von Askese
und Strafe für sich erblickte. Jetzt aber wurde er – was alle
Standreden seiner Chefs nicht erzielt hatten – zum gewissen-
haften, gründlichen Beamten, pedantisch hielt er die Stunden
ein, kam als erster, ging als letzter, ließ keine Sekunde der Bu-
reauzeit unbenützt, wurde berühmt als Schnüffler und Bohrer,
der in jedem Brief immer noch einen Fehler oder eine bessere
Wendung zu entdecken hatte. So verging ein Jahr, zur Gänze
dem ungeliebten, fremden Zwecke wie ein Sühnopfer für die
Zügellosigkeit seines Herzens dargebracht. Als nun aber nach
Ablauf dieser Zeit der Tag heranrückte, den er zu seinem Ende
bestimmt hatte, da zeigte es sich, daß dieses Jahr der stupiden
und pflichtgetreuen Ermüdung nicht wirkungslos an seinem
Geiste vorbeigegangen war. Statt eines Helden ergriff eine
Memme das Rasiermesser und ließ es zitternd fallen... So war
mit seinen großen Ansprüchen an das Leben unmerklich auch
sein hoher Sinn, sein Ehrgefühl geschwunden; in der eingefallenen Brust, hinter gebleichten Wangen lebte nicht mehr jener
sich selbst unbewußte, edle Wille, der begehrlich, ja anmaßend,
scheinbar ohne zureichende Berechtigung sich gegen eine all-
gebilligte, allanerkannte Lebensordnung gewehrt hatte, in dem
aber vielleicht doch, ohne daß der Knabe es ahnte, etwas durch-
gebrochen war, was wir als die Schönheit und den Urquell dieser Welt verehren... Doch das war nun vorbei. Seine restlichen
Jahre – es waren noch viele, fünfzig und darüber – verbrachte
Viktor Kanturek fleißig im Alltag, ameisenhaft, kläglich zufrieden, allmählich eintrocknend, ohne Freund und ohne Frau, mit
einer etwas sonderlich anmutenden Scheu vor Zugluft und frischem Wind, die besonders zur Zeit des Vorfrühlings den küm-
merlichen Pinsel regelmäßig heimsuchte.

AUGUST STRAMM
Warten

Helle Rosen liebt sie und die schwarze Vase. Abtönung! ich
werde sie entblättern. der Duft! toll! ein Mädchen auf meinem
Zimmer! das hätt ich nicht von ihr gedacht. sie ist so fein. aber
wer nicht nimmt. ich bin immer zu zach gewesen. damals die
Rote. ich will auch genießen. die Rosen vor ihren Platz. herrlich. hier auf dem Sofa soll sie sitzen. ich setze mich neben. ich
kann sie umfassen. ich fühle ihre Brust. nein! nichts vorweg-
nehmen. überhaupt. ich werde mich umwerben lassen. ganz
kühl werde ich sein. sie auf meinem Zimmer. auf *mein Zimmer* gekommen. überhaupt wenn ich kühl bin. ich werde sie
zerreißen. die Kleider reiß ich ihr vom Leibe. nackt soll sie stehen hier. vor mir liegen. die Haare wühl ich ihr auf. Unsinn!
wo ist der Wein? schwerer echter! Burgunder! ja aufziehn. das
stört nachher. zwei Flaschen. das genügt. ausziehn. aufziehn.
entkorken. meine Haut ist mir zu eng! ein schöner Kerl! ja!
Körper. Wuchs. im Spiegel sogar. eigentlich? ich habe nicht viel
Glück gehabt bei den Weibern. zu zach! zu zach! zu zach! jawohl. heute nachholen! heute. das Bett aufdecken. ach was! wir
gehn ja gar nicht zu Bett. rauschen will ich! rauschen! ein Glas
trink ich vor. Flammen. Blut! Lodern! alles vergessen. richtig!
Gebäck. Weihnachten. ja. meine Mutter. hahaha! wenn sie
ahnte, was ich damit ködere. ahnt nicht, sicher nicht. schlechter
Kerl. schlecht? ich. nein. ich tus wohl lieber nicht. lieber nicht.
wenn sie kommt. sie ist ein anständiges Mädchen. sicher, ohne
Zweifel. das zeigt ihr Blick. sie tuts nur. sie liebt mich. ich bin
der Verführer. pfui Teufel! Verführer! *ich will leben.* leben. leben. ja. ich *will.* und wenn sie dran glauben will. sie *soll* dran
glauben. sie *muß* dran glauben. der Teufel holt sie. ich fetze sie
auseinander. die weiche Haut streichen will ich. alle Geheim-
nisse. ein Glas noch. wild. wild. wild. ein Stier. ich renne die
Wand ein. *hier* soll sie sein. säß sie da. ja. wenn sie jetzt da
säße, du du du! verrückt! ich küsse das dreckige Sofa. alles zittert. Arme. Beine. die Adern sind gequollen. ich halte nicht
mehr aus. sie käm. wenn sie nur kommt? wenn sie nun *nicht*
kommt? *nicht* kommt? *sicher* nicht. kommt nicht! Satan! ich
hole sie. ich hole sie aus dem eigenen Hause. ich schlage. ich

schlage sie auf der offenen Straße. ich werfe sie in den Rinnstein. in den Rinnstein. die Dirne! Dirne! Dirne! ooo! ich schieße. ich schieße sie nieder. die ganze Qual. Muskeln. Sehnen.
Fieber. mit dem Revolver schieß ich sie nieder. wie leicht er in
der Hand liegt. zierlich. flach. die Mündung vorn. und rund.
fein. zum Küssen. Lippen. haha! ich bin verliebt. der Revolver
ein Mädchen! ich hab noch nie mit ihr geschossen. jungfräu-
lich. und die kleinen Patronen. sie hinein passen. schlüpfen.
Donnerwetter! jetzt wirds aber Zeit! sie müßte schon hier sein.
wahrhaftig. sie kommt nicht. nein. sie kommt nicht. ich wollte
doch. ich wollte sie käme nicht. Gott! laß sie nicht kommen. laß
sie nicht kommen. laß sie verhindert sein. verhindert. flöße ihr
Scheu ein. Scheu. Scheu. fortbleiben. ja fort. besser. ja. ich be-
halte ein reines Gewissen. mein ganzes Leben lang werde ich
den Vorwurf nicht mehr los. ich bin kein Verführer. ich *will*
kein Verführer sein. meine Mutter. doch! aber braucht doch
nicht gleich? braucht denn? wenn sie nun käme? wir plaudern.
plaudern. gewiß. nein. da braucht doch nicht. haha! Mann und
Frau. gewiß. Freunde wirkliche Freunde. warum nicht? ich lache. sie wird mich auslachen. auslachen. mich die rothaarige
damals. tückisch. heimlich. der Blick. aä! Blicke! die halt ich
nicht aus. das ertrage ich nicht. nie mehr. nein. ich gehe fort. ich
bin nicht da. sie wird nicht kommen. aber ich gehe fort. das ist
das beste. mir wird ordentlich leichter. ganz leicht. gesiegt. ja.
ich. jaja. ist? ja? ist? o? rauscht? trippeln. ja? und? es? ja? klopft.
Donner. wahrhaftig. klopfen. *äää!* Frechheit. unverschämt.
schamlos. Dirne. Dirne. sie will mich. Verführerin. sie will mich
nein. ä. nein. ich kann nicht. nein. ich will nicht. nein. klopfe
nur. ja. klopfe. *ich kann nicht. will nicht. kann nicht. will nicht.*
klopfe nicht! klopfe nicht! klopfe! ja! klopfe doch! klopfe doch!
klopfe! ja! klopfe! *paff!!!*

ROBERT WALSER

Sebastian

In dem Wahne, der ihm sagte, daß es eine Ehre sei, dem Glück
und der eleganten Lebensweise zu huldigen, und daß es eine
Schande sei, Unglück zu haben, Mißerfolg über sich ergehen

lassen zu müssen, arm zu sein und redlich sich einen beliebigen Unterhalt zu suchen, stand eines Tages ein junger Mann namens Sebastian am Spieltisch. Eine Stunde nach dem Einsatz der Barschaft, über die er nachgerade noch verfügte, stand er als elender Bettler da. Er hatte all sein Geld verloren. Eine dumpfe plumpe Macht gab ihm einen Schlag vor die törichte Stirn, er taumelte, und eine grauenvoll-hänselnde Stimme schrie ihm unter einem gellenden, freilich nur für Sebastians Ohren hörbaren entsetzlichen Gelächter zu: »Elender!« Arm an Besinnung, reich an Verzweiflung und Gedankenarmut, verließ er den liederlichen Saal des verzweifelten Glücksspieles und ging auf die Straße – späte Nacht war es, und alles war still – Sebastian ging nach Hause.

»Komm uns nicht mehr vor die Augen«, hatten schon etliche Wochen früher bei einer Unterredung die Eltern Sebastians zu dem jungen Mann gesprochen, eine sehr verderbliche und sehr bequeme Sprache, welche an vielen Orten und unter manchen verschiedenen Umständen geführt wird, und womit Eltern, die sehr an der bürgerlichen Eitelkeit, an der Hoffart und am oberflächlichen Stolz hängen, der schlechten Auffassung überrasch Ausdruck geben, die besagen will, daß es ihnen lieber sei, das Kind gar nicht mehr wiederzusehen, als arm und verlegen – Sebastian wußte, daß seine Erscheinung den Eltern willkommen sei, sobald es nur eine »glänzende« Erscheinung wäre, daß es ihm aber verboten sei, vor genannte nahestehende Leute zu treten mit einer Haltung, die Niedergeschlagenheit und Gedemütigtheit ausdrückte. So beschloß er denn jetzt, im fürchterlichen Gefühl, dazu berechtigt und genötigt zu sein, etwas Schlechtes zu begehen. Der Verfasser will in dem straffen Gang seiner Erzählung nicht eher weiterfahren, als bis er ausgerufen hat: Eltern, saget doch, wann werdet ihr aufhören, eure Kinder mit der Zuchtrute eines ganz falschen und ganz niedrigen Ehrbegriffs in das Elend und von da, wie wir sogleich sehen werden, in die Schlechtigkeit zu treiben?

Da ihn eine bescheidene Arbeit, verbunden mit dem Verzicht auf aristokratisches Gebaren, eine Entehrung und mithin ein Ding der Unmöglichkeit dünkte, fiel ihm sein Revolver ein, und indem er sich auf dieses Ausstattungsstück besann, das von jeher bei jungen Leuten zu finden gewesen ist, die an gleichsam bösartigen Lebensbegriffen kranken, so war er, kann man sa-

gen, bereits auf dem Wege zum bald darauf folgenden Verbrechen. Er hatte also doch »wenigstens noch« einen Revolver.
Sich selbst mit dem zierlichen Mordwerkzeug zu töten, hatte
er weder Geist noch Mut genug. Er fand den traurigen Mut zum
Mord, da er den schöneren, wenngleich immer noch in jeder
Hinsicht verwerflichen zum Selbstmord nicht zu finden und zu
fassen vermochte. Er hatte sich zu Bett gelegt und war unter wilden, erbärmlichen Vorstellungen eingeschlafen und hatte jetzt
einen Traum, der wahrhaft diabolisch glitzerte und strahlte. Es
erschien ihm ein Goldklumpen, ein Gigant von lauter massi-
vem Gold, er tastete mit seinen Händen an der Traumesherr-
lichkeit fieberisch herum. Eine unnennbare Wonne verknüpfte
sich mit einer unnennbaren Angst: Er schrie und er erwachte.
Brennender Durst quälte ihn. Er stand auf, ging zum Waschtisch und trank einige Gläser Wasser.
Sebastian war kein Rohling und Bösewicht von Haus aus, im
Gegenteil, er war eher sogar zart. Es fehlte ihm nicht nur nicht,
sondern er hatte eher zu viel von jener Sensibilität, wofür das
Wort Empfindsamkeit vielleicht nicht ganz das rechte Wort ist,
die gefährlich sentimental sein kann, die nur gleich an das Ex-
treme denkt, an grelles Licht oder ohne weiteres an düsteren,
senkrecht in die tiefste Niedergeschlagenheit hinabstürzenden
Schatten. Es mangelte ihm nur wahre Führung und Erziehung.
Er war insofern kein wahrhaft gebildeter Mann, als alle Leute
ihn sogleich für einen scharmanten, gebildeten jungen Mann
nahmen, als auch so: wer gebildet ist, dem sehen es wenige,
und auch die nicht im ersten Augenblick, an. Doch weiter, Verfasser, weiter! Wo hältst du dich auf? Vorwärts mit dieser Novelle.
Ein Zorn erfaßte ihn darüber, daß er sich mit verbrecherischen
Gedanken schon so ganz besudelt habe. Er klagte, indem er sich
anzog und sich auf die Promenade begab, Welt und Menschen
in unbändiger Wildheit an, und anstatt daß er besser sich selbst
mit Vorwürfen überschüttet hätte, griff er die Gesellschaft und
den Staat an, in denen er lebte. Er nahm sich, wütend wie er
war, vor, die erste beste Gelegenheit zu benützen, und er war
noch keine dreihundert Schritte weit gegangen, als ihm auch
schon das ahnungslose Opfer in die mörderische Berechnung
lief. Ein stattlicher älterer Herr grüßte ihn. »Der kommt wie
bestellt, an dem übe ich's aus«, dachte der Mörder. In diesem

Augenblick war er schon ein solcher. Die Gelegenheit, sich
schurkisch zu erweisen, machte ihn zum Schurken. Sie gingen
zusammen an den Strand, und dort setzten sie sich, Sebastian
ließ den Herrn unter zarten Höflichkeitsbezeugungen vorn
Platz nehmen, auf ein leeres Boot, wo beide in eine, man möchte fast sagen, aufrichtige Naturbewunderung fielen, wozu ein
reizender, blauer Morgen Anlaß genug darbot. In aller Heim-
lichkeit zog Sebastian seinen Revolver aus der Tasche, achtete
nicht eines schrecklichen Erbebens in seiner armen Seele, sondern schoß hinterrücks den Mann, der unbefangen auf das
schöne Meer hinausschaute, tot, wonach er mit hastigen Händen in des Erschossenen Rock hineingriff, um ihn zu plündern.
Zu seinem Entzücken (in welche Kategorie muß man ein so abscheuliches Entzücken tun?) fand er Banknoten, einen ganzen
Haufen. Mit dem Leichnam ruderte er rasch ins Meer hinaus,
dort draußen warf er ihn ins Wasser. Es war keine lebendige
Seele in der Nähe gewesen. Kein Laut war weit und breit. Er
kehrte zurück.

Eine frühere Stimme hatte Sebastian zugerufen: »Elender!«;
eine andere rief ihm nun zu: »Mörder!« Und: »Ich bin verloren«, setzte er selber murmelnd hinzu. Er war wie zu einer Art
von Stein geworden. Das Unermeßliche des Schlechten, das er
verübt hatte, raubte ihm fast die Besinnung, er war einer Ohnmacht näher als der Überlegung des Schrittes, den er nun, wie
aus etwas Mitternächtlichem heraus, unternahm, und der dahin
zielte, sich zu verloben. Man staune nicht allzusehr. Einen Verzweifelten treibt es unwillkürlich zu neuen Verzweifeltheiten.
Er selbst wußte kaum, was er tat, was er beabsichtigte zu tun.
Eine Übermacht, eine übermächtige, furchtgejagte Ohnmacht
trieb ihn zu dem neuen Verbrechen. Auf eine begangene Untat
will die neue folgen, genau wie eine Wohltat die andere nach
sich zieht. Da er gemordet hatte, zählte er nicht mehr zu den
Vernünftigen. Wenn er nun also etwas Unvernünftiges zu tun
im Begriff stand, so setzte er zuallerletzt sich selber in Erstaunen. Unvernünftige Handlungen erscheinen Unvernünftigen
nicht unvernünftig; Unmöglichkeiten kommen unmöglichen
Leuten nicht unmöglich vor, und solch ein Verruchter war Sebastian schon, daß ihm eine neue Verruchtheit fast zu einem
lebhaften Bedürfnis geworden war, falls eine Besinnung in ihm
lebte und er noch nicht ganz und gar vom Dämon erfüllt war.

Er ging mit eiligen Schritten, dem Scheine nach in jeder Hinsicht Herr seiner selber, in Wirklichkeit aber Knecht aller bösen Triebfedern, die begangene Ungeheuerlichkeit mit dem Mantel der neu zu vollführenden zu verdecken, nach dem Hause zu, worin im Schutze zartsinniger elterlicher Vorsicht und Achtsamkeit Emma Orelli wohnte, ein reiches schönes Mädchen, die dem jungen Mann bereits bei einer früheren passenden Gelegenheit erlaubt hatte, zu hoffen, daß er ihr gefalle, da sie selber sich nicht hatte verbieten mögen, sich zu sagen, daß sie den Wunsch habe, begehrenswert auch ihm zu erscheinen. »Liebe ich ihn?« hatte sie sich bereits einigemal, indem sie das reizende Köpfchen hatte hängen lassen, gefragt und war jedesmal bei dieser Frage so tiefsinnig, so nachdenklich geworden, daß es die Eltern merkten, die dann mit: »Was ist dir, mein Kind?« an sie herangetreten waren. »Nichts, liebe Eltern, nichts«, hatte sie dann, hochrot wie die sommerlich prangende Rose im Gesicht, vergewissern wollen. Die Eltern hatten dann gelächelt. Jetzt schritt mit raschen Schritten, dem Tiger in Menschengestalt gleich, Sebastian auf das Haus zu, um sich im Sturm zu erklären, um dringend sich eine Erklärung zu holen.

Das schöne schlanke Mädchen, zu der Zeit gerade in voller blühender Entfaltung, dem Apfelbaum an Schneeweiß und üppigzarter Röte ähnlich, eine wunderbare menschliche Pflanze, so zart, und doch wieder so kräftig treibend, mit unter dem Sommergewand wie Täubchen hervorguckenden Füßen, die Arme so voll, das Wangenpaar ein Morgenhimmel, das Haar blond und reich, eine Gestalt, auf welche eine Fürstin noch stolz hätte sein dürfen, wenn Fürstinnen nicht nach höherer Schönheit trachten als nach weiblicher und äußerer (obwohl es vielleicht beim Weib keine höhere gibt), spazierte im Garten, unter dem Grün, durch dessen Blätterwerk die Sonne mit lieblichen Flekken auf die reizende Erscheinung fiel, als Sebastian anlangte und sich ihr alsogleich zu Füßen warf. »Nicht mehr länger«, rief er mit der so zu Herzen gehenden Stimme der Erschütterten aus, »ertrage ich und erdulde ich diese Ungewißheit, diese Unruhe. Mein verehrtes Fräulein, meine Angebetete! So sagen Sie mir doch, sagen Sie mir doch, ob Sie ... nein, nein! nicht so, nicht so. Ich wollt', ich hab', ganz anders, ich, ich liebe Sie. Ach, wenn Sie wüßten. Und ich will, ich will jetzt wissen. Ich will wissen, ob ich der glücklichste oder ob ich der betrogenste, der verratenste, der unglücklichste Mann auf dem Erdboden bin. Erschrecke ich Sie? O nein, treten Sie nicht zurück. Treten Sie mich lieber mit Füßen, als von mir zurückzutreten. Retten, retten Sie mich aus – dem – Abgrund ...« Er biß sich auf die Lippen. Fast hätte er zu viel gesagt. – »Stehen Sie doch auf. Mein Gott, was ist mit Ihnen? Sind Sie wahnsinnig?« rief sie aus. In diesem Augenblick war Sebastian so sehr Sieger, daß er weit davon entfernt war, es zu ahnen. Jetzt liebte sie ihn. Sie bat ihn, ihr zu folgen. Eine Viertelstunde später schon überließ sie sich, glücklich darüber, daß ihr Geschick beschlossen sei, seiner Umarmung und seinen Küssen. Es brauchte nur der Einwilligung der Eltern, und sie erhielten sie. Der Verbrecher, so hoch gehoben, kannte sich selbst nicht mehr, er vergaß, wer er sei. Er lebte in einem Rausch, und wenn er nicht glücklich zu sein vermochte, so war er doch trunken durch seinen Sieg in der Liebe. Die Eltern gedachten sich freilich gelegentlich näher nach seinem bisherigen Leben zu erkundigen. Die guten alten Leute, nicht fähig, der Tochter den schönsten Wunsch zu verwehren, schüttelten ein wenig die Köpfe. Es werde ja wohl alles in Ordnung sein – Sebastian gefiel und mißfiel ihnen.

Acht Tage später. Wir befinden uns im Kabinett der Polizeidirektion. Der Vorsteher oder Direktor hat den bewährten Agenten Michalik zu sich gebeten; dieser ist eben eingetreten. Händeschütteln. »Ich freue mich«, sagte Seine Exzellenz zum bescheiden dastehenden Kriminalisten, »daß ich Ihnen, den wir, wie Sie wissen müssen, so hoch halten, heute wieder einmal eine Arbeit übertragen darf. Ich tu es in der Voraussetzung, daß Sie bereits erfahren haben, um was es sich handelt. Dieser feige Schurke. Doch Sie werden ihn uns bald überliefert haben, ich weiß es. Wenn ich mich in dieser Angelegenheit, wie schon so oft, wieder mit unbedingtem Vertrauen an Sie wende und mir Ihre Hilfe erbitte, so werden Sie mir erlauben, Ihnen zu dem fraglos zustande, und, wie ich überzeugt bin, rasch zustande kommenden guten Ergebnis zu gratulieren. Bitte! Sie haben uns zu oft schon Beweise von Ihrer Tüchtigkeit, Besonnenheit, Kaltblütigkeit und überraschenden Energie gegeben. Was ich da sage, wäre für jeden andern eine zu starke Schmeichelei, ein zu übertriebenes Lob. Für Sie, der Sie Leistungen gezeitigt haben, die alles Lob, das man denselben hat zollen wollen, beschämt haben, kann es kaum noch ein Lob geben, und es ist nicht möglich, sich zu sagen, daß man Ihnen schmeichle, wenn man Sie rühmt. Doch genug, Sie werden an Ihre jetzige Aufgabe mit der Hingabe, der Pflichttreue, der Unermüdlichkeit, der Ausdauer und mit dem Eifer gehen, die an Ihrer werten Persönlichkeit kennen zu lernen Sie uns schon genugsam Gelegenheit gegeben haben. Ihr Dienst ist uns eine Ehre. Ihre Erfolge sind uns eine Freude, und wir begleiten alle Ihre Bemühungen sowohl mit dem höchsten amtlichen Interesse als mit dem Wunsch, dieselben mit dem Erfolg, den sie nach sich ziehen, gekrönt zu sehen.« Beide Herren verbeugten sich voreinander und nahmen Abschied; der Detektiv begab sich ohne Zögern an seine Arbeit.

Weh dir, Sebastian, dein Verfolger ist bereits hinter dir! Was der Detektiv Michalik auch immer in Angriff nahm, dem widmete er eine leidenschaftliche Aufmerksamkeit. Er übte seinen Beruf mit Geist aus, und er war bekannt dafür. Ganz nur eiserner Wille, wenn es zu arbeiten galt, war er in der Zwischenzeit ein seltsamer Kauz von Träumer, der tagelang, zum moralischen Verdruß seiner Zimmerwirtin, im Bett liegen und Pfeife rauchen konnte, eine Art ins Große gehender Untätigkeit, die ihm erlaubte, den seltsamsten Gedanken nachzuhängen, eine stille Romantik zu pflegen und im übrigen die ruhige Kraft für zukünftiges kriminalistisches Schaffen zu gewinnen. Jetzt, weh dir, armes geplagtes Verbrecherherz! kam so recht wieder die Tatenlust in des Michalik Kopf, und der bisher Träge loderte auf in dem feurigen Bestreben, zu zeigen, was er zu leisten imstande sei. Er verschaffte sich ein Bild des Ermordeten, dessen Gesichtszüge sowie Leibesbeschaffenheit samt zuletzt getragenem Anzug er bis in das Genaueste auf seinem eigenen Gesicht und auf dem eigenen Leib vor dem Toilettenspiegel, mittels einer feinen Kunst und Sachkenntnis, Nachahmungsgabe, Verständnis für die Charakterisierung, wiederherstellte. Als wieder lebendig gewordener Toter ausstaffiert, mehr als nur zum Verwechseln ähnlich, trat er am nächsten Tag auf die helle Straße in der Vermutung, daß er eine Begegnung mit seinem Freunde haben werde. Michalik nannte scherzeshalber den, den er suchte, seinen Freund, und in der Tat pflegte er die armen Teufel, die er der Gerechtigkeit in die Hände zu liefern hatte, nicht so sehr wie ein Staatsanwalt moralisch, als vielmehr wie ein Künstler rein beruflich, mithin also menschlich, ja fast freundschaftlich zu betrachten. Gaben ihm ja die Verbrecher und ihre

Untaten doch eigentlich Gelegenheit, sich auszuzeichnen, einen Beruf zu betreiben und einen Platz in der Gesellschaft auszufüllen. Er verabscheute den nicht, dessen Spur er suchte; eher interessierte er sich einfach lebhaft für ihn, derart, daß er ein leises Erbarmen gar noch mit ihm hatte. Der vielfache Verkehr mit sogenannten schlechten Subjekten macht nachlässig in der Entrüstung und mäßig und bedächtig im Besserdünken, er macht groß und gütig, er bildet ein nahes freundliches Verhältnis aus zwischen Verfolger und Verfolgtem, zwischen Gesetzesverfechter und Gesetzesverletzer. – Solcherlei sanfte Gedanken waren es, die dem Michalik, diesem edlen Herzen und feinen Kopf unter den Geheimagenten, vorkamen, als plötzlich einer, der ihm begegnete, jäh vor ihm zurücktaumelte, als habe eine rücksichtslose Faust ihn von hinten angepackt und angegriffen. Sebastian wars. Der Tote war ihm erschienen. Das war die erste Begegnung.

Michalik, der seinen Beruf gewissermaßen edelmännisch aufzufassen liebte, ging ruhig nach Hause, ohne sich weiter nach dem befremdlichen Gesellen umzuschauen, den eine so offensichtliche, panikartige Furcht vor ihm ergriffen hatte. Klug, wie er war, hatte er sich bei dem Vorfall wie ein beliebiger Spaziergänger benommen, der über das Schrecken und Entsetzen ausdrückende Benehmen des jungen Mannes höchstens ein wenig verblüfft oder erstaunt oder unangenehm betroffen war. Innerlich freute er sich über die Richtigkeit seines voraussetzenden Gedankens, und er fühlte sich mit Genugtuung im Besitz aller seiner Talente. »Der entgeht mir nicht«, sagte er zu sich selber, »ich kann ihn einstweilen ruhig noch umherlaufen lassen, das bißchen Freiheit mag ich ihm gerne gönnen.« Zu Hause angekommen, legte er die Maske, die ihm einen so guten Dienst erwiesen hatte, sorgsam ab, und indem er zum Entschluß kam, andern Tages einen wiederholten netten kleinen Versuch zu machen, setzte er sich in den weichen Lehnstuhl und begann zu träumen. Als alternder, vereinsamender Junggeselle träumte er jedesmal, wenn er so dasaß, von der Lieblichkeit, vom Segen, von den süßen, tiefen und ernsten Reizen der Ehe, von einer Frau, die ihm angehören, und der auch er angehören würde, von den Kindern mit den unschuldig-lieben Kinderfragen und -gesichtern, von Kinderaugen und kindlichen Spitzbubenstreichen, von ihrem erquickenden Lachen und von der Frau unend-

lich holdem, mütterlichem Wesen, von einer Liebe, Sorgfalt
und Treue bis ins Unendliche, von der Herrlichkeit der liebenden Dienstbarkeit und von der Unfreiheit himmlischem Zauber. Wie er da ein prächtiger Kerl von Vater, von Gatte, von Er-
zieher, von Wächter und von noch manch anderem wäre. Von
einem Sehnen und von einer Aufrichtigkeit, die nie aufhören,
von einer Liebe, die, indem sie dem Manne Fesseln anlegt, ihn
erst zum Manne macht, zum Gott macht. »Wie ich da schon
wieder Luftschlösser baue. Wahrhaftig, ich sollte mich schämen«, sprach er lachend. Hierauf griff er nach einem Buch und
sank in die Fesseln der Lektüre. Inzwischen schalt sich Sebastian einen rechten Dummkopf, daß er sich von dem Phantom,
das er zerstreuterweise so nannte, hatte Angst einjagen lassen.
Auch er fing an zu lachen, doch nicht so fröhlich wie der andere.
Es war ein irres, schrilles, trauriges Lachen.

Die zweite Begegnung Michaliks mit Sebastian ähnelte insofern
der ersten, als sie an fast ein und derselben Stelle auf der Promenade, inmitten eines zahlreichen eleganten Spaziergänger-
publikums, stattfand. Sie unterschied sich aber dadurch von
ihrer Vorgängerin, daß sie mehr Ernst annahm, länger dauerte
und daß sie den Schein eines dramatischen Auftritts bekam. Sebastian, den gestrigen Vorfall leichtfertig verlachend, war eben
an einer Gruppe von Damen und Herren vorbeigegangen, wobei es zu einem gegenseitigen Grüßen gekommen war, als er,
nach einigen weiteren Schritten, die furchtbare Totenerschei-
nung vom vergangenen Tag zu seinem nicht zu beschreiben-
den, höllischen Entsetzen, wie aus dem Erdboden heraus, dicht
vor sich auftauchen sah. Die Überrumpelung war eine so voll-
kommene, daß Sebastian das Gleichgewicht verlor. Er schauderte an allen seinen Gliedern, und der jähe Schreck raubte ihm
den Atem. Nur äußerst mühsam vermochte er sich angesichts
des Schreckensbildes aufrecht zu halten. Der andere, welcher das
letztemal still und wie achtlos weitergegangen war, blieb diesmal auf dem Flecke stehen, wie einer, der erwartete, daß er an-
geredet werde, und in der Tat war Sebastian nicht imstande,
seinen Weg weiter zu verfolgen, ohne zu sprechen, zu fragen.
»Wer sind Sie, und was wollen Sie?« sprach er ohne alle her-
gebrachte Höflichkeit zu dem rätselhaften Gespenst, das im
hellen Vormittagssonnenschein auf dem freundlich belebten
Platz vielleicht furchtbarere Wirkung ausübte, als wenn es ihm

in grauenvoll-finsterer Mitternacht erschienen wäre. Seine Stimme, da ihn die Beklemmung zu ersticken drohte, war heiser, und er mußte fast schreien, um Gehör zu finden. »Sie verfolgen mich, Sie stellen mir nach. Ich glaube ein Recht zu haben, mich fragen zu dürfen, ob ich das dulden muß? Geben Sie mir bitte eine Erklärung. – Sie schweigen, mein Herr? Sind Sie denn ein Blendwerk, ein Geist aus dem Grabe? Und warum muß ich denn so vor Ihnen erschaudern, der Sie vielleicht der allerunbedeutendste und allerbelangloseste Mensch dieser Welt sind? Sagen Sie mir, sind Sie von dieser Welt, oder sind Sie von jener? Bin ich wahnsinnig, daß ich einem Zufallsmenschen gestatte, mich so ruhig und so lange zu betrachten, als wolle er mir angedeutet haben, er kenne mich. Reden Sie, oder ich schlage Sie.« – »Gehen Sie«, befahl Michalik mit gebieterischer Miene und Stimme. Er lächelte! Sebastian, mehr tot als lebendig, ging weiter. Er glich einer Marionette. Dies war die zweite bedeutungsvolle Begegnung. Der Detektiv nahm sich vor, mit dem »Burschen« bald zu Ende zu kommen. »Fliehen, das tut er wohl nicht. Ich kenne die Sorte, da habe ich nicht Angst. Aber er tut vielleicht etwas anderes. Da will ich ihm denn doch zuvorkommen.«

Am nächsten Tag lustwandelte Sebastian Arm in Arm mit seiner schönen Braut im elterlichen Garten. Wer würde diesen ritterlichen, liebenswürdigen Galan, wenn er ihn in diesem Augenblick gesehen hätte, für einen Mörder haben halten können? Gibt es doch Menschen, die selbst in den schwierigsten Verhältnissen ihres Lebens noch eine Haltung und eine Geste anzunehmen wissen, daß jedermann, der sie erblickt, denken muß, sie seien die harmlosesten Kinder. Wie anziehend, wie fein, wie unterhaltend verstand Sebastian zu plaudern, und wenn mitunter auf seiner Stirn auch eine sorgenvolle Falte zu sehen war, so war das weniger eine Unschönheit an ihm oder eine Ursache, sich vor ihm zu fürchten, als eher ein Anlaß, ihn zu fragen, an was Banges er denn jetzt so plötzlich denke. Von Zeit zu Zeit glitt ein kaum merkliches Erbleichen über sein hübsches, kluges Gesicht und ein sonderbarer Ausdruck geheimen Wehs über seine schmalen, wohlgeformten Lippen. Seine Braut fand ihn darum nur um so interessanter. Sie redeten von allerlei, von einer Reise, ja, ganz besonders von einer Reise. Emma Orelli schwärmte, wenn sie sich vorstellte, wie schön es sei, mit dem geliebten Mann zusammen zu reisen, tagelang unterwegs, die schönen fremden Gegenden, die Städte, Gewässer und Länder, und er glücklich, und sie mit ihm, sie beide in einem ununterbrochenen, süßen Wohlbefinden, hie und da wohl auch eine kleine Reiseunannehmlichkeit, ein Abenteuer, über dessen Komik sie heiter würden lachen können. »Ich weiß zurzeit nicht recht, was mir fehlt«, sagte er, indem er mit der besten Manier seinen Arm um ihre schöne Taille legte, »ich bin ein wenig angegriffen. Seltsame Unruhe, von welcher ich nicht weiß, was sie zu bedeuten hat. Ängstige dich nicht. Ganz gewiß ist es nur eine vorübergehende geringfügige Nervosität. Sie wird rasch überwunden sein. Vereint mit dir, muß sich ja wohl bald alle Beunruhigung in Ruhe und alles Bangen in eine Heiterkeit verwandeln. Wir zwei Liebenden zusammen. Wir zwei Glücklichen zusammen. Nicht wahr, da kann die ganze Welt kommen, können Feindseligkeiten kommen, so viel nur wollen, wir sind nicht zu erschüttern, nicht zu trennen, und nicht unglücklich zu machen. Zwei warme Menschenherzen, deines und meines. Sonst nichts.« – »Wirklich?« fragte da plötzlich eine Stimme, und der tote Mann, den ein dichtes Gebüsch bis dahin sorgfältig verborgen gehalten hatte, stand wieder vor Sebastian. Michalik stand da. Die eherne Unentrinnbarkeit war aus dem Gebüsch hervorgebrochen und stand vor dem übermütigen Bösewicht da. Der eisig-kalte Schauder stand plötzlich wieder da. Die Rache für den begangenen Mord stand da. Die Vergeltung stand da. Die unweigerliche Strafe, mitten in die Schwelgereien und Schwärmereien reizenden Liebesglückes getreten, stand da. Michalik stand da, Michalik, der fleißige Michalik. Das Unheil und die Heimsuchung standen da. Die Prüfung stand da. Die Vernichtung stand da.

Zu dieser dritten und letzten Begegnung oder Gegenüberstellung ist beizufügen, daß, als Emma in der höchsten Verwunderung ihren Bräutigam und zugleich auch den Fremden fragte, was das zu bedeuten habe, der geistesgegenwärtige Beamte seine Mütze abzog, sich höflich verbeugte und sagte: »Es bedeutet Erinnerung, gnädiges Fräulein. Dieser Herr hier, der Ihnen ohne Frage ungemein wert ist, eine Sachlage, mit der ich freilich bis dahin noch nicht gerechnet habe und die mich daher wohl ein wenig beirren muß, hat ganz einen Zusammenhang, eine Verbindlichkeit vergessen, auf welcher zu beharren, und sogar sehr fest zu beharren ich alle nur erdenkliche Ursache habe. Und da er mir den Eindruck gemacht hat, daß er zu den vergeßlichen Leuten zu zählen sei, so bin ich nur rasch gekommen, um ihn zu erinnern, daß er mir etwas schulde, was ich nicht möchte fahren lassen! Es liegt mir daran, den Herrn aufmerksam darauf zu machen, daß es exakte Leute in der Welt gibt, die so viel Ordnungssinn besitzen, daß es ihnen nicht möglich ist, Schulden solchen Leuten zu schenken, die die Gewohnheit haben, sie aus dem Gedächtnis fallen zu lassen, als wenn es keinerlei Verpflichtungen auf der Welt gäbe. Es ladet irgendeiner eine Verantwortlichkeit auf sich und tut nachher gern so, als sei sein Gläubiger der Kuckuck im Walde. Entschuldigen Sie. Es tut mir leid, wenn ich ein intimes Zuzweit gestört habe.« Er entfernte sich. Emma war sehr überrascht. Sebastian war sprachlos.

Die Geschichte geht zu Ende, und nun wirst du wohl bald erfahren müssen, was büßen heißt, Unhold Sebastian. Schade gleichwohl um ihn. Man muß »schade« ausrufen, wenn eine junge Intelligenz elendiglich zugrunde geht. Vielfaches ist da schuld, doch wir müssen uns beeilen. – Es geht gegen Mittag, und wir, die wir dies schreiben, möchten dies noch, wenn möglich, vor Tisch beendigt haben. Die beiden Brautleute, im unsäglich traurigen Gefühl schon, daß etwas Trennendes zwischen sie getreten sei, gingen nach dem Hause zu, das in einiger Entfernung lag. Auf dem Wege maß die Dame, deren Herz stürmisch zitterte, mit fragenden Blicken ihren Begleiter, welcher seine Augen zur Erde niederschlug und kein Wort fand, um etwas zu sagen. Inzwischen hatte Michalik schon Zeit gefunden, die über eine so furchtbare Eröffnung im höchsten Grad bestürzten Eltern des Mädchens kurz aufzuklären. Er stellte zwei handfeste Leute links und rechts, gut verborgen, neben die Freitreppe, die in die Eingangshalle der Villa führte. Er selber, der Detektiv, hielt sich hinter einem Vorhang scharf die Szene bewachend auf, und es dauerte keine zwei Minuten von der fertig getroffenen Vorbereitung bis zu dem Moment, wo das Paar in der Nähe des Hauses zum Vorschein kam. Sebastian, ganz in eine Trostlosigkeit versunken, war nicht fähig, seine Festnahme verhindern zu machen, zu der es keiner fünf Sekunden bedurfte. Emma stieß einen lauten Schrei aus, sank in Ohnmacht, wurde aber rechtzeitig vom herbeieilenden Michalik, der diese Möglichkeit wohl erwogen hatte, derart geschickt aufgefangen, daß sie sich nicht die geringste Verletzung zuzog. Sebastian wurde, auf einen Wink ihres Vorgesetzten, von den beiden Männern abgeführt, er ließ sich willenlos fortführen, er war gebrochen. Michalik trug seine schöne Last ins Haus hinein. Das Mädchen kehrte schnell wieder zur Besinnung zurück. Sie erblickte einen starken, in achtungsvoller Stellung verharrenden Mann vor sich, der die Augen mit Entzücken und mit Ehrerbietung auf ihr ruhen ließ. Die Eltern gaben ihm die Hand und dankten ihm für die Art, wie er sie vor einem großen Unglück bewahrt habe. Er wurde auf das herzlichste eingeladen, öfters ins Haus zu kommen, und da ihm Emmas Schönheit, wie wir gesehen haben, einen tiefen Eindruck gemacht und auch die beiden alten Leute ihn stark anheimelten, wie er sich selber gestand, so ist nicht zu zweifeln, daß er ihrer freundlichen Einladung mit dem größten Vergnügen Folge leistete.

LEO PERUTZ

Der Tod des Meisters der Materie

Als der Ferdinand Cortez mit seiner Armada vor den Toren der Hauptstadt des Landes Mexiko lag und sich von den Abgesandten des aztekischen Kaisers oder Großherrn auf keine Weise, weder durch Bitten noch durch Geschenke bewegen ließ, umzukehren und seine Truppen an die Küste zurückzuführen, da entschloß sich der Großherr, in eigener Person und mit seinen Kanzlern, Statthaltern und geheimen Räten den Cortez in seinem Lager aufzusuchen, um mit ihm über den Frieden einig zu werden.

Der Cortez erwartete den indianischen Großherrn auf seinen Degen gestützt und von den stattlichsten seiner Offiziere umgeben auf einem weiten Platz, der sich inmitten des Lagers befand. Um diesen Platz hatte er eine doppelte Reihe Bewaffneter unter der Führung zweier seiner Hauptleute des Juan de Leone und des Antonio Quinones aufgestellt.

Eine seltsame Musik ließ sich vernehmen, als der Zug des indianischen Hofes in die Lagergasse einbog. Denn zuvorderst gingen die Spielleute des Kaisers, die hatten kupferne Becher in den Händen, mit denen sie silberne Kugeln in die Höhe warfen und wiederum auffingen. Und jede dieser Kugeln hatte ihren eigenen Klang: sangen die einen die tiefen Töne, so hielten die anderen den Diskant. Und das ganze gab eine Melodie, sehr ähnlich jener, welche die Bauernknechte im Kastilianischen singen, wenn sie mit ihren Schaufeln den Mist auf die Äcker abladen, so daß die Spanier zu lachen anfingen, denn die Worte jenes einfältigen Liedes kamen ihnen in Erinnerung, und einer hub gar an mitzusingen: »Schlägst du Säu, so hast du Würst!«

Hinter den Musikanten kamen seltsame Gesellen: Taschenspieler, Gaukler und Possenreißer, Kerle, die große Räder in der Luft schlugen oder auf den Händen liefen, an deren Treiben der indianische Kaiser sein Contento hatte. Hinter diesen kamen die Krüppel und Zwerge dahergestochen, Leute, die ohne Arme geboren waren, andere, die von Geburt aus weißes Haar besaßen, solche, die an jeder Hand sechs Finger hatten, und einer hatte ein Fischmaul. Die kamen gar stolz einhergestiegen, galten bei den Indios als kostbare Vögel und seltenes Wildbret.

Sodann kamen Indios mit Blumen in den Händen. Die eilten auf den Cortez zu und wanden ihm Kränze von Rosen um Schultern und Stirne, auch anderen Spaniern, Soldaten und Offizieren, die sich solcher Höflichkeit von seiten der Indios nicht gewärtigt hatten. Hinter denen kamen vier andere, die hatten kein anderes Amt, als vor der Sänfte des Großherrn einherzulaufen und die Strohhälmlein von dem Wege aufzulesen, den ihres Herrn Fuß betreten sollte. Zum Schluß endlich kam der Großherr selbst in einer Sänfte, und rechts und links von ihm schritten zu Fuß viele von seinen Anverwandten und Hofleuten, alle barfuß und in zerrissenen Kleidern; die trieben, als sich der Großherr aus seiner Sänft heben ließ, viel Gepränge mit Händeküssen und Bücken. Traten sodann zurück und nur ein einziger blieb an des Kaisers Seite stehen, ein kleiner, fetter Mann, den der Großherr mit dem Namen Calpoqua rief, das will heißen: Meister der Materie. Der allein blieb in des Kaisers Nähe und musterte den Cortez und seine Leute mit scharfen Augen.

Der Großherr war mit goldenen Spangen, Gürteln und Ringen gar stattlich versehen und geziert, trug auch eine Perle an der Brust, dergleichen sich niemand hätte nochmals zu finden getraut, und sollt er gleich die Welt bis an alle Enden durchlaufen.

Das sahen die Spanier mit herzlicher Erfreuung, dachten, da
wär was zu erschnappen, wär jeder gern mit krummen Fingern
auf des Großherrn Buckel spazieren gegangen.

Der Cortez empfing den indianischen Kaiser, der mit Namen
hieß Montezuma, das ist: »der gestrenge Herr«, mit großer
Achtbarkeit und Ästimation, ließ ihm auch alle Ehre, so möglich, erweisen. Und alsbald begann er ausführlich von der erhabenen Person und geheiligten Majestät des römischen Kaisers, des Königs Karl von Spanien zu sprechen, wobei er den
Indios eröffnete, daß in Wirklichkeit alle ihre Länder und noch
andere viel größere Länder und Reiche dem spanischen König
gehörten, und daß diejenigen, welche seine Vasallen sein wollten, sich geehrt und begünstigt, Rebellen aber nach dem Gebot
der Gerechtigkeit sich gezüchtigt finden würden.

Der indianische Großherr hörte still und mit großer Aufmerksamkeit zu und nahm sodann, als der Cortez geendet hatte, das
Wort, sagte, er befände sich in großer Schuld und Verpflichtung
gegen diesen erhabenen König von Spanien, der es der Mühe
wert gehalten habe, sich aus so fernen Landen nach seinem Befinden erkundigen zu lassen. Er werde gerne Vasall eines solch
großmütigen Königs werden. Der Cortez möge ihm sagen, wieviel sein König alljährlich an Tribut an Gold, Silber, Edelsteinen,
sowie an baumwollenen und anderen Stoffen begehre; dies
alles werde er ihm in Eile durch den Cortez senden, den er bäte,
sogleich mit dem Tribut in die Residenzstadt seines Königs
zurückzukehren. Denn die indianische Hauptstadt könne er für
diesmal nicht betreten, da sie für solche Gäste nicht in Bereit-
schaft gesetzt, auch von allen Lebensmitteln entblößt sei.

Darauf gab Cortez zur Antwort, daß er nicht früher zurückkehren dürfe, eh' er nicht mit seiner Armada dem Großherrn
seinen Besuch in der Hauptstadt erwidert und daselbst einige
Zeit Aufenthalt genommen hätte. Denn er sei verpflichtet, seinem König genauen Bericht zu erstatten über des Großherrn
erhabene Person, wie auch über dessen königliches Leben in der
Stadt Tenochtitlan.

Bei diesen Worten gerieten aber alle Indios in große Unruhe
und Bestürzung. Zwei von ihnen, des Großherrn Bruder Cacama und dessen Sohn Guatimotzin, näherten sich dem Herrn
Montezuma und beschworen ihn, er möge dem Cortez nicht
willfahren, sondern ihm den Eintritt in die Hauptstadt verweh-

ren. Und der Indio Calpoqua deutete auf zwei Spanier, die neben dem Cortez standen, und sprach voll Ehrfurcht und mit
halblauter Stimme einige Worte zu seinem König, wobei er mit
der linken Hand seltsame Figuren und krumme Linien in der
Luft beschrieb.

»Was sagt jener feiste Indio?« fragte der Cortez seinen Hauptmann D'Aquilar, der ein wenig mit den Indios in ihrer Sprache
reden konnte.

D'Aquilar hatte den Calpoqua nicht verstanden, wollte das aber
den Cortez nicht merken lassen, sprach darum nach kurzem
Besinnen: »Er sagt, die Spanier hätten solche Geiersnasen, daß
sie das Gold in den Gräbern aufspüren und stehlen.«

Inzwischen hatten die Indios untereinander Rats gepflogen,
waren auch eines Sinnes geworden und der Großherr wandte
sich dem Cortez zu und sagte, er werde es mit all seiner Gewalt
verhindern, daß auch nur ein einziger Spanier die Stadt beträte,
die den Göttern geweiht und durch das Andenken an seine erlauchten Ahnen geheiligt sei.

Auf diese Rede hin begann nun auch der Cortez gar groß zu
sprechen und zu drohen, wieviel er an Volk zu Roß und zu Fuß,
an Geschütz und an sonstigem Kriegsvolk vermöchte, auch wie
viele von des Großkönigs Städten und Burgen er genommen
und erobert hätte und wie er mit seiner Armada die Indios oftmals in die Flucht geschlagen und sie bis in ihre Hauptstadt
zurückgetrieben, auch viele ihrer vornehmsten Hauptleute gefangen hätte.

Diese Rede, welche der Cortez zum Teil an den Großherrn, zum
Teil an den Calpoqua richtete (der ihm ein Mann von großer
Importance zu sein schien, da er allein an des Großherrn Seite
stand), tat solche Wirkung, daß der Großherr wiederum unentschlossen und zaghaft wurde. Als der Cortez dies merkte,
begann er nunmehr in freundlichem Ton und in großer Höflichkeit dem Großherrn zuzusprechen, gab auch Auftrag, daß
die Indios feierlich mit Essen und Trinken traktiert würden.

Bevor dies aber geschehen konnte, begannen die Indios, die
um den Prinzen Cacama und Guatimotzin geschart standen,
plötzlich laut zu schreien, warfen sich auf die Erde und wiesen
mit ihren Armen gen Himmel. Der Cortez blickte empor, konnte aber nichts anderes sehen als einen großen Reiher oder Stor-
chen, der in ziemlicher Höh über dem Lager seine Kreise zog.

Die Indios hatte eine große Erregung ergriffen, und einer von
ihnen, der Leibarzt des Großherrn, ging auf den Cortez zu, un-
terstützte ihn, wie es der Indios Art ist, ehrfurchtsvoll mit beiden Armen, ging auch eine Strecke neben ihm her und sprach
eifrig in indianischer Sprache auf ihn ein, wobei er des öfteren
auf den Reiher in der Luft wies. Auch zwei indianische Äbte
oder Prälaten, die ihr Antlitz mit Ocker oder Zinnober bemalt
hatten, also daß es mehr einer Teufelsfratze ähnelte als dem
Antlitz eines Menschen, waren herbeigeeilt und huben an, sich
zu Boden zu werfen und schreckliche Tänze zu tanzen.

Inzwischen hatte der Cortez seinen Dolmetscher nach der Ursache solch närrischen Wesens befragt und erfahren, daß die
Indios in dem Reiher einen ihrer höllischen Dämonen zu erkennen glaubten, der ihnen bisweilen in solcher Vogelgestalt
erscheine, um ein Unglück zu verkünden. Diesen Vogel oder
Dämon hätte keiner von ihnen jemals aus der Nähe gesehen,
denn er baue sein Nest nicht in den Baumwipfeln oder Felsen,
sondern in den Wolken selbst, zeige sich auch nur selten den
Menschen, und zum letztenmal sei er vor vierzehn Jahren gesehen worden, als der Vater des Großherrn Montezumas gestorben sei.

Jetzt kamen die beiden rebellischen Prinzen Cacama und
Guatimotzin mit feindseligen Mienen auf den Cortez zu, sagten, es sei ihres Kaisers unumstößlicher Wille und fester Vor-
satz, keinem der Spanier den Eintritt in die Stadt zu gewähren,
denn dies sei wider ihres Kriegsgottes Befehl, und der Cortez
möge sich nach des Großherrn Intention bequemen und ungesäumt den Rückzug in seine Heimat antreten. Zu gleicher Zeit
machten die Indios, die den Montezuma umgaben, einen großen Rumor, schwangen ihre Waffen und begehrten mit viel
Geschrei, mit den Spaniern handgemein zu werden. Aber auch
jene Indios, die in den Diensten des Cortez standen, begannen
rebellisch zu werden, als sie den abgöttischen Reiher erblickten,
wollten nicht länger kämpfen wider ihres Gottes Gebot und
zeigten große Gelüste, auf des Großherrn Seite überzugehen.

In dieser Not, als ihm sein Sieg über die Indios aus den Händen rinnen wollte, beschloß der Cortez, dem Großherrn zu zeigen, daß er auch über seine Götter Gewalt besäße, und schrie
mit lauter Stimme nach dem Garcia Novarro.

Der Garcia Novarro war ein alter wunderlicher Mann, der den

Soldaten im spanischen Lager ein fromm christlich Leben predigte. Sein Kopf wackelte in beständiger Unruh hin und her, als hätt er die Freis im Hirn, und seine Hände zitterten ihm, daß er die Arquebuse kaum zu halten vermochte. Und dennoch war er ein solcher Schütze, daß er auf tausend Schritt mitten im Schwarzen den Nagel zu treffen vermochte, daran die Scheiben aufgehängt waren, und um dieser Kunst willen hatte ihn der Cortez dereinst, als er noch des Gouverneurs der Insel Kuba Geheimschreiber war, aus dem Schuldturm gelöst und mit sich genommen.

Dieser Garcia Novarro kam nun gegangen, hatte ein rot Mützlein am Kopf, und schleppte den Kolben seiner Arquebuse im Sande hinter sich her. Er ging mit knickenden Knien und blinzelndem Auge und seine Lippen bewegten sich unaufhörlich.

Der Cortez faßte ihn am Arm, deutete auf den Reiher, der hoch über dem Lager seine Kreise zog, und sprach: »Siehst du den Vogel? Den holst du mir herunter, stracks!«

Statt aller Antwort warf sich der Garcia Novarro zu Boden und begann zu heulen, daß niemand begreifen konnte, ob er gehauen, gestochen oder gebrannt wär.

»Was soll das Gaukeln!« schrie der Cortez. »Schieß, oder es ergeht dir übel.«

Der Vogel war indeß in solche Höhe gestiegen, daß er nur als ein kleines Wölkchen am Himmel zu sehen war.

»Was zwingst du mich, die unschuldige Kreatur zu töten!«, klagte der Garcia Novarro. »So willst du, daß ich die Gnade dieser Welt und die Seligkeit des Himmels verliere?«

Der Cortez begann in höchstem Zorn zu wüten und zu drohen, denn der Vogel war in solche Höhe gestiegen, daß er dem Auge beinahe entrückt war. »Schieß, oder ich schick dich in des Seilers Werkstatt das Seil probieren.«

Aber der Garcia Novarro stieß seine Arquebuse voll Haß und Abscheu von sich und schrie mit trotziger Stimme: »So mag schießen wer will, ich aber werde nicht Christi teures Blut vergießen, das da fließt in jeglicher Kreatur.«

»So führt den Schelmen aus und lasset ihn henken«, befahl der Cortez.

Der Garcia Novarro stand mit schlotternden Beinen da und verdrehte die Augen vor Angst. Sein rot Mützlein war ihm vom Kopf gefallen.

»Platz da!«, schrie der Henker des Cortez, indem er sich durch
die Reihen der Spanier drängte. »Jetzt gehet an der Bettel-
tanz!«

Als der Garcia Novarro sah, daß es zum Galgen ging, ward die
Todesangst übermächtig in ihm und er haschte nach seiner
Arquebuse und jammerte: »Laß mich ledig, so will ich schie-
ßen.«

»Jetzt ists zu spät. Der Vogel ist verschwunden!« zürnte der
Cortez. Und wirklich, keiner von den Spaniern vermochte noch
den Vogel zu erblicken, der hinter den Wolken verschwunden
schien. Doch der Garcia Novarro hob die Arquebuse und schoß
ins Ungewisse.

Gleich darauf kam der Reiher herabgesaust und fiel vor uns auf
den Boden nieder. Die Kugel des Garcia Novarro hatte ihm den
Kopf durchschossen.

Es war ein Vogel, wie keiner von uns jemals einen von solcher
Größe gesehen hatte, maß mehr als neun Fuß in der Breite,
wenn man die Flügel hob. Es war ein Reiher von Gestalt, doch
mit blauen und grünen Federn in eines Pfauen Weis' geziert,
am Halse aber und am Bauche eitel rot gefärbt; da war jede rote
Farbe, die es auf Erden gibt hingemalt, das Rot der Waldbeeren,
der Ebereschen und des welken Laubes, Weinrot, Blutrot und
Rosenrot, Scharlach, Purpur, Zinnober und Karmesin.

Die Indios drängten sich heran, keiner von ihnen hatte jemals
den Reiher Tausendrot in solcher Nähe gesehen. Sie waren sehr
bestürzt, daß den Spaniern solche Gewalt gegeben war, einen
der vornehmsten ihrer Götter aus der Luft herabzuholen und
zu töten. Sie hoben den Vogel stumm und bekümmert auf und
trugen ihn in feierlicher Prozession hinweg, der Großherr aber
wehrte sich nun nicht länger gegen den Einzug der Spanier in
die Stadt Tenochtitlan, sondern willigte ein, daß zwei spanische
Offiziere, der Quinones und der de Leone, mit einiger Mann-
schaft ihn sofort begleiten, der Cortez selbst und die übrigen
Spanier aber nachkommen sollten, wenn für sie alle ein Losa-
ment bereitet wär.

Als der Cortez dies erreicht hatte, bezeigte er große Freude,
trat auf den Großherrn zu, umarmte ihn, und legte ihm eine
Kette von Glasperlen um den Hals, und das Gleiche tat er den
Prinzen Cacama und Guatimotzin sowie dem Indio Calpoqua,
der ihm, da er an das Großherrn Seite stand, ein indianischer

Marschall, Feldobrist oder Erzkanzler zu sein schien. Heimlich aber gab er dem de Leone und dem Quinones den Auftrag, in der Stadt auf diese drei Herren ein scharfes Auge zu haben und mit Gewalt gegen sie vorzugehen, wenn dies für die Sicherheit der spanischen Armada erforderlich wär. Sodann erteilte er allen seinen Offizieren und Soldaten den Befehl, sie mögen sich stark bemühen, eines solchen Reihers nochmals habhaft zu werden, denn er wollte ihn dereinst seinem Könige, auch dem Papste und der ganzen Christenheit vorweisen, zugleich mit anderen seltsamen Wundern der neuen Welt.

Aber keiner von den Spaniern hat den Reiher Tausendrot nochmals zu Gesicht bekommen. Und es scheint, als wäre der Vogel, den der Garcia Novarro erlegte, der einzige seiner Art gewesen. Es mag sein, daß es ihrer einstmals viele gegeben hat und daß dieses riesenhafte Volk von Reihern die Lüfte der neuen Welt bevölkerte, lange, ehe die Spanier das Land betraten, doch war von ihnen nur dieser eine übrig geblieben. Und sicherlich wollte dieser letzte, uralt und weise, als er über dem Lager seine Kreise zog, mit eigenen Augen die künftigen Herren des Landes sehen, von deren Ankunft ihm Kunde geworden war. Mußte aber dabei sein Leben verlieren.

Der Großherr hatte sich inzwischen wieder in seine Stadt Tenochtitlan begeben. Er war sehr bekümmert und schweren Herzens, denn das wilde und ungestüme Wesen des Cortez und der anderen Spanier, die er an diesem Tage zum erstenmal von Angesicht zu Angesicht gesehen, hatte ihn sehr erschreckt. An andern Tagen pflegte er der Indios, die, wenn sie ihm begegneten, sich auf den Boden warfen und ihm auf den Knien aus dem Wege rutschten, nicht zu achten, an diesem Tage jedoch dankte er ihnen mit großer Freundlichkeit, indem er die Arme hob und wieder senkte.

Als er seinen Palast erreicht hatte, verspürte er Hunger und verlangte nach Speise. Seine Diener kamen und brachten ihm alle Arten von Gerichten. Fleisch, Fisch, Früchte und eingemachte Kräuter, alles in Schüsseln, unter denen sie Wärmpfannen mit glühenden Kohlen hatten, damit die Speisen nicht erkalteten. Aber obgleich der Gerichte so viele waren, daß der ganze Saal von ihnen erfüllt war, berührte er keines von ihnen, sondern blickte, auf einem ledernen Polster sitzend, stumm vor sich hin.

Gegen Morgen empfing er den Besuch des Calpoqua, jenes
Indios, den der Cortez für einen Marschall gehalten und darum
bedroht, später aber umarmt und beschenkt hatte. Dieser Calpoqua brachte dem Großherrn die Gestalten des Cortez und
zweier seiner Offiziere, alle drei nicht größer als einen Finger
hoch, die er noch in dieser Nacht überaus zierlich und sehr getreu aus Silber, Kupfer und Holz geschmiedet und geschnitzt
hatte. Ferner das Bild des Garcia Novarro, wie er mit seiner
Arquebuse den Reiher Tausendrot erlegte, weiters die Figuren
eines Pferdes, eines Maulesels und einer Sau, in Silber gearbeitet, die Sau aber hatte nur ein Ohr, denn durch Zufall war dem
Urbild, das dem Calpoqua zu Gesicht gekommen war, von
einem Wagenrad ein Ohr zerquetscht und abgetrennt gewesen.

Diese Figürlein besah der Großherr genau und lobte die feine
und zierliche Arbeit, um derentwillen er den Calpoqua mit
sich ins spanische Lager genommen hatte. Nur an der Arquebuse des Garcia Novarro hatte er zu tadeln, daß die Rauchwolke
nicht abgebildet war, die mit einemmal aus der Mündung des
Rohrs hervorgetreten sei. Darauf erklärte der Calpoqua mit
leiser und demütiger Stimme, daß er auf vielerlei Art auspro-
biert hätte, wie er diese Wolke nachbilden könnte, doch hätte
sich keine Materie, nicht Gold, nicht Silber, auch nicht Holz als
dazu geeignet erwiesen; doch wolle er von weiteren Versuchen
nicht ablassen, bis er des Großherrn Wunsch erfüllt und die
Wolke gleichfalls künstlich angefertigt hätte.

Nunmehr ließ der Großherr die Figuren in einen großen Saal
bringen, in welchem er von allen erschaffenen Dingen, so der
Erde, wie auch des Meeres, von denen die Indios Kenntnis
hatten, sowohl in Gold, als in Silber, in Edelsteinen wie auch in
Federarbeit sehr getreue Nachbildungen besaß, so vollkommen,
daß sie fast die Urbilder selbst zu sein schienen.

In eben diesen Saal ließ er auch das Abbild des Cortez und seiner Leute mit großer Sorgfalt aufstellen, und als dies geschehen
war, kam er in ruhigere, beinahe fröhliche Laune, denn es war
ihm, als hätten jetzt der Cortez und seine Schar nichts Neues
und Schreckhaftes mehr für ihn, da sich doch ihr Abbild unter
jenen alten, ihm längst bekannten Dingen befand. Er begab
sich in ein anderes Gemach, dahin ließ er seine Tänzer, Taschenspieler und wunderlichen Krüppel kommen, sich an ihrem
Gehaben zu erlustieren. Und während diese ihre närrischen

Schwänke verübten, verließ ihn der Calpoqua und ging die Stufen des Königspalastes hinab.

Vor dem Palaste aber harrten die beiden spanischen Offiziere mit ihren Leuten des Meisters der Materie. Sie hatten ihn den Palast betreten sehen, auch gemerkt, daß er länger als eine Stunde im vertrauten Gespräch mit dem Großherrn verblieben war. Nunmehr zweifelten sie nicht, daß er von dem Großherrn geheime Befehle empfangen hätte, wie er den Spaniern einen Schaden und Abbruch tun sollte. Drum faßte ihn der Quinonens heftig an der Schulter, schüttelte ihn, nannte ihn in spanischer Sprache einen Heiden, einen Schelmen und einen Rebellen. Der Meister verstand ihn nicht, zog aber langsam und umständlich ein hölzernes Stäblein unter seinem Rock hervor, mit diesem schlug er den Quinonens zweimal leicht auf die Finger.

Nunmehr besann sich der Quinonens nicht länger, ihn für seinen Verrat an seinem Leben zu bestrafen. Er trat zwei Schritte zurück, hob die Arquebuse und schoß dem Calpoqua eine Kugel in die Brust.

Anfangs spürte der Calpoqua nicht, daß er getroffen war, sondern er war erstaunt und sehr erfreut, wie er den Rauch der Arquebuse plötzlich wieder sah. Und mit einem Male wußte er auch, wie und aus welcher Materie er die Rauchwolke nachzubilden vermöchte: nämlich aus den Flaumfedern, die eine gewisse Art von Rohrvögeln am Halse und am Bauche trug, der er des öftern in den Sümpfen nördlich der Stadt begegnet war. Und er entsann sich, daß diese Flaumfedern schon von Natur aus die Farbe jener Rauchwolke besaßen, indem sie nämlich blaßblau und grau waren, und freute sich dessen. Gleich darauf schwanden ihm die Sinne und er fiel zu Boden.

WILHELM VON SCHOLZ

Der Zweikampf

In einem behaglichen Landhaus ist eine kleine Gesellschaft in erregter Unterhaltung beisammen. Der Hausherr, ein Mann von nicht ganz vierzig Jahren, hat, das Gespräch ergänzend, aus der Zeitung vorgelesen und tritt jetzt, noch sichtlich bewegt,

zum Seitentisch, wo er sich hastig eine Zigarette anzündet, um
gleich in den Kreis leidenschaftlicher Meinungsäußerung zurückzukehren.

Es handelt sich um einen vielbesprochenen Zweikampf, in dem
ein jung verheirateter Oberleutnant gefallen ist. Die Reden
schwirren durcheinander, stürzen sich aber, wie ein zusammen-
haltender Vogelschwarm, der von einem Baum zum andern
fliegt, nacheinander gemeinsam auf alle wichtigen Einzelheiten
der Angelegenheit: auf die unerhört schweren Bedingungen,
den Schreck und Schmerz der jungen Witwe, die offenbare
Leichtfertigkeit des Ehrenrates, den geringfügigen Anlaß, das
nutzlos vernichtete Leben. Das scheinbar Sinnlose dieses Schicksals, dieser jähen Vernichtung, das all die lebhaften Äußerun-
gen am meisten hervorgerufen hatte, macht sie zuletzt auch
wieder verstummen. Alle fühlen sich dem Unbegreifbaren gegenüber.

Nach dem ersten Zusammen- und Durcheinandersprechen tritt
Stille ein. Es scheint plötzlich wie durch schweigendes Überein-
kommen ausgemacht, daß jetzt nur überlegte Meinungen geäußert werden dürfen. Man erwartet sie mit Ungeduld.

Die Frau des Hausherrn hat mit einem knabenhaft offenen,
wartenden Blick nach ihrem Gatten hinübergesehen, wie ein
jüngerer Bruder, und sagte dann: »Das unvermittelte Schicksal
dieses Offiziers, das sich, sichtbar jedenfalls, erst in der Minute
entschied, in der es sich erfüllte – solange es auch schon unab-
wendbar in allen Zufälligkeiten seines alltäglichen Daseins
stehen mochte – ist so willkürlich und launisch grausam.«

Ihr Gatte unterbrach sie: »Wir sind dem Schicksal gegenüber ja
so bescheiden, wünschen nur, daß es sich höflich ankündige,
einige Zeit auf sein Kommen vorbereite, dann sind wir – heißt
das: bei anderen! – völlig zufriedengestellt. Das Plötzliche erschreckt uns, weil es auch uns unvorbereitet drohen kann.«

Ein älterer Herr machte die Feststellung: »Es ist merkwürdig,
daß man erst mehrere Wochen nach dem Zweikampf davon in
der Öffentlichkeit erfuhr!«

Ein jüngerer: »Was mir am meisten zu denken gibt, ist die lange
Zeit, die zwischen der Beleidigung und dem Austrag verflossen
ist. Zeit mindert, ja, löscht selbst für unser Gefühl jede Schuld.
Die Verjährung im Recht ist ein außerordentlich psychologischer Begriff. Das Innere des Menschen ist wandelbar. Es füllt

und leert, reinigt und erneuert sich. Die Strafe muß rasch hineinschlagen, soll sie darin noch auf die Schuld treffen. Vor sechs Monaten hat ein Mann im Rausch einer Dame gegenüber die Sitte verletzt. Ein halbes Jahr weiß niemand davon als er und die Dame. Jetzt verlobt sich die Dame, glaubt sich ihrem Bräutigam zu rückhaltloser Offenheit verpflichtet, erzählt ihm auch den tollen, trunken überschwenglichen Antrag jener Nacht. Durch seine Verlobung wird der Bräutigam zum Beleidigten und tritt in eine blutige Atmosphäre.«

»Und es wäre eigentlich noch schöner, da Sie es nun doch schon ästhetisch betrachten –« fiel der Hausherr ein – »der unschuldige Bräutigam wäre gefallen.«

»Diese entsetzlichen Duelle!« ließ sich ein älteres Fräulein vernehmen. »Niemals wird das eine glückliche Ehe zwischen dem Mörder und dem doch sicherlich nicht ganz schuldlosen Mädchen, das der traurige Anlaß war. Und man kann um der Gerechtigkeit willen nur wünschen, daß es sich straft.«

»Vor allen Dingen« – sagte der Hausherr – »müssen die Mitglieder des Ehrenrates die Sache spüren, blaue Briefe bekommen, ihre Laufbahn verlieren. Und der Oberst, der ein solches Mordduell zuließ – wäre es nicht eine reizende Ironie des hier doch nun schon einmal an die sichtbare Öffentlichkeit bemühten Schicksals, wenn er in Zukunft als Lebensversicherungsagent wirken müßte?«

Jetzt wendete sich das Gespräch dem traurig-lächerlichen Gegensatz zu, in welchem hier die mittelalterliche Degenehre und die modernste Zeit standen. Während dort zwei Menschen sich tödlich verwunden sollen, stehen hier Sanitätsautomobile mit Assistenzärzten und Lazarettgehilfen bereit, und im Krankenhaus der Kreisstadt geht im Morgengrauen schon der Chirurg im Operationssaal wartend auf und nieder, indessen der zu Verbindende noch völlig gesund eben erst an den Schießständen aus dem Wagen steigt.

Der Hausherr warf ein: »Hier ist noch etwas anderes! In dem ungeheuerlich unbesonnenen, wild und schön ausbrechenden unmittelbaren Wesen des alten Zweikampfes lebte nichts als Haß und Zorn. Niemand dachte an Feldscher und Verbandswatte. Alles war augenblickliches klingenkreuzendes Leben. Vollgefühl des höchstgesteigerten Daseins, in dessen Bewußtsein nur der Tod des Gegners stand, der mit zum eigenen Leben gehörte! Diese kraftvolle Unbesonnenheit ist jetzt nicht nur mit erschreckend viel Ehrenvorschriften, sondern auch mit so viel besonnenen Anstalten und Maßregeln verbunden, daß sie inmitten ihrer lächerlich wird und, statt ein wilder freier Wille zu sein, fühlbar ein öder sklavischer Zwang geworden ist.« –

Es war eine Freude zu beobachten, wie die Frauen am Gespräch der Männer teilnahmen, wie ihre Blicke dem jeweils Sprechenden folgten, wie sie mit Lebendigkeit sich im Erfahrungsgebiet der Männer zu bewegen wußten, wie sie lernten und zuhörten – andererseits durch ihre Anwesenheit das zu Erörternde aus der bloß männlichen Betrachtungsweise in eine menschlich-allgemeine hinüberhoben.

Da sahen alle zur Tür. Ein neuer, verspäteter Gast trat ein und wurde rings als ein Erwarteter begrüßt. Eine Zeitlang hielten ihn Hausherr und Hausfrau fest, ehe er sich den einzelnen des Kreises, vor dem er sich erst im ganzen verneigt hatte, zuwenden konnte.

Der Hausherr rief: »Es ist übrigens gut, daß wir jetzt einen militärischen Sachverständigen hier haben. Walter, was sagst du zu dem Duell, das alle Gemüter bewegt? Wir sind, ehe du kamst, hier in den lebhaftesten Erörterungen gewesen –«

»Ja«, warf eine Dame ein, »das furchtbare, plötzlich einbrechende Schicksal dieses jungen Offiziers, das so sinnlos ist, hat uns alle in Erregung gebracht.«

»Sie nennen sein Schicksal sinnlos, gnädige Frau?«, fragte Walter.

»Nun, ist der Tod eines jungen blühenden Menschen um eines Taktfehlers oder, sagen wir selbst: um einer im Trunke begangenen ärgerlichen Unschicklichkeit willen nicht sinnlos?«

»Mag man im Schicksal nie einen Sinn finden, gnädige Frau. Aber wenn irgendwo, dann hier!«

»Wieso, Walter?« fragte die Hausfrau herüber.

Walter lächelte ihr zu, als ob er eine Schalkheit vorhabe. Dann aber wurde sein Blick, der noch an ihr haftete, ernst. Er senkte ihn nachdenklich und sagte: »Wir finden das, was einer Naturregel entspricht, ja meist nicht sinnlos. Wenn ein Greis an Krankheit oder Altersschwäche stirbt, so erscheint uns das als etwas Selbstverständliches. Ein Greis, der im Zweikampf fiele, das wäre entlegen. Wie zu ihm Alter und Schwäche, so gehört zum Tod des jüngeren Menschen die Waffe des Gegners, der

Sturz vom Felsen, die Tiefe der Flut. Das ist doch etwas höchst Natürliches!«

»Ja, finden Sie denn« – entgegnete wieder die ältere Dame – »den Tod eines lebenskräftigen Organismus sinnvoll, gleichviel, wodurch er hervorgerufen ist?«

Walter erwiderte: »Ich kann nur feststellen, daß das Zugrundegehen in den Jahren der stärksten geschlechtlichen Begierde, des Sinnentaumels, der Liebe im einfachen uralten Sinne, mindestens eine ebenso gültige Regel ist, wie das Hinsterben der Greise. Der Organismus ist in der höchsten Geschlechtszeit wahrscheinlich zugleich auf Untergang eingestellt. Denken Sie an die vielen Liebesselbstmorde, zu denen die Leute meist ohne ersichtlichen Grund getrieben werden. In diesen Zuständen rast man, befreit von Lebenssorgen wie Todesfurcht. Hinter Liebenden und Begehrenden steht der Tod. So steht der Jäger im Busch und lauert, wenn durch die dunstige schwüle Sommerstille, ohne zu wittern, der Bock die Geiß treibt, wenn im Lenz der Hahn balzt oder im Herbst der Hirsch röhrt und sich das Liebchen wie den Feind heranlockt.«

»Eigentlich, lieber Walter«, sagte der Hausherr, »hätten wir von dir ehemaligem Offizier mehr ein ehrentechnisches Gutachten erhofft, statt dieser Lebensphilosophie.«

»Ich kann das, was Sie sagen, übrigens nicht zugeben«, wandte nach einigen Augenblicken des Schweigens die ältere Dame ein.

»Vielleicht werden Sie es, wenn Sie Näheres über den Fall erfahren.«

»Ja, weißt du etwas? Erzähle!«

Alles rückte im Kreise neugierig an Walter heran. Der lehnte sich in seinem Armstuhl zurück, schloß die Augen halb wie nachsinnend und wiederholte:

»Irgendwo im Elsaß hat zwischen zwei Offizieren, einem Artilleristen und einem Leutnant zur See, ein Zweikampf stattgefunden, bei welchem der Artillerist, junger Ehemann und Vater, gefallen ist, der andere unverletzt blieb. Die Ursache der Forderung war, daß der Gefallene bei der Heimfahrt nach einem Feste im Rausch der Braut oder späteren Braut des andern unsittliche Anträge gemacht haben soll. Es wurde weiter berichtet, daß der Berauschte sich schließlich ernüchtert sehr entschuldigt und das Mädchen ihm versprochen habe, die Sache begraben

sein zu lassen. Als sie sich bald darauf öffentlich verlobte, hätte
sie trotzdem ihrem Bräutigam Kenntnis von dem Vorfall gegeben, worauf die Forderung erfolgt sei. Und übrigens soll die
Verlobung nach stattgehabtem Zweikampf aufgelöst worden
sein.

Ich gebe zu, daß diese Zeitungsnotiz zunächst nur Bitterkeit im
Leser auslöst und das, was wirklich vorgegangen ist und worin
sich nur eins der typischen Menschenschicksale – wenn auch ein
sehr trauriges – erfüllt, kaum erkennen läßt. Auch ist es die
leicht mitteilbare Tatsache, die unser Gefühl aufregt, und erst
die schwer mitteilbare Farbe des Geschehnisses, die uns manchmal zu versöhnen vermag.

Versetzen Sie sich in die Seele zweier junger Menschen, die sich
im Treiben einer Ballnacht finden. Beide sind abgelöst vom
Alltäglichen, festlich erregt, den sie umschwirrenden Reizpfei-
len von Lust, Wärme, Musik, von Blicken und Bewegungen
offen. Beide sind frei – doppelt frei im Augenblick, weil sie
dauernd gebunden sind. Und frei sein heißt, das wissen Sie ja,
einen Zwang suchen.

Ohne daß sie sich dessen mehr bewußt sind, als es ihnen die
Üblichkeit gestattet und nahelegt, sucht jedes nach einem Partner der fröhlich-flüchtigen Stunden, nach einem Festgatten. Ja,
ich möchte so sagen: wir schließen selbst für Stunden Ehen. Nur
so finden wir einen Ruhepunkt, auf den wir das Leben bezie-
hen. Wir brauchen immer die Ergänzung.

Der Zufall führt die beiden Menschen, die einander vielleicht
schon obenhin kannten, in einem solchen Augenblick des Auf-
geschlossenseins, der Erregtheit, in dem beide ihrem Gegenpol
zustreben, zusammen. Ein Reiz des Kostüms, eine Farbe, die
Art der Frisur, eine flüchtige Ähnlichkeit mit irgendeinem lieben Menschen – und auf der anderen Seite vielleicht nichts als
Innewerden der drüben erwachten Teilnahme; dazu das Gefühl
der augenblicklichen Freiheit und ein wenig Wunsch und Entschluß, sich zu verlieben – so fliegen sie aufeinander zu; was
sonst freundliche Sympathie wäre, ist rasches Begehren geworden.«

»Ich begreife nicht«, unterbrach die ältere Dame, »wie sich ein
Ehemann, wie sich ein Mädchen, das an eine bestimmte Ver-
lobung denkt, so weit vergessen können, vor allem so rasch –«
Die Aufmerksamkeit des Kreises hatte sich unmerklich von der

Frage der Berechtigung und dem Sinn dieses tödlichen Spiels hinüber auf den ganzen Vorgang gewandt. Und man hörte einen, der zuerst am eifrigsten das Geschehene verdammt hatte, sagen: »Es ist merkwürdig, wie solch eine Sache ein anderes Aussehen bekommt, wenn man Näheres über sie erfährt.«

Walter aber antwortete wieder der Dame: »Zunächst, gnädige Frau, bedenken Sie, daß das Mädchen damals noch durchaus nicht Braut war, wenn sie auch schon als verlobt galt. Aber, abgesehen davon: ein verheirateter Mann, eine verheiratete Frau, die allein auf ein Fest gehen, oder also auch ein Ehemann und eine Braut, werden sich sehr viel rascher näherkommen können, wenn sie aneinander überhaupt Gefallen finden. Sie fühlen das nur Augenblickliche, Flüchtige doppelt, sie spielen sicherer und harmloser. Sie fühlen sich auch einfach irgendwie als Kameraden, die ähnlich im Leben stehen, als reifere, von dem unerfahrenen Jungvolk abgetrennte, einander zugewiesene Partner. Ich denke mir, daß gerade für eine Braut ein Reiz darin liegt, mit einem Ehemanne, der schon der Welt angehört, in die sie nun eintreten soll, freundschaftlich zu sprechen, auch: zu fühlen, daß er sie dessen würdigt.

Vielleicht entbehrt auch eine Braut oder künftige Braut, die schon angefangen hat, aus dem Umhegungskreise junger Mädchen, Familie und Freundinnen, sich hinauszutasten, mehr, wenn sie dem Verlobten fern ist, und ist anschlußbedürftig, da sie in den Beziehungen, denen sie nun entwuchs, keine innerliche Heimat mehr findet. Haben Sie das nie beobachtet? Ein Mädchen, das an einen entfernten Geliebten denkt, sich fortwährend mit dem Gedanken an einen Mann beschäftigt, wird sinnlicher, unbewußt begehrender und bekommt dadurch etwas von der Anziehungskraft der galanten Frau.

In vielen Fällen wird das Gefühl für das andere Geschlecht allgemein um so stärker werden, je mehr das Erinnerungsbild des abwesenden Bräutigams verblaßt. Nun begegnet sie einem jungen, hübschen, eleganten Offizier, dessen Frau leidend ist, der auch allein auf den Ball geht. Er hat den bunten Rock mit einem eng anliegenden schwarz und gelben Narrenwams vertauscht, das dem schlanken, großgewachsenen Mann nicht weniger kleidsam sitzt als der Waffenrock. Man sieht ihm an, wie frei und leicht er sich trägt; hat er doch bei jedem Schritt das innere Begleitbild seines guten Aussehens.

Sie kennen sich flüchtig von einem anderen Ball, wo sie gegenseitig mit Freude feststellten, wie gut sie zusammen tanzten, wie sie im Rhythmus übereinstimmten. Ein paar Worte: ein Walzer beginnt; sie tanzen ihn, als ginge bei jedem Schritt und Wenden eine Welle durch ihre beiden Leiber, die sich aneinanderschmiegen, als seien sie eins. Die Dame hat noch mehrere Tänze frei, auch den Tischwalzer. Sie lacht: ›Wohl, weil mich das Gerücht schon verlobt hat.‹ Ritterlich bittet er sie um die Tänze und schreibt viele Male seinen Namen in ihre Karte. ›Als Ehemann!‹ Sie lacht wieder.

Schon sind sie einander näher. Sie bleiben zusammen, finden sich bald wie selbstverständlich in den Pausen, auch als Zuschauer der lebenden Bilder, die gestellt werden.

Nun wird jedem von ihnen das Fest zum Hintergrund des anderen und ihrer Beziehung zueinander. Es wird ihnen unpersönlich, wie Meer oder Wald. Sie sind auf einer Insel. Sie lassen das Fest um sich vorgehen. Und indessen zerfällt das Fest auch selbst in immer mehr Paare und kleine Gruppen, die in sich gewendet nur noch mit Gestalt und Gewand die Menge bilden, indessen sie den Reigentanz in der Einsamkeit ihrer Seele mit wenigen schreiten.

Die Menschenpaare, denen Wein und Wirbel des Tanzes die Luft verschleiern, gehen achtlos, wie an Bäumen, aneinander vorüber. Niemand sieht mehr die Vielen, die um ihn wirren. Das Fest erblindet. Selbst Freunde, die der Abend anders band, entgleiten einander, werden Menge. Es ist spät. Keine neue Beziehung knüpft sich mehr. Aber die geschlossenen werden verlorener, inniger, in der überall in sich befangenen, beschäftigten, abgelenkten Umgebung sorgloser und vergessener.

Die beiden, von denen wir sprechen, finden sich jetzt in einem Nebenraum, in dem in der ersten Pause noch viele plaudernde Gruppen standen, allein. Sie setzen sich und sprechen miteinander. Keiner von beiden sieht mehr das bunte Kostüm am andern; nur das grau gepuderte Haar ihrer Rokokofrisur, das wie Übermut über ihrer jungen Stirn und ihren jungen Augen steht, fällt noch mit in seinen Blick.

Sie sprechen wie Freunde, die sich lange nicht sahen, von Angesicht zu Angesicht – über ernste Dinge, über Leben, Schicksal, Beruf. Bei ihm klingt über sein Soldatentum ein leiser trauriger Unterton mit, der sie für ihn einnimmt. Und die Frage: ›Was ist dann das ganze Leben gewesen?‹ Sie möchte ihn trösten. Wo an die Fragwürdigkeit des Daseins gerührt wird, fühlen wir uns alle gleich betroffen und haben keine andere Antwort, als den engeren Anschluß aneinander.

Ihr Gefühl läßt einen Augenblick lang den Fernen und den Nahen ineinanderfließen, ist nur das allgemeine Gefühl des Weibes für den Mann, den Genossen. Sie reicht ihm die Hand. Er küßt sie: solche Stunden, in denen man einem Menschen begegne, seien das Beste, was das Leben biete.

Sie antwortet leise: ›Ja, und schade, daß es so schnell vergangen ist. Ich muß jetzt meine Tante und Kusine suchen, mit denen ich heimfahren soll. Schade!‹

Sie gibt ihm nochmals die Hand. Er hält sie einen Augenblick. Sie sind allein. Sie sehen sich an. Dann küßt er sie langsam auf den Mund. Sie schließt eine Sekunde die Augen und läßt es geschehen. Ihr künftiger Bräutigam hat sie noch nicht geküßt. In diesem Augenblick triumphiert der Nahe über den Fernen.

Dann gehen sie gesenkten Blickes und ohne zu sprechen in den Saal zurück.

Da sie nun Tante und Kusine nicht mehr treffen, ist es natürlich, daß er sie nach Hause bringt. Im Auto. Sie sitzen erst schweigend nebeneinander. Verlegen. Aber beide fühlen, wie in der Hast, mit der der Wagen durch die Stille der nächtlichen Straßen surrt, ihnen die letzten Augenblicke des Zusammenseins entfliegen. Und beide sind noch warm vom Erlebten.

So läßt sie es geschehen, daß er sie umarmt – wie in einer Vergangenheit der Sinne, als sei ihre Seele mit all dem Lustgefühl, das aus ihrem Leibe erwacht ist, auf eine ferne sonnige Wiese entflogen und wisse nicht, was vorgeht.

Er hält sie umschlungen und küßt sie lange. Ihr Mund, der nicht wiederküßt, scheint doch den Kuß zu nehmen, in sich zu ziehen. In der fliegenden Bewegung der Fahrt, während Laternenschein und Straßenecken undeutlich und zuckend am Fenster vorüberschießen, drückt jede Kurve die beiden Leiber wie mit der Kraft einer die Welt durchwirkenden außerpersönlichen Leidenschaft, der sie gehorchen müssen, zusammen.

Ein Zittern geht durch den Körper des Mädchens. Da versucht er das Letzte von ihr zu erhalten. Ein rascher Angreifer war er immer und meist Sieger. Ehe er heiratete, hatte er zwei Duelle mit beleidigten Ehemännern. Das Gefühl des jagenden Fahrens erhöht in ihm noch den Rausch der verdämmernden Festnacht.

Was würden Sie sagen, wenn das Auto mit den beiden jetzt zerschellte und sie zerschmettert an einer Brücke lägen? Sie würden sie bedauern und doch irgendwie glücklich preisen.

Das Schicksal hat es den beiden nicht erspart, zu erwachen, ehe sie zerschellten. Das Mädchen kommt zu sich, erschrickt, stößt ihn zurück, will den Wagen aufreißen und hinausspringen. Der Mann neben ihr ist ihr widerwärtig mit einemmal. Ekel überkommt sie. Das ernste Gespräch, in dem die beiden sich fanden, scheint ihr jetzt beschmutzt.

Auch er wird nüchtern und fühlt, daß er den feinen Takt der Liebe verletzte, daß er, sozusagen, eine Formalität begehrte, als sich ihm ein Gefühl schenkte, daß er ein Wesen, das ihm nur in Sinnenvergessenheit gehören konnte, brutal aus dieser Sinnenvergessenheit aufweckte. Ihm kommt die Unmöglichkeit der Lage zum Bewußtsein: er verheiratet, sie wahrscheinlich bald verlobt; das in den Ehrenanschauungen ihres Standes! Er sieht plötzlich die Grundlagen seines Lebens erschüttert, sich und ebenso die Menschen, mit denen sein Leben dauernd verbunden ist, gefährdet. Er erschrickt tiefer als das Mädchen, weil er über unabsehbare Folgen erschrickt, während sie sich nur des Augenblicks bewußt wird.

Er ist betreten und will nur noch eins: diese Gefahr aus der Welt schaffen! Damit beging er den zweiten schweren Fehler.

Sie standen, indessen der Wagen fortfuhr, einander an der Haustür gegenüber, sie, ganz Dame plötzlich, mit entrüstetem Gesicht. Jetzt mußte er seine Übereilung gutmachen, das Mädchen wiedergewinnen, sie aus der Ernüchterung in das weiche Gefühl zurücklocken, in dem sie sich umarmt hatten, und in diesem Gefühl, in diesem geheimen, nur ihnen beiden gehörenden Glückserlebnis mußten sie sich für immer trennen. Das hätte das Schicksal aufhalten können.

Statt dessen flüsterte er hastig, so daß es den Anschein hatte, als sei ihm das Mädchen nur für die Lust von ein paar Stunden gut gewesen: ›Ich bitte um Verzeihung und bitte Sie, die Sache begraben sein zu lassen.‹

Irgendein weiser Mann hat gesagt: ›Es ist eine Unhöflichkeit, wenn man eine schöne Frau nicht begehrt.‹ Jedenfalls darf man sie nie merken lassen, wenn man sie aufgibt. Das Mädchen empfand die ängstliche Sorge in den Worten des Offiziers, durch die alles, was an diesem Abend geschah, für sie beleidigend wurde: ›Ich weiß nicht, ob ich das kann.‹

Er drängte heftiger in sie, daß sie ihm versprechen sollte, die Sache niemandem, auch ihrem Bräutigam nicht, mitzuteilen.

Sie antwortete immer unnahbarer: ›Ich bin nicht mehr fähig, zu entscheiden, was ich zu tun habe.‹ Und als er weiter bittet, geht sie mit einem abweisenden ›Ja, ja‹ ins Haus hinein.«

Walter hielt aufschauend inne und ergänzte seinen Bericht dann kurz:

»Der Offizier hat seinen Dienst weitergetan, sein Leben weitergelebt wie bisher. Nur ist seiner Umgebung aufgefallen, daß er häufig gedankenabwesend war. Er war von den möglichen Folgen der Sache bedrückt, wenn es ihm auch manchmal gelang, sich zu Hoffnung und kurzer Fröhlichkeit zu überreden. Das Mädchen, dem dies Erlebnis, weil es nicht in Harmonie ausgeklungen war, wie ein Schleier über aller harmlosen Freude lag, sah teilnahmslos der bevorstehenden Verlobung entgegen und gestand ihrem Bräutigam gleich nach dem Ringwechsel in langer Unterredung alles Geschehene. Das Weitere wissen Sie.«

»So erscheint freilich das Ganze wie ein unabwendbares Schicksal«, sagte die Hausfrau, »aber Walter, wer hat die Verlobung aufgelöst?«

»Ich weiß das nicht. Aber ich sehe auf beiden Seiten gleichstarke Gründe für die Auflösung. Sollte er, Seeoffizier und viel von Hause fort, ein Mädchen heiraten, das durch den Augenblick so gefährdet werden konnte? Sollte er sich mit Sorge und Mißtrauen belasten, die ihn doch nie verlassen hätten, selbst wenn seine Braut durch dies Erlebnis gelernt hätte, völlig ihrer sicher zu werden? Sollte sie einen Mann heiraten, dem sie schon bei der Verlobung Anlaß zu Bedenken geben, den sie in Lebensgefahr bringen und auf dessen Mißtrauen sie rechnen mußte? In dieser Ehe wäre immer der Schatten eines Toten, eine Schuld, ein schweigender Vorwurf gewesen. Es ist eigentlich gleichgültig, wer die Verlobung aufgelöst hat. Beide Teile hätten es müssen.«

»Wie trug die unglückliche junge Witwe den Schlag?« fragte die ältere Dame.

»Ich weiß nicht, Gnädigste!« antwortete Walter. Und als er sah, daß man von allen Seiten noch Fragen an ihn bereit hielt, unter

denen auch die nach der Quelle und Beglaubigung seiner Darstellung sein mochte, lächelte er freundlich: »Ich weiß auch
nichts, als was in der Zeitung gestanden hat. Aber so ungefähr
denke ich mir den Zusammenhang!«

Gustav Sack

Im Heu

Es ist Juli, und in dem weiten Kessel liegt die Sommerglut so
heiß, so drückend schwül und heiß, daß die bewaldeten Ränder
dieses Kessels in der milchigen Bläue des Himmels schier verschwinden, so zittert und bebt die Luft vor ihnen auf und nieder. Und in dem Kessel steht weder Baum noch Haus, es ist eine
glatte, wie auf einer Töpferscheibe gedrehte Mulde, von deren
Rand sich Ackerstück an Ackerstück, Vierecke an Vierecke in
nicht ganz konzentrischen Kreisen, in nicht ganz radialen Streifen in die Tiefe ziehen – gleißend gelbe Roggenfelder, bräun-
liche Kartoffel-, buntscheckige Buchweizen-, hellgrüne Haferfel-
der, in der Mitte aber, in dem Tiefpunkt der Mulde, liegen die
Wiesen, so fette grüne Wiesen, daß auf ihnen sogar die Sumpf-
dotterblumen und schwarzpurpurnen Sumpfblutaugen wachsen
mögen; aber grau wie ein ungeheurer Flechtenbelag sind die
Wiesen heute anzusehen, und ein betäubender Geruch, ein süßer Geruch von welkem Ruchgras steigt von ihnen zu den Rändern des Kessels hoch. Die Dichter würden sagen, blutige Sen-
sen haben Milliarden Kinder Floras hingemordet, aber es ist
nur Heu, gutes, saftiges Heu, das da unten in der Mulde zum
Trocknen liegt, und ein berauschender Duft. Und mitten in diesen betörenden Klee- und Thymiangerüchen, mitten in dem
ungeheuren Kessel von Schweigen und Glut bewegen sich zwei
Menschen hin und her, und blicktest du von der Höhe und
dem schattigen Waldsaum herab, so würde es dich anmuten, als
ob dort unten zwei winzige Magnete sich anziehn und fliehen,
anziehn und fliehn.

Es ist der Bauer Buchenkamp, der da oben hinter dem Walde
im Osten seinen Hof hat, und seine Tochter Marie. Er – fünf-
undvierzigjährig, groß, hager, in seinen Augen, die nicht gemacht sind, in eine idealistisch verbrämte Weite *alias* Tiefe zu

sehen, liegt eine herbe Grausamkeit, und in seinen Armen, die sich niemals jubelnd verzückt ausgebreitet haben, ist eine arme Eckigkeit; aber sein Haar ist stark und sein kurzer Bart dicht und kraus. Er ist Witwer, denn seine Frau ist im Kindbett gestorben, und seitdem liefen fünfundzwanzig Jahre ins Land, fünfundzwanzig Jahre ohne Liebe und ohne Genuß – wenn es überhaupt einen anderen Genuß als die Liebe gibt und wenn man das satte Ruhen nach schwerer Arbeit und das Bewußtsein des Erfolges schwerer Arbeit nicht als Genuß gelten lassen will –, denn von den Hanswurstgenüssen der Ästhetik und Philosophie konnte bei Buchenkamp nicht die Rede sein. Im übrigen ist er geachtet im Lande, und seine Knechte und Mägde nennen ihn einen guten Herrn. Und sie – fünfundzwanzigjährig, fünfundzwanzig Jahre ohne Liebe und nur mit dem einen Genuß des Ruhens und verträumten Sehnens, wenn man ein solches verträumtes und sich selbst befriedigendes Sehnen nicht als den feinsten Genuß bezeichnen will. Und beide lebten in Arbeit und einer flachen Wunschlosigkeit, die ihnen aber als solche nicht zum Bewußtsein kam. Mariens Liebesleben übrigens den sie zahlreich umwerbenden Burschen gegenüber bestand in einem lässigen Dulden einiger bäurischer Handgreiflichkeiten, die sich so regelmäßig wiederholten, wie die Feste und Wallfahrten kamen; von etwas anderem oder gar einer bestimmten Neigung war nicht die Rede, aber ihr Haar ist schwer und feuerrot, und ihre Brüste sind üppig und breit.

Und die ruhelose Arbeit geht fort, denn der glühende Tag muß ausgenutzt werden, und die Wiese ist groß und sie nur zu zweit, um mit langen Rechen die duftende Überfülle hin und her zu wenden, sie in langen, flachen Reihen aufzuhäufen und diese immer wieder umzuschichten, damit die Sonne auch den letzten Tropfen Lebens aus den Halmen zieht; es ist eine lustige Arbeit, die Augen blinken, und die Röcke fliegen. Und wenn sich Vater und Tochter begegnen, lachen sie sich an. »Es ist heiß, Marie.« – »Ja, Vater, es ist heiß.«

Aber es ist eine Lustigkeit eigener Art, eine Lustigkeit, die tiefer sitzt, und die Blicke, durch die sie spricht, haften seltsam aneinander, denn es ist stickend heiß, die Luft ist schwer von Duft, und die Körper, die da wie im glühen Raume hin und wider kreisen, brennen vor Glut und Schweiß, und darum ist ihre Lustigkeit eigener Art, denn die Augen leuchten nun nicht mehr, sondern glänzen starr und stumpf vor sich hin, ins Weite, einer am andern vorbei – sie fiebern, und das Blut hämmert in den Schläfen.

Es ist stickend heiß, und die Milliarden aufgewirbelter Staubpartikel der toten Gräser machen die Kehle trocken und lassen die Augen schmerzen, und der Schweiß fließt. Er fällt in dicken Tropfen von der Stirn und rinnt kühlend die Brust herab; er bricht aus allen Poren aus, so daß die ganze Kleidung, Hemd und Rock, am Leibe klebt. »Es ist heiß, Vater.« – »Es ist heiß, Marie«, und sein Blick klebt an ihrer Gestalt.

Da lassen sie die Rechen fallen und entledigen sich der Kleidung, so weit sie sich ihrer entledigen können, und arbeiten fort und wenden und harken und wenden, nähern sich, entfernen sich – alles bis auf Hemd und Rock hat sie fortgeworfen, und wirbelt sie nun einen Ball der glühenden Halme gegen ihr pralles, oft bis über die Knie entblößtes Bein, so steigt ein wildes Prickeln fiebernd an ihrem Leibe hoch. Und sie fühlt, wie er – denn sie sagt in Gedanken ›er‹ –, wie er ihr folgt, wie sein Blick auf ihrer halben Nacktheit liegt, deren strotzende Fülle das eng am Leibe liegende Hemd kaum umfassen kann; sie fühlt es, aber sie hat nur das eine Gefühl: es ist mir gleich. Und es ist ihr gleichgültig, daß er mit einem Ruck sein Hemd vom Körper streift und sich auf den Rechen stützt und sie mit langem Blick betrachtet, während sie die Hand unter ihr Hemd führt, um das feuchte Tuch von ihrer Haut zu lockern, und es ist ihr gleichgültig, daß sie beim Zurückziehen ihrer Hand die Brust entblößt; sie verhüllt sie nicht, sie fährt streichelnd über die pralle Fülle und enthüllt sie ganz und atmet tief, wie sie sich unter einem leichten Lufthauch kühlt und strafft. Aber ihren weitausladenden Armbewegungen und den ruckhaften Bewegungen der rechten Schulter unter dem feuchten Hemd dürfte die Neugierde zugrunde liegen, ob es ihr nicht gelingen möge – und es gelingt, denn nun quillen ihre beiden Brüste nackt aus dem Hemd hervor. Ihr Blick aber fängt an, den seinen zu suchen und zu meiden, wie sie ihn aber zum zweitenmal gefunden hat, läßt sie den ihren langsam an ihm niedergleiten; bis er plötzlich vor ihr steht und neben sie tritt, scheu, mit gesenktem Blick.

Dann aber legt er seinen Arm um ihre Hüfte – »Marie!« – und ging mit ihr fort, geradeaus, ins Blaue hinein; und seine schwie-

lige Hand tastete wie verstört, wie verzückt über die Fülle ihrer
Brust. Sie finden kein Wort, aber es genügte ihnen, daß sie ihre
Hüfte an die seine schmiegte. An einer kleinen Bodenwelle legten sie sich nieder; ihr Hemd ist tief geöffnet, und ihre Nüstern
sind gebläht, und brandrot leuchtet ihr Haar, ihr Blick aber
flackerte lechzend in den Himmel, in die Sonne, irgendwohin;
und da ihre Bekleidung nur aus einem Hemd und einem knie-
langen Rock bestand und da sie sich so niedergelassen hatten,
daß er am Grunde der kleinen Bodenwelle lag, auf deren Höhe
sie mit hochgezogenen Knien ihm gegenübersaß, bot sie ihm
freigebig den unbehinderten Anblick ihres letzten Reizes dar.
Er aber vermochte dieser Lockung nicht zu widerstehn, sondern
warf sich vor ihr nieder und streifte ihr, während sie sich hin-
tenüber fallen ließ, mit einer Zartheit der Bewegung, die man
dieser verarbeiteten Hand nicht zugetraut hätte, Rock und
Hemd bis über den Leib hoch und preßte seinen Kopf in ihren
Schoß.

Als sie aufwachten – denn die Sonnenglut hatte sie bald in
einen tiefen Schlaf gedrückt –, war die Luft klar geworden, klar
hob sich die bläuliche Linie des Waldes an der Höhe gegen den
nun schon wieder dunkelblauen Himmel ab, und ein ferner
turmgekrönter Berg drohte mit seinem Finger in die Luft, während im Osten ein Wolkengebirge aufgetürmt war, das, wie
von seiner eigenen Schönheit berauscht; unverändert, unbeweglich stillestand. Denn als die Sonne im Westen hinter den Horizont gefallen war, verschwand die dunklere Nachmittagsbläue
des Himmels und ward zart rosenrot, welche Färbung aber im
Osten einer violetten wich, der im Westen eine leise meergrüne
gegenüberglummte; in jenen violetten Dunst hinein aber hatte
sich das Gebirge aufgebaut. Da waren zuvorderst drei Türme,
als hätte eine Hand von oben drei Riesensäulen eingepreßt,
aber elastisch bäumten sie sich in üppigen Windungen gegen
den Druck hoch, gleißend weiß, die Schatten der Windungen
bläulich rot und ihre stolzen Ränder rot wie die Blätter der
Hagebuttenrosen; hinter ihnen jedoch starrten zerrissene Klip-
pen, zahllos, rot wie Korallen und zerklüftet und steil wie die
Riffe eines Dolomitenstockes empor, schieferblau und wuchtig
fielen die Schatten der drei Säulen hinein in dieses tiefe Felsen-
gewirr; aber hinter allen und alle überragend lag weit fern, so
fern, daß die Schatten der Säulen und Dolomiten nur auf dem

krausgewellten Fuße dieses Berges lagen, eine Bergkuppe, maje-
stätisch geformt wie die Gipfel des Kilimandscharo; die war
flamingorot und stach mit ihrer unsäglichen Reinheit blendend
ab von dem violetten Dunst des himmlischen Hintergrundes.
Und unbeweglich stand dieses Gebirge, so vollkommen, so vollkommen wie das Glück selbst.

Aber sie sahen es nicht, sie sahen auch nicht den Glanz, den die
Röte des Abendhimmels über ihre Glieder gebreitet hatte; sie
sahen nur ihre derbe Nacktheit, fühlten ihre wollüstige Müdigkeit und sagten sich, während ihnen ein wenig die Sinne
schwindelten, daß alles dieses Nackte ihnen zugehörte; im übrigen aber sahen sie nur, daß eigentlich für heute die Arbeit
nicht getan war: Für solche Menschen ist eben ein Wolkengebirge nicht da, sie sind eben zu dumm. Aber sie müssen es doch
in sich aufgenommen haben, so daß es in ihnen weiterwirkte,
denn sie ließen die Arbeit liegen, kleideten sich an und gingen
Hand in Hand, schweigend wie Verliebte, heim.

Da entbrannte über ihnen der Himmel in einem roten Leuchten, und das Gebirge im Osten blähte sich stolz, und düsterrot-
still ward die Welt, denn es gab keinen Klang für sie, keinen
Ton, in dem sie ihre Schönheit zusammenreißen und in einer
Fanfare in das Nichts hätte austönen lassen können. Aber die
beiden Menschen trieb die Heiligkeit dieses Schweigens wie mit
roten Ruten heim, so daß sie hasteten und eilten und atemlos
in ihren Hof sich retteten.

Vom nächsten Tage an, denn in dieser Nacht lagen sie irgendwo, bezogen sie ein gemeinsames Schlafgemach und lebten zusammen wie Mann und Weib. Als aber der Herbst kam, der die
Folgen ihres Verkehrs sichtbar machte, und es ihrer Sinnlichkeit
nicht einfiel, dieses zu verbergen, denn sie ließ vielmehr ihre
veränderte Gestalt als immer heftigeren Reiz und neue Lockung
wirken, gelang es irgendwann, den Arm der Justiz auf ihn zu
lenken, und nur in letzter Stunde vermochte er diesem durch
einen raschen Selbstmord in den Weg zu fallen. Sie aber dul-
dete es nicht, daß die Verzweiflung sie übermannte, sondern
ließ ihre Frucht reifen und brachte zu ihrer Zeit einen Knaben
an das Licht der Welt. Und da der Vormund dieses Kindes ein
Rechtsanwalt war, der folglich anderes zu tun hatte als unehe-
liche Kinder zu erziehen, überließ er ihr die Erziehung ihres
Knaben, den sie nach dem Vorbild ihres Vaters zu einem Bauern

und in geeigneter Stunde zu einem zweiten Ödipus erzog; aber sie gebar kein Kind von ihm, ihr Anwesen wuchs, und sie starb nach langen Jahren geachtet und geliebt und verrufen als die blutschänderische Schlußfigur dieser absichtlichen Geschichten.

GOTTFRIED BENN

Gehirne

Wer glaubt, daß man mit Worten lügen könne,
könnte meinen, daß es hier geschähe.

Rönne, ein junger Arzt, der früher viel seziert hatte, fuhr durch Süddeutschland dem Norden zu. Er hatte die letzten Monate tatenlos verbracht; er war zwei Jahre lang an einem pathologischen Institut angestellt gewesen, das bedeutet, es waren ungefähr zweitausend Leichen ohne Besinnen durch seine Hände gegangen, und das hatte ihn in einer merkwürdigen und ungeklärten Weise erschöpft.

Jetzt saß er auf einem Eckplatz und sah in die Fahrt: es geht also durch Weinland, besprach er sich, ziemlich flaches, vorbei an Scharlachfeldern, die rauchen von Mohn. Es ist nicht allzu heiß; ein Blau flutet durch den Himmel, feucht und aufgeweht von Ufern; an Rosen ist jedes Haus gelehnt, und manches ganz versunken. Ich will mir ein Buch kaufen und einen Stift; ich will mir jetzt möglichst vieles aufschreiben, damit nicht alles so herunterfließt. So viele Jahre lebte ich, und alles ist versunken. Als ich anfing, blieb es bei mir? Ich weiß es nicht mehr.

Dann lagen in vielen Tunneln die Augen auf dem Sprung, das Licht wieder aufzufangen; Männer arbeiteten im Heu; Brücken aus Holz, Brücken aus Stein; eine Stadt und ein Wagen über Berge vor ein Haus. Veranden, Hallen und Remisen, auf der Höhe eines Gebirges, in einen Wald gebaut – hier wollte Rönne den Chefarzt ein paar Wochen vertreten. Das Leben ist so allmächtig, dachte er; diese Hand wird es nicht unterwühlen können, und sah seine Rechte an.

Im Gelände war niemand außer Angestellten und Kranken; die Anstalt lag hoch; Rönne war feierlich zumute; umleuchtet von seiner Einsamkeit besprach er mit den Schwestern die dienstlichen Angelegenheiten fern und kühl.

Er überließ ihnen alles zu tun: das Herumdrehen der Hebel, das
Befestigen der Lampen, den Antrieb der Motore, mit einem
Spiegel dies und jenes zu beleuchten – es tat ihm wohl, die
Wissenschaft in eine Reihe von Handgriffen aufgelöst zu sehen,
die gröberen eines Schmiedes, die feineren eines Uhrmachers
wert. Dann nahm er selber seine Hände, führte sie über die
Röntgenröhre, verschob das Quecksilber der Quarzlampe, erweiterte oder verengte einen Spalt, durch den Licht auf einen
Rücken fiel, schob einen Trichter in ein Ohr, nahm Watte und
ließ sie im Gehörgang liegen und vertiefte sich in die Folgen
dieser Verrichtung bei dem Inhaber des Ohrs: wie sich Vorstellungen bildeten von Helfer, Heilung, guter Arzt, von allgemei-
nem Zutrauen und Weltfreude, und wie sich die Entfernung
von Flüssigkeiten in das Seelische verwob. Dann kam ein Unfall und er nahm ein Holzbrettchen, mit Watte gepolstert, schob
es unter den verletzten Finger, wickelte eine Stärkebinde herum und überdachte, wie dieser Finger durch den Sprung über
einen Graben oder eine übersehene Wurzel, durch einen Übermut oder einen Leichtsinn, kurz, in wie tiefem Zusammen-
hange mit dem Lauf und dem Schicksal dieses Lebens er gebrochen schien, während er ihn jetzt versorgen mußte wie einen
Fernen und Entlaufenen, und er horchte in die Tiefe, wie in
dem Augenblick, wo der Schmerz einsetzte, eine fernere Stimme
sich vernehmen ließe.

Es war in der Anstalt üblich, die Aussichtslosen unter Ver-
schleierung dieses Tatbestandes in ihre Familien zu entlassen
wegen der Schreibereien und des Schmutzes, den der Tod mit
sich bringt. Auf einen solchen trat Rönne zu, besah ihn sich:
die künstliche Öffnung auf der Vorderseite, den durchgelegenen
Rücken, dazwischen etwas mürbes Fleisch; beglückwünschte ihn
zu der gelungenen Kur und sah ihm nach, wie er von dannen
trottete. Er wird nun nach Hause gehen, dachte Rönne, die
Schmerzen als eine lästige Begleiterscheinung der Genesung
empfinden, unter den Begriff der Erneuerung treten, den Sohn
anweisen, die Tochter heranbilden, den Bürger hochhalten, die
Allgemeinvorstellung des Nachbars auf sich nehmen, bis die
Nacht kommt mit dem Blut im Hals. Wer glaubt, daß man mit
Worten lügen könne, könnte meinen, daß es hier geschähe.
Aber wenn ich mit Worten lügen könnte, wäre ich wohl nicht
hier. Überall wohin ich sehe, bedarf es eines Wortes, um zu

leben. Hätte ich doch gelogen, als ich zu diesem sagte: Glück auf!

Erschüttert saß er eines Morgens vor seinem Frühstückstisch; er fühlte so tief: der Chefarzt würde verreisen, ein Vertreter würde kommen, in dieser Stunde aus dem Bette steigen und das Brötchen nehmen: man denkt, man ißt, und das Frühstück arbeitet an einem herum. Trotzdem verrichtete er weiter, was an Fragen und Befehlen zu verrichten war; klopfte mit einem Finger der rechten Hand auf einen der linken, dann stand eine Lunge darunter; trat an Betten: guten Morgen, was macht Ihr Leib? Aber es konnte jetzt hin und wieder vorkommen, daß er durch die Hallen ging, ohne jeden einzelnen ordnungsgemäß zu befragen, sei es nach der Zahl seiner Hustenstöße, sei es nach der Wärme seines Darms. Wenn ich durch die Liegehallen gehe – dies beschäftigte ihn zu tief – in je zwei Augen falle ich, werde wahrgenommen und bedacht. Mit freundlichen und ernsten Gegenständen werde ich verbunden; vielleicht nimmt ein Haus mich auf, in das sie sich sehnen, vielleicht ein Stück Gerbholz, das sie einmal schmeckten. Und ich hatte auch einmal zwei Augen, die liefen rückwärts mit ihren Blicken; jawohl, ich war vorhanden: fraglos und gesammelt. Wo bin ich hingekommen? Wo bin ich? Ein kleines Flattern, ein Verwehn.

Er sann nach, wann es begonnen hätte, aber er wußte es nicht mehr: ich gehe durch eine Straße und sehe ein Haus und erinnere mich eines Schlosses, das ähnlich war in Florenz, aber sie streiften sich nur mit einem Schein und sind erloschen.

Es schwächt mich etwas von oben. Ich habe keinen Halt mehr hinter den Augen. Der Raum wogt so endlos; einst floß er doch auf eine Stelle. Zerfallen ist die Rinde, die mich trug.

Oft, wenn er von solchen Gängen in sein Zimmer zurückgekehrt war, drehte er seine Hände hin und her und sah sie an. Und einmal beobachtete eine Schwester, wie er sie beroch oder vielmehr, wie er über sie hinging, als prüfe er ihre Luft, und wie er dann die leicht gebeugten Handflächen, nach oben offen, an den kleinen Fingern zusammenlegte, um sie dann einander zu und ab zu bewegen, als bräche er eine große, weiche Frucht auf oder als böge er etwas auseinander. Sie erzählte es den anderen Schwestern; aber niemand wußte, was es zu bedeuten habe. Bis es sich ereignete, daß in der Anstalt ein größeres Tier geschlachtet wurde. Rönne kam scheinbar zufällig herbei, als der

Kopf aufgeschlagen wurde, nahm den Inhalt in die Hände und bog die beiden Hälften auseinander. Da durchfuhr es die Schwester, daß dies die Bewegung gewesen sei, die sie auf dem Gang beobachtet hatte. Aber sie wußte keinen Zusammenhang herzustellen und vergaß es bald.

Rönne aber ging durch die Gärten. Es war Sommer; Otternzungen schaukelten das Himmelsblau, die Rosen blühten, süß geköpft. Er spürte den Drang der Erde: bis vor seine Sohlen, und das Schwellen der Gewalten: nicht mehr durch sein Blut. Vornehmlich aber ging er Wege, die im Schatten lagen und solche mit vielen Bänken; häufig mußte er ruhen vor der Hemmungslosigkeit des Lichtes, und preisgegeben fühlte er sich einem atemlosen Himmel.

Allmählich fing er an, seinen Dienst nur noch unregelmäßig zu versehen; namentlich aber, wenn er sich gesprächsweise zu dem Verwalter oder der Oberin über irgendeinen Gegenstand äußern sollte, wenn er fühlte, jetzt sei es daran, eine Äußerung seinerseits dem in Frage stehenden Gegenstand zukommen zu lassen, brach er förmlich zusammen. Was solle man denn zu einem Geschehen sagen? Geschähe es nicht so, geschähe es ein wenig anders. Leer würde die Stelle nicht bleiben. Er aber möchte nur leise vor sich hinsehn und in seinem Zimmer ruhn.

Wenn er aber lag, lag er nicht wie einer, der erst vor ein paar Wochen gekommen war, von einem See und über die Berge; sondern als wäre er mit der Stelle, auf der sein Leib jetzt lag, emporgewachsen und von den langen Jahren geschwächt; und etwas Steifes und Wächsernes war an ihm lang, wie abgenommen von den Leibern, die sein Umgang gewesen waren.

Auch in der Folgezeit beschäftigte er sich viel mit seinen Händen. Die Schwester, die ihn bediente, liebte ihn sehr; er sprach immer so flehentlich mit ihr, obschon sie nicht recht wußte, um was es ging. Oft fing er etwas höhnisch an: er kenne diese fremden Gebilde, seine Hände hätten sie gehalten. Aber gleich verfiel er wieder: sie lebten in Gesetzen, die nicht von uns seien und ihr Schicksal sei uns so fremd wie das eines Flusses, auf dem wir fahren. Und dann ganz erloschen, den Blick schon in einer Nacht: um zwölf chemische Einheiten handele es sich, die zusammengetreten wären nicht auf sein Geheiß, und die sich trennen würden, ohne ihn zu fragen. Wohin solle man sich dann sagen? Es wehe nur über sie hin.

Er sei keinem Ding mehr gegenüber; er habe keine Macht mehr
über den Raum, äußerte er einmal; lag fast ununterbrochen und
rührte sich kaum.

Er schloß sein Zimmer hinter sich ab, damit niemand auf ihn
einstürmen könne; er wollte öffnen und gefaßt gegenüberste-
hen.

Anstaltswagen, ordnete er an, möchten auf der Landstraße hin
und her fahren; er hatte beobachtet, es tat ihm wohl, Wagen-
rollen zu hören: das war so fern, das war wie früher, das ging in
eine fremde Stadt.

Er lag immer in einer Stellung: steif auf dem Rücken. Er lag auf
dem Rücken, in einem langen Stuhl, der Stuhl stand in einem
geraden Zimmer, das Zimmer stand im Haus und das Haus auf
einem Hügel. Außer ein paar Vögeln war er das höchste Tier.
So trug ihn die Erde leise durch den Äther und ohne Erschüttern
an allen Sternen vorbei.

Eines Abends ging er hinunter zu den Liegehallen; er blickte
die Liegestühle entlang, wie sie alle still unter ihren Decken die
Genesung erwarteten; er sah sie an, wie sie dalagen: alle aus
Heimaten, aus Schlaf voll Traum, aus Abendheimkehr, aus Ge-
sängen von Vater und Sohn, zwischen Glück und Tod – er sah
die Halle entlang und ging zurück.

Der Chefarzt wurde zurückgerufen, er war ein freundlicher
Mann, er sagte, eine seiner Töchter sei erkrankt. Rönne aber
sagte: sehen Sie, in diesen meinen Händen hielt ich sie, hundert oder auch tausend Stück; manche waren weich, manche
waren hart, alle sehr zerfließlich; Männer, Weiber, mürbe und
voll Blut. Nun halte ich immer mein eigenes in meinen Händen und muß immer darnach forschen, was mit mir möglich sei.
Wenn die Geburtszange hier ein bißchen tiefer in die Schläfe
gedrückt hätte...? Wenn man mich immer über eine bestimmte Stelle des Kopfes geschlagen hätte...? Was ist es denn mit
den Gehirnen? Ich wollte immer auffliegen wie ein Vogel aus
der Schlucht; nun lebe ich außen im Kristall. Aber nun geben
Sie mir bitte den Weg frei, ich schwinge wieder – ich war so
müde – auf Flügeln geht dieser Gang – mit meinem blauen
Anemonenschwert – in Mittagsturz des Lichts – in Trümmern
des Südens – in zerfallendem Gewölk – Zerstäubungen der
Stirne – Entschweifungen der Schläfe.

Kasimir Edschmid
Das beschämende Zimmer

Den Abend war ich bei einem Freunde. Wir waren allein. Wir hatten uns in politischen Dingen ausgerast. Wir hatten Tee getrunken, der – ich glaube – sehr leicht nach dem Haar von Kamelen roch. Er sprach von einer Jagd in Turkestan. Darauf sagte ich einiges recht Unwichtiges von Wintertagen bei Utrecht. Dann redeten wir lange wieder von Paris. Ich hatte gerade die Schattenspiele der Connards erwähnt und wollte anfangen, von dem merkwürdigen Effekt zu erzählen, als ich Wolfskehl ohne Bart am Square de Vaugirard traf ... da war mein Freund, der ganz ruhig gesessen hatte, wie unter einem lang zurückgehaltenen Entschluß rapid aufgestanden und hatte mich durch sein Bad in ein Zimmer geführt, von dessen Existenz ich keine Ahnung hatte.

Er hob den Arm. Zwei Lampen am Fuß der Wände füllten sich langsam mit prächtigem Licht und strichen in warmen Flutungen und Bündeln die honiggelben Seiten hinauf. Dann öffnete er das große Fenster nach der Straße und schob eine Jalousine vor das Loch. Sein Profil stand rasch, von Abenteuern zerfetzt, aber gütig, vor dem hellen Tuch ... dann waren nur seine Hände da, die grotesk waren in ihrer Röte und noch mehr wie sonst denen eines Matrosen ähnlich schienen, wo sie allein von Licht überspielt dastanden. Kraft, die in Weichheit gebändigt war, ging von allen seinen Bewegungen aus.

Dann öffnete er gegenüber zwischen zwei Schränken das Schiebefenster zum Garten. Sommerliche Nacht strich herein. Das Tuch lehnte sich tief aus der Füllung. Schatten überschaukelten den Teppich und an den Wänden zog ein Klappern hin. Es war ein melancholisches unangenehmes Geräusch. Als ich aufsah, lächelte der Freund, wies mit halbgedrehter Hand auf die Bilder, die die hohe und breite Mauer in einem Gurt durchschnürten, daß über und unter ihnen eine gleiche Fläche glänzender Tapete freiblieb. Sie hingen an Stricken, Bändern, Seidenkordeln und Tauen. Einige bedeckten sich fast völlig, manche überschnitten sich mit den Rahmen und bildeten in allen Stufen und Farben zusammenhängend ein eigentümliches Mosaik.

Wies auf die Bilder und sagte: »Es ist keines darunter, in dem nicht ein Erlebnis wühlte. Es ist eine Laune oder ein Experiment. Ich muß es abwarten. Ich habe sie hier aufgehängt ohne Auswahl, ohne Ordnung, je wie ich hierher zurückkehrte und wie es mir gefiel. Es liegen Jahre in manchem eingeschlossen und strömen sich aus.

Oft ist mein ganzes Zimmer hier voll von dem Frühling in Paris. Dies Bild ist die Schaukelnde des Fragonard. Sie hat das eine Bein zurückgezogen, das andere zieht in dem trotzigen Aufschwung noch die Volute der losgeschnippten Pantoufles nach, und um diese graziöse Entblößung fällt das Schwebende der weiten Robe und der Duft der Farbe, der gleich einer Wolke darübersteht.

Ich kaufte es eines Abends an einem Tag, da wir morgens nach St. Germain gefahren waren. Es war der erste jener bezwingenden Tage, die aufquellen aus einer gleichgültigen Nacht und voll sind von der Zärtlichkeit des Blaus und der warmen Stille einer Verheißung. Wir standen auf den Dächern der Waggons, die starrten von Ruß. In den Gärten brachen die Mandelbäume auf. Wir liefen wie ganz junge Hunde die Quere durch den Park. Es gibt in dieser Zeit nur eine Seligkeit: fühlen, wie das Spiel der Muskeln um eine Freude herum erwacht. Wir lachten und liefen, spurteten über Hürden, öffneten eine Holztür mit Lilien ... und dann wußten wir erst, daß wir Eindringlinge seien: als wir gerade hineintraten in das Rondell.

Aus einem Bogengang ließ sich eine Schaukel nieder. Eine Dame saß darin. Sie trug ein dünnes hellrosa Kleid. Wir sahen sie vom Rücken. Ihre Arme umfingen die beiden Schnüre und zogen sie in einer lässigen Knickung zusammen, wobei sie sich etwas nach rechts lehnte. Ihre nach vorn vereinigten Hände mußten etwas halten, über das sie den Kopf senkte. Es war so still, daß man die Schaukel quietschen hörte, wenn die Dame am vorderen Auslauf sich mit dem einen Bein an einem in rotpunktierten Blüten stehenden Aprikosenbaum abstieß, während sie das andere hastig zurückzog. Dabei senkten sich jedesmal eine Handbreit Spitzenhose unter dem Brett augenblickslang über ein sehr zierliches Bein.

Dann hörte sie uns. Sie glitt von dem Holz. Ihr schmaler weißer Kopf senkte sich schräg. Sie raffte mit einer schützenden Bewegung die dünne und kurze Matinée. Damit gab sie sich noch mehr preis. Wieder erschien ihr Bein in dem glänzenden

Strumpf und der noch hellere Schuh. Allein das Merkwürdige war ... sie ward nicht rot, nicht verlegen, sagte nur mit einer Stimme, die kindlich war, anklagend, alles war und umschloß in Inhalt, Tiefe und Modulation dieses: *good morning:* – nur dieses –, schritt langsam, sehr langsam, ohne wieder herzusehen in einen Seitenweg. Wir zogen uns zurück.

Ein Erlebnis wie ein Pastell ... sagte Einer.

Kindlich, dachte ich, niedlich, ästhetisch! Verstehen Sie! Es war kein Herr dazugekommen, niemand hatte gerufen, etwas gesagt, nur ein Geräusch: *good morning.*

Aber am Abend im aufheulenden Lärm des Boulevard kaufte ich dies Bild. Manchmal höre ich den Klang der Stimme nachts im ganz Stillen, oft am Meer, im Orkan der Versammlungen, im Räderstampfen und in der Explosion der Dampfer. Jetzt im Augenblick, rieche ich, physisch – Sie lächeln – ich rieche jeden Geruch jenes Morgens, das Feuchte vom Boden, das Arom der Luft zwischen den Knospen, den Aprikosenbaum und das Warme darüber. Sie sehen, mit welch wahnsinniger Intensität sich ein Erlebnis einfressen kann, das wir zuerst flach empfinden und leicht ablösbar wie die Spur des Atems an einem Spiegel ... und das bleibt, stärker und nachwirkender wie das Ungeheuere im ersten Erblicken eines anderen Erdteils, wie verstörter Ehrgeiz und Tod der Schwester. – – –

Ich habe stets das gedacht, was mich retten konnte. Darum liebe ich jenes Bild. Es ist wenig daran. Eine schwache Radierung, zwei Menschen, ganz dunkel, um die Köpfe nur ein wenig Licht. Ich dachte mir einiges Angenehme dazu. Es half mir. Ich lag damals immer zu Bett, krank und mutlos. Ein kleines Mädchen schenkte es mir, das abends in den Vorstädten geigte. Ich besinne mich vergeblich auf ihre Haltung. Ich weiß keinen Zug mehr von ihrem Gesicht. Aber ich weiß, wie sie das Bild auf meine Decke legte und ihren grauen baumwollenen Handschuh daneben, der irgendwo dunkler geflickt war. – – –

Der Goya da kam eines Morgens als Paket in graues Sackpapier eingeschlagen. Mag sein, daß ich mißmutig war. Riß es auf und der Riß fuhr in ihn hinein, klaffend bis mitten in die Kampfszene. Genau zwischen Stier, der den Nacken zum Stoß einzieht, und Pferdebauch und gerade über den schnelleren Heft der Lanze.

Er kam von einem Brasilianer, mit dem ich eine Nacht fuhr von

Kowno nach der Grenze. Es war Schneesturm. Er sagte mir mit
Leidenschaft vieles von seiner Heimat: dem fürstlichen Meer
des Amazonenstroms, den glühenden Nächten, die sie erträglicher machten durch unzählige Kannen sehr heißen Kaffees...
und dem Gekreisch der Papageienherden.

Der Sturm brach sich an der Böschung, drückte mit blödsinnigen
Stößen auf den langen Leib des Zuges. Wir wurden warm und
zogen zusammen das Fenster herunter. Sofort zerbrach es. Die
Scheibe spritzte uns ins Gesicht. Wir bluteten mit vielen kleinen Wunden. Der Wind knallte das andere Fenster hinaus, die
Rahmen krachten. Schnee stopfte uns den Mund voll, wenn wir
sprechen, rufen wollten, wir würgten, konnten nicht atmen.
Pse! lachte der Brasilianer. Mehr hörte ich nicht.

Hagel klatschte uns gegen das Gesicht, das anschwoll, schmolz
daran, und fror im gleichen Augenblick in einer Maske von Eis
wieder vor. Wir sahen aus, als hätten wir Gesichter aus Glas
oder von roter Gelatine. Denn wir bluteten sehr und lachten.

Es ist auf dem Bild des Stierkampfes nur die unterste Reihe der
Zuschauer zu erkennen. Doch es scheint: eine Welle von Wut
und Ekstase sei das Amphitheater in einer Kaskade hinuntergestürzt und habe sich in diesem Parkett bäumend gestaut.

Es ist eine schwere Lache Blut auf dem Bild.

Der Stich liegt auf einem alten gelben Papier, das vor Leidenschaft knistert, wenn die Sonne durch das kleine Fenster in
einer Säule darauf steht.

Ich denke gern an diese Nacht.

Aber ich liebe noch mehr jenen Sommer, in dem alle Tage waren wie jene Nacht.« (Er hob mit steifem Arm eine breite, weißgerahmte Radierung herauf, daß die Schnur sich straff ins Zimmer spannte und blieb, sie auf der hohlen Hand wiegend – die
andere in der Tasche – stehen.) – »Man kann nicht anders empfinden: Alles ist hier bezwungen von dem bleichen Weg. Sei es,
daß er zwischen dunklen Hügeln in einer geheimnisvollen Biegung läuft, ... ob dämmrige, schwere Fischerhäuser neben an
der Düne liegen mit verglasten Luken und dann der Spuk der
Telegraphenstangen ihn begleitet bis zu dem Kreuz auf dem
Hügel ... mag sein, daß das alles die geballte Atmosphäre gibt
von Trauer, Unheil und schwachem weichem Licht am Horizont ... ganz groß und so, daß er all dies missen könnte, ist nur
der lange weiße Gang des Wegs, der sich langsam mit unheim-

lichem Wollen, steigend, verblassend, in den grauen Himmel über den Dünen wie in frevelhafte Übersinnlichkeiten hinaufschraubt.

Es ist ein Sujet aus Bornholm von dem jungen Radierer Georgi. Ich traf ihn auf einem Petroleumsegler von Kopenhagen nach den Faeroers. Wir waren die einzigen Passagiere. Und die einzigen Fremden (wenn wir einen kleinen Botaniker, der nach drei Tagen von einem unmöglichen Hügel abstürzte, nicht rechnen) auf den Faeroers von Anfang Juli bis in den Oktober hinein, der schon Eis brachte von Island her. Wir lebten jeder in einem anderen Fischerdorf. Er zeichnete. Ich schrieb, nein ich fischte, schoß mit einem siebenendigen Kugellazo nach Vögeln und liebte die breiten Mädchen. Meistens war Sturm. Er kam und man fühlte ihn rund oder blau und so stets wie als könne man ihn packen irgendwo. Oft schien es, er flösse aus einer immer breiteren metallenen Hülse, dann stieg er auf der See hoch gleich einem Segel und überschwemmte in einer plastischen Strömung den Strand.

Häufig lagen wir einen ganzen Tag auf einer Klippe, die in rechtem Winkel hinabsauste zum Meer. Wir hatten die Köpfe in den Arm gewühlt. So raste der Wind. Ganz hell, fast weiß war der Himmel. Wir konnten nicht aufstehn. Er hätte uns hinuntergeweht. Ganz sacht vielleicht, spielend wie ein Stück Tuch, locker es aufhebend, kreiselnd, rasch senkend und dann aufs Wasser legend. Wer weiß! Zeitweis hielt ich mit aller Kraft (er machte eine Parade als zerknackte er etwas im Armgelenk) einen Block vor den jungen Georgi, auf den er Striche setzte. Wie hinter einer Barrikade verschanzt und in atemloser Eile. So raste der Wind.

Ich lag ein anderesmal allein einen Tag in brennender Sonne und dann noch eine Nacht, auf einem Felsen und wagte einen Tritt nicht zurück, bis morgens unten die Mädchen der Fischer vorüberfuhren. Eine trug einen roten Rock. Sie winkte. Sie rief: Du bist früh hinaufgestiegen... Sie war aus Store Dimon. Da tat ich es.

Wir trugen keine Schuhe in dieser Zeit. Bündel Bast lagen um unsere Füße. Unsere Insel hatte einen kleinen Strand. Schwarze Felsen lagen um sie herum in Aufstiegen von hunderten Metern. Unten formten sie kleine in sich selbst strudelnde Fjords von hinreißender Elastizität der Linie. Ganz schwarz waren sie und am Abend wie Basalt dunkelblau. Manchmal lösten sich hellere aus den anderen und wurden Möwenschwärme, die den Himmel zuzogen und das Meer überschrien.

Alle acht Tage kam der Dampfer von Edinburgh, der Konserven brachte und Tabak. Er legte nur bei gutem Wetter an. Während der großen Sturmzeit kam er vier Wochen nicht. Mit dem Glas sahen wir ein paar Amerikaner an der Reling stehen, die nach Island fuhren. In dieser Zeit versäumte ich die wichtigste Post in meinem Leben. Was lag mir an Post?

Teufel lag mir daran. Merde lag mir daran...

Freund! in diesen Tagen fingen wir eine Art Delphin. Größer als ein Mann. Aufgesperrt den Rachen mit Lamellen aus samtnem Weiß. Die Augen ganz dunkles Violett mit einem rötlichen dünnen Schein drüber von der Sonne, die ihm gerade hineinschien. Einer der Fischer mit einer farbigen Mütze, die lang, spitz über den Rücken fiel, stieß ihm eine Harpune in den Rachen, stieß immer noch nach, als die Augen schon hinstarben, keine Sonne mehr brachen, und der Leib aufbrandete in drei zuckenden Sprüngen. Der scharfgeflosste Schwanz wühlte ein Loch in den Sand, schlug, gnadenlos wie der Kolben eines Preßlufthammers, wütenden Takt und machte Wind an dem stillen Tag. Seltsames Ding, dieser Schwanz: Porös, wie gewebt aus Gallerte, weichem Stahl und etwas, das war, als ob es köstlich sein müsse auf der Zunge oder schön in einem merkwürdigen Gefäß und vor allem von einer so maßlosen feuchten Fremdheit. Ich glaube, daß ich nie etwas Neueres erlebte, etwas Seltsameres sah, als die Flosse dieses Fisches, die mit einer nie empfundenen Wucht auf meine Seele stieß.

Was war mir der wichtigste Brief meines Lebens?

Zût... ein Dreck war er mir.

Zwischen Georgis und meinem Dorf lag eine schwierige Klippe. Morgens schossen wir, ließen die Echos hinüber- und herüberrollen, grüßten uns so. Abends trafen wir uns darauf. Dann sahen wir ins Innere der Insel, das wie eine Arena war, in deren Mitte das große, weiße Viereck lag, das Gebäude für die einzige Krankheit, die diese Menschen hinfrißt, Männer Frauen, Frauen Männer, durcheinander, wie es kam, aus ihren Hütten heraus in dies Gebäude, das in das Dunkel noch lange hinausblitzt wie der Bauch eines Hai. – – –

Um zu diesem tiefvorwachsenden holländischen Rahmen zu

kommen, von dem ich wußte, daß er aus dem siebzehnten
Jahrhundert sei ... vielleicht ein wenig früher, aber keine Minute mehr, mußte ich achtundzwanzig Seineantiquariate durch-
suchen vier Tage lang, dann fand ich ihn .... und sollte dazwischen das Überfahrenwerden eines blonden Kindes erleben,
das mir jeden Morgen um zehn Uhr auf der ersten Straße des
Jardin des Plantes ein Lächeln ins Gesicht warf. Es hatte ein
Kleid aus schwarzer Seide und einen sonderbaren gelben Gürtel
an.
Von dem Bild in diesem Rahmen, das Segelboote zeigt, will ich
nichts erzählen. – – –
An dem kältesten Tag, den ich in Deutschland erlebte, stand ich
vor dem Bildzyklus in der Ecke dort. Hallo ... ich stand nicht.
Ging!
So kalt war es. Ging auf den Holzfliesen. Aber die Kälte brannte
mir in die Füße. Ich ging rascher und dann sehr rasch. Drei
Schritte auf das Bild zu, drei kleinere es entlang nach rechts,
sechs die ganze Fläche hinunter nach links, zurück zur Mitte
und drei wieder, langsamer, rückwärts ... und so fortfahrend
eilender im Schauen, unheimlich und lautlos gleich der Parade
des schwarzen Panthers vor seinem Gitter im ersten Käfig in
Frankfurt.
Es ist der Isenheimer Altar des Grünewald. Sehen Sie die über-
sinnliche Kraft des Lichtstrahls aus der oberen Ecke und den
Leib dieses Leprösen, der schon grün ist und überfault und so
vegetativ, daß er sich nach Erde sehnt und halb schon Erde ist,
aber hier aufgefangen steht als qualvoller Schrei des Fleisches
zwischen Sehnsucht und Hiersein und Bestimmung zum Ende.
Ganz Colmar klirrte an diesem Tag vor Kälte.
Ich liebe das Bild, weil es mich plötzlich mit einer überfluten-
den Intuition mehr als durch tausend Bücher wie durch eine
klaffende Wunde hineinschauen ließ in das aufzischende Herz
des Mittelalters. – – –« (Nun hob er den Arm, als wolle er eine
Lanze werfen und beschloß mit den zitternden Kreisen der elektrischen Taschenlampe ein ganz kleines Bild) »Erinnerung eines
Monats in einem schottischen Landhaus. Abends Silber, Kerzen, Toaste. Sonst Gehen auf geraden Wegen im Park, Rasen,
zwei Schwestern, Lilith und Jane, Rudern mit den Brüdern, die
auf Ferien aus Oxford da waren, und zwischen all diesem Frischen endlose Ruhe. Holte mir Arbeitslust für ein paar Jahre.

Stahl, als ich wegging, von der Diele diesen winzigen Stich. Es ist eine Szene mit Affen. Einer trägt das Kostüm Voltaires. Steht darunter: *the travelling monkey.* – – –

Weheste und zarteste Erlebnisse, die wahllos ineinanderstürzen, aber binden sich an diese Silhouette. Germaine schnitt sie mir, ultramarin auf orange, in unserem kleinen Haus an den Tuilerien, als der Sommer dunkel und mit Gerüchen durch unsere Gardinen wehte. Niemals in der grenzenlosen Flucht der Zeit habe ich den Leib einer Frau mit dieser Hingebung geliebt wie den Germaines. Ich ließ sie alle Tänze lernen, die ihren Gliedern neue Linien, tiefere Inbrunst und glänzendere Seligkeit geben konnten. Am reizvollsten war sie, wenn sie auf einem Fell abends neben meinen Füßen lag.

Sie trug ein langes weißes Hemd, träumte und färbte die Nägel ihrer Zehen. Draußen der dunkle Garten bewegte sich manchmal. In Pausen ging jemand vorüber, roter Himmel wuchs über die Rideaux, und wir wußten, wie nah und brennend Paris über der Seine sei. Germaine saß oft tagelang auf ihrem sechsbeinigen Schemel und schnitt Silhouetten. Dann nahm ich sie mit ans Meer in ein kleines Nest der Bretagne. Tagelang wieder lagen wir da im Sand, ihr Leib an meinem Leib, und wenn sie anfing zu zittern, dann ward es Abend, und die Nacht schliefen wir in einem Bett, das Boot war, und Germaines Glieder lagen auf den schweren roten Decken wie brauner Achat.

Paul Fort sagte von ihr, sie sei rührender als ein Papillon und schmerzender wie ein Gedicht von Francis Jammes.

Germaine liebte mich, eh sie mich verließ, aber sie hatte keine Seele. Allein sie besaß – unsagbares Wunder – besaß Kniee kleiner und zärtlicher als die Brust eines schlanken norddeutschen Mädchens von dreizehn Jahren. – – –

Den Carrière in dem ovalen Rahmen nahm ich aus dem Zimmer des Malers Binetti, als er nach dreitägigem Kranksein an Cholera starb. Stunde auf Stunde, den ganzen letzten Tag rief er einen seltsamen Namen. Er diktierte mir einen Brief, dessen Adresse ich nicht verstand. Binetti schrie. Ich habe ihm Wasser gereicht. Habe ihn in Eis gepackt. Ich habe ihn gebadet mit einer alten Frau. Binetti schrie den Namen. Ich habe ihn nicht verstanden. Am Abend gestikulierte er und formte immer eine merkwürdige Gebärde in die Luft. Sein Blick wollte mich zwingen zu begreifen. Immer wieder machte er die Bewegung, und

eine wütende Angst löste sich von seinen Augen ab. Er wollte es
wieder sagen, doch es gab keinen Laut mehr. Er stieß mit der
Zunge noch lange wie mit einem Dolch in die Luft, rascher,
qualvoller, spitzer. Aber ich verstand es nicht.

Sein Brief ist das Furchtbarste an Weh. Ich habe die Adresse nie
gefunden. Es war in Marseille. Der Mond bewarf das Meer von
flachen Dächern mit einem Licht, daß sie, eine aufflammende
Kette von Spiegeln, Feuer in den Himmel brannten.

Vom Hafen her heulte das Schmerzgeschrei eines Arabers die
Straße herauf.

Ich und Binetti, wir hatten nach Tunis fahren wollen. Ich trug
diesen Brief in der Tasche, und manchmal machte ich die vage
Geste in die Luft und wunderte mich und erschrak und wollte
mich zwingen, es zu lassen. Aber sie hatte Macht über mich bekommen und meinen Nachahmungstrieb vergewaltigt, und so
lief ich, ein Automat der fürchterlichen Gebärde des Sterbenden,
den Kai entlang. Und ich fühlte, wie ich anfing einen Namen
zu rufen, der sich langsam rundete wie aus einem zu A hin
erhellten O mit fremden Palatallauten dahinter. Bis ich mich
plötzlich wiederfand und den Kopf in die Fäuste geklammert
aus dem Hafen rannte. Zwei Sergeanten traten mir in den Weg.
Ich kam in eine Allee, wo ein Weinen mich nahm und über
eine Bank warf.

Dies war die einzige Nacht, in der ich sterben wollte.

– – –

Den mennigroten Tod aus Wachs über Ihrer linken Schulter...
nein so ... ja ... schön ... schenkte mir der finnische Dichter
Karelainen, der eigentlich Grönquist heißt. Grönquist ist schwe-
disch. Karelainen ist finnisch. Darin besteht der wesentliche
Wert Karelainens, daß er sich eindeutig so und nicht anders
heißt. Denn seine Verse sind schlecht. Für den Adel und die
Intelligenz war das Schwedische die höhere Sprache, und sie
hießen sich lange mit schwedischen Namen. Karelainen stemm-
te dem aber seine breite Brust entgegen, seine feinen Hände
dazu und vor allem das helle Wunder seines Mezzosoprans und
propagierte mit dieser dreifachen Opposition das Finnische.

Aber es handelt sich nun keineswegs um Finnland. Wir saßen
in einer schmutzigen Schenke einer kleinen Stadt an dem litauischen See Ssilkine in dem wir gefischt hatten.

»Die litauischen Weiber sind Klötze Fleisch. Die Liebe der Män-

ner geht über sie hin, Unempfindliche, wie eine Welle beim
Krebsen oder ein Schlag auf den Hintern. Sie atmen kaum.
Die litauischen Männer haben einen seltsamen Gang. Ihr Blut
ist dick und ihre Brunst ist die der Zugtiere. Aber es gibt keinen
Treubruch; niemals ... sagte Karelainen.
Er sah mich forschend an. Ich schaute an ihm vorbei. Da winkte
er ungeduldig einem Hausierer, der, ein Grubenlicht vor den
Bauch geschnallt, in der Ecke Spiritus trank, kaufte den roten,
wächsernen Tod und schenkte ihn mir.
Er wußte, daß ich jede Nacht bei der jungen Frau des Wirtes
war, die neunzehn Jahre und ganz weiße Haare hatte und eine
Haut, glatt wie ein Aal.
Es ist nicht wahr, daß die Litauerinnen in ihren Betten liegen
wie Klötze Fleisch ...
Dann hob Karelainen seine Hand, die flach auf dem Tisch lag,
bis auf die Kante des schmalen kleinen Fingers, und indem er
sie viele Male zart aber scharf auf den Tisch hakte, erzählte er,
daß es im Finnischen nur drei Flüche gebe, deren erster ist
»Perkala«, deren zweiter ist »Perrrkala« und deren dritter ist
ein rasches schneidendes Streichen eines jener Messer, deren
Griff aus Horn ist und deren Spitze etwas nach der Seite gebo-
gen scheint fast wie eine Rosenschere. Es ist nicht wahr, daß es
im Finnischen nur drei Flüche gibt.
Es gibt viele Stufen dazwischen.
Denn hier stehe ich.
Und es ist unwahr, daß es niemals Treubruch gibt in Litauen.
Karelainen war klug. Allein seine Fallen lagen zu plump, weil
er zu sehr voll war von Eifersucht und Gift. Denn erstlich habe
ich nie Angst vor Männern und dann in diesem Falle, seine
Stimme war – Mezzosopran.
Im übrigen war er auch darum wütend auf mich, weil ich eine
Forelle fischte, einen halben Fuß größer als seine längste. Er
vergaß mir dies nie.
Auch ist an dem billigen Symbolismus seines Geschenks schon
ersichtlich, daß er ein mieser Dichter war. – – –«
(Nun ging der Freund zögernd und unentschlossen um einen
Schnitt herum, der eine japanische Marterszene darstellte, und
wechselte den Ausdruck zwischen träumerischem Mich-An-
schauen und einem Anstarren des Bildes. Dann warf er rasch
die Schultern herum und dachte aber, eh die entschlossene Be-

wegung beendet war, – es schien mir – wieder eine Flut neuer
Dinge. Auch sein Profil hatte schärfere Linien. Und sagte dann:)
»Ja«.

Nur: ja.

Ich sagte auch: »Ja«.

Ich wußte nichts anderes zu sagen. Auch fand ich es heiß und
drückend.

Er sah mich sehr fremd und erstaunt an. »Ja« ... sagte ich.

Da antwortete er ganz kurz: »Gut«. Und dann:

»Auch dies war in Marseille. Viele Städte haben mich geschlagen. Doch mein bestes hellstes Blut ließ ich in dieser. Wenn ich
im Traum Schiff fahre und strande: es ist die Mole von Marseille. Wenn man im Traum (herrlicher Rimbaud!) mich ampu-
tiert: es ist das gelbe Spital dort im östlichen Viertel. Und auch
dies, man krönt mich mit allen Insignien meines Ehrgeizes: es
ist das Stadthaus von Marseille, aus dem ich in das Hohngeläch-
ter des Erwachens fahre.

So hasse ich diese Stadt ... Die Pest ...

Ich fuhr viel damals nach Aix. Es ist nicht weit. An der Universität hatte ich einen Bekannten, der über Bakteriologie las.
Abends spielten wir zur Besänftigung Ecarté zu viert, ein jü-
disch-russischer Flieger und ein japanischer Schüler meines
Freundes, der noch kleiner war, als Japaner gewöhnlich scheinen. Er hatte eine sympathische Weichheit der Bewegungen
und hinter den Augen: Energie. Er besuchte mich oft in Marseille und verstand es, was Ecarté allein ermöglicht, beim Kar-
tenspiel entzückend zu plaudern. Einmal traf ich ihn mit einer
Dame. Doch grüßte er mich nicht.

Auf Karneval waren wir alle zusammen in eines der großen
mehrstöckigen Cafés gezogen, mußten uns aber bald zerstreuen.
Nach einer Weile bekam ich Streit mit einem kleinen Kolonial-
offizier, dem ich seine Jungfrau abnehmen wollte, die ich als
Modell des roten Malers Hessemer von Lausanne erkannte – es
ist ja nur ein Sprung –; die Kleine hatte ein Kostüm als Nymphe, loses Haar mit einem Reif, kurzes Kleid und nackte Beine.
Ich faßte sie um die Taille, doch sie wollte, halbbetrunken, zu
ihrem Leutnant. Sie wollte sich losreißen. Da legte der Flieger
Blumenthal seine Pranke um ihr Gelenk. Jetzt gab es kein Los-
kommen mehr. Sie riß, warf sich mir schäumend um die Brust
und biß mich durch den Frack tief in die Schulter.

Blumenthal sah es, ließ sie los; sie riß sich frei. Lief davon, ich folgte. Der Leutnant nahm den Flieger auf sich. Ich glaube, er wollte ihn in die Tasche stecken. Doch ich verlor die Nymphe.

Auf der Treppe zum dritten Stock sah ich aber eine junge Frau, die ein gelbes Kleid trug, das schönste an diesem Abend. Ich griff nach ihr. Sie lachte und stieß mir, rückwärts steigend, stets über mir, immer mit dem Knie an die Brust. Ich lachte. Plötzlich entlief sie mir. Ich folgte ihr über ein paar Treppen, und da ich sie küssen wollte, führte ich sie in eine Nische gerade unter einem Streif Sternhimmel, der zwischen zwei Firsten lag. Sie legte mit Grazie und Wissen zwei halbvolle, leicht nach Wein duftende Lippen, die sehr warm waren, auf meinen Mund und flüsterte jedesmal – denn ich tat es öfters – dazwischen: *maman* ... Dann lief sie wieder. Ich hinter ihr.

Sie rannte in einen Schminkraum. Ich wartete und sah auf dem Milchglas der Tür ihre Silhouette. Sie legte Rot auf. Ich lugte hinter einer Säule. Als sie herauskam, trat ich vor, und sie lief wie sehr erschreckt im Spiel davon. Wir rannten durch einen Saal, durch Lauben und Séparés, und kamen auf einen Korridor, ich wollte sie greifen – da sah ich an einem hohen Fenster gleich einem überraschend aufgestellten Marionettenspiel die Szene: Der kleine Japaner gestikulierend ... ihm gegenüber ein Mann mit südlichem, wohl spanischem Aussehen, in tückischer Haltung. Daneben an die Draperie des Fensterbogens gelehnt, bleich, halb leblos, sehr gerade, eine Dame.

Ich sah, wie der Japaner den Arm leise hob, wie das Gesicht seines Partners zu bluten anfing, und wie der Japaner dessen Arm über den Rücken hochriß ...«

Da geschah etwas Seltsames.

Der Freund stockte, er keuchte. Sein Atem pfiff über die Stimmbänder mit einem Ton, als geige jemand über gebrochenes Glas. Ich fuhr auf. Er hob befehlend die Hand, ein wenig gebückt. Ich setzte mich wieder.

Er schellte rasch: »Wasser ...!«

»Verzeihen Sie!« rief er. »Ich habe Sie geblufft ... es hat mich überwältigt ... ich wollte zuerst nicht erzählen ... dann mußte ich doch. Aber ich travestierte, tauschte alles um ... Alle Personen sind unwahr. Keine ist echt ... keine Kontur ...« Ich sah ihn kalt an.

»Diese Geschichte ist ganz anders«, sagte er nun. »Ich habe geglaubt, sie von mir abtun zu können, wenn ich sie erzählte, aber ich konnte sie nicht erzählen. Da phantasierte ich sie. Aber das war noch schlimmer, zu sehen, wie etwas hätte werden können . . . «

Er sah starr nach dem Fenster.

Dann brach er in ein häßliches Gelächter aus. Sein Mund zog sich nach dem Kinn hinunter wie im Zwang von zwei Fäusten.

Dann drehte er stumm den Schnitt gegen die Wand, verbeugte sich und bat, nachdem er die Lichter gelöscht hatte, und indem sein Gesicht wieder langsam in die alte Form zurückkehrte, ihn hinüber zu begleiten.

Allein, ich blieb in der Türe stehen.

Alles stürzte mit verdoppelter Wut, mit erneuter Wucht über mich hin.

Ich fühlte: Abenteuerlichkeit fraß sich in die Wände. Schicksal brannte in den Rahmen und wollte heraus. Sehnsüchte ohne Sinn, gelebte, nur gestreifte, schwellten den Raum, daß er fast barst, und Jahre rasten auf dem Sekundenblatt der Pendüle herunter.

Ich sah in diesem Zimmer alles wie in einem bösen Kaleidoskop verwirrt.

Und als ich über die Schwelle zurücktrat und das Gebeugte im Gang meines Freundes sah, ward mir plötzlich das Straffe meiner Brust bewußt und das Brutale meiner Haltung, und da wußte ich, daß ich mein Leben gut gelebt hatte. Denn dies ist nicht die Frage, ob wir aufleuchtende Dinge erleben und in heiß aufklaffenden Abenteuern stehen (wie wäre das klein und subaltern), sondern es ist dieses, was dem Geschehenen erst Form gibt und Würde: was wir mit den Erlebnissen tun . . . Und ich wußte bei diesem Zusammenbruch, was mir immer klar war, das war recht: Man soll keine Erinnerungen haben. Niemals. Nein! Und am wenigsten noch armselig Fetische bilden und seine Erlebnisse in Dinge tun. Man soll keine Beichtstühle in seine Wohnungen tun. Sie zwingen in die Knie. Dann oder wann.

Man soll die Dinge von sich werfen. Weit. Und die Erlebnisse abstreifen wie einen Seifenschaum mit nachlässiger Hand von der Brust am Morgen und am Abend und jeden Tag, damit sie uns nicht demütigen einmal früher oder später so und so.

Denn der Genuß des Abenteuers ist das ungewiß Beschwebende: Wissen, vieles Bunte getan zu haben, aber eine Luft hinter sich zu fühlen ohne Halt und ohne Farbe. *Tosendes ... rasendes Leben ... –*

So ist es.

Aber auch ohne dies war das Zimmer eine Sünde gegen die Kraft: Sein Rausch war ein Anreiz im Einen, und ein Opiat im Anderen, und eine Hemmung im Ganzen. Denn es lagen in ihm (wie ein Hohn) zusammen das Große und Schwache, und das Ungeheure wie das Süße ... die Erhebungen, zwischen deren Polen sich die Skala unserer Erlebnisse bewegt und beglänzt, und die in dieser Spaltung, das Eine oder das Andere, entfernt und fremd voneinander und niemals zu packen in einem Griff, unser Leben ausmachen und erfüllen und so sind (im täglichen Leben) wie diese beiden Beispiele:

Die Sensation eines Expreß, der eine kleine abendliche Station durchrast – und das Erleben eines Ladens mit ausgebreiteten Seiden an einem allzuschnellen Frühlingstag auf der Meisengasse zu Straßburg.

ALBERT EHRENSTEIN

Iskander

Es wird berichtet, daß die Stimme sprach gegen Iskander Zualkarnain und ihm befahl, seine Lenden todwärts zu gürten. Und da er auf seinen Reisen alle Gegenden und Menschen genossen hatte, sagte er vor sich hin: »O blinder Sklave des Geschickes, wohlan, freue dich endlich, denn nun wirst du erfahren, was nach diesem kleinen Leben sein wird.« Also haderte er nicht mit jener Stimme letzten Befehls, sondern gebot Sklaven, ihm seine zwei Hörner wie für ein Fest zu putzen. Und nachdem er noch vorsichtshalber einen ganzen Wildesel verzehrt hatte, bestieg er ein Eilkamel, um nicht zu säumen und so zu beleidigen den Ruf des ehrwürdigen Todes. Aber seine Dichter, die Nachtigalleulen, begannen auf eine schöne Weise zu klagen und versuchten, sein gleichgültig schauendes Herz mit ihren gelinden Traurigkeiten zu erfüllen und den der neuen Sache Begierigen wieder an die knappen Habseligkeiten des Lebens zu binden. Das Eilkamel jedoch in dreihöckeriger Weisheit erinnerte sich

verzehrter Dattelkerne, und indem es den Dichtern warmen
Mist des Lebens ließ für die rauhen Nächte der Zukunft, verschwand es mit dem König der Zeit im Wald. Er aber sprach zu
seinem Bart: »Nicht begreif ich die sachte Trauer der Gefährten
meines Atemholens. Wenn ich ihnen entgleite, so können sie
mich doch zurückhalten in den Bogen und Windungen ihrer
schlangengleichen Gedichte. Ich aber hab es schwerer als diese
Gezähmten: ich muß etwas tun. Nun hab ich einen ganzen
Wildesel gegessen, denn es ist nicht gut, dem Tod angstvoll und
mit hungerndem Magen entgegenzutreten. Sollte er mir nicht
gefallen, so kann ich, ein Herr, ihm wenigstens mancherlei ins
Gesicht rülpsen, wie es sich gebührt. Doch noch seh ich hier
niemanden, der mich töten könnte.« Indem er also seinen Unwillen, auf den Tod warten zu müssen, ärgerlich kundgab, erschien auf dem Weg ein weiser Wildkater und klärte ihn auf:
»Nicht dies ist der Weg zum Tod, o König Zweihorn; du könntest allerdings, wenn du schneller ans Ziel gelangen willst, gegen die Bäume reiten. Aber du reit lieber diese zwei Wälder
hier seitwärts durch, und wenn du im Waldwinkel an der letzten Lichtung meine Frau siehst, so sag ihr, daß ich sie noch heut
besuchen werde.« Da dankte der König dem lieben Kater, und
als er einen halben Kamelritt weiter wirklich die wildernde
Katze erblickte, grüßte er sie höflich und richtete seine Botschaft
aus. Dafür belehrte ihn die Wildkatze freundlich über die nahe
Möglichkeit eines annehmbaren Todes – nur eine Parasange
weit! Und als er sich über diese Strecke hinweggesetzt hatte, traf
er richtig dort einen Mann, an Stärke gleich einem ausgewach-
senen Löwen. »Nächstens laß mich nicht so lang warten«,
brüllte der Mann. »Mein Name ist Rustan. Ich bin dein Vater.
Und da ich dich ins Leben gesandt hab, schickt es sich auch, daß
ich dich töte.« Begann auch sogleich dem unpünktlichen Sohn
die Hörner aus dem Kopf zu drehen, und Iskander Zualkarnain
ehrte den Vater, getreu dem Gesetz des Propheten. Er wagte es
nicht, diesen Tod am Bart zu zupfen, noch auch ihm den vor-
bereiteten Esel ins Gesicht zu rülpsen. So benommen war er
von den Schmerzen des Lebens.

Franz Werfel
Die Geliebte

Heute nacht – ich schlafe mit den anderen Telephon-Soldaten in einer Scheune –, heute nacht in dieser Scheune hatte ich einen Traum. Mir träumte, ich wäre auf Urlaub daheim gewesen – ah nein, nicht daheim. Ich war in der mir in vielen Nächten lebendigen, durchaus bekannten, einzigartigen Stadt, die sich in meinen Träumen immer wiederholt, die ich nicht kenne und deren Plätze, breite und enge Straßen, ungeheuren Park und geheimnisvollen Tempel ich, wenn ich die Augen schließe, beschreiben könnte. Aber eine Scheu hält mich davon ab, wenn es Tag ist, sie in meiner Seele anzuschauen.

In diesem Traum, in dieser Stadt erschien mir nun heute nacht, als ich mit den anderen Soldaten auf Strohschütten schlief, meine frühere Geliebte. Mir träumte, mein Urlaub wäre zu Ende, und ich müßte wieder zurück ins Feld. Es war aber gar kein Gefühl von Abschied in mir, sondern eher ziellose Bewegtheit, ein zurückgehaltenes Laufen treppauf, treppab, und wirklich, bald lief ich treppauf, treppab über fremde bekannte und bekannte fremde Treppen. Ich tauchte in windigen Observatorien auf, wo die Himmelsrose in tobender Sonne glühte, und trug mich wie einen Hauch über vergitterte Galerien, durch deren Stäbe der Hoflinde Laub zärtlich zu mir war. Dann tauchte ich wieder aus Höhlen und Haustüren auf und wehte durch die meerstrandhafte, festliche C-dur eines triumphierenden Chores hin.

Bald wurde ich müde, oder es wurde Abend. Ich hatte mit vielen Menschen gesprochen, Männern und Frauen, und hatte sie, die so unendlich leicht waren, mit mir gezogen in meinen Lauf, bis sie, die traurigen Schatten, abfielen aus meinem Arm und am Wege blieben. Dann waren sie vergessen.

Auf einmal stand ich mitten in einer Gesellschaft vor dem Portal eines großen überstrahlten Hotels. Alles in Festkleid. Wir drängten uns durch den Eingang. Aber sofort war ich in dem elenden Gastzimmer eines elenden Provinzhotels. Ich fühlte, daß ich einen Frack anhatte, über die Schulter aber hing mir schon der schwere Rucksack mit angeschnallter Decke, Eßgeschirr und Zeltblatt. Es waren Menschen um mich, die mich liebevoll an die Wand drängten. Gegen das Fenster zu, dessen zerbrochene Scheibe mit Papier verklebt war, stand ein zerstörtes Bett. Um dieses Bett herum, oder auf ihm sitzend, war eine andere Partei von Menschen in leichtem, gleichgültigem, aber irgendwie verschworenem Gespräch bewegt. Unter diesen unbekannten Menschen sah ich meine frühere Geliebte, Fräulein Marie. Geliebte? O nein! Weit mehr! Fräulein Marie war die unwirkliche Erscheinung meines letzten Knabentums, der kein Wort, kein offener Wunsch, kein unhimmlischer Gedanke galt, vor deren Wandel die Knie bebten, vor deren hohem Licht der erschütterte Blick hinabsank. Nach unendlich langer Zeit sah ich Fräulein Marie wieder, deren Gegenwart einst für mich schmerzlicher Bann, tiefes Verstummen gewesen war, oder das Stammeln eines konventionellen Satzes, der mir sogleich alle Gluten der Hölle in die Wangen jagte. O unwiederholbare Qual, die aus Fragen erwuchs, wie zum Beispiel »Haben Sie sich heute gut unterhalten?« O schmerzlichstes Nebeneinandersein damals an schrecklichen, eitlen und verlogenen Orten! Gleich wie ich in meinem Traum Fräulein Marie wiedersah, beherrschte mich dieses unglückliche Gefühl wieder, diese Faust an der Kehle, dieses Verstummen. Aber ich bewunderte nicht mehr, ich fand nicht mehr schön, ich liebte nicht mehr. Und doch! Wie tief merkwürdig!

Es hatte sich der eitle, über Geschichtslehrbücher hingeträumte Kindertraum in diesem Traum verwirklicht. Abschied nehmen von der Geliebten, *dieses* Abschiednehmen! (Nun werden die staunen, die mich für einen Antimilitaristen halten.)

Ich trat auf Fräulein Marie zu mit der stockenden Angst, die ich so gut kannte. Die Menschen, die liebevoll um mich standen, suchten mich davon abzuhalten. Aber eine Macht lenkte mich. Die andere Partei um jenes Bett herum war sofort feindlich gelangweilt. Ich trat auf Fräulein Marie zu und sagte aus ganz enger Kehle vielleicht: »Fräulein Marie, haben Sie sich heute gut unterhalten?« Ich bekam fast keine Antwort – oder nur ein kurzes: »Danke!« – Fräulein Marie trug einen blauen, sehr unordentlichen Schlafrock, ihre Haare waren zerrauft, wie in den geheimnisvollen Morgenstunden der Frauen, ihre Wangen von der gewissen hausbacken zynischen Farbe aller Bürgerinnen, in den so schönen Augen und um den Mund eine gealterte Impertinenz des Übersehns.

Ich ahnte es sofort, Fräulein Marie haßte mich! Warum haßte sie mich denn? Hatte ich sie nicht mit allen schüchternen Kräften meines fliehenden Herzens geliebt. So sehr geliebt, daß ich mit heroischer Anstrengung meine ohnmächtige Zunge bekämpfen mußte, um nur die kleinste Phrase stottern zu können? Hatte sie jemals ein Mann so hoch in den Himmel gestellt wie ich? – Alle waren so gierig nach ihr, ich aber hätte mich getötet bei dem ersten Wunsche meiner Gedanken, ihr Bein entblößt zu sehn. Ich ging hin und vergeistigte meine Leidenschaft!

Und nun, warum haßte sie mich, mit dieser Gleichgültigkeit, mit dieser Rederei über mich hinweg.

Hatte sie nicht ein wenig Güte übrig für jene kindische, verströmte Innigkeit, die einst sich vor ihr verbergend, an ihre Schläfe nächtens doch gerührt haben mochte?

Nein, sie saß da, auf diesem unangenehmen Bett, das vorher ein Geschäftsreisender oder Viehhändler benützt hatte, in einem blauen Negligé, das auf das Talent schließen ließ, Dienstmädchen übel zu behandeln, so daß die einst unirdisch Schwebende, deren Sterblichkeit das selig weinende Herz kaum zu glauben vermochte, so saß sie nun da, eine Göttin der Schlamperei, um den Mund etwas, das hängende Strümpfe verriet, die selbstzerstörerische Gleichgültigkeit der nicht mehr frischen, gekränkten Kokette in allen Mienen.

Sie haßte mich, der ich ihr von allen Liebhabern am wenigsten wehgetan hatte, der ich jetzt gekommen war, mich von ihr zu verabschieden.

Aber mein Gewissen träumte mit. Und ich war mir immer wachsender bewußt und wie eine Muschel von diesem Satz durchrauscht: »Du hast sie ja verlassen, du hast sie ja verlassen!« »Aber ich war ja nie bei ihr gewesen«, fühlte ich zur Verteidigung – »ich habe nur Nächte durchphantasiert. Auf der Straße immer bin ich ihr ausgewichen, ich habe nichts mit ihr gesprochen, außer das dümmste gewöhnlichste Zeug. Kann ich das verlassen, was mir nie gehört hat? Ich wußte ja gar nicht in jenen Jahren, daß sie es *weiß* . . .«

»Du hast sie verlassen«, rauschte es weiter. Und ich wußte jetzt, daß sie mich haßte, mit dem Haß einer Verlassenen, und nur deshalb hatte sie dieses unangenehme, abstoßend blaue Negligé angelegt.

Ich wurde irrsinnig verlegen, denn gegen nichts sind wir hilf-
loser als gegen einen Haß, den wir nicht erwidern. Meine Geliebte sprach mit ihren Freunden, würdigte mich keines Blickes,
sah nicht einmal an mir vorbei, sondern durch mich hindurch.

Auch die anderen Menschen um sie fingen jetzt etwas lauter zu
reden an. Sie schienen alle einer kleinen Verschwörergemeinde
anzugehören, deren Verschwörung aber kein anderes Ziel hatte,
als ihnen Würde und Gewicht zu geben, und die Möglichkeit,
bis an ihr Lebensende Verschworene zu sein. Jetzt, nachdem ich
erwacht bin, versuche ich mir Vorwürfe zu ersinnen, die mir
Fräulein Marie vielleicht in einem andern Traum hätte machen
können, z. B.: »Sie sind ein ebensolcher Schuft wie die anderen,
nur noch um vieles verlogener, egoistischer und affektierter.
Auch Dichter, die uns große Versprechungen machen, auf die sie
schon nach fünf Jahren pfeifen, sollte man wie Heiratsschwind-
ler einsperren. Wären Sie ein Dante, so wäre ich vielleicht eine
Beatrice geworden und jung gestorben. Und das ist besser und
schöner als daß ich jetzt Kinder habe und so aussehe in meinem
blauen, schlampigen, unappetitlichen Fetzen, der Ihnen mein
häusliches Glück zeigen soll.«

So hätte Fräulein Marie in einem anderen Traum gesprochen.

Vielleicht hätte sie auch nur gesagt: »Sie sind zu idealistisch
veranlagt.« In diesem Traum aber sprach sie nicht zu mir. Nun
aber stand ich schon wieder unter den Menschen, die mich
wehmütig anrührten und das Haupt senkten.

Ich war nicht mehr verlegen, aber sehr unglücklich, wie nach
einer Missetat. Meine Geliebte, deren Blau immer hämischer
wurde, fing an, sehr lange und laut zu lachen. Plötzlich warf sie
sich der Länge nach auf das Bett. Es war eine sehr häßliche Stellung. Sie lag mit dem Rücken nach oben. – Jemand schnarchte. –
Ich will auch in Gedanken kein Sakrileg begehn. – Mit seinem
Schnarchen hatte mich ein Kamerad geweckt.

KLABUND

Der Flieger

Als der Fliegerunteroffizier Georg Henschke, Sohn eines märki-
schen Bauern, vom Kriege nach Hause auf Urlaub kam, stand

sein Heimatdorf schon einige Tage vorher Kopf. Bei seiner Ankunft lief alles, was Beine hatte, ihm halber Wege, einige Beherzte sogar eineinhalb Stunden bis zur Bahnstation Baudach entgegen, und die Kinder und die halbwüchsigen Mädchen saßen auf den Kirschbäumen, welche die Straße säumten, die er kommen mußte.

Nun war er da. Das ganze Dorf drängte sich eng um ihn, daß er kaum Luft holen konnte, seine Mutter weinte: »Georgi, mein Georgi!«, und der Pastor sagte: »Welch eine Fügung Gottes!« »Kinder,« lachte Georg Henschke, »Kinder, ich habe einen Mordshunger!« Da stob man auseinander, um sich gleich darauf zu einem Zuge zu gruppieren, der ihn würdevoll zur Tafel geleitete. Sie war unter freiem Himmel aufgeschlagen. Das Dorf nahm sich die Ehre, ihm ein Essen zu geben. Man zählte ungefähr sieben Gänge, und in jedem kam in irgend einer Form Schweinefleisch vor. Dazu trank man süßen, heurigen Most.

Nach dem Essen, als der Wein seine Wirkung tat, wurde man keck. Man wagte Georg Henschke anzusprechen, zu fragen, zu bitten. »Georgi,« staunte zärtlich seine Mutter, »du kannst nun fliegen!« »Wollen Sie uns nicht einmal etwas vorfliegen?« fragte schüchtern die kleine Marie. »O,« lachte Georg Henschke, »das geht nicht so ohne weiteres. Da gehört ein Apparat dazu!« »Er hat ihn sicher in der Tasche,« grinste verschmitzt der Hirt, »er will uns nur auf die Folter spannen.« »Ein Apparat, das ist so etwas zum Aufziehen?« fragte seine jüngste Schwester Anna. Denn sie dachte daran, daß er ihr einmal aus Berlin einen Elefanten aus Blech mitgebracht hatte. Eine Stange lief unbarmherzig durch seinen Bauch, und wenn man sie ein paarmal herumdrehte, begann der Elefant zu wackeln, mit seinem Rüssel auf den Boden zu klopfen und plötzlich wie ein Wiesel und in wirren Kreisen im Zimmer herumzulaufen.

»Nein,« sagte Georg Henschke, »ich habe den Apparat nicht bei mir, denn er gehört dem Staat.« »So, so,« meinte der Hirt mit seinem weißhaarigen Kopf, »der Staat. Das ist auch so eine neue Erfindung.« »Ganz recht«, lachte Georg Henschke.

»So erzähle uns doch etwas vom Fliegen, und wie man es lernt, Georgi«, bat seine Mutter. Sie war stolz auf ihn.

Da stand Georg Henschke auf, und alle mit ihm.

»Gut, ich will es tun. Hört zu!«

Er sprang auf einen Stuhl. Sie scharten sich um ihn. Aufgeregt, seinem Willen hingegeben, wie die Herde um das Leittier. Sie hoben ihre Köpfe, sehnsüchtig, und der blaue Himmel lag in ihren Augen. Georg Henschke aber reckte die Arme, schüttelte sie gegen das Licht, in seinen Blicken blitzte die Freude des Triumphators, und als er sprach, flammte es aus ihm. Er selber fühlte sich so leicht werden, so lächelnd leicht, der Boden sank unter seinen Füßen, seine Arme breiteten sich wie Schwingen, wiegten sich, und wie ein Adler stieß er hoch und steil ins Blau.

Das ganze Dorf stand wie *ein* Wesen, das hundert Köpfe in den Himmel bog. Und sie sahen Georg Henschke im Äther schweben, ruhig und klar, fern und ferner, bis er ihren Blicken entschwand.

HERMANN SUDERMANN

Die Reise nach Tilsit

Wilwischken liegt am Haff. Ganz dicht am Haff liegt Wilwischken. Und wenn man von dem großen Wasser her in den Parwefluß einbiegen will, muß man so nah an den Häusern vorbei, daß man Lust bekommt, ihnen vom Kahn aus mit ein paar Zwiebeln – es können auch Gelbrüben sein – die Fenster einzuschmeißen.

Um die schönen, blanken Fenster wäre es freilich schade. Denn Wilwischken ist ein sauberes Dorf und ein reiches Dorf. Seine Einwohner betreiben neben der Haff- und der Flußfischerei einträgliche Acker- und Gartenwirtschaft, und die Zwiebeln von Wilwischken sind berühmt.

Die stattlichste Wirtschaft von allen ist die, die an der Mündung der Parwe gleichsam die scharfe Ecke bildet, und sie gehört dem Ansas Balczus.

Der Ansas Balczus ist nicht etwa ein gewöhnlicher Fischer, der bei jedem Raubfang sein Teil einscharren muß und nie genug kriegt, der am Montagabend seine Barsche in Heydekrug unterm Preis ausbietet und am Dienstagnachmittag betrunken heimfährt; der Ansas Balczus ist beinahe schon ein Herr, der mit den Deutschen deutsch spricht wie ein Deutscher, der sich sein Glas Grog süßt wie ein Deutscher, und der sich bei seinen Prozessen so gut zu verteidigen weiß, daß er die Anwaltskosten sparen kann.

Er hat sich auch eine feine Frau genommen, der Ansas Balczus. Sie stammt aus Minge und ist die Tochter von dem reichen Jaksztat, dem die großen Haffwiesen gehören. Daß er die Indre Jaksztat bekommen würde, hätte keiner geglaubt, denn um die rissen sich alle, und sie ging so blaß und sanft an ihnen vorbei, als ob sie eine Sonnentochter wäre.

Nun *hat* er sie aber und kann stolz auf sie sein. Sie hat ihm drei hübsche Kinder geboren und sie sorgt für die Wirtschaft, als wäre sie mit der Laime, der freundlichen Göttin, im Bunde. Ihre Butter wird ihr von den Händlern schon weggerissen, wenn sie noch in der Milch steckt, ihr Johannisbeerwein ist der kräftigste weit und breit und im Brautwinkel stehen seit vorigen Weihnachten zwei rote Plüschsessel. Man erzählt sich sogar, daß sie der kleinen Elske, wenn sie sieben Jahre alt sein wird, ein Klavier kaufen will.

Und dabei geht sie noch ebenso sanft und blaß ihres Weges, wie sie es als Mädchen getan hat, und wird so rot wie ein Nelkenbeet, wenn man sie anspricht.

So ist die Indre Balczus. Und wenn *ich* der Ansas wäre, ich würde meine Hände zum Himmel heben, morgens und abends, daß *sie* meine Frau ist und keine andere.

Und so war es auch früher, aber seit die Busze als Magd ins Haus gekommen ist, hat es sich sehr verändert. So sehr verändert, daß die Nachbarfrauen schon lange die Köpfe zusammenstecken, wenn von dem Hof des Balczus Schimpfen und Weinen herüberschallt.

Das Schimpfen kommt von dem Ansas. *Die* Stimme kennt ein jeder. Aber weinen tut nicht die Indre – *wenn* sie's tut, so nur ganz leis und in der Nacht –, es sind die drei Kinder, die da weinen über all das Übel, das ihre Mutter erleiden muß. Und manchmal mischt sich auch ein Lachen darein, ein gar nicht gutes Lachen, hart wie Glas und schadenfroh wie Hähergeschrei.

Der Teufel hat diese Busze ins Haus gebracht. Wenn sie nicht selbst eine Besitzerstochter wäre und als solche stolzen und hoffärtigen Sinnes, hätte sie so viel Schaden gar nicht anrichten können. Warum muß die überhaupt dienen gehen mit ihren blinkernden Achataugen und dem Fleisch wie von Apfelblüten? Wer weiß, wie vielen die schon die Köpfe verdreht hat! Aber sie nimmt sie und läßt sie laufen, und wenn sie irgendwo einen ganz verrückt gemacht hat, dann lacht sie und geht in einen anderen Dienst.

Hier in dem Hause des Balczus sitzt sie nun als das leibhaftige Gegenteil der stillen und sanftmütigen Frau. Singt und schmeißt und rumort vom Morgenstern an bis in die späte Nacht, schafft für dreie und wird schon aufgebracht, wenn man ihr nur sagt, sie möchte sich schonen.

Seit nun gar der Wirt bei ihr in der Kammer gewesen ist, kennt sie überhaupt keinen Spaß mehr. Es ist ein Elend mitanzusehen, wie sie die Herrschaft mehr und mehr an sich reißt, und er ist schwach und tut, was sie will.

Sonst kommt das wohl in Wirtschaften vor, wo die Frau arm eingezogen ist oder aber kränklichen Leibes und darum die Dinge gehen läßt, wie sie gehen. Aber der Indre gegenüber, dem reichen Jaksztat seiner schönen Tochter, die bloß zu fein und zu hochgeboren ist, um sich mit so einem Biest aufleben zu können, da versteht man die Welt nicht mehr.

Eines Tages, als er wieder betrunken gewesen ist und sie geschlagen hat, kommt die Nachbarin, die Ane Doczys, zu ihr und sagt: »Indre, wir können das nicht mehr mitansehen, wir ringsum. Wir haben beschlossen, ich schreib's deinem Vater.«

Die Indre wird noch blasser, als sie schon ist, und sagt: »Tut's nicht, sonst nimmt er mich mit, und was wird dann aus den Kindern?«

»Wir tun's doch,« sagt die Doczene, »denn solch ein Frevel darf nicht sein auf der Welt.«

Und die Indre bittet auch noch für ihren Mann und sagt: »Spricht es sich immer weiter herum, so kommt er ganz sicher ins Unglück. Heiraten darf er sie nicht wegen des Ehebruchs. Auf den müßt' ich klagen, denn nur so kann ich die Kinder zugesprochen kriegen. Schon jetzt betrinkt er sich immer häufiger. Was dann erst wird, das überlegt sich ein jeder.«

»Aber soll denn das immer so fortgehen?« fragt die Doczene.

»Sie ist schon aus fünf Brotstellen weggelaufen, wenn sie genug gehabt hat,« sagt die Indre, »und mit ihm wird sie's nicht anders machen.«

Aber die Ane Doczys, mitleidigen Herzens, wie Nachbarinnen sind, denen es morgen ebenso gehen kann, warnt sie wieder und wieder.

»Wir haben uns auch erkundigt,« sagt sie, »das sind dann immer Saufbengels gewesen und Duselköpfe. So einen wie deinen Mann läßt die nicht los.«

Dies Wort führt der Indre so recht zu Gemüte, was für einen vortrefflichen Mann sie gehabt hat, ehe die Busze ins Haus kam. Aber sie weint und klagt nicht, denn es ist nicht ihre Art. Sie wendet nur ein wenig das eingefallene Gesicht und sagt: »Wie Gott will.«

Nun, vorerst geht es so, wie die Doszene will.

Die kommt nach Hause und sagt zu ihrem Mann, der auf der Ofenbank liegt und schläft: »Doczys,« sagt sie, »hier sind die Wasserstiefel. Setz die Segel ins Mittelboot, wir fahren nach Minge.«

»Aus welchem Grund fahren wir nach Minge?« fragt er ungehalten; denn wer schläft, will Ruhe haben.

Aber die Doczene, in Wut bei dem Gedanken, daß es ihr morgen ebenso gehen kann, fackelt nicht viel und stößt ihn herunter. Er bekommt auch noch die schweren Stiefel angezogen, und eine halbe Stunde später fahren die beiden nach Minge.

Am Tage darauf kommt der alte Jaksztat in Wilwischken an. Er ist nicht zu Kahn gekommen, das hätte zu armemannsmäßig ausgesehen, sondern hat den Umweg über Land nicht gescheut, um seinem Schwiegersohn mit dem Verdeckwagen und dem neusilbernen Kummetgeschirr unter die Nase zu reiben, welcherart das Haus ist, aus dem seine Frau herstammt.

Des reichen Jaksztat erinnern wir uns noch alle. Der o-beinige, kleine Mann mit dem lappigen Knochengesicht und den ewigen Rasiermesserkratzern war ja bekannt genug. Als er starb, ist er schließlich gar nicht so reich gewesen. Aber das tut nichts zur Sache.

Die Busze, die ihre Augen überall hat, sieht als erste das Fuhrwerk vorfahren und tritt aus dem Hause.

Was er wünsche, fragt sie, die Arme einstemmend, und funkelt ihn an.

Er, nicht faul, nimmt seinem Kutscher die Peitsche aus der Hand und reißt ihr eins über. Lang übers Gesicht und den nackten rechten Arm herunter flammt die Strieme.

Und was tut sie? Sie packt den alten Mann, zieht ihn vom Wagen und fängt ihn mit den Fäusten zu verprügeln an. Der Kutscher springt vom Bock, der Ansas Balczus kommt aus dem Haus gestürzt, und beiden Männern zusammen gelingt es erst,

ihn der wütenden Frauensperson zu entreißen. Weiß Gott, sie
hätte ihn sonst vielleicht umgebracht.

So schlimm dies Vorkommnis an und für sich sein mag, in der
nun folgenden Unterredung gibt es dem Alten Oberwasser.
Denn so weit vom Wege abgekommen ist der Ansas Balczus
doch noch nicht durch seine Kebserei, daß er nicht wüßte, welche Schande ein solcher Empfang dem Hause weit und breit bereiten muß.

Nun steht er in seiner ganzen Länge mit dem hinter die Ohren
gestrichenen gelben Flachshaar und dem braunen Sommerspros-
sengesicht vor dem Alten und weiß nicht, wo er die Augen lassen soll.

Der schnauft immerzu vor Zorn und weil ihm noch vom Her-
umrangen die Luft fehlt.

»Wo ist deine Frau?«

Wie soll der Ansas Balczus wissen, wo seine Frau ist? Die läuft
in ihrer Ratlosigkeit oft genug aus dem Hause, dorthin, wo sie
vor Schimpf und Schlägen sicher ist.

»Ich bin der reiche Jaksztat!« schimpft der Alte. »Mir soll so was
passieren!«

Der Ansas Balczus entschuldigt den Überfall, so gut es geht.
Aber was kann er viel sagen?

»Diese Bestije, diese Patartschke muß sofort aus dem Hause!«

»Na, na,« brummt der Ansas. Wäre das nicht eben geschehen,
so hätte er wahrscheinlich die Brust ausgestemmt und geschrien,
das sei *seine* Wirtschaft, hier hab' er allein was zu sagen, aber
jetzt brummt er bloß: »Na, na.«

Der Alte merkt sofort, daß sein Weizen blüht, und nun legt er
los. Es gibt nicht viel Schimpfwörter im Litauischen, die der
Ansas für sich und sein Frauenzimmer *nicht* zu hören gekriegt
hat in dieser Stunde.

Und schließlich ist er ganz windelweich, sitzt auf der Ofenbank
und weint.

Indre kommt nach Hause. Sie hat die beiden Ältesten aus der
Schule geholt und geht über den Hof, den kleinen Willus auf
dem Arm, schlank und rank, geradeso wie die katholische heilige Jungfrau.

Wie sie das väterliche Fuhrwerk sieht, schrickt sie zusammen,
setzt das Kindchen auf die Erde und sieht sich um, als weiß sie
nicht, wo sich am raschesten verstecken.

Aber noch rascher ist der Alte. Zur Tür hinaus – und sie packen – und sie hereinziehen – hast du nicht gesehen!

»Jetzt fällst du vor ihr auf die Knie,« fährt er den Schwiegersohn an, »und küssest den Saum ihres Gewandes!«

So ohne Willen, wie der auch ist, das will er doch nicht. Aber der Alte hilft kräftig nach, und richtig, da liegt er vor ihr und sagt mit einem Schluchzer: »Ich weiß, ich bin ein Sünder vor dem Herrn.«

»Steh auf, Ansas,« sagt sie in ihrer milden Weise und legt die Hand auf seinen Kopf. »Wenn du dich jetzt zu sehr demütigst, vergißt du es mir nachher nicht und es bleibt alles beim alten.«

Ach, wie gut hat sie ihn gekannt!

Aber vorläufig geht er auf alles ein und verspricht dem Alten, daß die Busze mit seinem Willen den Hof nicht mehr betreten soll und daß sie jetzt auf der Stelle abgelohnt werden soll.

Die Indre warnt den Vater, so Hartes nicht zu verlangen. Aber er besteht darauf. Er hätte es lieber nicht sollen.

»Die Busze! Wo ist die Busze?«

Da kommt die Busze. Sie hat das Gesicht mit einem Taschentuch verbunden wie eine mit Zahnschmerzen, und um den rechten Arm hat sie eine nasse Schürze gewickelt. Zum Kühlen.

Sie stellt sich in die Tür und sieht die drei ganz freundlich an.

»Na also, was ist?« sagt sie. »Ich hab zu tun.«

»Du hast hier nichts mehr zu tun,« sagt der Alte, »und das wird dir dein Brotherr gleich klarmachen.«

»Da bin ich doch neugierig,« trumpft sie als eine, die ihrer Sache sicher ist.

Der Ansas Balczus weiß nicht, wo anfangen und wo aufhören. Aber weil sie mit ihrem verbundenen Gesicht nicht gerade sehr hübsch aussieht, wird es ihm leichter. Er stottert was von »Hausfrieden« und »man muß Opfer bringen« und so. Sehr würdereich sieht er nicht aus.

Sie lacht laut auf und lacht und lacht. »Haben sie dich richtig kleingekriegt, du Dreckfresser?« sagt sie. »Ums übrige wirst du ja bald wissen, wo du mich finden kannst.«

Damit dreht sie sich um und schlägt die Tür hinter sich zu. – –

Jetzt könnte der Friede wohl wiederkommen. Und anfangs scheint es auch so. Der Ansas tut freundlich zu seiner Frau, und als er mit Fischen auf den Heydekrüger Markt gefahren ist,

bringt er ihr aus dem Hofmannschen Laden sogar ein Seiden-
kleid mit. Aber er hat einen schiefen Blick, und wenn er kann,
geht er ihr aus dem Wege.

Die Indre schreibt nach Hause: »Es ist alles wieder gut.« Aber
auf das Papier sind ihre Tränen gefallen.

Denn die Busze ist immer noch da. Sie hat sich bei den Pilkuhns eingemietet, die hinten am Abzugsgraben wohnen; und
was das für Gesindel ist, das weiß in Wilwischken ein jeder. Sie
tut so, als arbeite sie in den Wiesen, aber man kann kaum
ins Dorf gehen, dann trifft man sie irgendwo. Sie hat sogar die
Dreistigkeit, den beiden Kindern, wenn sie aus der Schule kommen, Gerstenzucker zu schenken.

Und wohin geht der Ansas, wenn es dunkel wird? Kein Mensch
weiß. Er geht an der Parwe entlang, wo die Weidensträucher so
dicht stehen, daß sich kein Abendrot zum Wasser hinfindet.
Und die Leute, die vor den Türen sitzen, reden leise hinter ihm
drein: »Jetzt trifft er sich mit der Busze.«

Es ist eine Schande zu sagen: Er trifft sich wirklich mit der Busze.
Dort, wo sich kein Abendrot zum Wasser hinfindet, sitzen sie
bis in die Nacht hinein und schmieden Pläne, wie es werden
soll. Aber was sie auch übersinnen – die Frau, die Indre, steht
immer dazwischen.

»Laß dich scheiden!«

Laß dich scheiden! Leicht gesagt. Aber die Kinder! Der Endrik,
der Älteste, soll einmal das Grundstück erben. Und die Elske,
die ihm selbst aus den Augen geschnitten ist, wird demnächst
gar Klavier spielen. Solche Kinder stößt man nicht von sich.
Von dem kleinen Willus gar nicht zu reden. Außerdem hat der
Schwiegervater, der reiche Jaksztat, die zweite Hypothek herge-
geben. Wo kriegt man die her, wenn er kündigt?

Aber die Indre muß fort! Die Indre muß aus dem Wege! Die
Indre mit ihrem Buttergesicht. Die Indre, die ihm nachspioniert.
Die Indre, die allabendlich von Tür zu Tür läuft, um ihn
schlecht zu machen vor den Leuten. Die Pilkuhns wissen, daß
es nichts Abscheuliches gibt, was sie nicht erzählt von ihm. Sogar daß er einen Bruchschaden hat, hat sie erzählt. Woher sollen es die Pilkuhns sonst wissen? Ja, so schlecht ist sie bei all
ihrer Scheinheiligkeit.

Also die Indre muß fort. Das ist beschlossene Sache. Es fragt sich
bloß, wie.

Er natürlich will nichts davon hören, aber es muß ja doch sein.

Manche Frauen sterben im Kindbett – man braucht kaum einmal nachzuhelfen, aber das kann lange dauern und bleibt eine unsichere Sache.

Gift? Das kommt auf. So sicher, wie zwei mal zwei vier ist. Und wer's dann getan hat, weiß heute schon das ganze Dorf. Ertrinken? Aber die Indre geht nichts aufs Wasser. Das ganze vorige Jahr ist sie nicht einmal auf dem Wasser gewesen.

Sie wird schon gehen – man muß ihr nur zureden.

Na, und dann? Wird sie etwa freiwillig 'reinspringen? Ja, selbst *wenn* sie's täte, wer würde es glauben? Kommt man ohne sie zurück, sitzt man auch schon in Untersuchung.

Gift oder Ertrinken – es ist ein und dasselbe.

Aber die Busze hat einen klugen Kopf, die Busze weiß Rat.

Ob er schwimmen kann.

Er kann schon schwimmen. Aber in den schweren Stiefeln nutzt das nichts. Da wird man auf den Grund gezogen wie die »Kulschen« – die kleinen Steine im Staknetz.

Dann muß man barfuß 'raus. Jetzt im Sommer fährt jeder barfuß 'raus.

Er, der Ansas, hat das nie getan, und das wissen die Leute.

Ob die Indre schwimmen kann.

Wie die bleiernen Entchen – so kann die Indre schwimmen.

»Also, es wird gehen,« meint nachdenklich die Busze.

»*Was* wird gehen?«

Ob er sich des Unglücks erinnert, im vorigen Sommer, an der Windenburger Ecke, wobei die zwei Fischer ums Leben gekommen sind?

Wie soll er sich dessen nicht erinnern! Der eine der Toten ist ja sein Vetter gewesen.

Ob er auch weiß, wie es geschehen ist.

Genau weiß es niemand, aber man nimmt an, daß sie betrunken gewesen sind und die gefährliche Stelle verschlafen haben, die Stelle hinter dem Leuchtturm, wo der Wind plötzlich einsetzt und wo man scharf aufpassen muß, will man nicht kentern wie ein zu hoch geladener Heukahn.

Ob man das Kentern nicht auch künstlich machen kann!

Ja, wenn man durchaus ersaufen will.

Ob man sich nicht aufs Schwimmen einrichten kann!

Bis an Land schwimmt keiner.

Ob man es nicht den Schuljungen nachmachen kann mit Binsen oder Schweinsblasen, die einen stundenlang über Wasser halten!

Man kann schon. Aber es ist ungebräuchlich und würde bemerkt werden.

Dann müßte man sie nach dem Gebrauch aus der Welt schaffen.

»Ja, aber wie?«

Die Busze wird nachdenken.

So reden und beraten sie stunden- und stundenlang, Nacht für Nacht. Die Busze fragt, und er antwortet. Und aus dem Fragen und dem Antworten backen sie bei langsamem Feuer den Kuchen gar, an dem die Indre sich den Tod essen muß.

Eins bleibt immer noch das Schwerste: wie sie am besten zu dem Ausflug zu bringen ist. Mehrere müssen es sein, die glücklich verlaufen, ehe der Schlag geführt werden kann. Wo aber die Gründe hernehmen, um die häufigen Fahrten zu rechtfertigen? – Und wie selten auch weht der Süd oder der Südwest, bei dem allein das Unternehmen gelingen kann, und noch dazu in der gehörigen Stärke. Darum muß noch etwas Besonderes gefunden werden, ein Grund wie kein anderer. Einer, der jede Vorbereitung unnötig macht und gegen den es keinen Widerspruch gibt.

Bis dahin aber, das legt ihm Busze immer wieder ans Herz, heißt es freundlich zu der Indre sein, damit ihr jeder Verdacht genommen wird und auch die Nachbarn glauben können, es sei nun alles wieder in Ordnung.

Und er ist freundlich zu der Indre – so freundlich, wie's einer versteht, der sich nie im Leben verstellt hat. Er schlägt das Herdholz klein und trägt es ihr zu, er hilft ihr beim Garnkochen, er bessert den Stöpsel im Rauchfang, er küßt sie beim »Guten Tag« und »Gute Nacht«, und er schläft sogar an ihrer Seite, aber er rührt sie nicht an.

Die Indre drückt sich still an die Wand, wenn er um Mitternacht heimkommt, um den Dunst der Magd nicht zu atmen, den er nach wie vor an sich herumträgt.

Und schließlich – die Busze hat es so verlangt – bringt er auch das schwerste Opfer und geht des Abends nicht mehr ins Sumpfweidendickicht. Von nun an verkehren sie nur durch den Briefträger. Die Aufschriften sind von einem jungen Kanzlisten in

Heydekrug, dem er weisgemacht hat, er könne nicht schreiben, auf Vorrat gefertigt, und drinnen stehen Zeichen, die nur sie beide verstehen.

So muß auch die Indre glauben, der heimliche Verkehr habe aufgehört. Aber täuschen läßt sie sich darum doch nicht. Ihr ist manchmal, als habe sie die Gabe des zweiten Gesichts, und oft, wenn er sich vor ihr wunder wie niedlich macht, denkt sie bei sich: »Wie seh ich ihn doch durch und durch!«

Eines Tages kommt er besonders liebselig auf sie zu und sagt: »Mein Täubchen, mein Schwälbchen, du hast böse Tage gehabt, ich möchte dir gern etwas Gutes bereiten, such es dir aus.«

Sie sieht ihn nur an und weiß schon, daß er Hinterhältiges im Sinne führt. Und sie sagt: »Ich brauche nichts Gutes. Ich hab ja die Kinder.«

»Nein, nein,« sagt er, »es muß sein. Schon wegen der Nachbarn. Auch deinem Vater will ich einen Beweis meiner Sinnesänderung geben. Weißt du nichts, so denke nach, und auch ich werde mir den Kopf zerbrechen.«

Am nächsten Tage kommt er wieder. Aber sie weiß noch immer nichts.

Da sagt er: »Nun, dann weiß ich es. Du hast noch nie die Eisenbahn gesehen. Laß uns nach Tilsit fahren, damit du einmal die Eisenbahn siehst.«

Sie sagt darauf: »Die Leute erzählen sich, daß die Eisenbahn nächstens bis nach Memel geführt werden soll, und Heydekrug wird dann eine Station werden. Wenn es so weit ist, kann ich ja einmal zum Wochenmarkt mitfahren.«

Aber er gibt sich nicht zufrieden.

»Tilsit ist eine schöne Stadt,« sagt er, »wenn du nicht hinfahren willst, so weiß ich, daß du einen bösen Willen hast und an Versöhnung nicht denkst, während ich nichts Anderes im Sinne habe, als dir zu Gefallen zu leben.«

Da fällt ihr ein, daß er die Zusammenkünfte mit der Magd wirklich aufgegeben hat, und sie beginnt in ihrer Meinung wankend zu werden.

Und sie sagt: »Ach, Ansas, ich weiß ja, daß du es nicht aufrichtig meinst, aber ich werde dir wohl den Willen tun müssen. Außerdem sind wir ja alle in Gottes Hand.«

Der Ansas hat die Gewohnheit, daß er rot werden kann wie irgendein junges Ding. Und weil er das weiß, geht er rasch vor

die Tür und schämt sich draußen. Aber ihm ist zumut, als *muß*
er es tun und ein Zurück gebe es nicht. Als wenn ihn der Drache mit feuriger Gabel vorwärtsschuppst, so ist ihm zumut. Und
darum fängt er an demselben Tage noch einmal an.

»In Tilsit ist ein Kirchturm,« sagt er, »der ruht auf acht Kugeln,
und darum hat ihn der Napoleon immer nach Frankreich mitnehmen wollen. Er ist ihm aber zu schwer gewesen. Eine so
merkwürdige Sache muß man doch sehen.«
Die Indre lächelt ihn bloß so an, sagt aber nichts.
»Außerdem,« fährt er fort, »gibt es ja ein Lied, das geht so:

> Tilschen, mein Tilschen, wie schön bist du doch!
> Ich liebe dich heute wie einst!
> Die Sonne wär' nichts wie ein finsteres Loch,
> Wenn du sie nicht manchmal bescheinst.

Nun weißt du hoffentlich, was für eine schöne Stadt Tilsit
ist.«
Wie er sich so zereifert, lächelt ihn Indre noch einmal an, und
er wird wieder rot und redet rasch von anderen Dingen.
Am nächsten Morgen aber sagt er ganz obenhin: »Nun, wann
werden wir fahren?« Als ob es längst eine abgemachte Sache
wäre.
Sie denkt: »Will er mich los sein, so kann er es auf tausend
Arten. Es ist das beste, ich füge mich.«
Und zu ihm sagt sie: »Wann du wirst wollen.«
»Nun, dann je eher je besser,« sagt er.
Es wird also der nächste Morgen bestimmt.
Und wie die Busze es ihm eingegeben hat, läuft er am Nach-
mittag von Wirtschaft zu Wirtschaft und sagt: »Ihr wißt, liebe
Nachbarn, daß ich mich schlecht aufgeführt habe. Aber von nun
an soll alles anders werden. Zum Zeichen dessen werde ich mit
der Indre eine Vergnügungsfahrt nach Tilsit machen. Damit
will ich sozusagen die Versöhnung festlich begehen.«
Und die Nachbarn beglückwünschen ihn auch noch. Genau,
wie die Busze es vorhergesagt hat.
Was aber tut die Indre inzwischen?
Sie legt die Sachen der Kinder zurecht, schreibt auf ein Papier,
was sie am Alltag und am Sonntag anziehen sollen und wie die
Stücke Leinwand, die sie selber gewebt hat, künftig einmal zu
verschneiden sind. Auch ihre Kleider verteilt sie. Das neue seidene kriegt die Ane Doczys, und die Erbstücke kommen an

Elske. Dann legt sie noch ihr Leichenhemde bereit und was ihr sonst im Sarge angezogen werden soll. Und dann ist sie fertig.

Draußen auf dem Hof spielen die Kinder. Sie denkt: »Ihr Armen werdet schlechte Tage haben, wenn die Busze erst da ist.«

Dann geht sie hinüber zur Ane Doczys, kurz nachdem der Ansas dagewesen ist, und sagt: »Dem Menschen kann leicht etwas zustoßen. Ich weiß, daß ich von dieser Reise nicht wiederkommen werde.«

Die Ane ist sehr erschrocken und sagt: »Warum sollst du nicht wiederkommen? Nach Tilsit ist bloß ein Katzensprung. Und es soll ja auch ein Versöhnungsfest sein.«

Die Indre lächelt bloß und sagt: »Wir werden ja sehn. Darum versprich mir, daß du auf die Kinder achtgeben wirst und dem Großvater schreibst, wenn es ihnen nicht gut geht.«

Die Ane weint und verspricht alles, und die Indre geht heim. Sie bringt die Kinder zu Bett und betet mit ihnen und stärkt sich in dem Herrn ...

In der Frühe, lang vor der Sonne, fahren sie ab.

Er, der Ansas, hat seine Sonntagskleider an, und auch sie hat sich geschmückt, denn es soll ja ein Versöhnungsfest sein. Sie trägt die rote, grüngestreifte Marginne, den selbstgewebten Rock, in dem sie vor neun Jahren mit ihm zur Versprechung nach der Kirche gefahren ist, und ein klares Mädchenkopftuch gegen die Sonnenstrahlen.

Auch zu essen und zu trinken hat sie mitgenommen und in dem vorderen Abschlag verstaut.

Er ist auf Klotzkorken und hat die leichten Wichsstiefel in der Hand. Im letzten Augenblick bringt er noch etwas angetragen, in Sackleinwand gepackt, das wirft er neben sich vor das Steuer und sieht sie verstohlen dabei an, als ob er eine Frage erwartet. Aber sie fragt nichts.

Wie er das Großsegel setzt, gewahrt sie, daß ihm die Hände zittern. Er will sich nichts merken lassen und sagt: »Es ist ein hübsches kleines Windchen, wir können zu Mittag in Tilsit sein.«

Sie sagt: »Mir ist es gleich.«

Und er meint: »Ob es hin auch noch so rasch geht, zurück muß man kreuzen.«

Dann wirft er das Schwert aus und setzt auch den Raginnis, das kleine Vorsegel. Er sitzt nun halb zugedeckt von all der Leinwand, so daß sie ihn kaum sehen kann.

Der Kahn fährt wie an der Leine, und rings in dem Wasser glucksen die Fischchen.

Über das weite Haff hin ist es nach Westen wie eine blaugraue Decke gebreitet, nur drüben die Nehrung steht dunkelrot im Morgenschein.

Wie sie um die Windenburger Ecke herumkommen, dort, wo die Landzunge sich spitz in das Wasser hineinstreckt, lockert er erst die Segelleine und wirft dann mit raschem Griff das Steuer um, denn von nun an geht es mit vollem Wind geradeswegs nach Osten.

Sooft sie zum Vater nach Minge fuhr, vor dieser Stelle hat sie schon immer Angst gehabt, denn wenn irgend einmal ein Unglück geschehen ist, dann war es nur hier.

Und sie sucht in ihrer ungewissen Angst das liebe Minge, das in der Ferne ganz deutlich zu sehen ist, und denkt bei sich: »Ach, Vater, wenn du wüßtest, was für einen schlimmen Weg die Indre fährt.« Aber sie ist still im Herrn. Nur die gefährliche Stelle macht ihr das Herz so eng.

Und dann fährt der Kahn glatt auf die Mündung zu, die mit ihren Grasbändern rechts und links schon lang auf sie zu warten scheint.

Da liegt nun vor ihr der breite Atmathstrom, breit wie die Memel selber, von der er ein Arm ist, und das hübsche kleine Windchen macht auf dem Wasser ein Reibeisen.

»Zwei Mundvoll mehr wären gut,« sagt der Ansas halb abgewandt zu ihr hinüber, »denn wenn der Gegenstrom auch schwach ist, der Kahn merkt ihn doch.«

Sie denkt bloß: »Ich möchte nach Minge.« Aber Minge liegt längst weit im Rücken. Denn drüben ist schon Kuwertshof, das einsam zwischen Wasserläufen gelegene Wiesengut, von dem die Leute sagen, daß, wer darauf wohnen will, sich Schwimmhäute anschaffen muß, sonst kann er nicht vor und nicht zurück.

»Auch ich kann nicht vor und nicht zurück,« denkt sie, »und muß stillhalten, wie er es bestimmt.«

Nun macht der Strom den großen Ellbogen nach Süden hin, und die Segel schlagen zur Seite, so daß sie ihn mit seinem ganzen Körper sehen kann. Sie sitzt auf der Paragge, dem Abschlag vorn an der Spitze, und er hinten am Steuer. Der Mast steht zwischen ihnen.

Ihr ist, als will er sich vor ihren Blicken verstecken. Er rückt nach rechts, er rückt nach links, aber es hilft ihm nichts.

»Du armer Mann,« denkt sie, »ich möchte nicht an deiner Stelle sein.« Und sie lächelt ihn traurig an, so leid tut er ihr.

Auf der rechten Seite kommt nun Ruß, der große Herrenort, in dem so viel getrunken wird wie nirgends auf der Welt. Vor dem Rußner Wasserpunsch fürchten sich ja selbst die Herren von der Regierung.

Zuerst mit den vielen Flößen davor der Anckersche Holzplatz und eine Sägemühle und dann noch eine und noch eine.

Die Dzimken, die Flößer, die mit den Hölzern stromab aus Rußland kommen, sitzen in ihren langen, grauen Hemden auf der Floßkante und baden sich die Füße. Hinter ihnen rauchen die Kessel zum Frühstücksbrot.

»Er wird mir wohl Gift 'reintun,« denkt sie. Aber noch hat sie das mitgebrachte Essen in ihrer Hand, und was Anderes wird sie nicht zu sich nehmen.

Die Insel Brionischken kommt mit ihrer neuen Sägemühle. Auch hier liegen Holztriften fest, und die Dzimken, die Tag und Nacht Musik machen müssen, fangen schon an, die Kehlen zu stimmen.

Eins von den Liedern kennt sie:

> »Lytus lynòju, rasà rasòju,
> O mùdu abùdu lovò gulèju.«

Sie denkt: »Wenn alles so wäre wie einst, dann würden wir jetzt mitsingen.«

Die Dzimken winken ihnen auch einladend mit den Händen, aber keines von ihnen beiden grüßt wieder. Und viele andere haben ihnen während der Fahrt noch zugewinkt, aber niemals haben sie Antwort gegeben.

Hinter Ruß kommt, wie wir ja alle wissen, eine traurige Gegend. Links das Medszokel-Moor, wo die Ärmsten der Armen wohnen, rechts das Bredszuller Moor, das auch nicht viel wert ist. Aber dahinter erhebt sich auf Hügeln und Höhen der Ibenhorst, der weitberühmte Wald, in dem die wilden Elche hausen.

Und sie muß an jenen Frühlingstag denken, vor sieben Jahren. Sie trug damals die Elske im sechsten Monat und war in der Wirtschaft schon wenig mehr nütze. Da sagte er eines Tages zu ihr: »Wir wollen nach Ibenhorst fahren, vielleicht daß wir die Elche sehen.« Aber er nahm nicht wie heute die Waltelle – das Mittelboot –, denn damit kommt man in den kleinen Seitenflüssen nicht vorwärts, sondern den Handkahn. In dem fuhren sie nun eng aneinander gedrückt durch das Gewirr der fließenden Gräben, durch Rohr und Binsen, stunden- und stundenlang. Und sie hatte den Kopf auf seinem Schoß liegen und sagte einmal über das andere: »Ach, was brauchen wir Elche zu sehen, es ist ja auch so ganz wunderschön!« Und schließlich sahen sie doch einen. Es war ein mächtiger Bulle mit einem Geweih rein wie zwei Mühlenflügel. Der stand ganz nah im Röhricht und kaute und sah sie an. Ansas sagte: »Sehr wild scheint der nicht zu sein, ich fahr einfach auf ihn los.« Aber die Elske in ihrem Leibe, die wollte das nicht und machte einen heftigen Sprung. Und als sie ihm das sagte, da wußte er nicht, wie rasch er umkehren sollte.

An jenen Frühlingstag also muß sie denken und dabei kommt mitten aus ihrer Ergebung der Jammer plötzlich über sie, so daß sie die gefalteten Hände vor die Stirn legt und dreimal weinend sagt: »O Gott, o Gott, o Gott!«

Dann sieht sie, daß er das Ruder festmacht und über die Großmastbank zu ihr herübersteigt.

»Worüber klagst du eigentlich?« hört sie ihn sagen.

Sie hebt die Augen zu ihm auf und sagt: »Ach, Ansas, Ansas, weißt du nicht besser als ich, warum ich klage?«

Da dreht er sich auf seinen Hacken um und geht stumm zum Hinterende zurück.

Auf einer der entgegenfahrenden Triften spielt ein Dzimke die Harmonika.

Sie denkt: »Nun wird die Elske wohl nie mehr Klavier spielen lernen ... und der Willus wird auch niemals ein Pfarrer werden.« Denn das hat sie sich in ihrem Sinne vorgenommen, weil es ein gottgefälliges Werk ist.

Sie denkt weiter: »Ich werde es mir noch vorher von ihm versprechen lassen.« Aber wie kann sie wissen, wann das Schreckliche kommen wird, so daß sie noch Zeit behält zum Bitten? Jeden Augenblick kann es kommen, denn oft ist alles menschenleer – auch an den Ufern weit und breit.

»Was mag er nur in der Sackleinwand haben?« denkt sie weiter. »Da drin muß es sein, womit er das Schreckliche ausüben will.

Aber was kann es sein?« Das Paket ist rund und halbmannslang und etwa wie ein Milcheimer so stark. Als er es vor der Abfahrt auf den Boden warf, ist kein Schall zu hören gewesen. Es muß also leicht sein von Gewicht.

»Das beste ist,« denkt sie, »ich lasse es kommen, wie es kommt, und nutze die Zeit, um Frieden zu machen mit dem Herrn.«

Aber der Herr hat ihr den Frieden längst gesandt. Sie weiß kaum einmal, um was sie beten soll. Denn um die Rettung zu beten, ziemt ihr nicht. Da braucht sie ja nur zu schreien, wenn irgendein Floß kommt. Und so betet sie für die Kinder. Immer der Reihe nach und dann wieder von vorne.

Wie lange Zeit so verflossen ist, kann sie nicht sagen. Aber die Sonne steht schon ganz hoch, da hört sie von drüben seine Stimme: »Bring mir zu essen, ich hab Hunger!«

Das Herz schlägt ihr plötzlich oben im Halse. »Jetzt wird es geschehen,« denkt sie. Aber wie sie ihm die Neunaugen und die Rauchwurst hinüberträgt und Brot und Butter dazu, da zittert sie nicht, denn jetzt denkt sie wieder: »Nein, so kann es *nicht* geschehen, er wird sich eine andere Art und Weise suchen.«

Und dann, wie er fragt: »Ißt du denn nichts?«, kommt ihr plötzlich der Gedanke: »Es wird *gar* nicht geschehen. Und nur mein trüber Sinn malt es mir aus.«

Aber sie braucht ihn nur anzusehen, wie er dasitzt, in sich zusammengekrochen und die Blicke irgendwohin ins Weite oder aufs Wasser gerichtet, bloß nicht auf sie, dann weiß sie: »Es wird *doch* geschehen.«

Mit einmal faßt sie sich ein Herz und fragt: »Was hast du da in der Sackleinwand?«

Er zieht finster den Mund in die Höhe und antwortet: »Meine Wasserstiefel.« Aber sie weiß, daß das nicht wahr sein kann, denn deren Absätze sind eisenbeschlagen und hätten beim Hinschmeißen geklappert.

Dann packt sie die Speisen zusammen und geht nach dem Vorderende zurück.

Die Sonne sticht nun sehr, und sie muß ihr Kopftuch tief in die Augen ziehen.

Längs haben sie die arme Moorgegend verlassen, auch der schwarze Rand des Ibenhorstes ist untergesunken, und hinter dem Damm dehnt sich die fruchtbare Niederung, wo der Mor-

gen tausend Mark kostet und die Bauern Rotwein auf dem Tische haben.

Die Klokener Fähre kommt, hinter der Kaukehmen liegt, der
große, reiche Marktort, in dessen bestem Gasthaus nur studierte
Leute aus und ein gehen dürfen. »Wenn der Willus Pfarrer sein
wird, wird er dort auch aus und ein gehen dürfen. Aber der Willus wird ja nie Pfarrer sein. Wird etwa die Busze ihn auf die
hohe Schule gehen lassen?«

Nun dauert es noch etwa eine Stunde, dann kommt die Stelle,
an der die Gilge sich abzweigt. Sie sieht das blanke Gewässer
nach rechts hin im Grünen verschwinden, fragt aber nichts.

Da kriegt der Ansas mit einmal die Sprache wieder und sagt:
»Du, Indre, von nun an heißt es nicht mehr der Rußstrom, jetzt
ist es die Memel.«

Sie bedankt sich für die Belehrung, und dann wird es wieder
still. So lange still, bis Ansas plötzlich den Arm hebt und ganz
erfreut nach vorne zeigt.

Sie wendet sich um und fragt: »Was ist?«

»Was wird sein?« sagt er. »Tilsit wird sein.«

Sie sieht nicht nach Tilsit. Sie sieht bloß nach ihm. Er lacht
übers ganze Gesicht, weil sie nun bald da sind.

»Es wird *nicht* geschehen,« denkt sie. »*Der* Mensch kann sich
nicht freuen, der so Schreckliches mit sich herumträgt.«

Und dann wird er ganz ärgerlich, weil sie so gar keine Neugier
zeigt.

»Da vorne bauen sie die große Eisenbahnbrücke,« sagt er, »und
hinten steht auch Napoleons Kirchturm, aber du siehst dich
nicht einmal um.«

Sie entschuldigt sich und läßt sich alles erklären. Und so kommen sie immer näher.

Die Mauerpfeiler, die aus dem Wasser wachsen, und die Eisen-
gerüste hoch oben, die in der Luft hängen wie der Netzstiel
beim Fischen – so was hat sie wirklich noch nie gesehen.

»Alles war Unsinn,« denkt sie. »Es wird *nicht* geschehen.«

Und dann kommen Holzplätze, so groß wie der Anckersche in
Ruß, und Schornstein nach Schornstein, und dann die Stadt
selber. Mit Wohnhäusern, noch höher als die Speicher in Memel. Denn Memel kennt sie. Dorthin ist sie früher manchmal
zum Markt mitgefahren und um die See zu sehen.

Napoleons Kirchturm hätte sie sich wunderbarer vorgestellt.

Die acht Kugeln sind wirklich da, aber das Mauerwerk steht darauf, als ob es gar nicht anders sein könnte.

Ansas zieht die Segel ein und lenkt dem steinernen Ufer zu. Dort, wo er festmacht, liegen schon ein paar andere Fischerkähne, mit deren Besitzern er sich begrüßt. Es sind Leute aus Tawe und Inse, die ihren Fang am Morgen verkauft haben.

»Kommt ihr Wilwischker jetzt auch schon hierher,« sagt einer neidisch, »und verderbt uns die Preise?«

Ansas, der sich gerade die Wichsstiefel anzieht, antwortet ihm gar nicht. Für solche Gespräche ist er zu stolz.

Indre breitet das weiße Reisetuch über den vorderen Abschlag und setzt die Speisen darauf. Neben den Neunaugen und der Rauchwurst hat sie auch Soleier und selbstgeräucherten Lachs mit eingepackt. Und da sie seit halb vier in der Frühe nichts mehr gegessen hat, merkt sie jetzt, daß ihr schon längst vor Hunger ganz schwach ist.

Sie sitzen nun beide auf den Kanten des Bootes einander nahe gegenüber und essen das Mitgenommene als Mittagbrot. Geld, um in ein vornehmes Gasthaus zu gehen und sich auftafeln zu lassen vom Besten, hat Ansas wohl genug. Aber das ist nicht Fischergewohnheit.

Sie denkt nun gar nicht mehr an das Schreckliche, aber das Herz liegt ihr von all dem Fürchten noch wie ein Stein in der Brust.

Jetzt ist es der Ansas, der nicht viel essen kann, denn die Erwartung, ihr alles zu zeigen, läßt ihm keine Geduld. Er steht auf und sagt: »Nun kann es losgehen.« Aber vorher kehrt er noch nach hinten zurück, das Hängeschloß zu holen, damit der Kahn nicht etwa inzwischen verschwindet.

Dabei kommt er mit einem Fuß zufällig unter den runden Sack, der vor dem Steuersitz liegt. Der fliegt wie von selber hoch, so leicht ist er, und sinkt dann wieder zurück. Sie sieht, wie er dabei erschrickt und zu ihr herüberglupt, ob sie's auch nicht bemerkt hat. Und der Stein in ihrer Brust wird schwerer.

Aber wie sie das Ufer hinschreiten und er ihr alles erklärt, denkt sie wieder: »Es kann nicht sein, es muß eine andere Bewandtnis haben.«

Dann biegen sie in die Deutsche Straße ein, die breit ist wie ein Strom und an ihren Rändern lauter Schlösser stehen hat. In den Schlössern kann man sich kaufen, was man will, und alles ist viel schöner und prächtiger als in Memel.

Der Ansas sagt: »Hier aber ist das Schönste,« und weist auf ein Schild, das die Aufschrift trägt: »Konditorei von Dekomin«.

Und da ein kaltes Mittagbrot nie ganz satt macht, so beschließen sie auch sogleich, hineinzugehen und die leeren Stellen im Magen aufzufüllen.

Und wie sie eintreten, o Gott, was sieht die Indre da! In einer langen, schmalen Stube, in der es kühl und halbdunkel ist, steht nicht weit von der Wand ein Tisch, der von einem Ende bis zum andern reicht und der ganz bedeckt ist mit Kuchen und Torten und sonstigen Süßigkeiten aller Art.

»Da wollen wir nun schwelgen,« sagt der Ansas und reckt sich.

Aber sie traut sich noch nicht, und er muß ihr die Stücke einzeln auf den Teller legen. Auch einen schönen Rosenlikör bestellt er. Der ist süß wie der Himmel und klebt an den Fingern, so daß man immerzu nachlecken muß.

»Darf ich nicht auch den Kindern was mitbringen?« fragt sie.

»Nun, das versteht sich,« sagt er und lacht.

Da sticht ihr plötzlich der Gedanke ins Herz, daß sie die Kinder vielleicht niemals mehr sehen wird. Ganz abgeängstigt blickt sie ihn an – und siehe da! auch sein Gesicht hat sich verändert. Der Mund steht ihm offen, ganz hohl sind die Backen und die Augen schielen an ihr vorbei.

»Es wird *doch* geschehen,« denkt sie und legt den Teelöffel hin, ißt auch nicht einen Bissen mehr; nur die Krumen, die rings um den Teller verstreut auf dem Steintisch liegen, wischt sie mit den Fingerspitzen auf und denkt dabei – – ja, was denkt sie? Nichts denkt sie. Und auch er sitzt da wie vor den Kopf geschlagen und redet kein Wort.

Also wird es *doch* geschehen!

Dann, wie er aufsteht, sagt er: »Nun laß dir einpacken.« Aber sie kann nicht. »Bring *du* es ihnen,« sagt sie, und tritt an den Tisch und sucht aus. Aber er weiß nicht, was er aussucht, denn seine Augen gehen immer nach ihr zurück, als will er was sagen und traut sich nicht.

Dann, wie sie wieder auf die Straße hinaustreten, die von der Nachmittagssonne geheizt ist wie ein Backofen, gibt er sich einen Ruck und fängt von neuem mit dem Erklären an. Dies ist das und jenes ist das. Aber sie hört kaum mehr hin. Ganz benommen ist sie von neuer Angst. Die kommt und geht, wie die Haffwellen ans Ufer schlagen.

Dann stehen sie vor einem Kurzwarenladen, in dessen Schaufenster auch Kindersachen ausliegen. »Wir wollen 'reingehen,« sagt sie. »Du kannst den Kindern ein Andenken mitbringen.«

»Andenken? An wen?« fragt er und stottert dabei.

»An mich,« sagt sie und sieht ihn fest an.

Da wird er wieder rot, wendet die Augen ab und fragt nichts weiter. Es wird also ganz sicher geschehen.

Sie sucht für den Endrik eine Wachstuchschürze mit roten Rändern, damit er sich nicht schmutzig macht, wenn er im Sand spielt; für die Elske eine blaue Kappe gegen die Sonne und für den kleinen Willus – was kann es viel sein? – ein Sabberschlabbchen, unter das Kinn zu binden. »Vielleicht werden doch noch einmal Pfarrerbeffchen daraus,« denkt sie und verbeißt ihre Tränen.

Der junge Mann, der die Sachen einwickelt, sagt zu Ansas gewandt: »Vielleicht haben Sie auch für die Frau Gemahlin einen Wunsch.«

Er steht verlegen und geschmeichelt, weil man die Indre eine »Frau Gemahlin« nennt, was von einer litauischen Fischersfrau wohl nicht häufig gesagt wird.

Und der junge Mann fährt fort: »Vielleicht darf ich auf unsere echten Schleiertücher aufmerksam machen, denn, wenn ich mir die Bemerkung erlauben darf, das, welches die Frau Gemahlin augenblicklich trägt, ist etwas – durchgeschwitzt.«

Indre erschrickt und sucht einen Spiegel, denn noch hat sie nicht den Mut gehabt, sich irgendwo zu besehen. Und der junge Mann breitet eilig seine Gewebe aus. Die sind rein wie aus Spinnweben gemacht und haben Muster wie die schönsten Mullgardinen.

Ansas wählt das teuerste von allen – er getraut sich gar nicht, ihr zu sagen, *wie* teuer es ist –, und der junge Mann führt sie vor eine Wand, die ganz und gar ein Spiegel ist. Wie sie das Tuch am Halse geknotet hat, so daß es die Ohren bedeckt und die Augen verschattet, da weiß er sich vor Entzücken gar nicht zu lassen.

»Nein, wie schön die Frau Gemahlin ist!« ruft er ein Mal über das andere. »Nie hat dieser Spiegel etwas Schöneres gesehen!«

Und sie bemerkt fast erschrocken, wie der Ansas sich freut.

Im Rausgehen wendet er sich noch einmal um und fragt den jungen Mann, ob er wohl weiß, wie die Züge gehen.

»Zur Ankunft oder zur Abfahrt?« fragt der junge Mann.

Und Ansas meint, das wäre ganz gleich.

Da lächelt der junge Mann und sagt, bald nach viere komme einer an, und gegen sechse fahre einer ab. Man habe also die Auswahl.

Ansas bedankt sich und sagt, als sie draußen sind: »Wir wollen lieber die Abfahrt nehmen, denn da sieht man ihn in der Ferne verschwinden.«

Aber bis sechs ist noch viel Zeit. Was kann man da machen?

Der Indre ist alles egal. Sie denkt bloß: »Wenn es *doch* geschehen soll, warum hat er dann noch so viel Geld für mich ausgegeben?«

Und in ihr Herz kommt wieder einmal die Hoffnung zurück.

Ansas ist vor einer Mauer stehengeblieben, auf der ein Zettel klebt:

»*Jakobsruh*
heute vier Uhr
Großes Militärkonzert
ausgeführt von der Kapelle
des litauischen Dragonerregiments Prinz Albrecht«

Und darunter steht alles gedruckt, was sie spielen werden.

Der Stein in Indres Brust ist nun ganz leicht geworden; kaum zu fühlen ist er. Aber sie hat Zweifel, ob bei einem solchen Vergnügen, das augenscheinlich für die Deutschen bestimmt ist, auch Litauer zugegen sein dürfen – und dazu noch in ihrer Landestracht.

Aber Ansas lacht sie aus. Wer sein Eintrittsgeld bezahlt, ist eingeladen, gleichgültig ob er »wokiszkai« spricht oder »lietuwiszkai«.

Indre zweifelt noch immer, und nur der Gedanke, daß es ja ein *litauisches* Dragonerregiment ist, welches die Musiker hergibt, macht ihre Schamhaftigkeit etwas geringer.

So fahren sie also in einer Droschke nach Jakobsruh, jenem Lustort, der bekanntlich so schön ist wie nichts auf der Welt. Bäume so hoch und schattengebend wie diese hat Indre noch nie gesehen, auch nicht in Heydekrug und nicht in Memel. Am Haff, wo es nur kurze Weiden gibt und dünne Erlen, könnte man sich von einer solchen Blätterkirche erst recht keinen Begriff machen.

Aber trotz ihrer Freude ist ihr vor dem fremden Orte noch bange genug, denn ringsum sitzen an rotgedeckten Tischen lauter städtische Herrenleute, und als Ansas vorangeht, einen Platz zu suchen, recken alle die Hälse und sehen hinter ihnen her. Es ist, um in die Erde zu sinken.

Ansas dagegen fürchtet sich nicht im mindesten. Er findet auch gleich einen leeren Tisch, wischt mit dem Schnupftuch den Staub von den Stühlen und befiehlt einem feinen deutschen Herrn, ihm und ihr Kaffee und Kuchen zu bringen. Genau so, wie es die anderen machen.

So ein mutiger Mann ist der Ansas. Man fühlt sich gut geborgen bei ihm, und alle die Angst war ein Unsinn.

Nicht weit von ihnen ist eine kleine Halle aufgebaut mit dünnen Eisenständern und einem runden Dachchen darauf. Die füllt sich mit hellblauen Soldaten. O Gott, so vielen und blanken Soldaten! Während es doch sonst nur drei oder vier schmutzige Vagabunden sind, die Musik machen.

Zuerst kommt ein Stück, das heißt »Der Rosenwalzer«. So steht auf einem Blatt zu lesen, das Ansas von dem Kassierer gekauft hat. Wie das gespielt wird, ist es, als flöge man gleich in den Himmel. Dicht vor den Musikern haben sich zwei Kinderchen gegenseitig um den Leib gefaßt und drehen sich im Tanze. Da möchte man gleich mittanzen.

Und hat sich doch vor einer Stunde noch in Todesnöten gewunden!

Wie das Stück zu Ende ist, klatschen alle, und auch die Indre klatscht.

Rings wird es still, und die Kaffeetassen klappern.

Ansas sitzt da und rührt sich nicht. Wie sie ihn etwas fragen will – so gut ist sie schon wieder mit ihm –, da macht er ihr ein heimliches Zeichen nach links hin: sie soll horchen.

Am Nebentisch sprechen ein Herr und eine Dame von ihr.

»Wenn eine Litauerin hübsch ist, ist sie viel hübscher als wir deutschen Frauen,« sagt die Dame.

Und der Herr sagt: »In ihrer blassen Lieblichkeit sieht sie aus wie eine Madonna von – –«

Und nun kommt ein Name, den sie nicht versteht. Auch was das ist: »Madonna«, weiß sie nicht. Für ihr Leben gern hätte sie den Ansas gefragt, der alles weiß, aber sie schämt sich.

Da fängt sie einen Blick des Ansas auf, mit dem er gleichsam zu ihr in die Höhe schaut, und nun weiß sie, was sie schon im

Laden geahnt hat: er ist stolz auf sie, und sie braucht nie mehr Angst zu haben.

Dann hört die Pause auf, und es kommt ein neues Stück. Das heißt »Zar und Zimmermann«. Der Zar ist der russische Kaiser. Daß man von _dem_ Musik macht, läßt sich begreifen. Warum aber ein Zimmermann zu solchen Ehren kommt, ein Mensch, der schmutzige Pluderhosen trägt und immerzu Balken abmißt, bleibt ein Rätsel.

Dann kommt ein drittes Stück, das wenig hübsch ist und bloß den Kopf müde macht. Das hat sich ein gewisser Beethoven ausgedacht.

Aber dann kommt etwas! Daß es so was Schönes auf Erden gibt, hat man selbst im Traum nicht für möglich gehalten. Es heißt: »Die Post im Walde.« Ein Trompeter ist vorher weggegangen und spielt die Melodie ganz leise und sehnsüchtig von weit-, weither, während die andern ihn ebenso leise begleiten. Man bleibt gar nicht Mensch, wenn man das hört! Und weil die Fremden, die Deutschen, ringsum nicht sehen dürfen, wie sie sich hat, springt sie rasch auf und eilt durch den Haufen, der die Kapelle umgibt, und an vielen Tischen vorbei dorthin, wo es einsam ist und wo hinter den Bäumen versteckt noch leere Bänke stehen.

Dort setzt sie sich hin, schiebt das neue Kopftuch aus den Augen, damit es nicht naß wird, und weint, und weint sich all die – ach, all die ausgestandene Angst von der Seele.

Und dann setzt sich einer neben sie und nimmt ihre Hand. Sie weiß natürlich, daß es der Ansas ist, aber sie ist vor Tränen ganz blind. Sie lehnt den Kopf an seine Schulter und sagt immer schluchzend: »Mein Ansuttis, mein Ansaschen, bitte, bitte, tu mir nichts, tu mir nichts!«

Sie weiß, daß er ihr nun nichts mehr tun wird, aber sie kann nicht anders – sie muß immerzu bitten.

Er zittert am ganzen Leibe, hält ihre Hand fest und sagt ein Mal über das andere: »Was redest du da nur? Was redest du da nur?«

Sie sagt: »Noch ist es nicht gut. Ehe du es nicht gestehst, ist es noch nicht ganz gut.«

Er sagt: »Ich habe nichts zu gestehen.«

Und sie streichelt seinen Arm und sagt: »Du wirst es schon noch gestehen. Ich weiß, daß du es gestehen wirst.«

Er bleibt immer noch dabei, daß er nichts zu gestehen hat, und sie gibt sich zufrieden. Nur wenn sie daran denkt, daß daheim im Dorf die Busze sitzt und lauert, läuft es ihr ab und zu kalt über den Rücken.

Mit ineinandergelegten Händen gehen sie zu ihrem Tische zurück und kümmern sich nicht mehr um die Leute, die nicht satt werden können, ihnen nachzusehen.

Und weil nun ringsum die Kaffeetassen verschwunden sind und statt ihrer Biergläser stehen, bestellt sich Ansas auch was bei dem feinen Herrn – aber kein Bier bestellt er, sondern eine Flasche süßen Muskatwein, wie ihn die Litauer lieben.

Und beide trinken und sehen sich an, bis Indre sich ein Herz faßt und ihn fragt: »Mein Ansaschen, was heißt das – eine Madonna?«

»So nennt man die katholische heilige Jungfrau,« sagt er.

Sie zieht die Lippen hoch und sagt verächtlich: »Wenn's weiter nichts ist!« Denn die Neidischen, die sie ärgern wollten, haben sie schon als Mädchen so genannt, und sie ist doch stets eine fromme Lutheranerin gewesen.

Und sie trinken immer noch mehr, und Indre fühlt, daß sie rote Backen bekommt, und weiß sich vor Fröhlichkeit gar nicht zu lassen.

Da plötzlich fällt dem Ansas ein: »O Gott – die Eisenbahn! Und die Uhr ist gleich sechse!«

Er ruft den feinen Herrn herbei und bezahlt mit zwei harten Talern. Dann fragt er nach dem kürzesten Weg zum Bahnhof. Aber wie sie nun eilends dorthin laufen wollen, ergibt es sich, daß sie nicht mehr ganz gerade stehen können.

Die Leute lachen hinter ihnen her und die Dame am Nebentisch sagt bedauernd: »Daß diese Litauer sich doch immer betrinken müssen!«

Hätte sie gewußt, *was* hier gefeiert wird, so hätte sie's wohl nicht gesagt.

Die Straße zum Bahnhof führt ziemlich nah an den Schienen entlang. Sie laufen und lachen und laufen.

Da mit einmal macht es irgendwo: »Puff, puff, puff.«

O Gott – was für ein Ungeheuer kommt dort an! Und geradeswegs auf sie zu.

Indre kriegt den Ansas am Ärmel zu packen und fragt: »Ist sie das?«

Ja, das ist sie.

Wie kann es bloß so viel Scheußlichkeiten geben! Der Pukys
mit dem feurigen Schweif und der andere Drache, der Atwars,
sind gar nichts dagegen. Sie schreit und hält sich die Augen zu
und weiß nicht, ob sie weiterlachen oder noch einmal loswei-
nen soll. Aber da der Ansas sie beschützt, entscheidet sie sich
fürs Lachen und nimmt die Schürze vom Gesicht und macht:
»Puff, Puff.« Genau so kindisch, wie die Elske machen würde,
wenn sie den Drachen sähe, mit dem die Leute spazierenfah-
ren.

»Wohin fahren sie?« fragt sie dann, als die letzten Wagen vorbei
sind.

Und Ansas belehrt sie: »Zuerst nach Insterburg und dann nach
Königsberg und dann immer weiter bis nach Berlin.«

»Wollen wir nicht auch nach Berlin fahren?« bittet sie.

»Wenn alles geordnet ist,« sagt er, »dann wollen wir nach Berlin fahren und den Kaiser sehen.« Dabei wird er mit einmal
steinernst, als ob er ein Gelübde tut.

O Gott, wie ist das Leben schön!

Und das Leben wird immer noch schöner.

Wie sie auf dem Wege zur inneren Stadt an dem »Anger« vor-
beikommen, jenem großen häuserbestandenen Sandplatz, auf
dem die Vieh- und Pferdemärkte abgehalten werden, da hören
sie aus dem Gebüsch, das den einrahmenden Spazierweg umgibt, ein lustiges Leierkastengedudel und sehen den Glanz von
Purpur und von Flittern durch die Zweige schimmern.

Nun möchte ich den Litauer kennenlernen, der an einem Karussell vorbeigeht, ohne begierig stehenzubleiben.

Die Sonne ist zwar bald hinter den Häusern, und morgen früh
will Ansas beim Kuhfüttern sein, aber was kann der kleine
Umweg viel schaden, da man ja so wie so an vierzehn Stunden
kreuzen muß.

Und wie sie das runde, sammetbehangene Tempelchen vor sich
sehen, dessen Prunksessel und Schlittensitze nur auf sie zu warten scheinen, da weist Ansas mit einmal fast erschrocken nach
dem Leinwanddache, auf dessen Spitze ein goldener Wimpel
weht.

Sie weiß nicht, was sie da kucken soll.

Er vergleicht den Wimpel mit den Wetterfahnen rings auf den
Dächern. Es stimmt! Der Wind ist nach Süden umgeschlagen –

und das Kreuzen unnötig geworden. In sieben Stunden kann
der Kahn zu Hause sein.

Also 'rauf auf die Pferde! Die Indre wehrt sich wohl ein bißchen
– eine Mutter von drei Kindern, wo schickt sich das? Aber in
Tilsit kennt sie ja keiner. Also, fix, fix 'rauf auf die Pferde, sonst
geht's am Ende noch los ohne sie beide.

Und sie reiten und fahren und reiten wieder, und dann fahren
sie noch einmal und noch einmal, weil sie zum Reiten schon
lange zu schwindlig sind. Die ganze Welt ist längst eine große
Drehscheibe geworden und der Himmel jagt rückwärts als ein
feuriger Kreisel um sie herum. Aber sie fahren noch immer und
singen dazu:

> »Tilschen, mein Tilschen, wie schön bist du doch!
> Ich liebe dich heute wie einst!
> Die Sonne wär' nichts wie ein finsteres Loch,
> Wenn du sie nicht manchmal bescheinst.«

Und die umstehenden Kinder, die schon dreimal Freifahrt gehabt haben, singen dankbar mit, obwohl sie Text und Weise
nicht begreifen können.

Aber schließlich wird der Indre übel. Sie *muß* ein Ende machen,
ob sie will oder nicht. Und nun stehen sie beide lachend und
betäubt unter den johlenden Kindern und streuen in die ausgestreckten Hände die Krümel der Konditorkuchen, die sie aus
Versehen längst plattgesessen haben.

Ja, so schön kann das Leben sein, wenn man sich liebt und Karussell dazu fährt.

Dann nehmen sie Abschied von den Kindern und den Kindermädchen, von denen etliche sie noch ein Ende begleiten. Um
ihnen den Weg zu zeigen, sagen sie, aber in Wahrheit wollen
sie bei Gelegenheit noch ein Stück Kuchen erraffen. Und sie
hätten auch richtig was gekriegt, wenn sie bis zur Dekominschen
Konditorei ausgehalten hätten. Aber die liegt ja, wie wir wissen, am andern Ende der Stadt.

Daselbst lassen sie beide sich noch einmal ein schönes Paketchen zurechtmachen, aber diesmal sucht die Indre aus, der Ansas bestellt derweilen noch zwei Gläschen von dem klebrigen
Rosenlikör und nimmt zur Sicherheit für vorkommende Fälle
gleich die ganze Flasche mit.

Wie sie zu ihrem Kahn hinabsteigen, ist die Sonne längst untergegangen. Aber das macht nichts, denn der Südwind hält fest, und der Mond steht schon bereit, um ihnen zu leuchten.

Unter solchen Umständen ist ja die Fahrt ein Kinderspiel.

Ansas schöpft mit der Pilte das Wasser aus, damit die Bodenbretter hübsch trocken sind, wenn die Indre sich etwa langlegen will. Aber sie will nicht. Sie setzt sich auf ihren alten Platz vorn auf die Paragge, damit sie dem Ansas zusehen und sich im stillen an ihm freuen kann.

Und dann geht es los. Die Ufer werden dunkler, und eine große Stille breitet sich aus. Sie muß immerzu daran denken, in welcher Angsthaftigkeit das Herz sie drückte, als sie vor acht Stunden desselben Weges fuhr, und wie leicht sie jetzt Atem holen kann.

Sie möchte am liebsten ein Dankgebet sprechen, aber sie will es nicht allein tun, denn er gehört ja wieder zu ihr ... und nötig hat er es auch.

Aber er hat jetzt nur Blick für Segel und Steuer, denn die Brückenpfeiler sind da und viele Kähne, die auf beiden Seiten vor Anker liegen. Manchmal nickt er ihr freundlich zu. Das ist alles.

Alsdann breitet sich der Strom, und der Mond fängt zu scheinen an. Die Wellchen sind ganz silbern in der Richtung auf ihn zu und setzen sich und fliegen auf wie kleine weiße Vögelchen.

Sie kann den Ansas gut erkennen, er sie aber nicht, denn der Mond steht hinter ihr. Darum sagt er auch plötzlich: »Warum sitzt du so weit von mir weg?«

»Ich sitze da, wo ich bei der Hinfahrt gesessen hab,« sagt sie.

»Hinfahrt und Rückfahrt sind so verschieden wie Tag und Nacht,« sagt er.

Und sie denkt: »Bloß daß jetzt Tag ist und damals Nacht war.«

»Darum komm herüber und setz dich neben mich!« sagt er.

Ach, wie gerne sie das tut!

Aber als sie ihm näher kommt, da fällt ihr Blick auf die Sackleinwand, die zwischen seinen Füßen liegt und die sie bisher nicht bemerkt hat.

Wie sie die wieder sieht, wird ihr ganz schlecht. Sie sinkt auf die Mittelbank und lehnt den Rücken gegen den Mast.

»Warum kommst du nicht?« fragt er fast unwirsch.

Nun weiß sie nicht, was sie tun soll. Soll sie ihn fragen, soll sie's mit Stillschweigen übergehen? Aber das weiß sie: Dorthin, wo prall und rund der Sack liegt, um dessen Inhalt er sie belügt, dorthin kann sie die Füße nicht setzen. Sie würde glauben, auf ein Nest von Schlangen zu treten.

Und da kommt ihr der Gedanke, Klarheit zu schaffen über das, was gewesen ist. Jetzt gleich im Augenblick. Denn später kommt sie vielleicht nie.

Sie faßt sich also ein Herz.

»Willst du mir nicht sagen, mein Ansaschen, was du in der Sackleinwand hast?«

Er fährt hoch, als hätte ihn eine aus dem Schlangennest in den Fuß gebissen, aber er schweigt und wendet den Kopf weg. Sie kann sehen, wie er zittert.

Da erhebt sie sich und legt die Hand auf seine Schulter, aber sie hütet sich wohl, der Sackleinwand zu nahe zu kommen.

»Mein Ansaschen,« sagt sie, »es ist ja jetzt wieder ganz gut zwischen uns, aber ehe du nicht alles gestehst, geht die Erinnerung an das Böse nicht weg.«

Er bleibt ganz still, aber sie fühlt, wie es ihn schüttelt.

»Und dann, mein Ansaschen,« sagt sie weiter, »geht es auch wegen des lieben Gottes nicht anders. Ich hab vorhin beten wollen, aber die Worte blieben mir im Halse. Denn du standest mir nicht bei. Darum sag es schon, und dann beten wir beide zusammen.«

Da fällt er vor ihr auf seine Knie, schlingt die Arme um ihre Knie und gesteht alles.

»Mein armes Ansaschen,« sagt sie, als er zu Ende ist, und streichelt seinen Kopf. »Da müssen wir aber *tüchtig* beten, damit der liebe Gott uns verzeiht.«

Und sie läßt sich neben ihm auf die Knie nieder, faltet ihre Hände mit den seinen zusammen, und so beten sie lange. Nur manchmal muß er nach dem Steuer sehen, und dann wartet sie, bis er fertig ist.

Zum Schluß segnet sie ihn, und er segnet sie, und dann stehen sie wieder auf und sind guter Dinge.

Nur was in der Sackleinwand ist, hat er vergessen zu sagen.

Sie zeigt darauf hin und will es wissen.

Aber er wendet sich ab. Er schämt sich zu sehr.

Da sagt sie: »Ich werde selber öffnen.« Und er wehrt ihr nicht.

Und wie sie den Sack aufreißt, was findet sie da? Zwei Bündel grüne Binsen findet sie, mit Bindfaden aneinandergebunden. Weiter nichts.

Sie lacht und sagt: »Ist das die ganze Zauberei?«
Aber er schämt sich noch immer.

Da errät sie langsam, daß er damit nach dem Umschlagen des
Kahnes hat davonschwimmen wollen, wie die Schuljungen tun,
wenn sie im tiefen Wasser paddeln.

»Solch ein Lunterus bin ich geworden!« sagt er und schlägt sich
mit den Fäusten vor die Brust.

Aber sie lächelt und sagt: »Pfui doch, Ansaschen, der Mensch
soll sich nicht *zu* hart schimpfen, sonst macht er sich selber zum
Hundsdreck.«

Und so hat sie ihm nicht nur verziehen, sondern richtete auch
seine Seele wieder auf. –

Wie sie sich neben ihn setzt – denn er will sie nun ganz nahe
haben –, da merkt sie, daß sie mit ihrem Leibe den Gang des
Steuers behindert, darum breitet sie zu seinen Füßen das weiße
Reisetuch aus, das sie im vorderen Abschlag verwahrt hat, und
legt sich darauf – doch so, daß ihr Kopf auf seine Knie zu liegen
kommt. Und nun ist es genau so wie damals in Ibenhorst, als
die Elske noch unterwegs war.

Und so fahren sie dahin und wissen vor Glück nicht, was sie zueinander reden sollen.

Von den Uferwiesen her riecht das Schnittgras – man kann den
Thymian unterscheiden und das Melissenkraut, auch den wilden Majoran und das Timotheegras – und was sonst noch starken Duft an sich hat... Der Stromdamm zieht vorüber wie ein
grünblaues Seidenband. Nur wo zufällig der Rasen den Abhang
hinuntergeglitten ist, da leuchtet er wie ein Schneeberg. Und
der Mondnebel liegt auf dem Wasser, so daß man immer ein
wenig aufpassen muß.

Außer den plumpsenden Fischchen, die nach den Mücken jagen, ist nicht viel zu hören. Nur die Nachtvögel sind immer
noch wach. Kommt ein Gehölz oder ein Garten, dann ist auch
die Nachtigall da und singt ihr: »Jurgut – jurgut – jurgut –
wažok, wažok, wažok«... Und der Wachtelmann betet sein
Liebesgebet: »Garbink Diewa.« Sogar ein Kiebitz läßt sich noch
ab und zu hören, obgleich der doch längst schlafen müßte.

Und dann kommt mit einemmal Musik. Das sind die Dzimken,
die ihre Triften während der Nacht am Ternpfahl festbinden
müssen. Aber Gott weiß, wann die schlafen! Bei Tage rudern
sie und singen, und bei Nacht singen sie auch.

Ihr Feuerchen brennt, und dann liegen sie ringsum. Einer spielt die Harmonika, und sie singen.

Da hört man auch schon das hübsche Liedchen »Meine Tochter Symonene«, das jeder kennt, in Preußen wie im Russischen drüben. Ja, ja, die Symonene! Die zu einem Knaben kam und wußte nicht wie! Das kann wohl mancher so gehen. Aber der Knabe ist schließlich ein Hetman geworden, wenigstens hat die Symonene es so geträumt.

»Der Willus muß ein Pfarrer werden,« bittet die Indre schmeichelnd zu Ansas empor.

»Der Willus wird ein Pfarrer werden,« sagt er ganz feierlich, und die Indre freut sich. Denn was in solcher Stunde versprochen wird, das erfüllt sich gleichsam von selber.

So fahren sie an dem Floß vorbei, und bald kommt ein nächstes. Darauf spielt einer gar die Geige. Und die andern singen:

> »Unterm Ahorn rinnt die Quelle,
> Wo die Gottessöhne tanzen
> Nächtlich in der Mondenhelle
> Mit den Gottestöchtern.«

Ansas und Indre singen mit. Die Dzimken erkennen die Frauenstimme und rufen ihnen ein »Labs wakars!« zu. Zum Dank für den Gutenachtgruß will Ansas ihnen was Freundliches antun und läßt sich die Mühe nicht verdrießen, das Segel einzuziehen und an dem Floß anzulegen.

Nun kommen sie alle heran – es sind ihrer fünfe –, und der Jude, dem die Trift gehört, kommt auch.

Ansas schenkt jedem etwas von dem Rosenlikör ein, und sie erklären, so was Schönes noch nie im Leben getrunken zu haben.

Und dann singen sie alle zusammen noch einmal das Lied von den Gottestöchtern, von dem Ring, der in die Tiefe fiel, und den *zwei* Schwänen, die das Wasser getrübt haben sollen.

Zum Abschied reicht Ansas allen die Hand, und die Indre auch. Und der Jude wünscht ihnen »noch hundert Johr«!

Wären's bloß hundert Stunden gewesen, der Ansas hätt' sie brauchen können.

Da die Flasche mit dem Rosenlikör nun einmal hervorgeholt ist, wäre es unklug gewesen, sie wieder zu verstauen. Sie trinken also ab und zu einen Tropfen und werden immer glücklicher.

Noch an mancher Trift kommen sie vorbei und singen mit, was sie nur singen können, aber halten tun sie nicht mehr. Dazu ist der Rosenlikör ihnen zu schade.

Manchmal will auch der Schlaf sie befallen, aber sie wehren sich tapfer. Denn sonst – weiß Gott, auf welcher Sandbank sie dann sitzenblieben!

Nur eins darf der Ansas sich gönnen – nämlich von dem Abschlag hernieder auf die Bodenbretter zu gleiten. So kann er die Indre in seinem linken Arm halten und mit dem rechten das Steuer versehen.

Und die Indre liegt mit dem Kopf auf seiner Brust und denkt selig: »Der Endrik – und die Elske – und der Willus – und nun sind wir alle fünf wieder eins.«

Mit einmal – sie wissen nicht wie – ist Ruß da. Sie erkennen es an dem Brionischker Schornstein, der wie ein warnender Finger zu ihnen sagt: »Paßt auf!«

Die Dzimken, die dort mit ihren Triften liegen, sind nun richtig schlafen gegangen. Auch ihr Kesselfeuer brennt nicht mehr. Aber ob die tausendmal stilleschweigen, was macht es aus? Von Ruß gibt es ein hübsches Liedchen:

> »Zwei Fischer waren,
> Zwei schöne Knaben,
> Aus Ruß gen Westen
> Zum Haff gefahren.«

Das singen sie aus voller Kehle, und um hernach die Kehle anzufeuchten, wollen sie noch einen Schluck von dem Rosenlikör genehmigen, aber siehe da – die Flasche ist leer.

Sie lachen furchtbar, und der Ansas wird immer zärtlicher.

»Ach, liebes Ansaschen,« bittet die Indre, »gleich kommt der große Ellbogen, und dann geht es westwärts, bis dahin mußt du hübsch artig sein.«

Ansas hört noch einmal auf sie, und da ist auch schon der blanke Szieszefluß, da, wo die Krümmung beginnt. Er holt die Segelleine mehr an und steuert nach links. Es geht zwar schwer, aber es geht noch immer.

Bis nach Windenburg hin, die anderthalb Meilen, läuft der Strom nun so schnurgerade, wie nur die Eisenbahn läuft. Kaum daß man hinter der Mündung der Mole ein wenig auszuweichen braucht.

Bei Windenburg freilich, wo die gefährliche Stelle ist, dort, wo gerade bei Südwind der Wellendrang aus dem breiten, tiefen Haff seitlich stark einsetzt, dort muß man die Sinne doppelt beisammen halten – aber bis dahin ist noch lange, lange – – ach, wie lange Zeit!

»Indre, wenn du mir meine Sünden wirklich vergeben hast, dann mußt du's mir auch beweisen.«

»Ansaschen, du mußt aufpassen.«

»Ach was, aufpassen!« Wenn man so lange blind und verhext neben der Besten, der Schönsten, neben einer Gottestochter dahergegangen ist und die Augen sind wieder aufgetan, was heißt da aufpassen?

»*Meine* Indre!«

»*Mein* Ansaschen!« – –

Und nun liegen sie in ruhiger Seligkeit wieder nebeneinander, und der Kahn fährt dahin, als säße die Laime selber am Steuer.

»Ansaschen, – aber nicht einschlafen!«

»Ach, wo werd' ich einschlafen.« –

»Ansaschen – wer einschläft, den muß der andere wecken.«

»Jawohl – den muß – der andere wecken.« – –

»Ansaschen, du schläfst!«

»Wer so was – sagen kann, – der schläft – selber.«

»Ansaschen, wach auf!«

»Ich wach. Wachst du?«

Und so schlafen sie ein.

Die Ane Doczys hat keine Ruh in ihrem Bett. Sie weckt also ihren Mann und sagt: »Doczys, steh auf, wir wollen aufs Haff hinausfahren.«

»Warum sollen wir aufs Haff hinausfahren?« fragt der Doczys, sich den Schlaf aus den Augen reibend. »Fischen tu ich erst morgen.«

»Die Indre hat solche Reden geführt,« sagt die Doczene, »es ist besser, wir fahren ihnen entgegen.«

Da fügt er sich mit Seufzen, zieht sich an und setzt die Segel.

Wie sie aufs Haff hinausfahren, wird es schon Tag, und der Frühnebel liegt so dicht, daß sie keine Handbreit vorauf sehen können.

»Wohin soll ich fahren?« fragt der Doczys.

»Nach Windenburg zu,« bestimmt die Doczene.

Der Südwind wirft ihnen kurze, harte Wellen entgegen, und sie müssen kreuzen.

Da, mit einmal horcht die Doczene hoch auf.

Eine Stimme ist hilferufend aus dem Nebel gedrungen – eine Frauenstimme.

»Gerade drauf zu!« schreit die Doczene. Aber er muß ja kreuzen.

Und sie kommen schließlich doch näher – ganz nahe kommen sie.

Da finden sie die Indre auf dem Wasser liegen, wie die Wellen sie auf und nieder schaukeln.

Wie hat es zugehen können, daß sie *nicht* ertrunken ist?

Rechts und links von ihrer Brust ragen halb aus dem Wasser zwei Bündel von grünen Binsen, die sind mit einem Bindfaden auf dem Rücken zusammengebunden.

Sie ziehen sie in den Kahn, und sie schreit immerzu: »Rettet den Ansas! Rettet den Ansas!«

Ja – wo ist der Ansas?

Sie weiß von nichts. Zuletzt, als sie wieder hochgekommen ist, da hat sie seine Hände gefühlt, wie er wassertretend die Binsen an ihr befestigte. Und von da an weiß sie nichts mehr von ihm.

Sie rufen und suchen und rufen. Aber sie finden ihn nicht. Nur den umgeschlagenen Kahn finden sie. An dem hätte er sich wohl halten können, aber er ist ihm sicher davongeschwommen, dieweil er die Binsen an Indres Leib befestigte.

Fünf Stunden lang suchen sie, und die Indre liegt auf den Knien und betet um ein Wunder.

Aber das Wunder ist nicht geschehen. Zwei Tage später lag er oberwärts friedlich am Strande.

*

Neun Monate nach dem Tode des Ansas gebar ihm die Indre einen Sohn. Er wurde nach ihrem Wunsch in der heiligen Taufe Galas, das heißt »Abschluß«, benannt. Doch weil der Name ungebräuchlich ist, hat man ihn meistens nach dem Vater gerufen. Und heute ist er ein ansehnlicher Mann.

Der Endrik hält die väterliche Wirtschaft in gutem Stande, die Elske hat einen wohlhabenden Besitzer geheiratet und der Willus ist richtig ein Pfarrer geworden. Seine Gemeinde sieht in ihm einen Abgesandten des Herrn, und auch die Gebetsleute halten zu ihm.

Die Indre ist nun eine alte Frau und lebt im Ausgedinge bei dem ältesten Sohn. Wenn sie zur Kirche geht, neigen sich alle vor ihr. Sie weiß, daß sie nun bald im Himmel mit Ansas vereint sein wird, denn Gott ist den Sündern gnädig.

Und also gnädig sei er auch uns!

LEONHARD FRANK

Der Vater

Ihr Otterngezüchte, wer hat denn euch gewiesen, daß ihr dem künftigen Zorn entrinnen werdet? Es ist schon die Axt an die Wurzel gelegt. Darum, welcher Baum nicht gute Frucht bringt, wird abgehauen und ins Feuer geworfen.

Ev. Matth. Kap. III

Robert war Servierkellner in einem deutschen Hotelrestaurant. Gewöhnlich. Blond. Und wenn er, in devoter Verbeugung erstarrt, vor dem Gaste stand und seine Bestellung entgegennahm, kroch der Gedanke durch sein Gehirn: jeder andere Beruf verträgt sich eher mit der Menschenwürde.

Auf ihn wirkte das hingeschobene Trinkgeld wie eine Ohrfeige, für die man sich bedanken mußte. Und wenn das Trinkgeld von einem Gaste kam, der ärmer als der Empfangende war, stieg aus Roberts verletzter Menschenwürde sichtbar die Verachtung empor, steigerte sich manchmal zu Rachsucht und Frechheit. Es kam vor, daß Robert solch einem Gaste das Trinkgeld zurückschob. Vornehmen Gästen Kredit zu gewähren, war ihm eine Erlösung.

Im Jahre 1894 bekam seine Frau den lange vergeblich erwarteten Sohn. Und Roberts Liebe stürzte sich auf dieses Kind. Das bekam alles: ein Kinderzimmer, sterilisierte Kindermilch, einen federnden Kinderwagen, einen weißlackierten Stall, Hampelmänner. Später Dampfmaschinchen, Eisenbahnen, Luftballons, Trommeln, Säbel, Schießgewehrchen, Bleisoldaten. Später ein Spazierstöckchen, einen Matrosenanzug mit einer Mütze, auf

der stand »S. M. S. Hohenzollern«, einen rindsledernen Bücher-
ranzen, eine Rechenmaschine mit roten und weißen Kugeln,
einen polierten Griffelkasten.

Der Sohn bekam Geigenstunden, mußte Klavierspielen lernen.
Und durfte das Gymnasium besuchen. Er sollte studieren. Nicht
Kellner werden. Schon mit zehn Jahren besaß der Sohn ein
Fahrrad. Und gehörte mit zwölf Jahren der patriotischen Ju-
gendvereinigung an.

Roberts Leben erschöpfte sich im Dasein des Sohnes. Und der
Satz: jeder Arbeiter ist seines Lohnes wert, war ihm zur Welt-
anschauung geworden. Robert flog, die Bestellungen auszuführen, verbeugte sich, dankte fürs Trinkgeld, verbeugte sich, dankte, sparte, scharrte zusammen, rechnete, strebte, wurde Zim-
merkellner, dann Oberkellner, wies heimlichen Liebespärchen
stille Zimmer an für ein paar Stunden, drückte Augen zu, sank
in einen Abgrund der Liebe für seinen Sohn, schickte ihn auf
die Universität, bekam graue Haare, war selig im Dienen, selig
in seinem Sohne, besaß hundert Photographien von ihm, hatte
die Kinderkleidchen aufgehoben, das Spielzeug: die Säbelchen,
die Gewehrchen, die Bleisoldaten. Das Mützchen, auf dem
stand »S. M. S. Hohenzollern«.

Der Sohn war zwanzig Jahre alt. Er bekam die Einberufung an
einem Dienstag, bekam ein halbes Jahr später das eiserne Kreuz.
Und im Sommer 1916 bekam Robert die Nachricht, daß sein
Sohn gefallen war. Auf dem Felde der Ehre.

Eine Welt war erschlagen.

Der Erschlagene las immer wieder: »Gefallen auf dem Felde
der Ehre«. Den Zettel trug er bei sich in der Brieftasche, zwischen den Banknoten. Er las ihn, wenn ein Fremder kam und
ein Zimmer verlangte, wenn er an der Billardecke stand und
Bestellungen erwartete, wenn er, von der Glocke gerufen, durch
den langen Gang lief, las ihn, bevor er das Zimmer betrat und
nachdem er, die bezahlte Rechnung und das Trinkgeld in der
Hand, das Zimmer wieder verlassen hatte. Er las ihn in der
Küche, im Weinkeller, auf dem Klosett. »Gefallen auf dem
Felde der Ehre.« Ehre. Das war ein Wort und bestand aus vier
Buchstaben. Vier Buchstaben, die zusammen eine Lüge bildeten
von solch höllischer Macht, daß ein ganzes Volk an diese vier
Buchstaben angespannt und von sich selbst in ungeheuerlich-
stes Leid hineingezogen hatte werden können.

Das Feld der Ehre war nicht sichtbar, nicht vorstellbar, war Robert nicht begreifbar. Das war kein Feld, kein Acker, war keine Fläche, war nicht Nebel und nicht Luft. Es war das absolute Nichts. Und daran sollte er sich halten. Sein ganzes Leben lang. Hinter ihm lag nichts und vor ihm lag nichts. Robert stand in der Mitte auf dem Nichts. Seine Hände servierten, quittierten, empfingen Trinkgelder. Wofür? Es gab keine Banknoten mehr. Und sein Sparkassenbuch war für ihn das Feld der Ehre. Und das Feld der Ehre war nicht begreifbar.

Robert gab die besten Zimmer auf Wunsch um die Hälfte des festgesetzten Preises ab, gab noch einen Salon dazu, ein Badezimmer. Wurde zum Servierkellner degradiert. Gab im Restaurant ohne Widerstreben die teueren Speisen und Weine billiger ab, wenn den Gästen die Rechnung zu hoch erschien. Wurde daraufhin nur noch zur Mithilfe herangezogen, wenn im großen Hotelsaal ein Fest, eine Versammlung war.

Gab es etwas Gleichgültigeres, als aus der Lebensstellung verdrängt worden zu sein? Das alles war nur das Feld der Ehre. War ein absolutes Nichts.

Oft fand er sich in seines Sohnes Zimmer, wohin er während des Krieges die Photographien, Kinderkleidchen, Säbelchen, Trommelchen, Gewehrchen, Bleisoldaten zusammengetragen hatte, und empfand nichts beim Betrachten dieser vergilbten und verkratzten Überbleibsel, ging, automatisch wie er eingetreten war, wieder hinaus.

Dieser Zustand, in dem Robert sich nur noch wie eine Maschine bewegte, dauerte wochenlang, bis eines Tages der Mensch in ihm die Kraft fand, sich dem Schmerze zu stellen. Seiner Hand entfiel die Photographie des Söhnchens – in Infanterieuniform, mit präsentiertem Gewehrchen –, und Robert sauste, von einem Dampfhammerschlag getroffen, hinunter in den Abgrund, das Herz bloßgelegt dem Schmerze und der Liebe. Robert schrie. Nur einmal. Und ganz kurz.

Von etwas Unnennbarem berührt, wich er der Erlösung, die im Schmerze liegt, aus.

Und als seine Frau ihn trösten wollte mit den Worten, die sie von dem unter dem gleichen Leide stehenden Kolonialwarenhändler, Bäcker, von der Nachbarin übernommen hatte: jetzt müsse man sich halt damit abfinden, schrak sie zurück vor Roberts gefährlich blickenden Augen und schwieg fernerhin.

Auch Robert schwieg, tat die Arbeit, die man ihm zuwies. Und
da man ihn, der wiederholt Gäste fortlaufen ließ, ohne daß sie
bezahlt hatten, nur noch als Wasserträger im Hotelcafé verwen-
den wollte, erklärte er sich auch hierzu bereit.

Robert wußte, daß etwas geschehen werde. Deshalb ertrug er
weiter diese gefährliche Ruhe. Denn wie konnte es möglich
sein, daß nichts geschah durch ihn, der nichts mehr verlieren
konnte, da er alles schon verloren hatte? Der von einer dünnen
Kellnerhaut überzogen war, unter welcher der Mensch schrie,
entsetzlich lautlos der Schmerz, die Liebe schrien? Durch den geringsten Anlaß konnte die Haut zerspringen. Dann stieg der
Schrei.

Die Kindergewehrchen und Säbelchen hatte er, sich aus den
Augen, hinüber ins Hotel getragen und hinter das Klavier gesteckt. Denn wenn er dieses Spielzeug nur anblickte, brannte
ihn die Schuld. Aber wenn er einen mit dem Kriegsorden ver-
zierten Leutnant bediente, zitterten seine Hände nicht.

Und als eines Tages ein patriotischer Jugendverein – halbwüch-
sige Jungen unter Gewehr – die Straße herauf und am Hotel
vorbei das Lied trug: »Kann dir die Hand nicht geben, dieweil
ich eben lad'...«, fraß sich das Schuldbewußtsein glühend in
Robert hinein. Denn auch er hatte seinen Sohn solche Lieder
gelehrt und lehren lassen und voll Vaterstolz ihm zugehört.

In wilder Spannung stand er unterm Hotelportal und fühlte,
daß sein Sprung auf die vorbeimarschierenden, schlecht berate-
nen Jünglinge ein Sprung in die Luft sein würde. Denn hinter
den Jünglingen und hinter dem Kampfliede stand etwas, das
nicht zu greifen war: ein unsichtbarer, unkörperlicher Gegner.
Gott hielt ihn zurück von dem Sprunge. Gott hob ihn auf für
die Minute, da der Feind greifbar werden würde, fühlte Robert.

Und eines Tages hatte er den Feind, der im Menschen selbst
und nicht außer ihm ist, so scharf erkannt, daß seine Augen die
eines schuldbewußten Mörders wurden. Da geschah es, daß
Tränen wilden Zornes ihm hinter die Augen traten, wenn er
ein Mädchen sah, das ihren Bräutigam, eine Frau, die ihren
Mann, ein Elternpaar, das seinen Sohn verloren hatte und doch
lächeln und wie immer das Glas Bier bestellen konnte.

Eine Mutter, der ihre Stütze fürs Alter, ihre Hoffnung, der Zen-
tralpunkt all ihrer Liebe – ihr einziger Sohn zerstampft worden

war auf dem Felde der Ehre und die zu Robert sagte, ›jetzt muß man sich halt damit abfinden‹, griff er wild an den Hals.

Gott strich über des Kellners Hände und legte dessen plötzlich von Liebe durchbebten Finger der Mutter sanft auf die Schulter. Denn nicht die Frau war schuld, nicht sie war der Feind und nicht ihre Worte, sondern das, was hinter den Worten stand. Und das war etwas, das nicht da war. Es war das Nichtvorhandensein der Liebe.

Das mörderische Schuldbewußtsein brannte die kleine Vaterliebe weg, so daß das Urgefühl der großen Liebe aufstehen konnte in ihm.

In tiefster Demut, in deren Mittelpunkt die unversiegbare Kraft der Liebe stand, verrichtete er die Arbeit des Pikkolos, trug den Gästen Wasser zu, spülte Gläser aus, ging, als die Glocke ihn rief, in den großen Hotelsaal.

Schlosser, Maurer, Schreiner, Spengler, Tapezierer, Glaser – zerarbeitete Männer, die haarigen, abschreckend häßlichen Tieren mit Menschenaugen glichen – füllten den großen Hotelsaal: die Bauarbeitervereinigung hielt ihre Jahresversammlung ab.

Robert brachte dem Redner, der auf dem Podium stand, eine Flasche voll Wasser und hörte, ans Klavier gelehnt, hinter dem die Säbelchen und Schießgewehrchen steckten, dem Redner zu. Der erklärte, daß Unterstützungsgelder an arbeitslose und kranke Mitglieder dieses Jahr nicht ausbezahlt werden könnten. Denn es seien so gut wie keine Beiträge eingelaufen. Zudem habe man den Mitgliedern, die im Felde standen – und die gingen allen andern vor – fortlaufend Unterstützungsgelder geschickt. »Die Reserven sind aufgebraucht. Die Kasse ist leer.«

Siebenhundert Augenpaare von siebenhundert dumpf schweigenden Menschen blickten ratlos auf den Redner. Die Frauen, deren Küchentöpfe leer waren, und die Frauen, deren Männer im Felde standen oder schon gefallen waren, hatten rotgefleckte Wangen bekommen. Die Eisenplatte, die seit zwei Jahren über ganz Europa lag, lag sichtbar auch über diesen siebenhundert in Leid und Not verkrampften Lasttieren.

Ein kleiner Junge hatte das Kinderschießgewehr hinterm Klavier, das auf dem Podium stand, hervorgezogen und zielte, den Schaft an der grauen Backe, hinunter auf die siebenhundert reglosen Männer und Frauen. Alle blickten auf das Loch des Rohrlaufes aus Weißblech.

Und draußen standen, den Gewehrschaft an der Backe, in
Schuld und Sünde Millionen Menschen gegenüber Millionen
Menschen, die in Schuld und Sünde standen.

Da tat Robert den Sprung. Es war ein ganz langsamer Sprung.
Er ging traumwandlerisch sicher auf den Jungen zu, nahm ihm
das Spielzeug von der Backe weg und trat vor, bis an den Rand
des Podiums.

Und während der Redner Wasser trank und seine Abrechnungslisten zurechtlegte, sagte Robert:

»Das hier ist ein Schießgewehr. Das habe ich ... ich selbst habe
das meinem Jungen gekauft. Damit hat er gespielt. Damit hat er
sich unmerklich die Liebe aus seinem Herzen hinausgespielt.
Damit hat er schießen gelernt. Ich habe ihn das Schießen, habe
ihn das Morden gelehrt. Mein Sohn ist gefallen. Er ist tot. Ich
bin sein Mörder ... Vaterstolz, Ruhmsucht, Gedankenlosigkeit
und Gewohnheit haben mich zum Mörder werden lassen. Und
doch habe ich nur getan, was auch ihr getan habt. Auch von
euch hat mancher seinen Sohn ... verloren.«

Robert hieb das Gewehrchen gegen die Knie und legte die zwei
Stücke ruhig zu seinen Füßen nieder. »Das hätte ich vor fünfzehn Jahren tun müssen ... Habt ihr es getan? ... Also seid auch
ihr Mörder.

Unsere Männer und unsere Söhne erschießen Männer und
Söhne. Und jene Männer und Söhne erschießen unsere Männer und Söhne. Und jeder Daheimgebliebene hofft: mein
Mann, mein Sohn kommt zurück; mögen die anderen fallen
und sterben.

Solches kann nur ein Wahnsinniger wünschen ... Ich frage
euch: ist der kein Mörder, der ein unschuldiges Kind so erzieht,
daß es erst zum Mörder werden muß, bevor er selbst ermordet
wird? Wird der so erzogene Unschuldige, wenn er einen gleichfalls schlechtberatenen Unschuldigen erschießt, nicht zum Mörder? Es gibt heute in Europa keinen Menschen mehr, der nicht
ein Mörder wäre! ... Wir sind verblendet und Mörder, weil wir
den Gegner außer uns suchten und zu finden glaubten. Nicht
der Engländer, Franzose, Russe und für diese nicht der Deutsche, sondern in uns selbst ist der Feind. Und wir sehen deshalb
in anderen Menschen den Feind, weil der tatsächliche Feind etwas ist, das nicht da ist. Das Nichtvorhandensein der Liebe ist
der Feind und die Ursache aller Kriege. Ganz Europa weint,

weil ganz Europa nicht mehr lieben kann. Ganz Europa ist wahnsinnig, weil es nicht lieben kann.

Oder ist es nicht Wahnsinn, wenn ihr euch freut über die Notiz: zweitausend französische Leichen lagen vor unserer Linie? Ist die Einwohnerschaft von Paris nicht wahnsinnig, wenn sie sich freut über die Notiz: zweitausend deutsche Leichen lagen vor unserer Linie?

Wir schreien vor Schmerz oder die Augen bleiben trocken vor Schmerz, wenn unser Sohn fällt. Solange wir nicht ebenso vor Schmerz schreien, wenn ein Franzose fällt, lieben wir nicht. Solange wir nicht fühlen: ein Mensch, der uns nichts getan hat, fiel und starb, so lange sind wir Wahnsinnige. Denn dieser Mensch, der fiel und starb, hatte eine Mutter, einen Vater, eine Frau, die vor Schmerz schreien. War ein Mensch. Wollte so gerne leben. Und mußte sterben. Wofür? Warum? Wir, seine Mörder, ließen ihn sterben, weil wir nicht lieben.«

Robert machte während des Sprechens ganz kleine Bewegungen mit der Hand, daß die weiße Serviette baumelte. Es war so schwer, auch den anderen mitzuteilen, was man selbst fühlte und erkannt hatte. Und dabei war das Ganze doch so einfach, so selbstverständlich. Aber die Menschen hatten sich von der Selbstverständlichkeit weggestellt. Sie hatten die Liebe einfach vergessen, wie man seinen Schirm stehen läßt.

»Man braucht ja nur zu lieben, dann fällt kein Schuß mehr. Dann ist der Friede da. Kinder sind wir dann auf unserer Erde... Der ganze Erdteil weint. Daran merkt man doch, daß der Erdteil fähig ist zur Liebe. Ganz hoffnungslos wäre erst dann alles, wenn Europa lachen würde, weil ganz Europa blutet. Aber es gibt kein Haus in Europa, in dem nicht die Tränen fließen. Das ist die Liebe, die aus den Menschenaugen heraus weint, weil sie vertrieben worden ist aus den Herzen der Menschen.

Was tut ihr, wenn jetzt im Augenblick ein euch fremder Mensch in diesen Saal hereintritt und einem von euch, den er nie gesehen hat, das Bajonett in den Leib stößt? Ihr würdet den Wahnsinnigen nicht begreifen. Genau dasselbe tun eure Männer und Söhne; auch sie stoßen Männern und Söhnen, die sie nie gesehen haben, das Bajonett in den Leib, daß der Durchstoßene aufschreit, sich krümmt und fällt. Was hat er eurem Sohne getan? Und was hat euer Sohn dem getan, der ihm das Bajonett in den Leib stieß? ... Habt ihr euch schon einmal vorgestellt, auf

welche Weise euer junger Sohn, der so gerne, ach so gerne noch
hätte leben mögen, sterben mußte? ... Mädchen, vergegenwär-
tige dir den letzten Blick deines Bräutigams, der verwundet,
dürstend, sechs Stunden lang in der Sommerhitze im Stachel-
draht hing. Stelle dir seinen letzten, furchtbar langen Blick vor.

»Frau«, sagte Robert zu einer Erbleichenden, leise, daß es alle
Siebenhundert hörten, »was hat dein Mann, den du liebtest,
der dir Brot und Kinder gab, dem getan, der ihm das Bajonett
in den Leib stieß?«

Die Frau wimmerte, ihr Kopf sank dem neben ihr Sitzenden
auf die Schulter.

»Die Menschen sind wahnsinnig, wirklich und wahrhaftig
wahnsinnig, weil sie die Liebe vergessen haben. Und weil sie
die Liebe vergessen haben, glauben sie, es müsse alles so sein,
wie es ist... Unser Volk, wie wir es sehen, besteht nur noch aus
Krüppeln und elend aussehenden Kindern, Frauen und Greisen. Wenn man jetzt noch die Arme und Beine, die losgetrenn-
ten Körperteile, die Millionen zerrissener Leichen, unter denen
auch eure Söhne und Männer sind, von den Schlachtfeldern
holen und auf eure Straßen werfen würde, euch vor die Augen,
würdet ihr auch dann noch sagen: man muß sich halt damit
abfinden? Oder würdet ihr endlich bereit sein zum Lieben, was
auch dabei herauskomme? Würdet ihr dann endlich sagen: ich
will nicht leben, wenn ich nicht lieben darf? Würdet ihr einsehen, daß diejenigen, die euch das Lieben verbieten, Feinde
sind? Feinde des Menschen! Volksfeinde! Seht ihr nicht die
Berge zerrissener Menschenleiber? Sie liegen vor euren Augen,
liegen auf euren Straßen, daß kein Wagen mehr fahren kann
und ihr keinen Schritt mehr machen könnt. Eure Söhne! Eure
Söhne! Eure Männer! Väter! Blutig! Zerrissen! Unkenntlich!«

Ein Schrei stieg aus der Saalmitte empor. Hinten, beim Saal-
eingang, erklang ein tierisches Stöhnen. Einem alten Manne
fiel die Stirn in die Hand. Ein Mädchen verließ die Stuhlreihen;
sie hatte große Augen bekommen und stürzte in die Knie.

»Wir dürfen uns nicht länger belügen und sagen: nur der Zar,
der Kaiser, der Engländer ist schuld.« Robert legte langsam die
Hand mit der Serviette an die Brust: »Ich bin schuld. Und du
bist schuld. Und du und du... Denn auch wir hatten, ebenso
wie der Zar, der Engländer, der Kaiser, der Millionär und der
Milliardär, die Liebe vergessen. Nehmt die Schuld auf euch,

damit ihr der Liebe wieder teilhaft werden könnt. Denn nur wer hier sich schuldig fühlt, kann entsündigt werden und wieder lieben.

Und jetzt wisset: die Liebe trägt in sich ein hartes Gebot. Die Liebe sagt: wer nicht liebt, ist schuldig und böse und soll weichen, damit der Liebe auf Erden keine Schranken mehr gesetzt werden können. Wir wollen fallen und sterben dafür, daß der Liebe die Regierung Europas übergeben werde.«

Die Menschengesichter unten im Saale waren aufgelöst.

Weitersprechend stieg Robert vom Podium herunter. Alle waren aufgestanden, drängten ihm nach.

»Das Gebot der Liebe ist: wer sich nicht schuldig fühlt, die Schuld auf sich nimmt, liebt nicht, ist unser Feind und muß weichen. Das ist Gesetz. Neues Gesetz! Ihr, die ihr nichts mehr verlieren könnt, da ihr alles schon verloren habt...«

Roberts Worte gingen unter in den hundertstimmig wiederholten Worten: »Alles verloren! Wir haben nichts mehr zu verlieren! Wir, die wir nichts mehr zu verlieren haben... Nichts! Nichts!«

Die Nachricht hatte sich schon verbreitet, als sie durch die Straßen zogen. Voran der Kellner, ohne Hut, im schmierigen Smoking, die Serviette in der Hand. »Die wollen Frieden machen. Die wollen Frieden machen.«

Verkäuferinnen – verwaiste Bräute – verließen den Ladentisch und schlossen sich an. Zwei Schaufensterreiniger, alte Männer, ließen die Leiter stehen und schlossen sich an. Der Wagenführer der Elektrischen hörte das Wort »Friede«, erstarrte und sprang vom Wagen herunter, schloß sich an. Die Fahrgäste schlossen sich an. In wenigen Minuten hatte sich die Menge verdreifacht. Und verzehnfachte sich, als Robert, auf dem Platze angelangt, auf der Brunnenschale stand und sprach. Sein Mund zeichnete den letzten Satz in weithin sichtbaren Buchstaben an den Himmel: »Es ist schon die Axt an die Wurzel gelegt. Darum, welcher Baum nicht gute Frucht bringt, wird abgehauen und ins Feuer geworfen.«

Eine junge Frau stand da und tat nichts als lächeln und »Friede« sagen. Reisende, die vom Bahnhof kamen, vergaßen alles und schlossen sich an, als die Menge weiterzog. Flammend. Schnell. Entzündet vom Glauben. Eine Schar Urlauber, feldmarsch-mäßig ausgerüstet, das Gewehr quer über dem Rücken und das

Grauen des Schlachtfeldes in den Augen, schloß sich an. Alte Mütterchen kamen kaum mit. Kinder bekamen schmale Gesichter vor Staunen und ahnten das Große. Ein alter Polizeiwachtmeister mit grauem Spitzbart, das Trauerband am rechten Arme, bekam fanatische Augen und schloß sich an. Menschen, die dem Zuge entgegenkamen, machten kehrt, vom Feuer ergriffen. Radfahrer sausten durch die Straßen. »Die wollen Frieden machen!« Die Wirtshäuser entleerten sich. Werkstätten, Baustellen entleerten sich. Transmissionen standen still. Eine Abteilung Soldaten unter Gewehr wurde mitgerissen. Gesänge der Liebe ertönten im Marschtempo. Kranke stiegen aus den Betten, schleppten sich ans Fenster. Kilometerlange Linien von Frauen, schräg bewegt, trieben aufeinander zu, stießen zum Zuge.

Ein Zwanzigjähriger – Fanatismus und Geist auf der Stirn – sprang aus einer menschengefüllten Seitengasse heraus, auf den Kellner zu, küßte ihn. Und sein heißer Blick öffnete die Herzen.

Die ganze Stadt war aufgestanden und schrie ein Wort. Friede! Das so gesprochene Wort wurde zu vieltausendstimmigem, gewaltigem Gesange. Alle Kirchenglocken läuteten.

HERMANN BROCH

Methodisch konstruiert

Jedes Kunstwerk muß exemplifizierenden Gehalt besitzen, muß in seiner Einmaligkeit die Einheit und Universalität des Gesamtgeschehens aufweisen: so gilt es in der Musik, in ihr vor allem, und so müßte, ihr gleichend, auch ein erzählendes Kunstwerk in bewußter Konstruktion und Kontrapunktik aufgebaut werden können.

Annehmend, daß Begriffe mittlerer Allgemeinheit eine allseitige Fruchtbarkeit zeitigen, sei der Held im Mittelstand einer mittelgroßen Provinzstadt, also etwa einer der ehemaligen deutschen Kleinresidenzen – Zeit 1913 – lokalisiert, sagen wir in der Person eines Gymnasialsupplenten. Es kann ferner vorausgesetzt werden, daß derselbe, unterrichte er Mathematik und Physik, kraft einer kleinen Begabung für exakte Betätigungen an diesen Beruf geraten war, und daß er sohin mit schöner Hingabe, roten Ohren und einem netten Glücksgefühl im klopfenden Herzen seinem Studium obgelegen haben dürfte, freilich ohne die höheren Aufgaben und Prinzipien der gewählten Wissenschaft zu bedenken oder anzustreben, vielmehr überzeugt, mit der Ablegung der Lehramtsprüfung nicht nur eine bürgerliche, sondern auch eine geistige Höchstgrenze in seinem Fach erreicht zu haben. Denn ein aus Mittelmäßigkeit konstruierter Charakter macht sich über die Fiktivität der Dinge und Erkenntnisse wenig Gedanken, ja, sie erscheinen ihm bloß schrullenhaft, er kennt bloß Operationsprobleme, Probleme der Einteilung und der Kombination, niemals solche der Existenz, und gleichgültig, ob es sich hierbei um Formen des Lebens oder um Formeln der Algebra handelt, ist er immer nur darauf erpicht, daß es »genau ausgehe«; die Mathematik besteht ihm aus »Aufgaben«, die er oder seine Schüler zu lösen haben, und ebensolche Aufgaben sind ihm die Fragen des Stundenplans oder die seiner Geldsorgen: sogar die sogenannte Lebensfreude ist ihm Aufgabe und eine teils vom Herkommen, teils von den Kollegen vorgezeichnete Gegebenheit. Völlig determiniert von den Dingen einer ebenen Außenwelt, in der kleinbürgerlicher Hausrat und Maxwellsche Theorie einträchtig und paritätisch durcheinanderstehen, arbeitet ein solcher Mensch im Laboratorium, arbeitet in der Schule, gibt Nachhilfestunden, fährt mit der Straßenbahn, trinkt abends manchmal Bier, besucht nachher das öffentliche Haus, hat Wege zum Spezialarzt, sitzt in den Ferien an Mutters Tisch; schwarzgeränderte Nägel zieren seine Hände, rötlichblonde Haare seinen Kopf, von Ekel weiß er wenig, doch Linoleum dünkt ihm ein günstiger Bodenbelag.

Kann ein solches Minimum an Persönlichkeit, kann ein solches Non-Ich zum Gegenstand menschlichen Interesses gemacht werden? Könnte man nicht ebensowohl die Geschichte irgendeines toten Dinges – beispielsweise einer Schaufel – entwickeln? Was kann nach dem großen Ereignis eines solchen Lebens, nämlich der abgelegten Lehramtsprüfung, noch Wesentliches geschehen? Welche Gedanken können im Kopfe des Helden – Namen tun nichts zur Sache, er heiße also Zacharias – noch entstehen, jetzt, da nun auch die kleine Denkbegabung zur Mathematik langsam zu erstarren beginnt? Was denkt er jetzt? Was dachte er? Reichte es je über die mathematischen Prü-

fungsaufgaben hinaus und bis in menschliche Bereiche? Nun
wohl: zur Zeit der bestandenen Examina verdichtete sich dieses
Denken immerhin zu gewissen Zukunftshoffnungen; da sah er
sich zum Beispiel im eigenen Heim, sah, wenn auch ein wenig
schwankend, das künftige Speisezimmer, aus dessen abendli-
chem Dunkel die Konturen eines schön geschnitzten Anrichte-
schrankes und der grünliche Schimmer des wohlgemusterten
Linoleumfußbodens deutlicher sich abhoben, und es ließ sich
im futurum exactum dieser Formungen ahnen, daß zu jener
Wohnung eine Hausfrau erheiratet worden sein würde, was jedoch alles, wie gesagt, schemenhaft blieb. Das Vorhandensein
einer Frau war ihm, im Grunde genommen, eine unvorstellbare
Angelegenheit; wenn ihm auch beim Bilde der zukünftigen
Hausfrau gewisse erotische Schwaden durchs Gehirn zogen und
etwas in ihm meckerte, daß er deren Unterkleidung mit allen
Fleckchen und Löchern so genau kennen werde wie seine eigene, wenn ihm also jenes Weib einmal als Mieder, einmal als
Strumpfband angedeutet wurde – eine Illustrationsaufgabe für
den damals sich entfaltenden Expressionismus –, so war es ihm
andererseits undenkbar, daß ein konkretes Mädchen oder Weib,
mit dem man normale Dinge in normaler Syntax besprechen
könnte, irgend eine sexuelle Sphäre hätte. Frauen, die sich mit
derlei beschäftigten, standen völlig abseits, keinesfalls niedriger
als jene, aber in einer völlig andern Welt, in einer, die mit der,
in der man lebte, sprach und aß, nichts gemein hatte: sie waren
einfach anders, sie waren Lebewesen fremdester Konstitution,
die für ihn eine stumme oder zumindest unbekannteste und ir-
rationale Sprache redeten. Denn, wenn man zu diesen Frauen
gelangte, so vollzug sich das Restliche mit sehr zielbewußter
Fixheit, und niemals wäre es ihnen beigefallen, sich etwa über
Staubtücher – wie seine Mutter – oder über diophantische
Gleichungen – wie die Kolleginnen – zu unterhalten. Es erschien ihm daher unerklärlich, daß es je einen Übergang geben
könne von diesen rein objektiven Themen zu den subjektiveren
der Erotik; es war ihm dies ein Hiatus, dessen Entweder-Oder
(ein Urquell allen Sexualmoralismus) überall auftritt, wo erotische Unsicherheit herrscht und demgemäß auch als der Anlaß
zur künstlerischen Libertinage der Epoche genommen werden
darf, nicht zuletzt als der zu dem spezifischen Hetärismus, in
dem ein großer Teil ihrer Literatur exzellierte.

In der sonst so ungebrochenen Weltgegebenheit des Zacharias klaffte hier ein Riß, der also unter Umständen den sonstigen Automatismus seines Handelns in eine Art menschliche Entscheidungspflicht verwandeln könnte.

Vorderhand geschah natürlich nichts dergleichen. Bald nach dem Examen erhielt Zacharias eine Supplentenstelle zwecks pädagogischer Wirksamkeit zugewiesen, und er begann das nunmehr abgeschlossene, säuberlich abgeschnürte und handliche Paket seines Wissens in kleine Paketchen zu zerlegen, die er an die Schüler weitergab, auf daß er sie von diesen in Gestalt von Prüfungsergebnissen zurückverlangen könne. Wußte der Schüler nichts zu antworten, so bildete sich in Zacharias die, wenn auch nicht klare, Meinung, jener wolle ihm sein Leihgut vorenthalten, schalt ihn als verstockt und fühlte sich benachteiligt. Auf diese Weise wurde ihm jedes Klassenzimmer, in dem er unterrichtete, zum Aufbewahrungsort für ein Stück seines Ichs, gleichwie der Schrank in seiner kleinen Mietskammer, der seine Kleider beherbergte, denn auch diese Kleider hatten als Teile selbigen Ichs zu gelten. Fand er in der Tertia seine Wahrscheinlichkeitsrechnung vor, zu Hause im Waschtisch seine Schuhe, so fühlte er sich unzweideutig der Umwelt gegeben und verknüpft.

Da aber solches Leben nun schon einige Jahre währte, war es an der Zeit, daß die bereits angedeutete erotische Erschütterung eintrat. Und es wäre eine gezwungene und unnatürliche Konstruktion, wenn sich dem Zacharias ein anderes als ein ganz naheliegendes Komplement, nämlich seiner Hauswirtin Töchterlein – Philippine sei sie genannt – beigesellt hätte.

Es entsprach der Weibauffassung des Zacharias, jahrelang ohne irgend einen Wunschgedanken neben einem Mädchen einherleben zu können, und wenn dieses Negativum den Wünschen des Mädchens vielleicht auch nicht entsprochen hätte, er wäre sicherlich nicht der Mensch gewesen, bürgerlich-mädchenhaftes Seufzen zu verstehen. Sohin kann ohne weiteres angenommen werden, daß Philippinens Phantasie, wie immer sie sich auch mit dem Zacharias befaßt hätte oder nicht, nunmehr auf auswärtige Objekte gerichtet war, und man wird nicht fehlgehen, ihr romantischen Charakter zuzusprechen. Es ist zum Beispiel in kleineren Städten üblich, täglich den Bahnhof zu besuchen, um die durchfahrenden Schnellzüge anzustaunen, eine Sitte,

der Philippine gerne folgte. Wie leicht ist es da möglich, daß
ein junger Herr, am Fenster des abrollenden Zuges stehend,
dem nicht unhübschen Ding zugerufen hätte: »Komm doch
mit!« eine Begebenheit, die Philippinen fürs erste in einen
blöde lächelnden Pfahl verwandelt hätte, und zwar in einen
Pfahl, der nur mit schweren Füßen nach Hause gelangte, der
aber auch eine neue Art von Träumen heimbrachte: nacht-
nächtlich muß sie fortan mit müden, ach, so müden Beinen ent-
eilenden Zügen nachlaufen, die, auf Griffweite erreichbar, in
ein Nichts versinken und nichts hinter sich lassen als ein er-
schreckendes Erwachen. Doch auch tagsüber, wenn man von der
Näherei aufblickt und eine Zeitlang den aufreizend unvoll-
kommenen Zickzackflug der Fliegen um die Stubenlampe verfolgt hat, da entsteht immer wieder jene Bahnhofsszene, schärfer und reicher als im Traum, reicher auch als die entschwun-
dene Wirklichkeit, und Philippinen wird es zauberisch klar, wie
sie auf den abfahrenden Zug noch hätte aufspringen können,
sie sieht ihre große Lebensgefahr, sie sieht, nein, sie spürt die
rührende Verletzung, die bei diesem kühnen Sprunge unver-
meidlich gewesen wäre, und sie sieht sich sodann gebettet auf
den weichen Polstern der I. Klasse, handgehalten von ihm und
in die dunkle Nacht hinausfahrend; das sieht Philippine, und
sie läßt den Schaffner, der Buße für die fehlende Fahrkarte samt
reichlichem Trinkgeld erhalten hat, in Unterwürfigkeit verschwinden, so daß nur noch zu wählen ist, ob im entscheidenden Augenblick die Notbremse ihrer Ehre erreichbar sein wird
oder nicht, denn beides ist atembeklemmend.
In solcher Sphäre lebend, hatte sie kaum mehr Augen für den
Zacharias, nicht etwa seiner graugestrickten Socken wegen, die
sie ausbesserte – auch den Schnellzugsgeliebten würde sie nicht
anders als grausockig präzisiert haben –, wohl aber wegen der
IV. Klasse, in der Zacharias seine Sonntagsausflüge mit Rucksack und Gamsbart besorgte; sie bemerkte kaum mehr seine
Anwesenheit, und selbst der Hinweis auf seine Pensionsfähig-
keit hätte nicht vermocht, ihr Blut rascher fließen zu lassen.
Wahrlich, nur raumzeitliche Zufälligkeit ermöglichte es, daß
diese beiden Menschen aneinander gerieten; in grobmaterialer
Dunkelheit und aus wirklichem Zufall begegneten sich ihre
Hände, und das Begehren, das da jäh zwischen Männer- und
Frauenhand emporflammte, es tat's zu ihrem eigensten Erstau-

nen. Philippine sprach die reinste Wahrheit, als sie, an seinem
Hals hängend, wiederholte: »Ich wußte ja nicht, daß ich dich
so liebhabe«, denn das hatte sie tatsächlich vorher nicht gewußt.

Zacharias fühlte sich durch den neuen Sachverhalt einigermaßen beunruhigt. Er hatte nun den Mund stets voller Küsse, und
stets sah er die Türwinkel ihrer Umarmungen, die Bodenstiege
ihrer raschen Zusammenkünfte vor sich. Schläfrige Pausen erlebte er am Katheder, er kam mit dem Lehrstoff nur ruckweise
vorwärts, hörte den Prüflingen nur zerstreut zu und schrieb
indessen »Philippine« oder »Ich habe dich lieb« aufs Löschblatt, dies jedoch niemals in normaler Buchstabenfolge, sondern er verteilte, damit des Herzens Geheimnis sich nicht ver-
rate, die Buchstaben nach willkürlich erklügeltem Schlüssel über
das ganze Löschblatt, wobei die nachträgliche Wiederzusam-
mensetzung der magischen Worte ein zweites Vergnügen an
ihnen ergab.

Die Philippine, der er dabei über alle Maßen gedachte, war
freilich nur die ihrer flüchtigen Geschlechtsbereitschaft: hinter
den Türen Geliebte, hingegen in der Öffentlichkeit normale
Gesprächspartnerin, mit der man vom Essen und der Häuslich-
keit redete, war ihm das Mädchen doppeltes Lebewesen geworden, und während er des einen Namen sehnend aufs Lösch-
papier malte, war ihm das andere gleichgültig wie ein Möbel-
stück. Kann ein solches Verhalten von irgendeiner Frau unbemerkt hingenommen werden? Nein: selbst wenn sie ihrerseits
ähnlich veranlagt wäre, wäre es unmöglich. Auch Philippine
konnte es nicht; sie mußte es bemerken. Und so geschah es, daß
sie eines Tages ihre frauliche Erkenntnis in die glücklich gefun-
denen, glücklich gewählten Worte »Du liebst nur meinen Körper« zusammenfaßte: zwar hätte sie nicht zu sagen vermocht,
was sonst Liebenswertes an ihr zu finden gewesen wäre, und
wahrscheinlich hätte sie sich sogar wohl jede andere Art von
Liebe verwundert verbeten, aber das war weder ihr noch ihm
bekannt, und sie empfanden die aufgeworfene Tatsache als
Kränkung.

Zacharias nahm sichs zu Herzen. Hatte ihr Liebesspiel bishin
erst nachmittags begonnen, wenn er aus der Schule heimkehrte
und die Mutter ausgegangen war, während stiller Übereinkunft
gemäß der Morgenstunden relative Ungewaschenheit von die-

ser ästhetischeren amourösen Tätigkeit ausgeschlossen geblieben war, so bemühte er sich nunmehr, die Universalität seines Liebens durch dessen Ausdehnung auf sämtliche Tagesstunden zu beweisen. Den ihm knapp vor dem Schulgang gebrachten Kaffee rasch schlürfend, verabsäumte er nun nie, ihr einige innige und leidenschaftliche Worte zuzuraunen, und die Zusammenkünfte auf der Dachbodenstiege, früher bloß ein eilendes und ununterbrochenes Finden von Mund zu Mund, wurden nun vielfach zu einem sinnigen stummen Aneinanderpressen und Handverschränken verwendet. Waren sie aber abends allein zu Hause – die häufige Abwesenheit der Mutter wäre immerhin mit Hinblick auf seine Pensionsfähigkeit zu erklären –, so wurde diese Zeit nun oftmals nicht mehr in tollen Umarmungen vertan, sondern Philippine nötigte ihn, beim Korrigieren seiner Hefte zu bleiben, einer Arbeit, die er unter der Petroleumlampe am Speisezimmertisch ausführte; da ging sie auf Zehenspitzen, räumte beim schöngeschnitzten Anrichteschrank und kam nur selten zu ihm hin, seinen blonden, unter die Lampe gebeugten Scheitel ungeachtet etlicher Haarschuppen zu küssen oder mit manchmal auf seiner Schulter, manchmal auf seinem Schenkel ruhender Hand still und traulich neben ihm zu sitzen.

Allein: diese geistigeren Gefilde, in denen ihre Liebe jetzt streckenweise wandelte, sie vermochten nicht das Unbehagen zu bannen, das unweigerlich mit jeder unlösbaren Aufgabe verbunden ist. Es war sogar mehr Unbehagen, denn Zacharias war nahe daran, an seiner steten Aufgabe zur Gefühlssteigerung glattweg zu verzweifeln: war jenes »Ich-hab-dich-lieb« beim ersten Kuß zwar erstaunlich, aber immerhin einfach ins Wort getreten, so fühlte er sich jetzt unfähig, es mit einem unaufhörlich anzusteigernden Pathos zu erfüllen, dessen Arsenal keineswegs einfach zu handhaben war, und wenn er auch dieses »Ich-hab-dich-lieb« und Philippinens Namen nach wie vor auf die Löschblätter malte, so geschah es jetzt doch ohne eigentliche Teilnahme, und er war auch nicht mehr fähig, die Worte aus ihrer kunstreichen Zersplitterung wieder zusammenzusetzen, sondern verfolgte statt dessen mit gereizter Aufmerksamkeit die Schüler, die weniger wußten denn je. Die unablässige Anspannung seiner Gefühle hatte in ihm den Begriff des Seienden verschoben: war dieses Sein früher in seinem kleinen mathematischen Wissen eingebettet gewesen, in dem kleinen Wissen,

das er mit den Schülern tauschte, in den Kleidern, die er nach
bestimmten guten Regeln anlegte, in der pflichtgemäßen Rang-
ordnung, in der er mit Vorgesetzten und Gleichgestellten verkehrte, so hatten diese unzweifelhaft berechtigten Belange nunmehr unliebsamerweise in seinem Ich keinen Platz mehr –, Philippinens Aufgabe, die er eben, voll wie jede andere, voll auf
sich genommen hatte, ging über die Unlösbarkeit sogar hinaus,
sie war eine unendliche Aufgabe, denn mehr als ihren Körper
lieben, hieß nach einem unendlich fernen Punkt streben, und
mögen auch alle Kräfte der armen erdgebundenen Seele dazu
aufgeboten werden, mag diese Seele für solches Ziel auch alles
aufgeben, was ihr die wirkliche Welt bedeutet hatte, also ihr
ganzes aufgebreitetes metaphysisches Werterlebnis, sie wird vor
dem Unerreichbaren verzweifeln und wird sowohl sich selbst
als auch das ganze wunderbare Phänomen ihres bewußten
Seinsbestandes entwerten und negieren müssen.
Alles Unendliche ist einmalig und einzig. Und da des Zacharias Liebe sich bis ins Unendliche projizierte, wollte sie auch
einzig und einmalig sein. Dem aber stand die Bedingtheit ihres
Werdens gegenüber. Nicht nur, daß er zufällig an das Gymnasium dieser Residenzstadt versetzt worden war, nicht nur, daß
er zufällig gerade bei Philippinens Mutter sich als Zimmerherr
eingemietet hatte: es war die wahllose Zufälligkeit des so plötzlich perfektionierten Liebesbeginns, die er nunmehr als Ungeheuerlichkeit empfand, und es war die Erkenntnis, daß das Begehren, das aus ihren Händen seit damals erstaunlich empor-
schoß, sich kaum von jenem unterschied, das er in den Armen
jener Frauen erlebt hatte, die er heute als Huren beschimpfte.
Freilich hätte er sich über diesen Mangel an Einmaligkeit, soweit er sich nur auf seine eigene Person allein bezog, schließlich
hinweggesetzt, aber folgerichtigerweise mußte er ihn auch bei
Philippinen hypostasieren, und da wurde der Gedanke schlechthin überschmerzlich. Denn in seiner Sucht nach Unendlichkeit
kann sich der Mensch vielleicht zu eigenerlebter einmaliger
Universalität emporsteigern, indes zuviel wäre es verlangt, daß
er auch seinen Partner zu gleicher Größe erweitere: hier mußte
die ins Unendliche strebende Kraft des Zacharias versagen, er
konnte Philippinens Liebe nicht als einmalige und unendliche
empfinden; unablässig sah er die Flamme des Begehrens, rich-
tungslos und wahllos, um Philippinens Hände lohen, und ob-

wohl ihrer Treue sicher, litt er an der bloßen Möglichkeit ihrer
Untreue tiefer, als er in jedem materiellen Fall zu leiden vermocht hätte.

So wurde er nicht nur in der Schule unerträglich, sondern auch
dem Mädchen gegenüber. Setzte sie sich, ihrer Gartenlauben-
habitüde folgend, traulich zu ihm, so riß er sie manchmal an
sich, biß ihr die Lippen wund, um sie ein andermal wieder
rüde wegzustoßen; kurz, er äußerte seine Eifersucht in der
rüpelhaftesten Form. Philippine, keiner Schuld sich bewußt,
ertrug die Krise mit Verständnislosigkeit und fand kein Mittel
zur Abhilfe. Wenn sie einstens ihre letzte Gunst, wie sie es nannte, was in Ansehung des von allem Anfang an als selbstverständlich Gewährten eher als eine symbolische Besitzergreifung zu
bezeichnen gewesen wäre, wenn sie diese letzte Gunst auch
lange hinangehalten und sich eigentlich erst gegeben hatte, als
er, um ihr eben zu beweisen, wie seelisch er liebe, keinerlei dies-
bezügliche Wünsche und Gesten mehr äußerte, so lag es auf
dem Wege ihrer gradlinigen Phantasie, daß sie jetzt die Heilung
in der verpönten körperlichen Liebe suchte, ihm eifrig das ent-
gegenbringend, was sie sonst, schelmisch erhobenen Fingers,
ihm so gerne verzögerte. Die Arme, sie wußte nicht, daß sie damit Öl ins Feuer goß. Denn ob auch Zacharias die sogenannte
Gunst nicht verschmähte, so war es nachher um so ärger, denn
um so klarsichtiger erkannte er, daß das ihm Geschenkte ebensowohl und mit gleicher Leidenschaft jedem anderen zuteil
hätte werden können, jedem einzelnen all dieser jungen und
eleganten Männer, die er – der früher nie dergleichen bemerkt
hatte – nun plötzlich durch die frühsommerlichen Straßen sich
bewegen sah.

Er begann herumzuirren. Lächelten sie nicht alle über ihn, über
ihn, den Unendlichkeits-Süchtigen, den Übersich-ausholenden?
Lächelten sie nicht, diese Passanten, die, in Leichtigkeit und im
Meßbaren bleibend, nicht nur Philippinens, nein aller Frauen
Liebe genießen durften?! Lächelten sie nicht über ihn, weil
ihm die Frauen bisher unberührbar erschienen waren, während
sie stets gewußt hatten, daß die allesamt nichts anderes sind
als schlechte Weiber? Sogar die Schüler der oberen Klassen begann er mißtrauisch zu beobachten. Kehrte er dann zu Philippine zurück, so würgte er sie am Halse mit der Motivierung,
niemand, hörst du, niemand könne und werde sie je so lieben

wie er, und die Tränen des entsetzt geschmeichelten Mädchens flossen mit den seinen zusammen, beschließend, daß nur der Tod von solcher Qual erlösen könne.

Philippinens romantischer Sinn, vom Wort des Sterbens gefangen, wandelte· die Vorzüge der verschiedenen Todesarten ab. Die ungestümen Formen ihrer Liebe forderten ein ungestümes Ende. Da jedoch nichts geschah, weder die Erde zu erwünschtem Beben sich öffnete, noch der Hügel vor der Stadt Lava zu speien anfing, vielmehr Zacharias trotz schmerzverzerrter Miene täglich zur Schule wandelte und sie, Philippine, bereits voller blauer Flecke an Hals und Armen war, vermochte sie ihn, ein Ende zu bereiten, daß er einen Revolver erstünde. Er fühlte, und auch wir, die wir es herbeiführen, fühlen es, daß damit die Würfel gefallen sind. Mit trockenem Mund und feuchten Händen betrat er das Waffengeschäft, stotternd das Gewünschte bezeichnend und gleich sich entschuldigend, daß er es zu seiner Verteidigung auf einsamen Wanderungen benötige. Mehrere Tage hielt er seinen Kauf verborgen, und erst als Philippine eines Morgens, den Kaffee bringend, zurückgeworfenen Kopfes ihm zuflüsterte: »Sage mir, daß du mich liebst«, da legte er ihr zum Beweis die Waffe auf den Tisch, schüchtern und gebieterisch und leidend zugleich.

Nun entwickelte sich das Weitere in großer Geschwindigkeit. Schon am nächsten Sonntag trafen sie sich, sie, wie so oft den Besuch bei einer Freundin vorschützend, im gewohnten Nachbarorte, als handle es sich um den üblichen gemeinsamen Spaziergang. Doch ein letztes Mal einander in den Armen zu ruhen, hatten sie einen verschwiegenen Waldplatz mit schöner Fernsicht auf Berg und Tal gewählt, und dem strebten sie nun zu. Allein, der Blick, dessen Weite sie sonst als schön empfanden und bezeichneten, sagte ihnen in ihrer Beklommenheit nichts mehr. Sie durchstreiften bis in die Nachmittagsstunden ziellos den Wald, hungrig, da das Essen nicht zum Sterben paßte, vermieden das Försterhaus, obwohl oder gerade weil man dort Milch, Butter, Schwarzbrot, Honig hätte erstehen können, vermieden das herrschaftliche Alte Jagdhaus, das mit gelbem Gemäuer und grünen Fensterläden freundlich aus dem besonnten Laubwerk zu ihnen herlugte, sie wurden hungriger und hungriger und ruhten endlich, wahllos und erschöpft, zwischen den Büschen. »Es muß sein«, meinte Philippine, und Zacharias zog die Waffe hervor, lud sie behutsam, legte sie vorsichtig neben sich nieder. »Tu's rasch«, befahl sie und schloß in letztem Kuß die Arme um seinen Hals.

Über ihnen rauschten die Bäume, Licht brach in kleinen Flekken durch leichtbewegte Buchenblätter, und weniges sah man vom wolkenlosen Himmel. Der Hand erreichbar lag der Tod, man mußte ihn bloß aufnehmen, jetzt oder in zwei Minuten oder in fünf, man war völlig frei, und der Sommertag ist zur Neige, ehe ihn die Sonne verblaßte. In einer einzigen Handbewegung konnte man die Vielheit der Welt erledigen, und Zacharias empfand, daß sich eine neue und wesentliche Spannung zwischen ihm und jenem Komplex auftat: der Freiheit eines einigen und einfachen Entschlusses gegenüber wurde auch dessen Willensobjekt zur Einheit, es wurde rund, es schloß seine Spalten und schloß sich in sich; handlich in seiner Totalität, wurde es problemlos und ein Wissen der Ganzheit, wartend, daß er es aufnehme oder wegstelle. Eine Struktur absolut ausgehender Ordnung, gelöster Klarheit, höchster Realität ergab sich, und es ward sehr licht in ihm. Fernab rückte die Sichtbarkeit der Welt, und mit ihr versank das Gesicht des Mädchens unter ihm, doch verschwand weder das eine noch das andere zur Gänze, vielmehr fühlte er sich jener Weltlichkeit und dem Weibe intensiver denn je ergeben und verknüpft, erkannte sie weit über jede Lust hinaus. Sterne kreisten über dem Erleben, und durch den Fixsternhimmel hindurch sah er Welten neuer Zentralsonnen im Gesetz seines Wissens kreisen. Sein Wissen war nicht mehr im Denken des Kopfes, erst glaubte er die Erleuchtung im Herzen zu fühlen, aber das Leuchten, sein Ich entweitend, dehnte sich über die Grenzen seines Körpers, floß zu den Sternen und wieder zurück, erglühte in ihm und kühlte ihn mit sehr wundersamer Milde, es öffnete sich und wurde zu unendlichem Kusse, empfangen von den Lippen der Frau, die er als Teil seiner selbst und doch schwebend in maßloser Entfernung erfaßte und erkannte: Ziel des Eros, daß das Absolute sei, das unerreichbare, dennoch zu erreichende Ziel, wenn das Ich seine brückenlose, hoffnungslose Einsamkeit und Idealität durchbricht, wenn es, über sich und seine Erdgebundenheit hinauswachsend, sich abscheidet und, Zeit und Raum hinter sich lassend, im Ewigen die Freiheit an sich erwirbt. Im Unendlichen sich treffend, gleich der Geraden, die zu ewigem Kreise sich schließt, vereinigte sich die Erkenntnis des Zacharias: »Ich bin das All«, mit der des Weibes: »Ich gehe im All auf«, zu einem letzten Lebenssinn. Denn für Philippinen, im Moose ruhend, erhob sich das Antlitz des Mannes zu immer weiteren Himmeln, und es drang dennoch immer tiefer in ihre Seele, verschmolz mit dem Rauschen des Waldes und dem Knistern des Holzes, mit dem Summen der Mücken und dem Pfiff der fernen Lokomotive zu einem rührenden und beseligenden Schmerz jener vollkommenen Geheimnisenthüllung, die im empfangenden und gebärenden Wissen des Lebens ist. Und während sie die Grenzenlosigkeit ihres wachsenden und erkennenden Fühlens entzückte, war ihre letzte Angst, solches nicht festhalten zu können: geschlossenen Auges sah sie das Haupt des Zacharias vor sich, sah es vom Rauschen und von Sternen umgeben, und ihn lächelnd von sich haltend, traf sie sein Herz, dessen Blut sich mit dem ihrer Schläfe vermählte.

Ja, so war dieses Geheimnis denkbar, so war es konstruierbar, so ist es rekonstruierbar, doch es hätte auch anders sein können. Denn es ist der anmaßende Irrtum der Naturalisten, daß sie den Menschen aus Milieu, Stimmung, Psychologie und ähnlichen Ingredienzen eindeutig determinieren zu können vermeinen, vergessend, daß niemals alle Motive zu erfassen sind. Wir haben uns hier mit der materialistischen Beschränktheit nicht auseinanderzusetzen, sondern bloß anzumerken, daß der Weg Philippinens und Zacharias' wohl zu der außerordentlichen Ekstase des Liebestodes hätte führen können, um in ihm den unendlich fernen Punkt eines außerhalb der Leiblichkeit liegenden und doch in ihr eingeschlossenen Zieles der Vereinigung zu finden, daß aber dieser Weg vom Schäbigen ins Ewige für den Durchschnittsmenschen einen Ausnahmefall, ja einen »unnatürlichen« Ausnahmefall darstellt, und daher zumeist vorzeitig oder, wie man da zu sagen pflegt, »rechtzeitig« abgebrochen wird. Gewiß, allein schon die gemeinsame Todesbereitschaft ist ein ethischer Befreiungsakt, und er kann so stark sein, daß er für manche Liebende ein ganzes Leben lang vorhält, ihnen für ein ganzes Leben lang die Stärke einer Wertwirklichkeit verleiht, zu der sie nimmer sonst fähig gewesen wären. Indes das Leben ist lang, und die Ehe macht vergeßlich. Und so ist fürs erste bloß anzunehmen, daß sich in diesem Falle die Dinge zwischen den Gebüschen eben bloß in gewohnt plumper

Ungelenkheit vollzogen hatten, um sodann dem ihnen ange-
messenen natürlichen, freilich nicht unbedingt glücklichen Ende zuzueilen. Spät abends hätten dann Zacharias und Philippine den letzten Zug erreicht, und einem Brautpaar schon gleich
– zur Feier des Tages in einem Wagen I. Klasse – wären sie
Hand in Hand in die Heimat zurückgekehrt. Würden Hand in
Hand vor die ängstlich harrende und erschrockene Mutter hintreten, und pathetischen Gestus des Nachmittags beibehaltend,
kniet der Pensionsfähige auf dem grünlich schimmernden Li-
noleumfußboden nieder, den mütterlichen Segen zu empfangen. Und im Walde draußen ist ein Baum zurückgeblieben, in
dessen Rinde nun, von Zacharias mit scharfem Messer einge-
ritzt, schön herzumrahmt die Initialen Z und P sich verschlin-
gen. Alle Wahrscheinlichkeit spricht dafür, daß es sich so verhalten hat.

Jedes Kunstwerk muß exemplifizierenden Gehalt haben, muß
in seiner Einmaligkeit die Einheit und Universalität des Gesamtgeschehens aufweisen können, aber es sei auch nicht vergessen, daß solche Einmaligkeit noch keineswegs eine strikte
Eindeutigkeit in sich zu schließen braucht: kann ja sogar behauptet werden, daß selbst das musikalische Kunstwerk immer
nur eine, und vielleicht nur zufällige Lösung aus der Fülle der
zu Gebote stehenden Lösungsmöglichkeiten darstellt!

Nachwort

I

Was der Herausgeber einer Anthologie im Sinn hatte, läßt oft schon ihr Titel erkennen. Hier jedoch verhält es sich anders. Denn ähnlich wie die vorangegangenen Sammlungen – *Gesichtete Zeit – Deutsche Geschichten 1918–1933, Notwendige Geschichten 1933–1945* und *Erfundene Wahrheit – Deutsche Geschichten seit 1945* – ist auch dieser Band lediglich als ein Lesebuch für Zeitgenossen gedacht, er will nicht mehr und nicht weniger bieten als: gute Geschichten für Leser und Geschichten für gute Leser.

In Betracht kamen deutsche Prosastücke jeglicher Art – nur sollten sie eindeutig episch sein, aus der Zeit von 1900 bis 1918 stammen und nicht mehr als etwa dreißig Druckseiten umfassen. Vom Ruf und Ruhm der Dichter wollte ich mich nicht beirren lassen. So habe ich einige längst anerkannte Autoren der damaligen Zeit nicht berücksichtigt und andere, die gemeinhin als überlebt gelten oder in Vergessenheit geraten sind, aufgenommen. Literarhistorische Aspekte haben dabei keine Rolle gespielt: Hier sollten ja nicht die Größen der Epoche vorgestellt, sondern einzelne Geschichten präsentiert werden. Die Frage, ob und in welchem Maße sie für die Literatur zwischen 1900 und 1918 charakteristisch sind, ob und in welchem Maße sie Strömungen und Entwicklungen einleiten oder signalisieren, war daher ungleich weniger wichtig als jene nach ihrer Aktualität und Qualität, ihrer Lesbarkeit und Verständlichkeit. Diese Anthologie sollte auf keinen Fall an eine Textesammlung für den Literaturunterricht erinnern oder etwa einem Museum ähneln.

Alle hier vereinten Geschichten können auf verschiedene Weise gelesen und verstanden werden. Aber keine ist, hoffe ich, auf Erläuterungen angewiesen. Wenn hingegen etwas der Erklärung bedarf, dann nur der Titel des Ganzen. Ich habe ihn erst gefunden, als die Auswahl bereits fertig war. Er verweist also weder auf die editorische Absicht noch gar auf ein Programm, doch charakterisiert er, scheint mir, das Ergebnis. *Anbruch der Gegenwart* – warum und inwiefern?

II

Der Romancier des neunzehnten Jahrhunderts habe sich, pflegt man zu sagen, göttliche Attribute zuerkannt. Jedenfalls wollte er ein Weltschöpfer sein. Er fühlte sich verpflichtet, die ganze Szene zu überblicken, und er bildete sich ein, sie tatsächlich auch überblicken zu können. Er maßte sich an, frei über seine Figuren verfügen zu dürfen. Er war sicher, alle ihre Taten und Empfindungen zu kennen, alle ihre Gedanken zu durchschauen. Ob er wie ein Gott waltete oder nicht – gewiß ist, daß er das Dasein für erkennbar hielt. Und das Erkennbare für erzählbar. Diese Überzeugung geht dem modernen Romancier ab.

Balzac, Tolstoj und Fontane verwandelten das Leben in deutliche und übersichtliche epische Landschaften. Proust, Kafka und Joyce, André Gide, Virginia Woolf und Faulkner hielten es hingegen für ihre künstlerische Pflicht, epische Landschaften zu entwerfen, die der Undeutlichkeit und der Unverständlichkeit des Lebens gerecht werden sollten. Die einen bewiesen, daß sich alles darstellen und daher auch deuten läßt. Die anderen zeigten, daß sich vieles nicht darstellen und kaum ahnen läßt. Die einen lösten Gleichungen auf, die anderen demonstrierten, daß die Gleichungen nicht aufgehen.

Dem Erzähler unseres Jahrhunderts mußte somit die souveräne Manier des allwissenden und allgegenwärtigen, des allumfassenden und allmächtigen Autors fragwürdig und verdächtig, wenn nicht gar lächerlich und verlogen erscheinen. In der Omnipräsenz und der Omnipotenz, die seine klassischen Vorgänger für ihre selbstverständlichen Privilegien und Pflichten erachteten, sah er nicht mehr als eine veraltete, etwas rührende Konvention und eine nicht mehr erträgliche Fiktion. Daher verzichtete er freiwillig auf eine Macht, die, wie er meinte, auf einem leichtsinnigen und naiven Trugschluß beruhte: Er schränkte die Perspektive ein – meist auf die Erfahrungen und Erlebnisse eines einzigen Individuums. Er bezog alles auf diese eine Gestalt oder schilderte bloß das, was von ihr wahrgenommen werden könnte. Und er hütete sich, sie das menschliche Dasein begreifen und die Zusammenhänge durchschauen zu lassen. So verbarg sich der Autor hinter dem Rücken seines Helden oder seines Ich-Erzählers, was übrigens in vielen Fällen ein und dasselbe bedeutete.

Eine Erfindung der modernen Literatur ist die Perspektive des vorgeschobenen Berichterstatters natürlich nicht. Schon der Dichter der *Odyssee* hatte sie gekannt. Aber sie erfüllte jetzt eine andere Funktion: Es war das veränderte Verhältnis zum Leben, das die Veränderung des Blickwinkels zur Folge hatte. Er entsprach der Einsicht der Epiker in die Grenzen ihrer Möglichkeiten, er ergab sich aus der Erkenntnis, daß viele Wege der Kunst des neunzehnten Jahrhunderts nicht mehr begehbar waren und daß zu den Zielen nur noch Umwege führen konnten.

Gewiß, immer schon liebte es die Literatur, das Exemplarische mit Hilfe des Extremen sichtbar zu machen und das Zentrale im Exzentrischen zu suchen. Doch nie hatte die Vorliebe für das Indirekte so gute Gründe gehabt, nie war sie so radikal gewesen. Die Schriftsteller wandten sich dem Surrealen zu. Aber um der Realität willen. Sie verfremdeten das Leben. Um es zu vergegenwärtigen. Sie verschwiegen Gefühle. Um Gefühle zu provozieren. Sie erfanden den Anti-Helden und das Understatement. Um dem Heroischen und dem Pathos gerecht zu werden. Sie zeigten das Absurde. Um die Vernunft herauszufordern. Sie ließen den Wahnsinn ausbrechen. Um den Sinn kenntlich zu machen. So wurde die Negation zum entscheidenden Faktor der Kunst, der Literatur.

Diese Negation bezweckt indes nichts anderes als die Verdeutlichung der Phänomene. Die Denaturierung erfolgt um der Natur willen. Erst die Verunstaltung der Wirklichkeit ermöglicht ihre künstlerische Gestaltung. Erst aus der Deformation ergibt sich die neue Form. Die Fratze soll aufschrecken und dadurch das Antlitz beschwören. Mit anderen Worten: Die Entstellung des Menschen in der modernen Kunst dient seiner Darstellung.

III

In seinem Nachruf auf Eduard von Keyserling verglich Thomas Mann die Epik des soeben gestorbenen Schriftstellers – es war im Herbst 1918 – mit der Erzählkunst in der zweiten Hälfte des neunzehnten Jahrhunderts: »Der Blick auf das Leben ist kälter geworden, die Ironie geistiger, das Wort präziser, der Gesamthabitus ungemütlicher, künstlerischer und weltläufiger – man spürt die Europäisierung der deutschen Prosa seit 1900.« Dieser zwar sehr allgemeine und gewiß nicht erschöpfende Hinweis trifft doch einige Kennzeichen der deutschen Prosa zwischen 1900 und 1918: In der Tat war sie, zunächst einmal, kälter und geistiger, präziser und ungemütlicher, künstlerischer und weltläufiger geworden. Und was Thomas Mann damals ihre Europäisierung nannte, erwies sich – heute wissen wir es – zugleich als ihre Revolutionierung.

Revolutionär kann denn auch die Geschichte genannt werden, die unsere Anthologie eröffnet. Nicht darum geht es, daß wir in Schnitzlers *Leutnant Gustl* alles mit den Augen der im Mittelpunkt befindlichen Figur sehen. Aber was sich hier abspielt, ereignet sich nahezu ausschließlich im Bewußtsein eben dieser Figur. *Leutnant Gustl* ist das erste epische Werk der deutschen Literatur, das sich rigoros auf die Ausdrucksmittel des inneren Monologs beschränkt und mit ihnen alle angestrebten Wirkungen erreicht.

Seitdem verliert in der erzählenden deutschen Prosa die äußere Aktion viel an Bedeutung: Die einst in der Epik vorherrschenden Handlungen oder Vorfälle werden von dem verdrängt, was die modernen Schriftsteller am meisten zu interessieren vermag – von den Reizen und Eindrücken, den Reflexen und Affekten, den Regungen und Stimmungen, den Emotionen und Assoziationen. Die Geschehnisse verlagern sich immer häufiger in die Vorstellungswelt der zentralen Gestalten. Es dominiert das Monologische. Nicht nur viele Ich-Erzählungen dieses Bandes (etwa jene von Emil Strauss und Stefan Zweig, von Stramm, Edschmid und Werfel) lassen dies deutlich erkennen, sondern auch Geschichten, deren Autoren zwar in der dritten Person berichten, jedoch die Perspektive – mehr oder weniger konsequent, offen oder getarnt – auf die Sicht des Helden begrenzen. Das gilt für so verschiedene Schriftsteller wie Kafka und Brod, Döblin und Musil, Heym, Sternheim und Benn.

Indes wäre es ein Mißverständnis, wollte man diese Hinwendung zum Monologischen für einen Rückzug der Literatur halten. Was auf den ersten Blick eine Einengung scheint, erweist sich oft als Versuch, in neue, bisher unbekannte Bereiche der Wirklichkeit vorzustoßen. Aber ist die Sprache überhaupt imstande, der Realität beizukommen? Hofmannsthal klagt – in dem berühmten *Brief des Lord Chandos* von 1902 –, es sei ihm unmöglich, »jene Worte in den Mund zu nehmen, deren sich noch alle Menschen ohne Bedenken geläufig zu bedienen pflegen... So wie ich einmal in einem Vergrößerungsglas ein Stück von der Haut meines kleinen Fingers gesehen hatte, das einem Blachfeld mit Furchen und Höhen glich, so ging es mir nun mit den Menschen und ihren Handlungen. Es gelang mir nicht mehr, sie mit dem vereinfachenden Blick der Gewohnheit zu erfassen.«

Artikuliert ist hier der fundamentale Zweifel einer ganzen Generation. Was immer die großen Schriftsteller dieser Epoche voneinander trennen mag, es vereint sie das Mißtrauen gegen die Worte, deren sich die »Menschen ohne Bedenken geläufig zu bedienen pflegen«, und die Furcht vor »dem vereinfachenden Blick der Gewohnheit«. In dieser Situation suchen viele Zuflucht bei kühler Sachlichkeit und strenger Nüchternheit. Die noch erfaßbaren Details und Nuancen gewinnen einen neuen Stellenwert, die konkreten Einzelheiten werden akzentuiert, gerade dem Unscheinbaren und dem Geringfügigen wird eine ungeahnte Bedeutung beigemessen. Wo die direkten Ausdrucksmittel versagen, ist man mehr denn je auf Ironie und Paradoxie angewiesen, auf Andeutung, Verknappung und Understatement. Protokoll, Parabel, Parodie – das sind die Formen, die es den Erzählern jener Jahre am ehesten ermöglichen, ihrer Umwelt beizukommen.

So tarnt in Rilkes *Turnstunde* der leidenschaftslose Berichtstil die zeitkritische Anklage: Was hier als Rapport geboten wird, ist nichts anderes als ein episches Pamphlet gegen die grausamen Erziehungsmethoden der Gesellschaft.

Thomas Manns *Eisenbahnunglück* wiederum soll offensichtlich den Eindruck eines eher harmlosen Feuilletons oder einer unverbindlichen Plauderei erwecken. Bei näherer Betrachtung jedoch erweist sich das Prosastück als Gleichnis von Individuum und Staat.

Auch Robert Walser vertraut am liebsten dem Understatement und der Ironie: Sein *Sebastian* mag ebenso als amüsante Parodie der Detektivgeschichten gelesen werden wie als abgründige

Parabel, deren gesellschaftskritischer Ernst sich hinter einem
weisen und traurigen Humor verbirgt.

Walser hält es für richtig, seine Leser wiederholt daran zu erinnern, daß er ihnen nichts anderes als eine Fiktion zu bieten
habe und daß es lediglich ein Spiel mit Motiven und Gestalten
sei, an dem er sie teilnehmen läßt. In seiner Prosa wird das
Leben nicht imitiert, sondern paraphrasiert. Ähnlich will Hofmannsthal seinen *Lucidor* bloß als Spiel mit »Figuren zu einer
ungeschriebenen Komödie« verstanden wissen. Der auf seine
einstige Allmacht verzichtende Erzähler versucht niemandem
einzureden, das, wovon er berichtet, habe sich tatsächlich zuge-
tragen; vielmehr gibt er offen zu, daß er nur mit Mutmaßun-
gen aufwarten könne. In der Geschichte *Der Zweikampf* von
Wilhelm von Scholz werden die Umstände und Beziehungen,
die zu einem Duell geführt haben, in allen Einzelheiten darge-
legt und gedeutet. Befragt nach der Quelle seiner Darstellung
antwortet jedoch der Erzähler: »Ich weiß auch nichts, als was in
der Zeitung gestanden hat. Aber so ungefähr denke ich mir den
Zusammenhang.«

Am konsequentesten ist der Bruch mit der Illusion bei Hermann
Broch: Vor den Augen des Publikums fügt er den Helden seiner
Geschichte *Methodisch konstruiert* aus einzelnen Elementen
zusammen, er setzt ihn bestimmten Einflüssen aus und beobachtet sein mutmaßliches Verhalten in einigen Situationen. Die
Geschichte endet mit dem Tod des so konstruierten Helden,
doch offeriert Broch sogleich (denn »es hätte auch anders sein
können«) eine Alternativlösung, einen anderen Ausgang. Das
Ganze erinnert – und soll auch erinnern – an ein naturwissen-
schaftliches Experiment.

»Je mehr die Poesie Wissenschaft wird, je mehr wird sie auch
Kunst« – was Friedrich Schlegel einst vorausgesagt und gefordert hatte, erscheint jetzt, in dem Zeitabschnitt zwischen der
Jahrhundertwende und dem Ersten Weltkrieg, in einem neuen
Licht und erlangt eine neue Aktualität. Die Synthese von Poesie
und Wissenschaft, Phantasie und Kalkül, Vision und Intellek-
tualität, Ekstase und Nüchternheit ist das Ziel, dem sich Musil
und Döblin, Heym, Benn und Broch auf verschiedenen Wegen
nähern. Vom veränderten Verhältnis zum Thema zeugt eine
bemerkenswerte Veränderung der Sprache. Slang, Jargon und
Dialekt werden immer häufiger verwendet (etwa von Heinrich

Mann und Sternheim). Zugleich bereichert die Terminologie der Medizin und der Naturwissenschaften den Wortschatz der Erzähler und auch der Lyriker, von denen nicht wenige (wie Schnitzler, Döblin, Benn) praktizierende Ärzte oder (wie Musil, Broch) Mathematiker und Ingenieure sind. Und nichts fasziniert diese Schriftsteller mehr als die menschliche Seele.

1922 schrieb Sigmund Freud an Arthur Schnitzler: »So habe ich den Eindruck gewonnen, daß Sie durch Intuition – eigentlich aber infolge feiner Selbstwahrnehmung – alles das wissen, was ich in mühseliger Arbeit an anderen Menschen aufgedeckt habe. Ja, ich glaube, im Grunde Ihres Wesens sind Sie ein psychologischer Tiefenforscher...« Ähnliches gilt für Thomas Mann und Hermann Hesse, für Musil und Döblin, für Jakob Wassermann und Stefan Zweig. Mit den *Buddenbrooks* und dem *Leutnant Gustl,* so verschieden diese beiden Werke auch sind, beginnt um 1900 das Zeitalter der Psychologie in der deutschen Literatur.

Schnitzler registriert verborgene Gefühle und spontane Reaktionen, flüchtige Gedanken und scheinbar unerhebliche Erinnerungen Leutnant Gustls – die Assoziation ist hier oberstes Gesetz –, um aus all dem seine Biographie und sein psychologisches Porträt entstehen zu lassen. Im *Verzauberten Haus* beobachtet Musil mit mathematischer Genauigkeit die subtilsten und intimsten Regungen und Qualen Viktorias, »die äußersten Heimlichkeiten des Leides und der Lust«.

Häufig wird in der erzählenden Prosa gezeigt, daß und wie sehr die von der Psychoanalyse aufgedeckten Komplexe das Seelenleben und die Handlungsweise der Menschen mitbestimmen. Der Minderwertigkeitskomplex läßt Wassermanns Stationschef Antonio Varga ein Verbrechen begehen, Minderwertigkeitskomplexe bestimmen die Charaktere des Gretchen Heßling (Heinrich Mann), des Schutzmanns Christoph Busekow (Sternheim) und des nicht nur in Notwehr schießenden Buchhalters Viktor Katurek in der Geschichte von Max Brod. Neurosen und auch Psychosen werden zu Gegenständen literarischer Darstellung. Alfred Döblin dringt in die tiefsten Schichten des Unbewußten vor und zeigt sowohl die Voraussetzungen als auch die Symptome und Folgen einer Geisteskrankheit. Seine *Ermordung einer Butterblume* liefert das epische Bild der Schizophrenie: »Plötzlich sah Herr Michael Fischer, während sein

Blick leer über den Wegrand strich, wie eine untersetzte Gestalt, er selbst, von dem Rasen zurücktrat...«

In dieser Erzählung Döblins, in den Geschichten Georg Heyms, in der Prosa Franz Kafkas bilden Innenwelt und Außenwelt eine makabre Einheit: Wie sich die Umwelt des Individuums als Projektion seiner Innenwelt erweist, so wird auch die Innenwelt des Individuums zum Ausdruck seiner Umwelt. Mit anderen Worten: Innenwelt und Außenwelt demaskieren und denunzieren sich gegenseitig.

Die Erkenntnisse der Psychologie ermöglichen die Verfeinerung und Vertiefung auch und vor allem der erotischen Geschichten, die nunmehr auf Motive eingehen, um die sich die Literatur früher kaum gekümmert hat – so Hofmannsthals *Lucidor* und Emil Strauss' *Laufen*, so Stefan Zweigs *Sommernovellette* und Wilhelm von Scholz' *Zweikampf*. Aber auch auf die Liebesgeschichten der älteren und noch ganz der Tradition verpflichteten Autoren (wie Heyse, Saar, Keyserling, Sudermann) bleibt die moderne Psychologie nicht ohne Einfluß.

Die Rolle der Psychologie bei der in diesen Jahrzehnten erfolgenden Revolutionierung der deutschen Prosa ist besonders deutlich sichtbar in der Darstellung des Sexuellen. Was man bisher verschwiegen und ausgespart oder nur knapp und schamhaft behandelt hat, wird in den Themenkreis der Literatur einbezogen und mit ebenso großer Offenheit wie Sensibilität gezeigt. »Dem Ariosto ists nicht Ernst genug mit der Wollust« – hatte Friedrich Schlegel beanstandet. Nun machen die deutschen Schriftsteller – von Schnitzler und Wedekind über Musil und Sternheim bis zu Stramm und Sack – ernst mit der Wollust, die sie sachlich und exakt analysieren (Musil), mit gedrängten, radikal verkürzten und hastigen Sätzen fixieren (Sternheim, Stramm) oder in einer Prosa beschreiben, die die epische Schilderung bis zum lyrischen Ausdruck steigert (Sack).

Die erotischen Geschichten enthalten, ähnlich wie die meisten anderen Stücke dieses Bandes, Elemente einer mehr oder weniger radikalen, doch in der Regel unverkennbaren Zeitkritik, die fast immer auf die Auseinandersetzung mit der Gesellschaft und ihrer Moral hinausläuft. »Was bleibt von Kunst?« fragt 1914 Robert Musil. Und er antwortet: »Wir, als Geänderte, bleiben.« Allerdings war damit nicht gerade ein objektiver Sachverhalt konstatiert, sondern lediglich eine Forderung und

eine Hoffnung ausgedrückt. Aber sicher ist, daß ein gewaltiger
Teil der damaligen Literatur die realen Verhältnisse scharf kritisierte und eine Änderung anstrebte, deren Ziele und Ausmaße
freilich von den einzelnen Schriftstellern sehr unterschiedlich
aufgefaßt wurden.

Ihre Geschichten richten sich gegen den Krieg und den Militarismus (Paul Scheerbart, Isolde Kurz, Rilke, Leonhard Frank),
gegen die Todesstrafe (Schönherr), gegen soziale Ungerechtigkeit und Hartherzigkeit (Saar, Thoma) und gegen Engstirnigkeit
und Antisemitismus (Ricarda Huch). Sie protestieren gegen den
verbindlichen Moralkodex (Arnold Zweig), sie attackieren höhnisch und sarkastisch das deutsche Bürgertum und Kleinbürger-
tum (Sternheim, Heinrich Mann).

Oft stehen im Mittelpunkt kleine Leute, deren Charaktere,
Situationen und Schicksale zur Anklage der Welt werden, in
der sie leben. Der Einzelne und die Gesellschaft – das ist einer
der gemeinsamen Nenner, auf den sich zahlreiche Stücke unseres Bandes bringen ließen. Aber diese Formel gilt doch wohl
für die frühere Literatur ebenfalls? Gewiß, nur daß der uralte
Antagonismus jetzt unter einem anderen Aspekt auftaucht.

In Brods *Notwehr* findet sich der Satz: »Hier reichten ihm unsichtbare Hände aus unsichtbaren Etagen des großen Gebäudes
herauf Schriftstücke, deren Bedeutung er nicht faßte, und die
er, nachdem er einen gleichgültigen, und, wie ihm dünkte,
unwesentlichen Handgriff mit ihnen vorgenommen hatte, wieder weitergab, an andere, die sie in wiederum unsichtbare Zimmer entgleiten ließen.« Brod konfrontiert den jungen Büroange-
stellten Viktor Kanturek mit einer entpersönlichten und ver-
dinglichten, einer vollkommen anonymen und ihm mysteriös
erscheinenden Sphäre.

Die hier angedeutete Konstellation – sie hatte sich zunächst in
der Prosa Rilkes und Thomas Manns, Hofmannsthals, Musils
und Hesses angekündigt – spielte in den Jahren unmittelbar
vor dem Ersten Weltkrieg und während des Krieges eine immer
größere Rolle und gewann zugleich scharfe und beklemmende
Konturen. Die Verlorenheit des Individuums in einer düsteren,
nicht mehr zu begreifenden und sinnlos gewordenen Welt – so
etwa lautet das Thema der Epoche. »Er lag – heißt es in Heyms
Jonathan – allein und nackt in einem großen Feld auf einer Art
Bahre. Es war sehr kalt, es begann zu stürmen, und am Himmel

zog eine schwarze Wolke herauf, wie ein ungeheures Schiff mit
schwarzen geblähten Segeln.«

Die Helden Heyms, Kafkas und Benns sind »preisgegeben der
Einsamkeit, der Dunkelheit, der entsetzlichen Trauer der Herbstabende, dem Winter, dem Tode, einer ewigen Hölle« *(Jonathan)*.
Sie wollen, wie einst Thomas Manns Tonio Kröger, am norma-
len Leben teilnehmen. Aber sie werden von ihm immer wieder
brutal zurückgestoßen. Sie verlieren den Boden unter den Füßen: »Es schwächt mich etwas von oben. Ich habe keinen Halt
mehr hinter den Augen... Zerfallen ist die Rinde, die mich
trug« – klagt der Arzt Rönne in Benns *Gehirnen*.

Für diese einsamen, sich gegen das Dasein wehrenden und ver-
zweifelnden Menschen zerfällt die Welt in eine Fülle von Einzelheiten. Sie lassen sich zwar beobachten und fixieren, ihre
Summe jedoch hat keinen Sinn, sie ergeben keinen Zusammenhang: »Es zerfiel mir alles in Teile, die Teile wieder in Teile,
und nichts mehr ließ sich mit einem Begriff umspannen« –
klagte schon Hofmannsthals Lord Chandos.

Die feindliche, das Individuum unentwegt bedrohende Welt
erweist sich also als absurd. Das eben ist das zentrale Motiv
Kafkas. In seiner Prosa ist das Ungeheuerliche banal und das
Gewöhnliche unheimlich. Er macht die Paradoxe des Alltags bewußt und sichtbar: Wie er die rational erfaßbare Wirklichkeit
anzweifelt, so gibt er dem Irrationalen und Dämonischen wirkliche Züge. Er verwandelt die Realität in einen Tagtraum, nur
daß dieser Tagtraum wiederum eine Realität ist: Die kühle und
nüchterne Darstellung beglaubigt die parabolischen Situationen,
die poetischen Visionen.

Die Literatur jener Jahre, die oft unerbittliche Gewissensfor-
schung mit härtester Gesellschaftskritik zu verbinden wußte,
spricht unmißverständlich auch vom Ausklang und Untergang
der bürgerlichen Epoche, von der Katastrophe der Menschheit.
Das Endzeitbewußtsein – man kannte es schon damals: »Unsere
Krankheit ist, in dem Ende eines Welttages zu leben, in einem
Abend, der so stickig ward, daß man den Dunst seiner Fäulnis
kaum noch ertragen kann« (Georg Heym, 1911). Und Kafka
läßt eine seiner Figuren sagen: »Ich erfasse nämlich die Dinge
um mich nur in so hinfälligen Vorstellungen, daß ich immer
glaube, die Dinge hätten einmal gelebt, jetzt aber seien sie versinkend.«

IV

Also ist alles schon einmal dagewesen? Also hätten jene recht, die uns bei jeder Gelegenheit versichern, es gebe nichts Neues unter der Sonne? Die nicht aufhören können, mit triumphierender Miene die Literatur von gestern der von heute entgegenzuhalten?

Nichts einfacher, als nachzuweisen oder, richtiger gesagt, scheinbar nachzuweisen, daß alles, was die Schriftsteller unserer Zeit bieten, längst von früheren Generationen geleistet wurde. Mit diesem alten, häufiger läppischen als belehrenden Gesellschaftsspiel will unsere Anthologie nichts zu tun haben. Die Schriftsteller der Gegenwart leben in einer anderen Welt, als es jene zwischen 1900 und 1918 war. Sie gehen von anderen Voraussetzungen aus und wollen andere Leser erreichen. Also müssen sie eine andere Sprache sprechen, andere Mittel anwenden, andere Motive behandeln.

Und doch glaube ich, daß die meisten der Geschichten dieses Bandes uns, obwohl sie vor sechzig oder siebzig Jahren geschrieben wurden, durchaus nicht fremd sind. Worauf ist die Nähe zurückzuführen, woher rührt die Vertrautheit?

Kriege, Revolutionen und Umstürze haben, versteht sich, auf die deutsche Literatur unseres Jahrhunderts einen erheblichen Einfluß ausgeübt. Aber sie haben sie nicht grundlegend gewandelt. Ohne zu übertreiben, kann man feststellen, daß aus der Zeitspanne, die diese Anthologie umfaßt, jene Modelle der deutschen Prosa stammen, an deren Entwicklung, Vervollkommnung und Überwindung immer noch gearbeitet wird. So betrachtet, beginnt um 1900 nicht nur das zwanzigste Jahrhundert. Was sich zwischen 1900 und 1918 vollzogen hat, ist, literarhistorisch gesehen, der Anbruch der Gegenwart.

Hamburg, im August 1971   Marcel Reich-Ranicki

Anhang

Biographische und bibliographische Notizen

Die nachstehenden Notizen, die auch als alphabetisches Inhaltsverzeichnis dienen können, beschränken sich auf die wichtigsten biographischen Tatsachen und Daten. Auf Informationen über Literaturpreise wurde aus Platzmangel verzichtet.

In den bibliographischen Angaben sind Veröffentlichungen in Zeitschriften und Sammelbänden nicht berücksichtigt; aber auch von den Buchpublikationen konnte bei vielen Autoren nur eine Auswahl angeführt werden. Der Umfang der einzelnen Notizen ist nicht als Wertung zu verstehen.

Die Notizen verzeichnen überdies den Erstdruck der aufgenommenen Geschichten in Zeitschriften, Zeitungen oder Anthologien. Wo eine derartige Veröffentlichung nicht erfolgt ist oder sich nicht nachweisen ließ, wird die erste Buchausgabe registriert. Hinweise auf Entstehungsdaten finden sich nur dann, wenn sie für die chronologische Anordnung dieser Anthologie verwendet wurden.

Am Schluß enthalten die Notizen Quellenangaben und Verweise auf die Rechte. Wo die Verweise fehlen, verfügt über die Rechte der betreffenden Geschichte der bereits in den Quellenangaben genannte Verlag.

Abkürzungen: Aut. = Autobiographie, Erinnerungen; B. = Biographie; Dr. = Drama; E(n). = Erzählung(en); Erinn. = Erinnerungen; Ess. = Essay(s); G. = Gedichte; Gesch(n). = Geschichte(n); Jg. = Jahrgang; K. = Komödie; N(n). = Novelle(n); Op. = Operntext; Pr. = Prosa; R. = Roman; S. = Seite; T. = Titel; Tril. = Trilogie; V. = Veröffentlichungen; Zs. = Zeitschrift.

GOTTFRIED BENN, geb. 1886 in Mansfeld. Studium der Theologie und Philologie, dann der Medizin in Marburg und Berlin. 1914–17 Militärarzt. Ab 1917 Facharzt für Haut- und Geschlechtskrankheiten in Berlin, 1935–45 erneut Militärarzt, später wiederum Privatpraxis in Berlin, wo er 1956 starb.

V.: *Morgue und andere Gedichte* (12); *Gehirne*, Nn. (16); *Spaltung*,
G. (25); *Der neue Staat und die Intellektuellen*, Ess. (33); *Statische
Gedichte* (48); *Die Ptolemäer*, Pr. (49); *Doppelleben*, Erinn. (50);
Destillationen, G. (53); *Aprèslude*, G. (55).

Gehirne   423
     Erstdruck: *Die weißen Blätter*, 2. Jg. (1915), Nr. 2. – Aus: G. B., *Ge-
     sammelte Werke in acht Bänden*, herausgegeben von Dieter Wel-
     lershoff, Band 5, *Prosa*, Limes Verlag, Wiesbaden 1968, S. 1185–1191.

HERMANN BROCH, geb. 1886 in Wien. Studium der Textiltechnologie
und Versicherungsmathematik in Wien und Mülhausen. Ab 1908
in der Textilfabrik des Vaters tätig, die er 1916–27 leitete. 1928–31
Studium der Mathematik, Philosophie und Psychologie in Wien.
1938 Emigration nach New York. 1941–48 Studien an der Universität
Princeton. 1949 Professor für deutsche Literatur an der Yale-Univer-
sität. Starb 1951 in New Haven.
     V.: *Die Schlafwandler*, R. (31–32); *Die unbekannte Größe*, R. (33);
Der Tod des Vergil, R. (45); *Die Schuldlosen*, R. in 11 En. (50); *Hofmannsthal und seine Zeit*, Ess. (51); *Der Versucher*, R. (1953).

Methodisch konstruiert   490
     Erstdruck: *Summa*, Band 1, Heft 3 (1918) unter dem Titel *Eine me-
     thodologische Novelle*. – Aus: H. B., *Die Schuldlosen, Roman in
     elf Erzählungen (Gesammelte Werke)*, Rhein Verlag, Zürich 1950,
     S. 56–69. – Die Rechte liegen beim Suhrkamp Verlag, Frankfurt
     am Main.

MAX BROD, geb. 1884 in Prag. Studium der Rechte in Prag. War
Finanz-, Post- und Gerichtsbeamter, zeitweilig im tschechoslowaki-
schen Ministerpräsidium tätig, dann Theater- und Musikkritiker. Ab
1913 Zionist, 1939 Übersiedlung nach Palästina. Dramaturg des
Habimah-Theaters in Tel Aviv. Herausgeber der Werke Franz Kaf-
kas. Starb 1968 in Tel Aviv.
     V.: *Jüdinnen*, R. (11); *Tycho Brahes Weg zu Gott*, R. (16); *Rëubeni*,
Fürst der Juden, R. (25); *Das Zauberreich der Liebe*, R. (28); *Die
Frau, die nicht enttäuscht*, R. (34); *Der Meister*, R. (52); *Armer
Cicero*, R. (55); *Streitbares Leben*, Aut. (60); *Durchbruch ins Wun-
derbare*, En. (62).

Notwehr   363
     Erstdruck: *Arkadia. Ein Jahrbuch für Dichtkunst*, herausgegeben
     von Max Brod, Kurt Wolff Verlag, Leipzig 1913. – Aus: *Prosa des Ex-
     pressionismus*, herausgegeben von Fritz Martini, Verlag Philipp
     Reclam jun., Stuttgart 1970, S. 115–140. – Rechte bei Frau Ilse Ester
     Hoffe, Tel Aviv.

ALFRED DÖBLIN, geb. 1878 in Stettin. Ab 1888 in Berlin. Studium der Medizin in Berlin und Freiburg. 1910 Mitbegründer und Mitarbeiter der Zs. *Der Sturm.* Ab 1911 Kassenarzt in Berlin-O. Im Ersten Weltkrieg Sanitätsoffizier. 1933 Emigration über Zürich nach Paris. 1940 Flucht über Südfrankreich und Spanien nach den USA. Seit 1945 in Deutschland, zunächst als Kulturoffizier der französischen Militärregierung in Baden-Baden. 1946–51 Herausgeber der Zs. *Das goldene Tor.* 1949 Mitbegründer der Mainzer Akademie. 1951–56 in Paris. Starb 1957 in Emmendingen bei Freiburg/Br.

V.: *Die Ermordung einer Butterblume,* En. (13); *Die drei Sprünge der Wang-lun,* R. (15); *Wallenstein,* R. (20); *Berge, Meere und Giganten,* R. (24); *Berlin Alexanderplatz,* R. (29); *Babylonische Wanderung,* R. (34); *Pardon wird nicht gegeben,* R. (35); *Die Fahrt ins Land ohne Tod,* R. (37); *Der blaue Tiger,* R. (38); *Der neue Urwald,* R. (48); *November 1918,* Roman-Tetralogie (38–40); *Schicksalsreise,* Aut. (49); *Hamlet,* R. (56).

Die Ermordung einer Butterblume 266
Erstdruck: *Der Sturm,* Nr. 28 u. 29 (September 1910). – Aus: A. D., *Die Ermordung einer Butterblume,* Ausgewählte Erzählungen 1910 bis 1950 (*Ausgewählte Werke in Einzelbänden,* in Verbindung mit den Söhnen des Dichters herausgegeben von Walter Muschg), Walter Verlag, Olten und Freiburg/Br. 1962, S. 42–54.

KASIMIR EDSCHMID, geb. 1890 in Darmstadt. Studium der Romanistik in München, Genf, Paris und Straßburg. Ab 1913 Mitarbeiter der *Frankfurter Zeitung* und freier Schriftsteller in Darmstadt. 1933 Rede- und Rundfunkverbot, 1941–1945 Schreibverbot. 1950–57 Generalsekretär, dann Vizepräsident des PEN-Zentrums Bundesrepublik und der Deutschen Akademie für Sprache und Dichtung. Starb 1966 in Vulpera (Schweiz).

V.: *Die sechs Mündungen,* Nn. (15); *Das rasende Leben,* Nn. (16); *Timur,* Nn. (16); *Die achatnen Kugeln,* R. (20); *Das gespenstische Abenteuer des Hofrats Brüstlein,* R. (26); *Sport um Gagaly,* R. (27); *Lord Byron,* R. (29); *Hallo Welt!,* En. (30); *Wenn es Rosen sind, werden sie blühen,* R. (50); *Der Marschall und die Gnade,* R. (54); *Tagebuch 1958–1960* (60).

Das beschämende Zimmer 428
Erste Buchausgabe: K. E., *Das rasende Leben,* Zwei Novellen, Kurt Wolff Verlag, Leipzig 1916. – Aus: K. E., *Die sechs Mündungen – Das rasende Leben – Timur* (Die frühen Erzählungen), Hermann Luchterhand Verlag, Neuwied und Berlin 1965, S. 168–189.

ALBERT EHRENSTEIN, geb. 1886 in Wien. Studium der Philosophie und Geschichte in Wien, dann freier Schriftsteller in Berlin. 1932 Übersiedlung in die Schweiz, seit 1941 in New York, wo er 1950 in einem Armenspital starb.

V.: *Tubutsch*, E. (11); *Der Selbstmord eines Katers*, E. (12); *Nicht da, nicht dort*, Pr. (16); *Der Mensch schreit*, G. (16); *Die rote Zeit*, G. (17); *Dem ewigen Olymp*, Nn. u. G. (21); *Briefe an Gott*, Pr. (22); *Menschen und Affen*, Ess. (26).

Iskander 441
Erste Buchausgabe: A. E., *Nicht da, nicht dort*, Kurt Wolff Verlag, Leipzig 1916 – u. d. T. *Hildebrandslied*. – Aus: A. E., *Gedichte und Prosa*, herausgegeben und eingeleitet von Karl Otten, Hermann Luchterhand Verlag, Neuwied und Berlin 1961, S. 476–477.

PAUL ERNST, geb. 1866 in Elbingerode (Harz). Studium der Theologie, Nationalökonomie und Literaturgeschichte in Göttingen, Tübingen und Berlin. Ab 1900 freier Schriftsteller, meist in Weimar und Berlin, ab 1925 in St. Georgen (Steiermark), wo er 1933 starb.

V.: *Der schmale Weg zum Glück*, R. (04); *Demetrios*, Dr. (05); *Brunhild*, Dr. (09); *Preußengeist*, Dr. (14); *Kassandra*, Dr. (15); *Die Taufe*, Nn. (16); *Der Nobelpreis*, Nn. (19); *Komödiantengeschichten*, En. (20); *Spitzbubengeschichten*, En. (20); *Erdachte Gespräche* (21); *Das Glück von Lautenthal*, R. (33).

Der Tod des Dschinghiskhan 75
Erste Buchausgabe: P. E., *Die Prinzessin des Ostens und andere Novellen*, Insel Verlag, Leipzig 1903. – Aus: P. E., *Frühe Geschichten*, Georg Müller Verlag, München 1931, S. 116–135. – Rechte bei der Paul-Ernst-Gesellschaft e. V., Düsseldorf.

LION FEUCHTWANGER, geb. 1884 in München. Studium der Philologie und Philosophie in München und Berlin. Zahlreiche Auslandsaufenthalte, meist in Italien. Ab 1914 in München. 1927 Übersiedlung nach Berlin. Seit 1933 im Exil: bis 1940 in Sanary/Var (Frankreich), dann Flucht über Spanien und Portugal nach den USA. Ab 1940 in Pacific Palisades (USA), wo er 1958 starb.

V.: *Die häßliche Herzogin*, R. (23); *Jud Süß*, R. (25); *Erfolg*, R. (30); *Der jüdische Krieg*, R. (32); *Die Geschwister Oppenheim*, R. (33); *Die Söhne*, R. (35); *Der falsche Nero*, R. (36); *Exil*, R. (40); *Der Tag wird kommen*, R. (45); *Waffen für Amerika*, R. (47/48); *Odysseus und die Schweine*, En. (50); *Goya*, R. (51); *Narrenweisheit*, R. (52); *Spanische Ballade*, R. (55).

Der Karneval von Ferrara 197
Erstdruck: *Der Spiegel* (München) Nr. 14 vom 17. Oktober 1908. – Aus: L. F., *Centum Opuscula*, Eine Auswahl, zusammengestellt und herausgegeben von Wolfgang Berndt, Greifenverlag, Rudolstadt 1956, S. 579–582.

LEONHARD FRANK, geb. 1882 in Würzburg. Erlernte das Schlosserhandwerk, arbeitete als Chauffeur und Anstreicher. Ab 1904 Malstudium in München. 1910 Übersiedlung nach Berlin, 1915 Emigration in die Schweiz, 1918 Rückkehr nach Deutschland, ab 1920 freier Schriftsteller in Berlin. 1933 Emigration: Schweiz, Frankreich, USA. 1950 Rückkehr nach München, wo er 1961 starb.

V.: *Die Räuberbande*, R. (14); *Der Mensch ist gut*, Nn. (18); *Der Bürger*, R. (24); *Im letzten Wagen*, En. (26); *Das Ochsenfurter Männerquartett*, R. (27); *Karl und Anna*, E. (27); *Bruder und Schwester*, R. (29); *Von drei Millionen Drei*, R. (32); *Mathilde*, R. (48); *Links, wo das Herz ist*, R. (52); *Deutsche Novelle* (54).

Der Vater 481
Erstdruck: *Die weißen Blätter*, 3. Jg. (1916), Nr. 11 (ausgeliefert 1917), u. d. T. *Der Kellner*. – Aus: L. F., *Der Mensch ist gut*, Novellen, Nymphenburger Verlagshandlung, München 1964, S. 7–19.

HERMANN HESSE, geb. 1877 in Calw (Württemberg). Wuchs in Basel auf, war Mechanikerlehrling, dann Buchhändler in Tübingen und Basel. Seit 1904 freier Schriftsteller am Bodensee. Während des Ersten Weltkriegs in Bern. Seit 1919 in Montagnola bei Lugano ansässig, wo er 1962 starb.

V.: *Peter Camenzind*, R. (04); *Unterm Rad*, R. (06); *Diesseits*, En. (07); *Nachbarn*, En. (08); *Umwege*, En. (12); *Knulp*, En. (15); *Demian*, E. (19); *Klingsors letzter Sommer*, En. (20); *Siddhartha*, E. (22); *Der Steppenwolf*, R. (27); *Narziß und Goldmund*, R. (30); *Die Morgenlandfahrt*, E. (32); *Das Glasperlenspiel*, R. (43).

Die Verlobung 163
Erstdruck: *März*, Heft 2, 1908 u. d. T. *Eine Liebesgeschichte*. – Aus: H. H., *Gesammelte Werke*, Band 3, *Gertrud – Kleine Welt*, Suhrkamp Verlag, Frankfurt a. M. 1970, S. 193–214.

GEORG HEYM, geb. 1887 in Hirschberg (Schlesien). Lebte seit 1900 in Berlin. 1907–10 Jurastudium in Würzburg, Berlin und Jena. 1911 Referendar am Landgericht in Berlin. 1912 beim Schlittschuhlaufen in der Havel ertrunken.

V.: *Der Athener Ausfahrt*, Dr. (07); *Der ewige Tag*, G. (11); *Umbra vitae*, G. (12); *Der Dieb*, Nn. (13).

Jonathan 300
Erste Buchausgabe: G. H., *Der Dieb. Ein Novellenbuch*, Rowohlt Verlag, Leipzig 1913. – Aus: G. H., *Dichtungen und Schriften, Gesamtausgabe*, herausgegeben von Karl Ludwig Schneider, Band 2, *Prosa und Dramen*, Verlag Heinrich Ellermann, Hamburg und München 1962, S. 38–51. – Die Erzählung wird hier unter dem Datum 1912 – dem Todesjahr des Autors – gedruckt.

PAUL HEYSE, geb. 1830 in Berlin. Studium der Klassischen Philologie, der Romanistik und Kunstgeschichte in Berlin und Bonn. Lebte ab 1854 in München, wo er 1914 starb.

V.: *Novellen* (55); *Neue Novellen* (58); *Meraner Novellen* (64); *Colberg*, Dr. (68); *Moralische Novellen* (69); *Kinder der Welt*, R. (73); *Troubadour-Novellen* (82); *Über allen Gipfeln*, R. (95); *Victoria Regia und andere Novellen* (06); *Helldunkles Leben*, Nn. (09).

Ein Ring   91
Aus: P. H., *Spukgeschichten und Märchen – Novellen – Bilder und Balladen* (*Gesammelte Werke*, Dritte Reihe, Band IV), J. G. Cotta-sche Buchhandlung Nachfolger, Verlagsanstalt Hermann Klemm A.G., Stuttgart–Berlin–Grunewald 1924, S. 448–465. – Die Erzählung *Ein Ring* ist mit »1904« datiert.

HUGO VON HOFMANNSTHAL, geb. 1874 in Wien. Studierte Jura, später Romanistik in Wien. Ab 1901 freier Schriftsteller in Rodaun bei Wien. Seit 1906 ständige Zusammenarbeit mit Richard Strauss. Herausgeber der *Österreichischen Bibliothek* und Mitherausgeber der Zs. *Der Morgen*. Starb 1929 in Rodaun.

V.: *Der Thor und der Tod*, Dr. (00); *Der Tod des Tizian*, Dr. (01); *Das kleine Welttheater*, Dr. (03); *Elektra*, Dr. (04); *Christinas Heimreise*, K. (10); *Der Rosenkavalier, Komödie für Musik* (10); *Jedermann*, Dr. (11); *Ariadne auf Naxos*, Op. (12); *Der Schwierige*, K. (21); *Das Salzburger große Welttheater*, Dr. (22); *Der Turm*, Dr. (25); *Andreas oder die Vereinigten*, R. (32); *Arabella*, Op. (33).

Lucidor   254
Erstdruck: *Neue Freie Presse*, Wien, 27. März 1910. – Aus: H. v. H., *Erzählungen und Aufsätze* (*Ausgewählte Werke in zwei Bänden*, Band 2), herausgegeben von Rudolf Hirsch, S. Fischer Verlag, Frankfurt a. M. 1961, S. 56–68.

RICARDA HUCH, geb. 1864 in Braunschweig. Studierte Geschichte, Philosophie und Philologie in Zürich. Lehrerin in Zürich und Bremen. Lebte nacheinander in Triest, München, Braunschweig (1907 bis 1929), Berlin, Heidelberg, Freiburg und Jena. Starb 1947 in Schönberg im Taunus.

V.: *Fra Celeste und andere Erzählungen* (99); *Seifenblasen*, En. (05); *Der Hahn von Quakenbrück und andere Novellen* (10); *Der letzte Sommer*, E. (10); *Wallenstein*, Ess. (15); *Der Fall Deruga*, R. (17); *Der wiederkehrende Christus*, E. (26); *Deutsche Geschichte* (34–49).

Das Judengrab   109
Erste Buchausgabe: R. H., *Seifenblasen, Drei scherzhafte Erzählun-*

gen, Deutsche Verlagsanstalt, Stuttgart 1905. – Aus: R. H., *Der Fall Deruga – Der wiederkehrende Christus – Sämtliche Erzählungen* (*Gesammelte Werke*, Band 4, herausgegeben von Wilhelm Emrich), Verlag Kiepenheuer & Witsch, Köln–Berlin 1967, S. 895–912. – Rechte beim Insel Verlag, Frankfurt a. M.

FRANZ KAFKA, geb. 1883 in Prag. Studierte Germanistik und Jura an der Deutschen Universität in Prag. 1908 bis 1922 Angestellter der Arbeiter-Unfall-Versicherungs-Anstalt. Seit 1917 tuberkulosekrank. Zahlreiche Kuraufenthalte. 1923 freier Schriftsteller in Berlin. Starb 1924 an Kehlkopftuberkulose im Sanatorium Kierling bei Wien.

V.: *Betrachtung*, En. (13); *Das Urteil*, Gesch. (16); *Die Verwandlung*, E. (15); *Ein Landarzt*, En. (19); *In der Strafkolonie*, E. (19); *Ein Hungerkünstler*, Geschn. (24); *Der Prozeß*, R. (25); *Das Schloß*, R. (26); *Amerika*, R. (27); *Beim Bau der chinesischen Mauer*, En. (31); *Vor dem Gesetz*, En. (34); *Tagebücher und Briefe* (37); *Hochzeitsvorbereitungen auf dem Lande*, En. (53).

Das Urteil 352
Erstdruck: *Arkadia. Ein Jahrbuch für Dichtkunst*, herausgegeben von Max Brod, Kurt Wolff Verlag, Leipzig 1913. – Aus: F. K., *Die Erzählungen*, S. Fischer Verlag, Frankfurt a. M. 1961. S. 27–38.

EDUARD VON KEYSERLING, geb. 1855 auf Schloß Paddern (Kurland). Studierte Jura, Philosophie und Kunstgeschichte in Dorpat. Lebte lange in Italien, dann – ab 1899 – in München, wo er 1918 starb.

V.: *Schwüle Tage*, Nn. (06); *Dumala*, R. (08); *Bunte Herzen*, Nn. (09); *Wellen*, R. (11); *Abendliche Häuser*, R. (14); *Am Südhang*, E. (16); *Fürstinnen*, E. (17); *Im stillen Winkel*, En. (18).

Die Soldaten-Kersta 55
Erstdruck: *Neue Rundschau*, 1901. – Aus: E. v. K., *Schwüle Tage*, Novellen, S. Fischer Verlag, Berlin 1906, S. 75–102.

KLABUND (Alfred Henschke), geb. 1890 in Crossen a. d. Oder. Studierte Philosophie und Literatur in München und Lausanne, dann freier Schriftsteller in München, Berlin und in der Schweiz. Starb 1928 in Davos.

V.: *Der Marketenderwagen*, En. (16); *Moreau*, R. (16); *Mohammed*, R. (17); *Bracke*, R. (18); *Franziskus*, R. (21); *Pjotr*, R. (23); *Der Kreidekreis*, Dr. (25); *Die Harfenjule*, G. (27); *Borgia*, R. (28); *XYZ*, K. (28); *Rasputin*, R. (29).

Der Flieger 446
Erste Buchausgabe: K., *Der Marketenderwagen. Ein Kriegsbuch*, Erich Reiß Verlag, Berlin 1916. – Aus: K., *Der himmlische Vagant*, Eine Auswahl aus dem Werk, herausgegeben und mit einem Vor-

wort von Marianne Kesting, Verlag Kiepenheuer & Witsch, Köln–
Berlin 1968, S. 228–230. – Rechte bei Phaidon Press Ltd., London.

ISOLDE KURZ, geb. 1853 in Stuttgart. Lebte von 1877 bis 1914 in Florenz, 1915–1943 in München, dann in Tübingen, wo sie 1944 starb.
V.: *Florentiner Novellen* (90); *Italienische Erzählungen* (95); *Lebensfluten*, Nn. (07); *Cora und andere Erzählungen* (15); *Vom
Strande*, Nn. (24).

Schlafen 153
Erste Buchausgabe: I. K., *Lebensfluten*, Novellen, J. G. Cottasche
Buchhandlung Nachfolger, Stuttgart 1907. – Aus: I. K., *Gesammel-
te Werke*, Sechster Band, Georg Müller Verlag, München 1925,
S. 175–182. – Rechte beim Rainer Wunderlich Verlag, Tübingen.

HEINRICH MANN, geb. 1871 in Lübeck. Buchhandelslehre in Dresden,
Studium in Berlin und München. Lebte bis 1898 in Italien, später in
München und seit 1925 in Berlin. 1930 Präsident der Sektion für
Dichtung der Preußischen Akademie der Künste. 1933 Emigration:
Tschechoslowakei, Frankreich und seit 1940 USA. Starb 1950 in Santa
Monica (Kalifornien).
V.: *Im Schlaraffenland*, R. (1900); *Die Göttinnen*, Tril. (03); *Die
Jagd nach Liebe*, R. (04); *Professor Unrat*, R. (05); *Zwischen den
Rassen*, R. (07); *Die kleine Stadt*, R. (09); *Madame Legros*, Dr. (13);
Der Untertan, R. (18); *Geist und Tat*, Ess. (31); *Ein ernstes Leben*,
R. (32); *Die Jugend des Königs Henri Quatre*, R. (35); *Die Voll-
endung des Königs Henri Quatre*, R. (38); *Ein Zeitalter wird be-
sichtigt*, Aut. (45); *Empfang bei der Welt*, R. (50).

Gretchen 233
Erste Buchausgabe: H. M., *Das Herz*, Novellen, Insel Verlag, Leipzig 1910. – Aus: H. M., *Novellen*, Zweiter Band (*Ausgewählte Werke in Einzelausgaben*, Band IX, herausgegeben im Auftrag der
Deutschen Akademie der Künste zu Berlin von Prof. Dr. Alfred
Kantorowicz), Aufbau-Verlag, Berlin 1953, S. 195–219. – Rechte
beim Claassen Verlag, Hamburg.

THOMAS MANN, geb. 1875 in Lübeck. 1893 Übersiedlung nach München. Volontär einer Versicherungsgesellschaft, 1895–1897 Italienauf-
enthalt. 1898–1899 Redakteur des *Simplicissimus*, dann freier Schriftsteller in München. 1933 Emigration: Frankreich, Schweiz. Ab 1939 in
den USA, zunächst Gastprofessor an der Princeton University in New
Jersey, dann in Pacific Palisades (Kalifornien). Ab 1952 Wohnsitz in
der Schweiz. Starb 1955 in Zürich.
V.: *Buddenbrooks*, R. (01); *Tristan*, Nn. (03); *Königliche Hoheit*, R.
(09); *Der Tod in Venedig*, N. (13); *Tonio Kröger*, N. (14); *Betrach-*

tungen eines Unpolitischen, Ess. (18); *Der Zauberberg*, R. (24);
Mario und der Zauberer, N. (30); *Die Forderung des Tages*, Ess. (30);
Joseph und seine Brüder, R. (33–43); *Lotte in Weimar*, R. (39); *Das
Gesetz*, E. (44); *Adel des Geistes*, Ess. (45); *Doktor Faustus*, R. (47);
Der Erwählte, R. (51); *Die Betrogene*, E. (53); *Bekenntnisse des
Hochstaplers Felix Krull*, R. (54).

Das Eisenbahnunglück 224
Erstdruck: *Neue Freie Presse*, Wien, 1909. – Aus: Th. M., *Erzählungen – Fiorenza – Dichtungen* (Gesammelte Werke in zwölf
Bänden, Band VIII), S. Fischer Verlag, Frankfurt a. M. 1960, S.
416–426.

ROBERT MUSIL, geb. 1880 in Klagenfurt. Besuchte zunächst die Militär-
erziehungsanstalt in Mährisch-Weißkirchen, studierte aber dann
Maschinenbau in Brünn. 1902/03 Assistent an der Technischen Hochschule in Stuttgart, 1904–08 Studium der Philosophie, Psychologie
und Mathematik in Berlin. 1911–14 Bibliothekar der Technischen
Hochschule Wien. Während des Ersten Weltkriegs Hauptmann, dann
Beamter, ab 1922 freier Schriftsteller, meist in Wien. 1938 Emigration über Italien in die Schweiz. Starb 1942 in Genf.

V.: *Die Verwirrungen des Zöglings Törless*, R. (06); *Vereinigungen*,
En. (11); *Drei Frauen*, Nn. (24); *Der Mann ohne Eigenschaften*, R.
(30–43); *Nachlaß zu Lebzeiten*, Ess. (36).

Das verzauberte Haus 180
Erstdruck: *Hyperion*, Eine Zweimonatsschrift, herausgegeben von
Franz Blei und Carl Sternheim, 1908. – Aus: R. M., *Prosa, Dramen, späte Briefe* (Gesammelte Werke in Einzelausgaben, herausgegeben von Adolf Frisé), Rowohlt Verlag, Hamburg 1957, S. 147
bis 161.

LEO PERUTZ, geb. 1884 in Prag. Im Ersten Weltkrieg als Offizier schwer
verwundet. Dann freier Schriftsteller in Wien. 1938 Emigration nach
Tel Aviv (Palästina). Starb 1957 in Bad Ischl.

V.: *Der Marques de Bolibar*, R. (20); *Der Meister des jüngsten
Tages*, R. (23); *Wohin rollst Du, Äpfelchen...*, R. (28); *Herr, erbar-
me Dich meiner!*, Nn. (30); *St. Petri-Schnee*, R. (34); *Der schwedische Reiter*, R. (36); *Nachts unter der steinernen Brücke*, R. (53);
Der Judas des Leonardo, R. (59).

Der Tod des Meisters der Materie 398
Erstdruck: *Der Neue Merkur*, Oktober 1914. – Aus: *Konstellatio-
nen – Die besten Erzählungen aus dem ›Neuen Merkur‹ 1914–1925*,
herausgegeben von Guy Stern, Deutsche Verlags-Anstalt, Stuttgart
1964, S. 66–74. – Rechte bei Frau Lore Perutz, Tel Aviv.

RAINER MARIA RILKE, geb. 1875 in Prag. 1886–1891 Besuch der Kadetten-Schule in St. Pölten und der Militär-Oberrealschule Mährisch-Weißkirchen, dann Handelsakademie in Linz und Studium der Kunst- und Literaturgeschichte in Prag und München. Später in Worpswede und Paris. Während des 1. Weltkriegs lebte er vorwiegend in München, zeitweilig Militärdienst im Kriegsarchiv in Wien. Nach dem Krieg meist in der Schweiz und in Paris. Starb 1926 in Val Mont bei Montreux.

V.: _Das Buch der Bilder_, G. (02); _Das Stundenbuch_, G. (05); _Die Weise von Liebe und Tod des Cornets Christoph Rilke_, Pr. (06); _Die Aufzeichnungen des Malte Laurids Brigge_, R. (10); _Duineser Elegien_, G. (23); _Die Sonette an Orpheus_, G. (23); _Briefe an einen jungen Dichter_ (29).

Die Turnstunde   70
Erstdruck: _Die Zukunft_, herausgegeben von Maximilian Harden, 10. Jg., Nr. 18, Berlin, 1. Februar 1902. – Aus: R. M. R., _Sämtliche Werke_, Band 4, Insel Verlag, Frankfurt a. M. 1961, S. 601–609. – Rechte bei Frau Ruth Fritzsche-Rilke, Fischerhude.

FERDINAND VON SAAR, geb. 1833 in Wien. 1854 Offizier der österreichischen Armee, Teilnahme am italienischen Feldzug. Seit 1859 freier Schriftsteller in Wien und Döbling. 1903 in das Herrenhaus berufen. Starb (Freitod) 1906 in Döbling.

V.: _Novellen aus Österreich_ (77); _Schicksale_, Nn. (89); _Schloß Kostenitz_, Nn. (93); _Nachklänge_, G. u. Nn. (99); _Camera obscura_, Geschn. (01); _Tragik des Lebens_, Nn. (06).

Die Familie Worel 131
Erste Buchausgabe: F. v. S., _Tragik des Lebens. Vier neue Novellen_, Singer Verlag, Wien–Berlin 1906. – Aus F. v. S., _Das erzählerische Werk_ (_Gesamtausgabe des erzählerischen Werkes_, Dritter Band, herausgegeben von Josef Friedrich Fuchs), Amandus Verlag, Wien 1959, S. 227–247.

GUSTAV SACK, geb. 1885 in Schermbeck bei Wesel. Studierte Germanistik in Greifswald, Münster und Halle. Ab 1914 Soldat an verschiedenen Fronten. Gefallen 1916 in Fintamare bei Bukarest.

V.: _Ein verbummelter Student_, R. (17); _Ein Namenloser_, R. (19); _Die drei Reiter_, G. (58).

Im Heu.. 418
Erste Buchausgabe: G. S., _Gesammelte Werke in zwei Bänden_, S. Fischer Verlag, Berlin 1920. – Aus: G. S., _Prosa – Briefe – Verse_, Albert Langen-Georg Müller Verlag, München–Wien 1962, S. 332 bis 337. – Die Geschichte _Im Heu_ ist 1915 entstanden.

PAUL SCHEERBART, geb. 1863 in Danzig. Studierte Philosophie und Kunstgeschichte in Leipzig, Halle, München und Wien. Lebte ab 1887 in Berlin, wo er 1915 starb.

V.: *Tarub, Bagdads berühmte Köchin*, R. (97); *Die Seeschlange*, R. (01); *Münchhausen und Clarissa*, R. (06); *Katerpoesie*, G. (09); *Lesabéndio*, R. (13).

Rakkóx der Billionär 39
    Erste Buchausgabe: P. S., *Rakkóx, der Billionär. Ein Protzen-Roman*, Insel Verlag, Leipzig 1900. – Aus: P. S., *Dichterische Hauptwerke*, herausgegeben und mit Anmerkungen versehen von Else Harke, Henry Goverts Verlag, Stuttgart 1962, S. 229–247. – Rechte bei Prof. Hellmut Draws-Tychsen, Genf.

ARTHUR SCHNITZLER, geb. 1862 in Wien, wo er Medizin studierte und ab 1886 als Arzt tätig war. Ab 1886 sowohl literarische als auch medizinische Veröffentlichungen in Zeitschriften. Debütierte als Dramatiker 1893. Zahlreiche Konflikte mit Zensurbehörden. Lebte ständig in Wien, wo er 1931 starb.

V.: *Anatol*, Dr. (93); *Sterben*, N. (95); *Liebelei*, Dr. (96); *Leutnant Gustl*, N. (01); *Reigen*, Dr. (03); *Der einsame Weg*, Dr. (04); *Der Weg ins Freie*, R. (08); *Komtesse Mizzi*, K. (09); *Das weite Land*, Dr. (11); *Professor Bernhardi*, K. (12); *Fräulein Else*, N. (24); *Spiel im Morgengrauen*, N. (27); *Therese*, R. (28).

Leutnant Gustl 9
    Erstdruck: *Neue Freie Presse*, Wien, 25. Dezember 1900. – Aus: A. S., *Die Erzählenden Schriften*, Erster Band *(Gesammelte Werke)*, S. Fischer Verlag, Frankfurt a. M. 1961, S. 337–366.

KARL SCHÖNHERR, geb. 1867 in Axams (Tirol). Studierte Germanistik und später Medizin in Innsbruck und Wien. Seit 1896 praktischer Arzt in Wien, ab 1905 freier Schriftsteller. Starb 1943 in Wien.

V.: *Caritas*, Geschn. (05); *Familie* Dr. (06); *Erde*, K. (08); *Der Weibsteufel*, Dr. (14); *Volk in Not*, Dr. (16); *Narrenspiel des Lebens*, Dr. (18); *Der Judas von Tirol*, Dr. (27).

Henkermahl 126
    Erste Buchausgabe: K. S., *Caritas*, Wiener Verlag, Wien 1905. – Aus: K. S. *Lyrik und Prosa* (Gesamtausgabe [Band 2]), herausgegeben von Vinzenz K. Chiavacci, Verlag Kremayr & Scheriau, Wien 1969, S. 404–409.

WILHELM VON SCHOLZ, geb. 1874 in Berlin. Studierte Literaturwissenschaft in Berlin, Kiel, Lausanne und München. 1916–22 Dramaturg und Regisseur in Stuttgart. Lebte ständig auf dem Landgut Seeheim bei Konstanz, wo er 1969 starb.

V.: *Der Jude von Konstanz*, Dr. (05); *Die Beichte,* En. (19); *Vincenzo Trappola*, En. (22); *Der Wettlauf mit dem Schatten*, Dr. (22); *Zwischenreich*, En. (22); *Perpetua*, R. (26); *Der Weg nach Ilok*, R. (30); *Unrecht der Liebe*, R. (31); *Die Pflicht*, E. (32).

Der Zweikampf 407
Erste Buchausgabe: W. v. S., *Fähnrich von Braunau. Der Zweikampf, Zwei Offiziersnovellen,* Hesse & Becker Verlag, Konstanz und Leipzig 1915. – Aus: W. v. S., *Gesammelte Werke,* Vierter Band, Walter Hädecke Verlag, Stuttgart 1924, S. 22–33. – Rechte beim Verlag C. F. Müller, Karlsruhe.

CARL STERNHEIM, geb. 1878 in Leipzig. 1897–1902 Studium der Philosophie und Psychologie in München, Göttingen und Leipzig. Dann freier Schriftsteller mit häufig wechselndem Wohnsitz in Deutschland, Belgien, Holland und der Schweiz. Ab 1930 ständig in Belgien. Schweres Nervenleiden. Starb 1942 in Brüssel.

V.: *Die Hose*, K. (11); *Die Kassette*, K. (12); *Bürger Schippel*, K. (14); *Der Snob*, K. (14); *1913*, Dr. (15); *Tabula rasa*, Dr. (16); *Der Nebbich*, K. (22); *Chronik von des zwanzigsten Jahrhunderts Beginn*, Nn. (26–28).

Busekow 336
Erstdruck: *Die weißen Blätter*, 1. Jg. (1913), Nr. 1 u. 2. – Aus: C. S., *Prosa I* (*Gesamtwerk*, Band 4, herausgegeben von Wilhelm Emrich), Luchterhand Verlag, Neuwied–Berlin 1964, S. 7–26.

AUGUST STRAMM, geb. 1874 in Münster. Studierte Philologie in Berlin und Halle. Postbeamter, zuletzt Postdirektor im Reichspostministerium. 1915 bei Horodec (Rußland) gefallen.

V.: *Rudimentär*, Dr. (14); *Du*, G. (15); *Erwachen*, Dr. (15); *Tropfblut*, G. (19).

Warten 385
Erstdruck: *Der Sturm*, Jg. XVII, Nr. 5 (August 1926). – Aus: A. S., *Das Werk*, herausgegeben von René Radrizzani, Limes Verlag, Wiesbaden 1963, S. 127–128. – Das Prosastück ist 1914 entstanden.

EMIL STRAUSS, geb. 1866 in Pforzheim. Studium der Philosophie, Germanistik und Nationalökonomie in Freiburg und Berlin. 1892 Auswanderung nach Brasilien, 1901 Rückkehr nach Europa. Lebte meist in Süddeutschland, ab 1925 in Freiburg, wo er 1960 starb.

V.: *Menschenwege*, En. (99); *Freund Hein*, R. (02); *Hans und Grete*, Nn. (09); *Der nackte Mann*, R. (12); *Der Spiegel*, Nn. (19); *Der Schleier*, N. (20); *Der Laufen*, Nn. (26); *Das Riesenspielzeug*, R. (35); *Dreiklang*, En. (49).

Der Laufen 200

Erste Buchausgabe: E. S., *Hans und Grete*, Novellen, S. Fischer Verlag, Berlin 1909. – Aus: E. S., *Der Schleier*, Die Novellen der Bände *Hans und Grete* und *Der Schleier*, Carl Hanser Verlag, München 1952, S. 119–149.

HERMANN SUDERMANN, geb. 1857 in Matziken (Memelland). Studium der Philosophie in Königsberg und Berlin. 1881/82 journalistische Tätigkeit. Ab 1896 war er freier Schriftsteller. Er lebte meist in Berlin, wo er 1928 starb.

V.: *Frau Sorge*, R. (1887); *Die Ehre*, Dr. (90); *Der Katzensteg*, R. (90); *Sodom's Ende*, Dr. (91); *Jolanthes Hochzeit*, E. (92); *Das Glück im Winkel*, Dr. (96); *Das hohe Lied*, R. (08); *Litauische Geschichten* (17); *Die Raschhoffs*, Dr. (19); *Der tolle Professor*, R (26).

Die Reise nach Tilsit 448
Erste Buchausgabe: H. S., *Litauische Geschichten*, J. G. Cotta'sche Buchhandlung Nachfolger, Stuttgart 1917. – Aus: H. S., *Die Reise nach Tilsit*, Prosa und Dramen, Albert Langen-Georg Müller Verlag, München 1971, S. 381–414.

LUDWIG THOMA, geb. 1867 in Oberammergau. Jurastudium in München und Erlangen. 1893–97 Rechtsanwalt in Dachau, 1897–1899 in München. Redakteur am *Simplicissimus*, Mitherausgeber des *März*, dann freier Schriftsteller in München und Rottach am Tegernsee, wo er 1926 starb.

V.: *Assessor Karlchen und andere Geschichten* (01); *Lausbubengeschichten – Aus meiner Jugend* (05); *Andreas Vöst*, R. (06); *Tante Frieda. Neue Lausbubengeschichten* (07); *Moral*, K. (09); *Jozef Filsers Briefwexel* (09–12); *Erster Klasse*, K. (10); *Magdalena*, Dr. (12); *Nachbarsleute*, Geschn. (13); *Der Postsekretär im Himmel und andere Geschichten* (14); *Der Ruepp*, R. (22); *Münchnerinnen*, R. (23).

Onkel Peppi 311
Erste Buchausgabe: L. Th., *Nachbarsleute*, Albert Langen Verlag, München 1913. – Aus: L. Th., *Gesammelte Werke*, Dritter Band, *Erzählungen I und Heilige Nacht* (*Gesammelte Werke in sechs Bänden*, Erweiterte Neuausgabe), R. Piper & Co. Verlag, München 1968, S. 577–602.

ROBERT WALSER, geb. 1878 in Biel. Verschiedene Tätigkeiten als Bank- und Büroangestellter, Hausdiener usw. in Stuttgart und in verschiedenen schweizerischen Orten. Ab 1914 ständig in Biel, dann in Bern. Schweres Nervenleiden, 1929 Unterbringung in der Heilanstalt Herisau, wo er 1956 starb.

V.: *Geschwister Tanner*, R. (07); *Der Gehülfe*, R. (08); *Jakob von*

Gunten, R. (09); *Geschichten* (14); *Kleine Prosa* (17); *Der Spaziergang*, E. (17); *Die Rose*, En. (25).

Sebastian 386

Erstdruck: *Der Neue Merkur*, München, Dezember 1914. – Aus: R. W., *Phantasieren – Prosa aus der Berliner und Bieler Zeit* (*Das Gesamtwerk*, herausgegeben von Jochen Greven, Band VI), Verlag Helmut Kossodo, Genf und Hamburg 1966, S. 200–216.

JAKOB WASSERMANN, geb. 1873 in Fürth. Zuerst Kaufmannslehrling, dann Redakteur am *Simplicissimus*, schließlich freier Schriftsteller in und bei Wien, zuletzt in Alt-Aussee (Österreich), wo er 1934 starb.

V.: *Die Juden von Zirndorf*, R. (97); *Die Geschichte der jungen Renate Fuchs*, R. (00); *Caspar Hauser oder Die Trägheit des Herzens*, R. (08); *Der goldene Spiegel*, En. (12); *Das Gänsemännchen*, R. (15); *Christian Wahnschaffe*, R. (19); *Mein Weg als Deutscher und Jude*, Ess. (21); *Der Fall Maurizius*, R. (28); *Etzel Andergast*, R. (31).

Der Stationschef 159

Aus: J. W., *Der goldene Spiegel. Erzählungen in einem Rahmen*, S. Fischer Verlag, Berlin 1912, S. 50–55 (= Erste Buchausgabe). Die Geschichte ist 1907 entstanden. – Rechte bei Albert Wassermann, London, und Charles Wassermann, Altaussee.

FRANK WEDEKIND, geb. 1864 in Hannover. Kindheit in der Schweiz. Nach kurzem Studium Reklamechef, dann Zirkussekretär, schließlich freier Schriftsteller, später auch Schauspieler und Regisseur. Seit 1890 meist in München, wo er 1918 starb.

V.: *Frühlings Erwachen*, Dr. (91); *Der Erdgeist*, Dr. (95); *Der Kammersänger*, Dr. (99); *Der Marquis von Keith*, Dr. (01); *Musik*, Dr. (08); *Schloß Wetterstein*, Dr. (10); *König Nicolo oder So ist das Leben*, Dr. (11); *Franziska*, Dr. (12).

Die Schutzimpfung 148

Erste Buchausgabe: F. W., *Feuerwerk*, Erzählungen, Albert Langen Verlag, München 1906. – Aus: F. W., *Prosa–Dramen–Verse*, [Band 1], Albert Langen-Georg Müller Verlag, München 1954, S. 121–126.

FRANZ WERFEL, geb. 1890 in Prag. Studierte in Prag, Leipzig und Hamburg, war von 1911 bis 1914 Lektor im Kurt Wolff Verlag und lebte später als freier Schriftsteller in Wien. 1938 Emigration nach Frankreich, 1940 nach den USA. Starb 1945 in Beverly Hills.

V.: *Der Weltfreund*, G. (11); *Wir sind*, G. (13); *Nicht der Mörder, der Ermordete ist schuldig*, R. (20); *Verdi*, R. (24); *Barbara oder die Frömmigkeit*, R. (29); *Die Geschwister von Neapel*, R. (31); *Die vierzig Tage des Musa Dagh*, R. (33); *Der veruntreute Himmel*, R.

(39); *Das Lied von Bernadette*, R. (41); *Jacobowsky und der Oberst*, K. (44); *Stern der Ungeborenen*, R. (46).

Die Geliebte 443
Erstdruck: *Aktion* vom 25. November 1916. – Aus: F. W., *Erzählungen aus zwei Welten*, Erster Band (*Gesammelte Werke*, herausgegeben von Adolf D. Klarmann), Bermann-Fischer Verlag, Stockholm 1948, S. 33–36. – Rechte beim S. Fischer Verlag, Frankfurt a. M.

ARNOLD ZWEIG, geb. 1887 in Glogau. Studierte Germanistik, Philosophie, Psychologie und Kunstgeschichte in Breslau, München, Berlin, Göttingen. Seit 1919 freier Schriftsteller erst in Starnberg, dann in Berlin. Redakteur der *Jüdischen Rundschau*. 1933 Emigration über die Tschechoslowakei, Schweiz und Frankreich nach Palästina. 1942/43 Mitherausgeber der Zs. *Orient*. Seit 1948 in Ost-Berlin, wo er 1968 starb.

V.: *Novellen um Claudia*, R. (12); *Ritualmord in Ungarn*, Dr. (14, u. d. T. *Die Sendung Semaels*, 18); *Frühe Fährten*, Nn. (25); *Der Streit um den Sergeanten Grischa*, R. (27); *Junge Frau von 1914*, R. (31); *Erziehung vor Verdun*, R. (35); *Einsetzung eines Königs*, R. (37); *Das Beil von Wandsbek*, R. (43); *Die Feuerpause*, R. (54); *Die Zeit ist reif*, R. (57); *Traum ist teuer*, R. (62).

Das Kind 287
Erstdruck: *Simplicissimus*, Jg. 15, Nr. 34 (1911). – Aus: A. Z., *Novellen*, Erster Band (*Ausgewählte Werke in Einzelausgaben*, Band XI), Aufbau-Verlag, Berlin 1961, S. 182–196. – Rechte bei Frau Beatrice Zweig, 111 Berlin (DDR).

STEFAN ZWEIG, geb. 1881 in Wien. Studierte Philosophie, Germanistik und Romanistik in Berlin und Wien. Ab 1919 meist in Salzburg. 1938 Emigration nach England, ab 1941 in Petropolis bei Rio de Janeiro, wo er sich 1942 das Leben nahm.

V.: *Erstes Erlebnis*, En. (11); *Angst*, N. (20); *Amok*, Nn. (22); *Sternstunden der Menschheit*, En. (27); *Verwirrung der Gefühle*, Nn. (27); *Fouché*, B. (29); *Marie Antoinette*, B. (32); *Maria Stuart*, B. (35); *Triumph und Tragik des Erasmus von Rotterdam*, B. (35); *Die schweigsame Frau*, Op. (35); *Der begrabene Leuchter*, E. (37); *Ungeduld des Herzens*. R. (38); *Schachnovelle*, N. (42); *Die Welt von gestern*, Aut. (42); *Balzac*, B. (47).

Sommernovellette 277
Aus: S. Z., *Erstes Erlebnis. Vier Geschichten aus Kinderland*, Insel-Verlag, Leipzig 1911, S. 193–208 (= Erste Buchausgabe). – Rechte beim S. Fischer Verlag, Frankfurt a. M.

Der Herausgeber:

MARCEL REICH-RANICKI, geb. 1920 in Wloclawek an der Weichsel. Wuchs in Berlin auf. 1938 Deportation nach Polen, 1940–1943 im Warschauer Getto. Nach dem Krieg Verlagslektor und ab 1951 freier Schriftsteller in Warschau. 1958 Übersiedlung nach der Bundesrepublik, lebt seit 1959 in Hamburg. Ab 1960 ständiger Literaturkritiker der Wochenzeitung *Die Zeit*. 1968/69 Gastprofessuren an amerikanischen Universitäten. 1971 Berufung zum ständigen Gastprofessor der Universitäten Stockholm und Uppsala.

V.: *Deutsche Literatur in West und Ost*, Ess. (63); *Literarisches Leben in Deutschland – Kommentare und Pamphlete* (65); *Wer schreibt, provoziert – Kommentare und Pamphlete* (66); *Literatur der kleinen Schritte*, Ess. (67); *Die Ungeliebten – Sieben Emigranten*, Ess. (68); *Lauter Verrisse*, Ess. (70).

Inhaltsverzeichnis

nach dem Alter der Autoren

Paul Heyse (1830–1914)   Ein Ring 91
Ferdinand von Saar (1833–1906)   Die Familie Worel 131
Isolde Kurz (1853–1944)   Schlafen 153
Eduard von Keyserling (1855–1918)   Die Soldaten-Kersta . 55
Hermann Sudermann (1857–1928)   Die Reise nach Tilsit .. 448
Arthur Schnitzler (1862–1931)   Leutnant Gustl 9
Paul Scheerbart (1863–1915)   Rakkóx der Billionär 39
Ricarda Huch (1864–1947)   Das Judengrab 109
Frank Wedekind (1864–1918)   Die Schutzimpfung 148
Emil Strauss (1866–1967)   Der Laufen 200
Paul Ernst (1866–1933)   Der Tod des Dschinghiskhan . .. 75
Ludwig Thoma (1867–1926)   Onkel Peppi 311
Karl Schönherr (1867–1943)   Henkermahl 126
Heinrich Mann (1871–1950)   Gretchen 233
Jakob Wassermann (1873–1934)   Der Stationschef 159
Hugo von Hofmannsthal (1874–1929)   Lucidor 254
Wilhelm von Scholz (1874–1969)   Der Zweikampf 407
August Stramm (1874–1915)   Warten 385
Thomas Mann (1875–1955)   Das Eisenbahnunglück 224
Rainer Maria Rilke (1875–1926)   Die Turnstunde 70
Hermann Hesse (1877–1962)   Die Verlobung 163
Carl Sternheim (1878–1942)   Busekow 336
Robert Walser (1878–1956)   Sebastian 386
Alfred Döblin (1878–1957)   Die Ermordung einer Butter-
blume   266
Robert Musil (1880–1942)   Das verzauberte Haus 180
Stefan Zweig (1881–1942)   Sommernovellette 277
Leonhard Frank (1882–1961)   Der Vater 481
Franz Kafka (1883–1924)   Das Urteil 352
Max Brod (1884–1968)   Notwehr 363
Lion Feuchtwanger (1884–1958)   Der Karneval von Ferrara 197
Leo Perutz (1884–1957)   Der Tod des Meisters der Materie 398

Gustav Sack (1885–1916)   Im Heu 418

Gottfried Benn (1886–1956)   Gehirne 423

Hermann Broch (1886–1951)   Methodisch konstruiert   .. 490

Albert Ehrenstein (1886–1950)   Iskander 441

Georg Heym (1887–1912)   Jonathan 300

Arnold Zweig (1887–1968)   Das Kind 287

Franz Werfel (1890–1945)   Die Geliebte 443

Kasimir Edschmid (1890–1966)   Das beschämende Zimmer 428

Klabund (1890–1928)   Der Flieger 446

MARCEL REICH-RANICKI

Deutsche Literatur in West und Ost
Prosa seit 1945
19. Tsd. 498 Seiten. Leinen und broschiert

»Die rühmlichste Tugend dieser Essaysammlung liegt in dem
Bemühen, mit dem Provinzialismus gründlich aufzuräumen
und von der deutschen Literatur, von hüben und drüben, in
einem langen Atemzug zu sprechen – ohne Rücksicht auf Tabus,
Taktisches und parlamentarische Interessen.«

Peter Demetz, MERKUR

Literatur der kleinen Schritte
Deutsche Schriftsteller heute
343 Seiten. Leinen und broschiert

»Daß Reich-Ranicki nicht nur ein Meister kritischer Sezierun-
gen am literarischen Einzelobjekt ist, sondern auch den auf
Überschau angelegten Essay beherrscht, verdeutlichen sein Vortrag über ›Die deutschen Schriftsteller und die deutsche Wirklichkeit‹ und vor allem die glänzende Studie über das Werk
Arno Schmidts.«

Manfred Durzak, Germanistik

Lauter Verrisse
Mit einem einleitenden Essay. Reihe Roter Schnitt 5
188 Seiten. Kartoniert

»Er verliert den Gegenstand, über den er schreibt, keinen Augenblick aus den Augen, der Gegenstand bleibt ihm ständig
gegenüber wie eine Scheibe, auf die er seine Urteile wie Pfeile
wirft, und nicht selten treffen sie ins Schwarze.«

Rudolf Hartung, Süddeutsche Zeitung